A HISTÓRIA EM DISCURSOS

50 DISCURSOS QUE MUDARAM O BRASIL E O MUNDO

MARCO ANTONIO VILLA

A
HISTÓRIA
EM
DISCURSOS

50 DISCURSOS QUE MUDARAM O BRASIL E O MUNDO

CRÍTICA

Copyright © Marco Antonio Villa, 2018
Copyright © Editora Planeta do Brasil, 2018
Todos os direitos reservados.

Tradução de discursos: Celina Portocarrero (Discursos de: Lord Byron, Victor Hugo, Willian Jennings Bryan, Benito Mussolini, Franklin Roosevelt, Francisco Franco, Charles de Gaulle, Adolf Hitler, Mahatma Gandhi, Juan Domingo Perón, Ho Chi Minh, Nikita Kruschev, Patrice Lumumba, Vlácav Havel, Mikhail Gorbachev)
Preparação: Barbara C. Parente
Revisão: Ana Tereza Clemente e Fernanda Guerriero Antunes
Projeto gráfico: C. Carrero
Diagramação: Anna Yue
Pesquisa iconográfica: Daniela Chahin Barauna
Capa: Rafael Brum

Dados Internacionais de Catalogação na Publicação (CIP)
Angélica Ilacqua CRB-8/7057

A história em discursos : 50 discursos que mudaram o Brasil e o mundo / Marco Antonio Villa. – São Paulo : Planeta, 2018.
320 p.

ISBN: 978-85-422-1402-4

1. Discursos 2. Brasil - História 3. História I. Villa, Marco Antonio

18-1233   CDD 808.85

2019
Todos os direitos desta edição reservados à
EDITORA PLANETA DO BRASIL LTDA.
Rua Bela Cintra, 986, 4º andar – Consolação
São Paulo – SP – 01415-002
www.planetadelivros.com.br
atendimento@editoraplaneta.com.br

Sumário

APRESENTAÇÃO   7

PÉRICLES   9
SÓCRATES   16
MARCO ANTÔNIO   22
MARCO TÚLIO CÍCERO   31
SANTO AGOSTINHO   38
SÃO JOÃO CRISÓSTOMO   44
LOURENÇO DE MÉDICI   49
UM ANTIGO SÁBIO ASTECA   53
PADRE ANTÔNIO VIEIRA   58
MAXIMILIEN ROBESPIERRE   65
THOMAS JEFFERSON   69
FREI CANECA   75
SIMÓN BOLÍVAR   83
LORD BYRON   91
ALEXIS DE TOCQUEVILLE   98
VICTOR HUGO   103
ABRAHAM LINCOLN   111
ANTERO DE QUENTAL   113
FRIEDRICH ENGELS   118
JOAQUIM NABUCO   122
SILVA JARDIM   129
WILLIAM JENNINGS BRYAN   136

SÍLVIO ROMERO   143
RICARDO FLORES MAGÓN   150
ORTEGA Y GASSET   156
RUI BARBOSA   161
VLADIMIR ILICH LÊNIN   169
BENITO MUSSOLINI   176
GETÚLIO VARGAS   182
FRANKLIN DELANO ROOSEVELT   188
FRANCISCO FRANCO   195
FRANCISCO CAMPOS   199
WINSTON CHURCHILL   205
CHARLES DE GAULLE   209
ADOLF HITLER   212
MAHATMA GANDHI   221
JUAN DOMINGO PERÓN   226
THOMAS MANN   231
HO CHI MINH   235
AFONSO ARINOS   240
NIKITA KRUSCHEV   249
MAO TSÉ-TUNG   257
PATRICE LUMUMBA   263
JOHN KENNEDY   268
CARLOS LACERDA   274
FIDEL CASTRO   279
MARTIN LUTHER KING   287
ULYSSES GUIMARÃES   294
VLÁCAV HAVEL   303
MIKHAIL GORBACHEV   310

BIBLIOGRAFIA   315

Apresentação

Toda seleção é arbitrária. Procurei fugir do lugar-comum. Trazer ao leitor discursos pouco conhecidos, mas que tiveram importância no momento histórico em que foram proferidos. O foco são aqueles pronunciamentos que contêm valores e ideias ainda presentes no mundo contemporâneo. Não há nenhum sentido valorativo ou de concordância com os temas tratados. É um amplo painel fundamentalmente sobre a política e sua relação com o cidadão ao longo da história.

Os textos estão apresentados seguindo uma ordem cronológica. Não há separação por países ou por continentes. Ao contrário, o intuito é que o leitor note o processo de circulação das ideias e de como passam a ter conexão com uma determinada conjuntura e adquirem vida própria.

Os discursos selecionados foram pronunciados em momentos de intensa disputa política. Não economizam no duro confronto de ideias. Raramente o objetivo é a conciliação. Demonstram que o franco debate possibilita melhor compreender uma determinada conjuntura política e apresentar caminhos alternativos.

É inegável a beleza plástica da maioria dos discursos. Isso não leva ao ocultamento das ideias. Há uma combinação entre a exposição e a mensagem, tanto na fala política como na religiosa. Ambas exibem uma visão de mundo, um conjunto de valores, que estão presentes na contemporaneidade.

Cada discurso pode permitir uma reflexão sobre o Brasil. Vivemos tempos sombrios – outros países, retratados neste livro, também passaram por momentos difíceis. O desafio é encontrar caminhos que superem uma conjuntura crítica. Há um processo constante de mudança. E – ainda bem – sem um ponto-final definido.

Marco Antonio Villa

PÉRICLES[1]

NOSSA CIDADE É A ESCOLA DE TODA A HÉLADE.[2]

São conhecidos somente três discursos de Péricles – e todos atribuídos a ele pelo historiador Tucídides. Neste, ele define a especificidade de Atenas no mundo grego. Acentua a importância basilar da democracia e de sua importância para a vida e a prosperidade da cidade. Destaca que o discurso (o debate) não obstrui a prática (a ação), ao contrário, qualifica a decisão tomada.

Muitos dos que me precederam neste lugar fizeram elogios ao legislador, que acrescentou um discurso à cerimônia usual nestas circunstâncias, considerando justo celebrar também com palavras os mortos na guerra em seus funerais. A mim, todavia, ter-me-ia parecido suficiente, tratando-se

---

1. Péricles (ca. 495-429 a.C.). Estratego de Atenas.
2. Oração fúnebre no primeiro ano da Guerra do Peloponeso (431-404 a.C.). Todos os títulos dos discursos são meus, e não dos autores.

de homens que se mostraram valorosos em atos, manifestar apenas com atos as honras que lhes prestamos – honras como as que hoje presenciastes nesta cerimônia fúnebre oficial – em vez de deixar o reconhecimento do valor de tantos homens na dependência do maior ou menor talento oratório de um só homem. É de fato difícil falar com propriedade numa ocasião em que não é possível aquilatar a credibilidade das palavras do orador. O ouvinte bem-informado e disposto favoravelmente pensará talvez que não foi feita a devida justiça em face de seus próprios desejos e de seu conhecimento dos fatos, enquanto outro menos informado, ouvindo falar de um feito além de sua própria capacidade, será levado pela inveja a pensar em algum exagero. De fato, elogios a outras pessoas são toleráveis somente até onde cada um se julga capaz de realizar qualquer dos atos cuja menção está ouvindo; quando vão além disso, provocam a inveja, e com ela a incredulidade. Seja como for, já que os nossos antepassados julgaram boa essa prática também devo obedecer à lei, e farei o possível para corresponder à expectativa e às opiniões de cada um de vós.

Falarei primeiro de nossos antepassados, pois é justo e ao mesmo tempo conveniente, numa ocasião como esta, dar-lhes este lugar de honra rememorando os seus feitos. Na verdade, perpetuando-se em nossa terra através de gerações sucessivas, eles, por seus méritos, no-la transmitiram livre até hoje. Se eles são dignos de elogios, nossos pais o são ainda mais, pois aumentando a herança recebida, constituíram o império que agora possuímos e a duras penas nos deixaram este legado, a nós que estamos aqui e o temos. Nós mesmos aqui presentes, muitos ainda na plenitude de nossas forças, contribuímos para fortalecer o império sob vários aspectos, e demos à nossa cidade todos os recursos, tornando-a autossuficiente na paz e na guerra. Quanto a isso, quer se trate de feitos militares que nos proporcionaram essa série de conquistas,

> **Vivemos sob uma forma de governo que não se baseia nas instituições de nossos vizinhos; ao contrário, servimos de modelo a alguns em vez de imitar outros. Seu nome, como tudo depende não de poucos, mas da maioria, é democracia.**

ou das ocasiões em que nós ou nossos pais nos empenhamos em repelir as investidas guerreiras tanto bárbaras quanto helênicas, pretendo silenciar, para não me tornar repetitivo aqui diante de pessoas às quais nada teria a ensinar. Mencionarei inicialmente os princípios de conduta, o regime de governo e os traços de caráter graças aos quais conseguimos chegar à nossa posição atual, e depois farei o elogio desses homens, pois penso que no momento presente essa exposição não será imprópria e que todos vós aqui reunidos, cidadãos e estrangeiros, podereis ouvi-la com proveito.

Vivemos sob uma forma de governo que não se baseia nas instituições de nossos vizinhos;[3] ao contrário, servimos de modelo a alguns em vez de imitar outros. Seu nome, como tudo depende não de poucos, mas da maioria, é democracia. Nela, no tocante às leis, todos são iguais para a solução de suas divergências privadas, quando se trata de escolher (se é preciso distinguir em qualquer setor), não é o fato de pertencer a uma classe, mas o mérito, que dá acesso aos postos mais honrosos; inversamente, a pobreza não é razão para que alguém, sendo capaz de prestar serviços à cidade, seja impedido de fazê-lo pela obscuridade de sua condição. Conduzimo-nos liberalmente em nossa vida pública, e não observamos com uma curiosidade suspicaz a vida privada de nossos concidadãos, pois não nos ressentimos com nosso vizinho se ele age como lhe apraz, nem o olhamos com ares de reprovação que, embora inócuos, lhe causariam desgosto. Ao mesmo tempo que evitamos ofender os outros em nosso convívio privado, nos afastamos da ilegalidade em nossa vida pública sobretudo devido a um temor reverente, pois somos submissos às autoridades e às leis, em especial àquelas promulgadas para socorrer os oprimidos e às que, embora não escritas, trazem aos transgressores uma desonra visível a todos.

Instituímos muitos entretenimentos para o alívio da mente fatigada; temos concursos, temos festas religiosas regulares ao longo de todo o ano, e nossas casas são arranjadas com bom gosto e elegância, e o deleite que isso nos traz todos os dias afasta de nós a tristeza. Nossa cidade é tão importante que os produtos de todas as terras fluem para nós, e ainda temos

---

3. Alusão aos espartanos, cujas instituições teriam sido copiadas de Creta; veja-se Aristóteles, *Política*.

a sorte de colher os bons frutos de nossa própria terra com certeza de prazer não menor que o sentido em relação aos produtos de outras.

Somos também superiores aos nossos adversários em nosso sistema de preparação para a guerra nos seguintes aspectos: em primeiro lugar, mantemos nossa cidade aberta a todo o mundo e nunca, por atos discriminatórios, impedimos alguém de conhecer e ver qualquer coisa que, não estando oculta, possa ser vista por um inimigo e ser-lhe útil. Nossa confiança se baseia menos em preparativos e estratagemas que em nossa bravura no momento de agir. Na educação, ao contrário de outros que impõem desde a adolescência exercícios penosos para estimular a coragem,[4] nós, com nossa maneira liberal de viver, enfrentamos pelo menos tão bem quanto eles perigos comparáveis. Eis a prova disso: os lacedemônios[5] não vêm sós quando invadem nosso território, mas trazem com eles todos os seus aliados, enquanto nós, quando atacamos o território de nossos vizinhos, não temos maiores dificuldades, embora combatendo em terra estrangeira, em levar frequentemente a melhor. Jamais nossas forças se engajaram todas juntas contra um inimigo, pois aos cuidados com a frota se soma em terra o envio de contingentes nossos contra numerosos objetivos; se os lacedemônios por acaso travam combate com uma parte de nossas tropas e derrotam uns poucos soldados nossos, vangloriam-se de haver repelido todas as nossas forças; se, todavia, a vitória é nossa, queixam-se de ter sido vencidos por todos nós. Se, portanto, levando nossa vida amena em vez de recorrer a exercícios extenuantes, e

> *[...] no tocante às leis todos são iguais para a solução de suas divergências privadas, quando se trata de escolher [...] não é o fato de pertencer a uma classe, mas o mérito, que dá acesso aos postos mais honrosos; inversamente, a pobreza não é razão para que alguém, sendo capaz de prestar serviços à cidade, seja impedido de fazê-lo pela obscuridade de sua condição.*

---

4. Alusão à educação espartana.
5. Os espartanos.

confiantes em uma coragem que resulta mais de nossa maneira de viver que da compulsão das leis, estamos sempre dispostos a enfrentar perigos, a vantagem é toda nossa, porque não nos perturbamos antecipando desgraças ainda não existentes e, chegado o momento da provação, demonstramos tanta bravura quanto aqueles que estão sempre sofrendo; nossa cidade, portanto, é digna de admiração sob esses aspectos e muitos outros.

Somos amantes da beleza sem extravagâncias e amantes da filosofia sem indolência. Usamos a riqueza mais como uma oportunidade para agir que como um motivo de vanglória; entre nós não há vergonha na pobreza, mas a maior vergonha é não fazer o possível para evitá-la. Ver-se-á em uma mesma pessoa ao mesmo tempo o interesse em atividades privadas e públicas, e em outros entre nós que dão atenção principalmente aos negócios não se verá falta de discernimento em assuntos políticos, pois olhamos o homem alheio às atividades públicas não como alguém que cuida apenas de seus próprios interesses, mas como um inútil; nós, cidadãos atenienses, decidimos as questões públicas por nós mesmos, ou pelo menos nos esforçamos por compreendê-las claramente, na crença de que não é o debate que é empecilho à ação, e sim o fato de não se estar esclarecido pelo debate antes de chegar a hora da ação. Consideramo-nos ainda superiores aos outros homens em outro ponto: somos ousados para agir, mas ao mesmo tempo gostamos de refletir sobre os riscos que pretendemos correr; para outros homens, ao contrário, ousadia significa ignorância, e reflexão traz hesitação. Deveriam ser justamente considerados mais corajosos aqueles que, percebendo claramente tanto os sofrimentos quanto as satisfações inerentes a uma ação, nem por isso recuam diante do perigo. Mais ainda: em nobreza de espírito contrastamos com a maioria, pois não é por receber favores, mas por fazê-los, que adquirimos amigos. De fato, aquele que faz o favor é um amigo mais seguro, por estar disposto, devido à constante benevolência para com o beneficiado, a manter vivo nele o sentimento de gratidão. Em contraste, aquele que deve é mais negligente em sua amizade, sabendo que a sua generosidade, em vez de lhe trazer reconhecimento, apenas quitará uma dívida. Enfim, somente nós ajudamos os outros sem temer as consequências, não por mero cálculo de vantagens que obteríamos, mas pela confiança inerente à liberdade.

Em suma, digo que nossa cidade, em seu conjunto, é a escola de toda a Hélade[6] e que, segundo me parece, cada homem entre nós poderia, por sua personalidade própria, mostrar-se autossuficiente nas mais variadas formas de atividade, com a maior elegância e naturalidade. E isso não é mero ufanismo inspirado pela ocasião, mas a verdade real, atestada pela força de nossa cidade, adquirida em consequência dessas qualidades. Com efeito, só Atenas entre as cidades contemporâneas se mostra superior à sua reputação quando posta à prova, e só ela jamais suscitou irritação nos inimigos que a atacaram, ao verem o autor de sua desgraça, ou o protesto de seus súditos porque um chefe indigno os comanda. Já demos muitas provas de nosso poder, e certamente não faltam testemunhos disso; seremos portanto admirados não somente pelos homens de hoje, mas também do futuro. Não necessitamos de um Homero para cantar nossas glórias, nem de qualquer outro poeta cujos versos poderão talvez deleitar no momento, mais que verão a sua versão dos fatos desacreditada pela realidade. Compelimos todo o mar e toda a terra a dar passagem à nossa audácia, e em toda parte plantamos monumentos imorredouros dos males e dos bens que fizemos. Essa, então, é a cidade pela qual esses homens lutaram e morreram nobremente, considerando seu dever não permitir que ela lhes fosse tomada; é natural que todos os sobreviventes, portanto, aceitem de bom grado sofrer por ela.

Nós, cidadãos atenienses, decidimos as questões públicas por nós mesmos, ou pelo menos nos esforçamos por compreendê-las claramente, na crença de que não é o debate que é empecilho à ação, e sim o fato de não se estar esclarecido pelo debate antes de chegar a hora da ação.

Falei detidamente sobre a cidade para mostrar-vos que estamos lutando por um prêmio maior que o daqueles cujo gozo de tais privilégios não é comparável ao nosso, e ao mesmo tempo para provar de forma cabal que os homens em cuja honra estou falando agora merecem os nossos elogios. Quanto a eles, muita coisa já foi dita, pois quando louvei a cidade estava

---

6. A Grécia.

de fato elogiando os feitos heroicos com que esses homens e outros iguais a eles a glorificaram; e não há muitos helenos cuja fama esteja como a deles tão exatamente adequada a seus feitos. Parece-me ainda que uma morte como a desses homens é prova total de máscula coragem, seja como seu primeiro indício, seja como sua confirmação final. Mesmo que para alguns menos louváveis por outros motivos, a bravura comprovada na luta por sua pátria deve com justiça sobrepor-se ao resto; eles compensaram o mal com o bem e saldaram as falhas na vida privada com a dedicação ao bem comum. [...]

Aqui termino o meu discurso, no qual, de acordo com o costume, falei o que me pareceu adequado; quanto aos fatos, os homens que viemos sepultar já receberam as nossas homenagens e seus filhos serão, de agora em diante, educados a expensas da cidade até a adolescência; assim oferecemos aos mortos e a seus descendentes uma valiosa coroa como prêmio por seus feitos, pois onde as recompensas pela virtude são maiores, ali se encontram melhores cidadãos. Agora, depois de cada um haver chorado devidamente os seus mortos, ide embora.[7]

---

7. In: Tucídides. *História da Guerra do Peloponeso*. Brasília: Editora Universidade de Brasília, 1982, pp. 97-102.

SÓCRATES[8]

AFINAL, SÓCRATES, QUAL É A TUA OCUPAÇÃO?[9]

A defesa de Sócrates, atribuída a ele por Platão, é a mais perfeita tradução do seu método de conhecimento que tem como base o diálogo. Acabou processado por impiedade e acusado de corromper a juventude. E, por fim, foi condenado à morte.

[...]

Um de vós poderia intervir: "Afinal, Sócrates, qual é a tua ocupação? Donde procedem as calúnias a teu respeito? Naturalmente, se não tivesses uma ocupação muito fora do comum, não haveria esse falatório, a menos que praticasses alguma extravagância. Dize-nos, pois, qual é ela, para que não façamos nós um juízo precipitado". Teria razão quem assim falasse;

---
8. Sócrates (470-399 a.C.). Filósofo grego.
9. Discurso de Sócrates quando do seu julgamento (339 a.C.) em Atenas.

tentarei explicar-vos a procedência dessa reputação caluniosa. Ouvi, pois. Alguns de vós achareis, talvez, que estou gracejando, mas não tenhais dúvida: eu vos contarei toda a verdade. Pois eu, atenienses, devo essa reputação exclusivamente a uma ciência. Qual vem a ser a ciência? A que é, talvez, a ciência humana. É provável que eu a possua realmente, os mestres mencionados há pouco possuem, quiçá, uma sobre-humana, ou não sei que diga, porque essa eu não aprendi, e quem disser o contrário me estará caluniando. Por favor, atenienses, não vos amotineis, mesmo que eu vos pareça dizer uma enormidade; a alegação que vou apresentar nem é minha; citarei o autor, que considerais idôneo. Para testemunhar a minha ciência, se é uma ciência, e qual é ela, vos trarei o deus de Delfos.[10] Conhecestes Querefonte, decerto. Era meu amigo de infância e também amigo do partido do povo e seu companheiro naquele exílio de que voltou conosco. Sabeis o temperamento de Querefonte, quão tenaz nos seus empreendimentos. Ora, certa vez, indo a Delfos, arriscou essa consulta ao oráculo – repito, senhores, não vos amotineis –; ele perguntou se havia alguém mais sábio que eu; respondeu a Pítia[11] que não havia ninguém mais sábio. Para testemunhar isso, tendes aí o irmão dele, porque ele já morreu.

> *Alguns de vós achareis, talvez, que estou gracejando, mas não tenhais dúvida: eu vos contarei toda a verdade. Pois eu, atenienses, devo essa reputação exclusivamente a uma ciência. Qual vem a ser a ciência? A que é, talvez, a ciência humana.*

Examinai por que vos conto eu esse fato; é para explicar a procedência da calúnia. Quando soube daquele oráculo, pus-me a refletir assim: "Que quererá dizer o deus? Que sentido oculto pôs na resposta? Eu cá não tenho consciência de ser nem muito sábio nem pouco; que quererá ele, então, significar declarando-me o mais sábio? Naturalmente, não está mentindo, porque isso lhe é impossível". Por longo tempo fiquei nessa incerteza

---

10. Santuário onde era cultuado Apolo. Famoso pelo oráculo.
11. Sacerdotisa do templo de Delfos. Apresentava os oráculos que eram interpretados pelos sacerdotes.

sobre o sentido; por fim, muito contra meu gosto, decidi-me por uma investigação, que passo a expor. Fui ter com um dos que passam por sábios, porquanto, se havia lugar, era ali que, para rebater o oráculo, mostraria ao deus: "Eis aqui um mais sábio que eu, quando tu disseste que eu o era!". Submeti a exame essa pessoa – é escusado dizer o seu nome; era um dos políticos. Eis, atenienses, a impressão que me ficou do exame e da conversa que tive com ele; achei que ele passava por sábio aos olhos de muita gente, sobretudo aos seus próprios, mas não o era. Meti-me, então, a explicar-lhe que supunha ser sábio, mas não o era. A consequência foi tornar-me odiado dele e de muitos dos circunstantes.

Ao retirar-me, ia concluindo de mim para comigo: "Mais sábio do que esse homem eu sou; é bem provável que nenhum de nós saiba nada de bom, mas ele supõe saber alguma coisa e não sabe, enquanto eu, se não sei, tampouco suponho saber. Parece que sou um nadinha mais sábio que ele exatamente em não supor que saiba o que não sei". Daí fui ter com outro, um dos que passam por ainda mais sábios, e tive a mesmíssima impressão; também ali me tornei odiado dele e de muitos outros.

> *Mais sábio do que esse homem eu sou; é bem provável que nenhum de nós saiba nada de bom, mas ele supõe saber alguma coisa e não sabe, enquanto eu, se não sei, tampouco suponho saber. Parece que sou um nadinha mais sábio que ele exatamente em não supor que saiba o que não sei.*

Depois disso, não parei, embora sentisse, com mágoa e apreensões, que me ia tornando odiado; não obstante, parecia-me imperioso dar a máxima importância ao serviço do deus. Cumpria-me, portanto, para averiguar o sentido do oráculo, ir ter com todos os que passavam por senhores de algum saber. Pelo Cão, atenienses! Já que vos devo a verdade, juro que se deu comigo mais ou menos isso: investigando de acordo com o deus, achei que aos mais reputados pouco faltava para serem os mais desprovidos, enquanto outros, tidos como inferiores, eram os que mais aspectos tinham de ser homens de senso. Devo narrar-vos os meus vaivéns nessa faina de averiguar o oráculo.

Depois dos políticos, fui ter com os poetas, tanto os autores de tragédias como os de ditirambos e outros, na esperança de aí me apanhar em flagrante inferioridade cultural. Levando em mãos as obras em que pareciam ter posto o máximo de sua capacidade, interrogava-os minuciosamente sobre o que diziam, para ir, ao mesmo tempo, aprendendo deles alguma coisa. Pois bem, senhores, coro de vos dizer a verdade, mas é preciso. A bem dizer, quase todos os circunstantes poderiam falar melhor que eles próprios sobre as obras que eles compuseram. Assim, logo acabei compreendendo que tampouco os poetas compunham suas obras por sabedoria, mas por dom natural, em estado de inspiração, como os adivinhos e profetas. Estes também dizem muitas belezas, sem nada saber do que dizem; o mesmo, apurei, se dá com os poetas; ao mesmo tempo, notei que, por causa da poesia, eles supõem ser os mais sábios dos homens em outros campos, em que não o são. Saí, pois, acreditando superá-los na mesma particularidade que aos políticos.

Por fim, fui ter com os artífices; tinha consciência de não saber, a bem dizer, nada, e certeza de neles descobrir muitos belos conhecimentos. Nisso não me enganava; eles tinham conhecimentos que me faltavam; eram, assim, mais sábios que eu. Contudo, atenienses, achei que os bons artesãos têm o mesmo defeito dos poetas; por praticar bem a sua arte, cada qual imaginava ser sapientíssimo nos demais assuntos, os mais difíceis, e esse engano toldava-lhes aquela sabedoria. De sorte que perguntei a mim mesmo, em nome do oráculo, se preferia ser como sou, sem a sabedoria deles nem sua ignorância, ou possuir, como eles, uma e outra; e respondi, a mim mesmo e ao oráculo, que me convinha mais ser como sou.

Dessa investigação é que procedem, atenienses, de um lado, tantas inimizades, tão acirradas e maléficas, que deram nascimento a tantas calúnias, e, de outro, essa reputação de sábio. É que, toda vez, os circunstantes supõem que eu seja um sábio na matéria em que confundo a outrem. O provável, senhores, é que, na realidade, o sábio seja o deus e queira dizer, no seu oráculo, que pouco valor ou nenhum tem a sabedoria humana; é evidente que se terá servido deste nome de Sócrates para me dar como exemplo, como se dissesse: "O mais sábio entre vós, homens, é quem, como Sócrates, compreendeu que sua sabedoria é verdadeiramente desprovida do mínimo valor". Por isso não parei essa investigação até hoje, vagueando e interrogando, de acordo com o deus, a quem, seja cidadão, seja forasteiro, eu tiver na conta de sábio, e, quando julgar que não o é, coopero com o deus, provando-lhe que não é sábio. Essa ocupação não me permitiu lazeres para qualquer atividade digna de menção nos negócios públicos nem nos particulares; vivo numa pobreza extrema, por estar ao serviço do deus.

Além disso, os moços que de forma espontânea me acompanham – e são os que dispõem de mais tempo, os das famílias mais ricas – sentem prazer em ouvir o exame dos homens; eles próprios imitam-me muitas vezes; nessas ocasiões, metem-se a interrogar os outros; suponho que descobrem uma multidão de pessoas que supõe saber alguma coisa, mas pouco sabe, quiçá nada. Em consequência, os que eles examinam se exasperam contra mim e não contra si mesmos, e propalam que existe um tal Sócrates, um grande miserável, que corrompe a mocidade. Quando se lhes pergunta por quais atos ou ensinamentos, não têm o que responder; não sabem, mas, para não mostrar seu embaraço, aduzem aquelas acusações contra todo filósofo, sempre à mão: "Os fenômenos celestes – o que há sob a terra – a descrença dos deuses – o prevalecimento da razão mais fraca". Porque, suponho, não estariam dispostos a confessar a verdade: terem dado prova de que fingem saber, mas nada sabem. Como são ciosos de honrarias, tenazes, e numerosos, persuasivos no que dizem de mim por se confirmarem uns aos outros, não é de hoje

[...] os moços que de forma espontânea me acompanham [...] sentem prazer em ouvir o exame dos homens; eles próprios imitam-me muitas vezes; nessas ocasiões, metem-se a interrogar os outros; suponho que descobrem uma multidão de pessoas que supõe saber alguma coisa, mas pouco sabe, quiçá nada. Em consequência, os que eles examinam se exasperam contra mim e não contra si mesmos, e propalam que existe um tal Sócrates, um grande miserável, que corrompe a mocidade.

que eles têm enchido vossos ouvidos de calúnias assanhadas. Daí a razão de me atacarem Meleto, Ânito e Licão – tomando Meleto as dores dos poetas; Ânito, as dos artesãos e políticos; e Licão, as dos oradores. Assim, como dizia ao começar, eu ficaria surpreso se lograsse, em tão curto prazo, delir em vós os efeitos dessa calúnia assim avolumada.

Aí tendes, atenienses, a verdade; em meu discurso não vos oculto nada que tenha alguma importância, nada vos dissimulo. No entanto, sei que me estou tornando odioso por mais ou menos os mesmos motivos, o que comprova a verdade do que digo, que é mesmo essa a calúnia contra mim e são mesmo essas as suas causas. É o que haveis de descobrir, se investigardes agora ou mais tarde.[12] [...]

---

12. In: Platão. *Defesa de Sócrates*. São Paulo: Abril, 1972, pp. 14-16.

MARCO ANTÔNIO[13]

HOMENS HONRADOS, NADA! SÃO TRAIDORES.[14]

Reconstrução teatral do discurso atribuído a Marco Antônio quando da morte de Júlio César (15 de março de 44 a.C.). É importante ressaltar o poder da oratória, o convencimento dos ouvintes e sua relação com a conjuntura em um momento de grave tensão política.

> ANTÔNIO – Concidadãos, romanos, bons amigos,
> concedei-me atenção. Vim para fazer o enterro
> de César[15], não para elogiá-lo.

---

13. Marco Antônio (83-30 a.C.). À época do assassinato de César, era administrador da Itália. No ano seguinte, irá formar o Segundo Triunvirato com Otávio e Lépido.

14. Uma passagem da tragédia *Júlio César*, de William Shakespeare, provavelmente escrita em 1599.

15. Júlio César (100-44 a.C.). À época dos fatos, ditador romano.

Aos homens sobrevive o mal que fazem,
mas o bem quase sempre com seus ossos
fica enterrado. Seja assim com César.
O nobre Bruto[16] vos contou que César
era ambicioso. Se ele o foi, realmente,
grave falta era a sua, tendo-a César
gravemente expiado. Aqui me encontro
por permissão de Bruto e dos demais –
Bruto é homem honrado, como os outros;
todos homens honrados – aqui me acho
para falar nos funerais de César.
César foi meu amigo, fiel e justo;
mas Bruto disse que ele era ambicioso,
e Bruto é muito honrado. César trouxe
numerosos cativos para Roma,
cujos resgates o tesouro encheram.
Nisso se mostrou César ambicioso?
Para os gritos dos pobres tinha lágrimas.
A ambição deve ser de algo mais duro.
Mas Bruto disse que ele era ambicioso,
e Bruto é muito honrado. Vós o vistes
nas Lupercais:[17] três vezes recusou-se
a aceitar a coroa que eu lhe dava.
Ambição será isso? Entretanto,
Bruto disse que ele era ambicioso,
sendo certo que Bruto é muito honrado.
Contestar não pretendo o nobre Bruto;
só vim dizer-vos o que sei, realmente.
Todos antes o amáveis, não sem causa.
Que é então que vos impede de chorá-lo?
Ó julgamento! Foste para o meio

---

16. Marco Júnio Bruto (85-42 a.C.). Considerado o líder da conspiração contra Júlio César.
17. Lupercais: festa romana realizada em 14 de fevereiro.

dos brutos animais, tendo os humanos
o uso perdido da razão. Perdoai-me;
mas tenho o coração, neste momento,
no ataúde de César; é preciso
calar até que ao peito ele me volte.
PRIMEIRO CIDADÃO – Penso que em sua fala há muito senso.
SEGUNDO CIDADÃO – Se bem considerardes, procederam
muito mal contra César.
TERCEIRO CIDADÃO – Sim, amigos?
Temo que em seu lugar venha outro pior.
QUARTO CIDADÃO – Prestastes atenção no que ele disse?
Recusou a coroa. Logo, é certo não ter sido ambicioso.
PRIMEIRO CIDADÃO – Isso provado, muita gente terá de pagar
caro.
SEGUNDO CIDADÃO – Pobre alma! Tinha os olhos como fogo,
à força de chorar.
TERCEIRO CIDADÃO – Em toda Roma
não há ninguém mais nobre do que Antônio.
QUARTO CIDADÃO – Atenção! Ele vai falar de novo.
ANTÔNIO – Até ontem a palavra do alto César
podia resistir ao mundo inteiro.
Hoje, ei-lo aí, sem que ante o seu cadáver
se curve o mais humilde. Ó cidadãos!
Se eu disposto estivesse a rebelar-vos
o coração e a mente, espicaçando-os
para a revolta, ofenderia Bruto,
ofenderia Cássio,[18] que são homens
honrados, como vós bem o sabeis.
Não pretendo ofendê-los; antes quero
ofender o defunto, a mim e a vós,
do que ofender pessoas tão honradas.
Vede este pergaminho; traz o selo
de César. Encontrei-o no seu quarto;

---

18. Caio Cássio Longino (85-42 a.C.). Teria ferido Júlio César no rosto.

é o testamento dele. Caso o povo
sua leitura ouvisse – desculpai-me,
mas não pretendo lê-lo – correriam
todos a depor beijos nas feridas
do morto César e a tingir
os lenços em seu sagra-
do sangue. Mais: viriam
mendigar-lhe um cabelo,
por lembrança, que, ao morrerem, seria em testamento
transmitido aos herdeiros
sucessivos,
como rico legado.

Aos homens sobrevive o mal que fazem, mas o bem quase sempre com seus ossos fica enterrado. Seja assim com César.

QUARTO CIDADÃO – Desejamos
ouvir o testamento. Lede-o, Antônio.
CIDADÃOS – O testamento! Lede o testamento
de César!
ANTÔNIO – Acalmai-vos, bons amigos.
Não posso lê-lo; não convém ficardes
sabendo quanto César vos amava.
Não sois de pedra, nem de pau, mas homens;
e, como tal, se ouvísseis a leitura
do testamento dele, poderíeis
inflamados ficar, ficar furiosos.
Conveniente não é ficardes todos
sabendo que os herdeiros sois de César;
pois se o soubésseis, que não se daria?
QUARTO CIDADÃO – O testamento! Lede o testamento
de César, Marco Antônio! Lede-o logo!
ANTÔNIO – Não podeis acalmar-vos um momento?
Fui indiscreto ao vos falar sobre isso.
Temo ofender quantos honrados homens
apunhalaram César. Temo-o muito.
QUARTO CIDADÃO – Homens honrados, nada! São traidores.

CIDADÃOS – São vilãos e assassinos todos eles.
O testamento! Lede o testamento!
ANTÔNIO – Forçais-me, então, a ler o testamento?
Sendo assim, vinde em círculo postar-vos
ao redor do cadáver, porque eu possa
apontar-vos o autor do testamento.
Posso descer? Consentireis que o faça?
CIDADÃOS – Vinde para cá.
SEGUNDO CIDADÃO – Descei.
(Antônio desce da tribuna.)
TERCEIRO CIDADÃO – Estais autorizado a fazê-lo.
QUARTO CIDADÃO – Façamos um círculo.
PRIMEIRO CIDADÃO – Afastai-vos do ataúde! Afastai-vos do corpo!
SEGUNDO CIDADÃO – Demos lugar para Antônio, para o muito nobre Antônio!
ANTÔNIO – Não me aperteis tanto. Afastai-vos um pouco.
CIDADÃOS – Recuai! Espaço! Recuai!
ANTÔNIO – Se lágrimas tiverdes, preparai-vos
neste momento para derramá-las.
Conheceis este manto. Ainda me lembro
quando César o estreou; era uma tarde
de verão, em sua tenda, justamente
no dia em que vencera os fortes nérvios.
Vede o furo deixado pela adaga
de Cássio; contemplai o estrago feito
pelo invejoso Casca;[19] através deste
apunhalou-o o muito amado Bruto,
e ao retirar seu aço amaldiçoado,
observai com cuidado como o sangue
de César o seguiu, como querendo
vir para a porta, a fim de convencer-se
se era Bruto, realmente, quem batia

---

19. Participante da conspiração.

por modo tão grosseiro, porque Bruto,
como o sabeis, era o anjo do finado.
Julgai, ó deuses! quanto o amava César.
De todos, foi o golpe mais ingrato,
pois quando Bruto viu o nobre César,
a ingratidão mais forte do que o braço
dos traidores, de todo o pôs por terra.
O coração potente, então, partiu-se-lhe
e, no manto escondendo o rosto, veio
cair o grande César justamente
ao pé da estátua de Pompeu,[20] que sangue
todo o tempo escorria.
Que queda essa,
caros concidadãos! Eu,
vós, nós todos
nesse instante caímos,
alegrando-se
sobre nós a traição rubra
de sangue.
Oh! Vejo que chorais,
que sois sensíveis
à impressão da piedade. Delicadas
lágrimas derramais. Mas chorais tanto,
bondosas almas, só de o manto verde
do nosso César, cheio, assim, de furos?
Então olhai para isto, o próprio corpo
de César, deformado por traidores.
PRIMEIRO CIDADÃO – Oh espetáculo lamentável!

Vede o furo deixado pela adaga de Cássio; contemplai o estrago feito pelo invejoso Casca; através deste apunhalou-o o muito amado Bruto, e ao retirar seu aço amaldiçoado, observai com cuidado como o sangue de César o seguiu, como querendo vir para a porta, a fim de convencer-se se era Bruto, realmente, quem batia por modo tão grosseiro, porque Bruto, como o sabeis, era o anjo do finado.

---

20. Cneu Pompeu Magno (106-48 a.C.): foi cônsul e membro do Primeiro Triunvirato juntamente com Júlio César e Crasso.

SEGUNDO CIDADÃO – Oh nobre César!
TERCEIRO CIDADÃO – Oh dia de luto!
QUARTO CIDADÃO – Oh celerados! Oh traidores!
PRIMEIRO CIDADÃO – Que espetáculo sangrento!
SEGUNDO CIDADÃO – Queremos vingança!
CIDADÃOS – Vingança! Vamos procurá-los! Fogo! Morte! Fogo! Matemos os traidores!
ANTÔNIO – Parai, concidadãos!
PRIMEIRO CIDADÃO – Silêncio! Ouçamos o nobre Antônio.
SEGUNDO CIDADÃO – Queremos ouvi-lo; iremos para onde ele for; queremos morrer com ele!
ANTÔNIO – Bons e amáveis amigos, não desejo
levar-vos a uma súbita revolta.
Os autores deste ato são honrados.
Ignoro as causas, ai!, particulares
que a este extremo os levaram; mas são sábios, todos eles, e honrados, e decerto
vos dariam razões do que fizeram.
Não vim aqui roubar-vos, meus amigos, o coração. Careço da eloquência de Bruto. Sou um homem franco e simples, como bem o sabeis, que tinha o mérito de amar o seu amigo, o que sabiam perfeitamente quantos permitiram
que eu viesse falar dele. Pois é fato: não tenho espírito, valor, palavras, gesto, eloquência e a força da oratória

Pois é fato: não tenho espírito, valor, palavras, gesto, eloquência e a força da oratória para inflamar o sangue dos ouvintes. Contento-me em falar tal como falo, simplesmente, dizendo-vos apenas o que todos sabeis, e ora vos mostro as feridas do nosso caro César – pobres bocas sem fala! – concitando-as a falarem por mim.

para inflamar o sangue dos ouvintes.
Contento-me em falar tal como falo,
simplesmente, dizendo-vos apenas
o que todos sabeis, e ora vos mostro
as feridas do nosso caro César –
pobres bocas sem fala! – concitando-as
a falarem por mim. Se eu fosse Bruto,
sendo ele Antônio, agora aqui teríeis
um Antônio capaz de levantar-vos
o espírito e em cada uma das feridas
de César uma voz pôr, que faria
revoltarem-se as pedras da alta Roma.
CIDADÃOS – Revolta, sim! Revolta!
PRIMEIRO CIDADÃO – Queimaremos
logo a casa de Bruto.
TERCEIRO CIDADÃO – Então partamos
sem demora. Peguemos os traidores.
ANTÔNIO – Concidadãos, ouvi-me. Vou falar-vos.
CIDADÃOS – Que fale Antônio, o muito nobre Antônio!
ANTÔNIO – Sabeis, amigos, o que estais a ponto
de realizar? Em que mereceu César
ser a tal ponto amado de vós todos?
Ah! não o sabeis. Preciso, então, contar-vos.
E o testamento, já vos esquecestes,
de que falei há pouco?
CIDADÃOS – É certo! É certo!
O testamento! Ouçamos a leitura
do testamento!
ANTÔNIO – Aqui vo-lo apresento,
com o selo ainda de César. César deixa
para cada romano em separado
setenta e cinco dracmas.
SEGUNDO CIDADÃO – Nobilíssimo
César! Vamos vingar a morte dele!

TERCEIRO CIDADÃO – Oh real César!
ANTÔNIO – Ouvi-me com paciência.
CIDADÃOS – Olá! Silêncio!
ANTÔNIO – Além disso, deixou-vos seus passeios,
caramanchões privados e os recentes
jardins por ele feitos neste lado
do Tibre. Sim, deixou-vos, para sempre,
para vossos herdeiros, como pontos
de diversão comum, porque pudésseis
passear e distrair-vos. Foi um César,
realmente! Outro igual, quando teremos?
PRIMEIRO CIDADÃO – Nunca! Nunca! Sigamos para
a praça sagrada, a fim de o corpo ali queimarmos,
e com os tições as casas incendiemos
de todos os traidores. Carreguemos o corpo.
SEGUNDO CIDADÃO – Trazei fogo.
TERCEIRO CIDADÃO – Derrubemos os bancos.
QUARTO CIDADÃO – Derrubai logo janelas,
cadeiras, o que for.
(Saem os cidadãos, com o corpo de César.)
ANTÔNIO – Que vá por diante.
Desgraça, estás de pé; toma ora o curso
que bem te parecer.[21]

---

21. In: Shakespeare, William. *Antonio e Cleópatra; Júlio César (tragédias).* Rio de Janeiro. Ediouro, sem data, pp. 230-237.

MARCO TÚLIO CÍCERO[22]

SE MINHA MORTE ACARRETAR A LIBERDADE DE ROMA, OFERECEREI ATÉ, DE BOM GRADO, A MINHA VIDA.[23]

Cícero é o maior orador da Antiguidade. Ficaram conhecidos como filípicas os discursos que pronunciou contra Marco Antônio no Senado, de setembro de 44 a.C. até meados do ano seguinte, já nos estertores da República. Acabou assassinado por ordem de Marco Antônio.

A que sina minha, senadores, devo atribuir o fato de não ter havido nestes últimos vinte anos nenhum inimigo das instituições que não tenha ao

---

22. Marco Túlio Cícero (106-43 a.C.) foi eleito cônsul em 63 a.C.
23. Discurso pronunciado no Senado em 19 de setembro de 44 (a.C.). Alguns historiadores questionam se a Segunda Filípica teria sido proferida. Outros associam o discurso com acontecimentos políticos do agitado ano de 44 a.C., demonstrando que o discurso não só foi escrito, mas também pronunciado em setembro, no Senado romano. A denominação dos discursos é uma alusão a Demóstenes e suas filípicas contra Filipe da Macedônia.

mesmo tempo declarado guerra também a minha pessoa? Nem sequer preciso lembrar o nome de nenhum; recordai-os convosco mesmos. A esses foram infligidos castigos mais severos do que eu desejara. A ti, Antônio, admira-me que daqueles de quem imitas o procedimento não te apavore o fim. Nos outros eu não estranhava tanto essa atitude; nenhum deles era inimigo meu por querer; a todos fui eu que ataquei por motivo do bem público; a ti não lesei sequer com uma palavra, para te mostrares mais audacioso que Lúcio Catilina, mais furibundo que Públio Clódio. Tu me agrediste com insultos, sem provocação, pensando que o rompimento comigo te havia de recomendar junto aos maus cidadãos.

Que devo pensar? Que fui desprezado? Não vejo em minha vida, em meu prestígio, em minhas realizações, nem neste meu talento mediano, nada que um Antônio possa menoscabar. Teria

Assim como está nas sementes a causa das árvores e das plantas, assim dessa guerra lutuosíssima a semente eras tu. Chorais o perecimento de três exércitos do povo romano; quem os matou foi Antônio. Sentis a falta de cidadãos os mais ilustres; quem vo-los arrebatou foi Antônio. A autoridade desta ordem foi humilhada; quem a humilhou foi Antônio. Todos os desastres, enfim, a que assistimos em seguida – e a que desgraça não assistimos? – se refletirmos com acerto, levaremos exclusivamente ao passivo de Antônio.

achado muito fácil malsinar-me no Senado? Ora, esta ordem prestou a muitos cidadãos os mais ilustres o testemunho de haverem bem administrado a República; de havê-la salvado, só a mim o fez. Teria desejado disputar comigo uma competição oratória? Mas é um favor que me faz. Haverá assunto mais farto, matéria mais fecunda para mim do que defender a mim mesmo e atacar Antônio? Certamente o caso é outro; achou impraticável provar aos de sua igualha que era inimigo da pátria, se não fosse inimigo meu.

[...]

Assim como está nas sementes a causa das árvores e das plantas, assim dessa guerra lutuosíssima a semente eras tu. Chorais o perecimento de três exércitos do povo romano; quem os matou foi Antônio. Sentis a falta de cidadãos os mais ilustres; quem vo-los arrebatou foi Antônio. A autoridade desta ordem foi humilhada; quem a humilhou foi Antônio. Todos os desastres, enfim, a que assistimos em seguida – e a que desgraça não assistimos? – se refletirmos com acerto, levaremos exclusivamente ao passivo de Antônio. Como Helena em Troia, assim esse indivíduo foi para a República a causa da guerra, a causa da ruína e do extermínio. Os demais períodos de seu tribunato foram iguais ao início; tudo quanto o Senado, para preservação da República, havia conseguido impedir, ele conseguiu efetuar. Conhecei, contudo, no crime a mente do criminoso.

[...]

Mas deixo de lado aqueles pecados que não se prendem ao papel político com que atormentas a República; torno ao teu verdadeiro papel, à guerra civil, que por tua obra nasceu, deflagrou e prosseguiu.

[...]

Mas que notável aquela tua peregrinação! Por que hei de celebrar o luxo dos jantares, os teus aloucados pifões? Isso são danos teus; os nossos são outros. Quando se tratava de excluir o campo da Campânia das terras tributáveis, a fim de atribuí-lo a soldados, era, não obstante, a nosso ver, um profundo golpe desferido no erário; entretanto, tu o dividias com teus companheiros de patuscadas e jogatinas! No campo da Campânia, senadores, instalavam-se atores e atrizes de mimos! Por que hei de lamentar já agora o campo de Leontinos? Porquanto, um dia, esses arais arrendados na Campânia e em Leontinos consideravam-se uma parte assaz rendosa e frutífera do patrimônio do povo romano. Deste a teu médico três mil jeiras; que tal se te houvesse curado?

[...]

Mas quantos dias ficaste naquela quinta, na mais sórdida bacanal? A partir da terceira hora, bebia-se, jogava-se, vomitava-se. Pobre casa em mãos de "tão diferente dono"! Aliás, a que título esse indivíduo seria o "dono"? Seja como for, "tão diferente ocupante". Varrão[24] queria ali um

---

24. Alusão a Marco Terêncio Varrão.

retiro de seus estudos, não um albergue da crápula. Sobre o que se falava antes naquela quinta? Sobre o que se pensava? Sobre o que se escrevia? Sobre o direito do povo romano, sobre as memórias do passado, sobre os princípios de todo saber e de toda ciência. Já nas tuas mãos de inquilino, que não dono, tudo ecoava o vozeio dos bêbados; os pavimentos nadavam em vinho; as paredes viviam encharcadas; crianças de boa família misturavam-se a invertidos; marafonas a mães de família.

[...]

E que regresso dali para Roma, que alvoroço em toda a cidade. Recordávamos a tirania de Cina[25] e, depois, a dominação de Sila:[26] víamos, pouco antes, o reinado de César. Havia, talvez, espadas então, mas escondidas, menos numerosas. Mas que estranho e bárbaro cortejo o teu! Seguem-te soldados, espadas em punho, formados em quadrado; vemos transportar liteiras carregadas de escudos. Porém, senadores, já se inveteraram essas selvajarias e nós as suportamos por força do hábito. Dia 1º de junho, quando quisemos vir ao Senado, como se tinha assentado, assaltou-nos subitamente o medo e nos dispersamos em fuga. Mas esse indivíduo, como o Senado não lhe fazia falta, não lamentou a ausência de ninguém; alegrou-se, até, de nossa retirada e sem tardança realizou aquelas maravilhas.

Conta, certamente, o regime com jovens nobilíssimos, prontos para defendê-lo. Por mais que se apartem, por amor à paz, a República os chamará de volta. Doce nome tem a paz, em si mesma benéfica, mas muito vai da paz à servidão. A paz é a liberdade tranquila; a servidão, o derradeiro dos males, que cumpre arredar de nós não só pela guerra, mas até pela morte.

Ele, que defendera em proveito próprio as notas da mão de César, derrubou as leis de César, aquelas excelentes, com o propósito de abalar o regime. Aumentou o número de anos de governo das províncias. Ainda, quando lhe incumbia a defesa dos atos de César, ab-rogou os atos de César

---

25. Lúcio Cornélio Cina (?- 84 a.C.) foi eleito quatro vezes cônsul (87-84 a.C.).
26. Lúcio Cornélio Sila (138-78 a.C.) foi cônsul e ditador.

quer no domínio público, quer no particular. No domínio público, nada importa mais do que as leis; no particular, nada mais sólido que um testamento. Das leis, umas revogou sem dá-lo a público; outras, promulgou novas a fim de revogá-las. Invalidou-lhe o testamento, embora sempre se tenha respeitado mesmo o dos cidadãos mais apagados.

[...]

Mas deixemos de parte o passado. Apenas este dia, apenas, repito, este dia de hoje, este átimo de tempo em que falo, justifica-o, se puderes. Por que está o Senado rodeado de uma linha de gente armada? Por que me escutam satélites teus de gládio em punho? Por que não estão abertas as portas do templo da Concórdia? Por que trazes ao foro itureus[27] armados de flechas, os homens da nação mais bárbara do mundo? Diz ele que o faz para sua guarda pessoal. Não é, então, mil vezes preferível morrer, se não pode viver em sua cidade, sem a proteção de homens armados? Mas essa guarda, acredita-me, não vale nada. Precisavas estar cercado, não de armas, mas do afeto e do favor dos cidadãos.

O povo romano te arrancará essas armas, oxalá sem dano para nós outros; mas como quer que procedas para conosco, com esses desígnios, acredita-me, não podes durar muito. Com efeito, essa tua esposa[28] nada avarenta – assim a qualifico sem intenção de afronta – está em demasiado atraso com sua terceira dívida para com o povo romano. O povo romano tem mais de um a quem entregar o leme do Estado; onde quer que estejam essas pessoas no mundo, ali está toda a proteção da República, ou, antes, a própria República, que por enquanto apenas se vingou, não se recuperou ainda. Conta, certamente, o regime com jovens nobilíssimos, prontos para defendê-lo. Por mais que se apartem, por amor à paz, a República os chamará de volta. Doce nome tem a paz, em si mesma benéfica, mas muito vai da paz à servidão. A paz é a liberdade tranquila; a servidão, o derradeiro dos males, que cumpre arredar de nós não só pela guerra, mas até pela morte.

---

27. A Itureia localizava-se aproximadamente ao sul do atual Líbano, nas proximidades de Israel.
28. Fúlvia, esposa de Marco Antônio. Tinha enviuvado duas vezes.

[...] Recorda, pois, Marco Antônio, o dia em que aboliste a ditadura; traze diante dos olhos a alegria do Senado e a do povo romano; coteja com ela a monstruosa traficância tua e dos teus; compreenderás, então, como são diferentes a glória e o proveito. Mas, é claro, como alguns, por efeito de algum doentio embotamento dos sentidos, não experimentam o prazer da comida, assim os devassos, os avarentos, os facínoras desconhecem o paladar da verdadeira glória. Mas, se não pode a glória seduzir-te para a retidão da conduta, não poderá o medo, pelo menos, desviar-te das ações mais indignas? Tu não temes os tribunais; se a causa é a inocência, louvo-te; se é tua força, não compreendes do que deve ter medo quem assim não teme os tribunais. Se não temes os varões valorosos e os cidadãos de escol, porque as armas os mantêm longe de tua pessoa, acredita-me, tua própria gente não te suportará muito tempo. Que espécie de vida é ter medo aos seus dia e noite? Salvo se ou os tens presos por favores maiores do que César a alguns de seus matadores, ou em nada hás de ser comparado com ele. Nele havia talento, critério, memória, cultura, afinco, reflexa diligência; na guerra, embora calamitosa para a República, foi grande a sua gesta; levou muitos anos planejando reinar e realizou, com muitas fadigas e muitos perigos, o seu sonho; com espetáculos, monumentos, distribuição de gêneros, jantares públicos, seduzira a multidão ignorante; ganhara seus partidários com as recompensas e os adversários com simulada brandura. Para que tantas palavras? Parte pelo temor, parte pela resignação, ele já impusera a uma cidade livre o hábito do cativeiro.

Volta, enfim, os olhos para a República, Marco Antônio, eu te peço; considera aqueles de quem procedes e não aqueles com quem vivas, age comigo como quiseres, mas reconcilia--te com a República. A ti, porém, compete olhar por ti; eu, de minha parte confessarei que, se defendi o regime na juventude, não o desertarei na velhice; se desprezei os gládios de Catilina, não terei medo aos teus.

Posso comparar-te a ele na ambição do mando; nos outros predicados é inteiramente impossível qualquer confronto. Entre tantos males por ele infligidos à República, há, contudo, algo de bom: o povo romano já aprendeu até onde pode acreditar em cada um, a quem se confiar de quem se precaver. Sobre isso não reflete? Nem entendes que basta a homens valorosos ter aprendido quanto o extermínio de um tirano é belo no ato, meritório pelos benefícios, glorioso pela celebridade? Esperas que te suportem homens que não suportaram a César? Doravante, acredita-me, correrão à porfia a cometimentos como aquele sem pacientar com a lerdeza das ocasiões.

Volta, enfim, os olhos para a República, Marco Antônio, eu te peço; considera aqueles de quem procedes e não aqueles com quem vivas, age comigo como quiseres, mas reconcilia-te com a República. A ti, porém, compete olhar por ti; eu, de minha parte confessarei que, se defendi o regime na juventude, não o desertarei na velhice; se desprezei os gládios de Catilina, não terei medo aos teus. Se minha morte acarretar a liberdade de Roma, oferecerei, até, de bom grado, a minha vida, para que as dores do povo romano deem, afinal, à luz o que vêm parturindo há tanto tempo.

Ademais, se quase vinte anos atrás, neste mesmo templo, asseverei[29] que não podia ser prematura a morte de um antigo cônsul, com quanto maior verdade o direi hoje de um velho? A mim, realmente, senadores, a morte já é de apetecer, ao cabo das missões que desempenhei e dos feitos que levei a termo. Nutro apenas dois desejos: um é deixar, ao morrer, o povo romano livre; não me podem os deuses imortais conceder graça maior; outro é que tenha cada um a sorte que merecer da República.[30]

---

29. Alusão às Catilinárias.
30. In: Bruna, Jaime. *Eloquência grega e latina*. Rio de Janeiro: Ediouro, sem data, pp. 152; 163-164; 173-177.

Santo Agostinho[31]

Converta-se, para não ser condenado.[32]

Santo Agostinho acentua a importância da ressurreição de Cristo e estabelece a relação entre a conversão, a fé e a vida bem-aventurada.

A ressurreição de nosso Senhor Jesus Cristo lê-se nestes dias, como é costume, segundo cada um dos livros do santo Evangelho. Na leitura de hoje ouvimos Jesus Cristo censurando os discípulos, primeiros membros seus, companheiros seus: porque não criam estar vivo aquele mesmo por cuja morte choravam. Pais da fé, mas ainda não fiéis; mestres – e a terra inteira haveria de crer no que pregariam, pelo que, aliás, morreriam – mas ainda não criam. Não acreditavam ter ressuscitado aquele que haviam visto ressuscitando os mortos. Com razão, censurados: ficavam patenteados a si

---
31. Santo Agostinho (354-430), bispo de Hipona.
32. Sermão sobre a ressurreição de Cristo, segundo São Marcos.

mesmos, para saberem o que seriam por si mesmos os que muito seriam graças a ele.

E foi desse modo que Pedro se mostrou quem era: quando iminente a Paixão do Senhor, muito presumiu; chegada a Paixão, titubeou. Mas caiu em si, condoeu-se, chorou, convertendo-se ao seu Criador.

Eis que eram os que ainda não criam, apesar de já verem. Grande, pois, foi a honra a nós concedida por aquele que permitiu que crêssemos no que não vemos! Nós cremos pelas palavras deles, ao passo que eles não criam em seus próprios olhos.

A ressurreição de nosso Senhor Jesus Cristo é a vida nova dos que creem em Jesus, e este é o mistério da sua Paixão e Ressurreição, que muito devíeis conhecer e celebrar. Porque não sem motivo desceu a vida até a morte. Não foi sem motivo que a fonte da vida, de onde se bebe para viver, bebeu desse cálice que não lhe convinha. Porque a Cristo não convinha a morte.

De onde veio a morte?

Vamos investigar a origem da morte. O pai da morte é o pecado.

Se nunca houvesse pecado ninguém morreria. O primeiro homem recebeu a lei de Deus, isto é, um preceito de Deus, com a condição de que se o observasse viveria e se o violasse morreria. Não crendo que morreria, fez o que o faria morrer, e verificou a verdade do que dissera quem lhe dera a lei. Desde então, a morte. Desde então, ainda, a segunda morte, após a primeira, isto é, após a morte temporal a eterna morte. Sujeito a essa condição de morte, a essas leis do inferno, nasce todo homem; mas por causa desse mesmo homem, Deus se fez homem, para que não perecesse o homem. Não veio, pois, ligado às leis da morte, e por isso diz o Salmo: "Livre entre os mortos".[33]

Grande, pois, foi a honra a nós concedida por aquele que permitiu que crêssemos no que não vemos! Nós cremos pelas palavras deles, ao passo que eles não criam em seus próprios olhos.

---

33. Sl 87.

Concebeu-o, sem concupiscência, uma Virgem; como Virgem deu-lhe à luz, Virgem permaneceu. Ele viveu sem culpa, não morreu por motivo de culpa, comungava conosco no castigo, mas não na culpa. O castigo da culpa é a morte. Nosso Senhor Jesus Cristo veio morrer, mas não veio pecar; comungando conosco no castigo sem a culpa, aboliu tanto a culpa como o castigo. Que castigo aboliu? O que nos cabia após esta vida. Foi assim crucificado para mostrar na cruz o fim do nosso homem velho; e ressuscitou, para mostrar em sua vida como é a nossa vida nova. Ensina-o o apóstolo: "Foi entregue por causa dos nossos pecados, ressurgiu por causa da nossa justificação".[34]

Como sinal disso, fora dada outrora a circuncisão aos patriarcas: no oitavo dia todo indivíduo do sexo masculino devia ser circuncidado. A circuncisão fazia-se com cutelos de pedra: porque Cristo era a pedra. Nessa circuncisão significava-se a espoliação da vida carnal a ser realizada no oitavo dia pela Ressurreição de Cristo. Pois o sétimo dia da semana é o sábado; no sábado o Senhor jazia no sepulcro, sétimo dia da semana. Ressuscitou no oitavo. A sua Ressurreição nos renova. Eis por que, ressuscitando no oitavo dia, nos circuncidou.

É nessa esperança que vivemos. Ouçamos o apóstolo dizer: "Se ressuscitastes com Cristo...".[35] Como ressuscitamos, se ainda morreremos? Que quer dizer o apóstolo: "Se ressuscitastes com Cristo"? Acaso ressuscitariam os que não tivessem antes morrido? Mas falava aos vivos, aos que ainda não morreram... os quais, contudo, ressuscitaram: que quer dizer?

Vede o que ele afirma: "Se ressuscitastes com Cristo, procurai as coisas que são do alto, onde Cristo está assentado à direita de Deus, saboreai o que é do alto, não o que está sobre a terra. Porque estais mortos!".

É o próprio apóstolo quem está falando, não eu. Ora, ele diz a verdade, e, portanto, digo-a também eu... E por que também a digo? "Acreditei e por causa disto falei."[36]

Se vivemos bem, é que morremos e ressuscitamos. Quem, porém, ainda não morreu, também não ressuscitou, vive mal ainda; e se vive mal,

---

34. Rm 4:25.
35. Cl 3:1.
36. Sl 115.

não vive; morra para que não morra. Que quer dizer: morra para que não morra? Converta-se, para não ser condenado.

"Se ressuscitastes com Cristo", repito as palavras do apóstolo, "procurai o que é do alto, onde Cristo está assentado à direita de Deus, saboreai o que é do alto, não o que é da terra. Pois morrestes e a vossa vida está escondida com Cristo em Deus. Quando Cristo, que é a vossa vida, aparecer, então também aparecereis com ele na glória." São palavras do apóstolo. A quem ainda não morreu, digo-lhe que morra; a quem ainda vive mal, digo-lhe que se converta. Se vivia mal, mas já não vive assim, morreu; se vive bem, ressuscitou.

Mas o que é viver bem? Saborear o que está no alto, não o que está sobre a terra. Até quando és terra e a terra tornarás? Até quando lambes a terra? Lambes a terra, amando-a, e te tornas inimigo daquele de quem diz o Salmo: "Os inimigos dele lamberão a terra".[37]

Que éreis vós? Filhos de homens. Que sois nós? Filhos de Deus.

Ó filhos dos homens, até quando tereis o coração pesado? Por que amais a vaidade e buscais a mentira? Que mentira buscais? O mundo.

Quereis ser felizes, sei disso. Dai-me um homem que seja ladrão, criminoso, fornicador, malfeitor, sacrílego, manchado por todos os vícios, soterrado por todas as torpezas e maldades, mas não queira ser feliz. Sei que todos vós quereis viver felizes, mas o que faz o homem viver feliz, isso não quereis procurar. Tu, aqui, buscas o ouro, pensando que com o ouro serás feliz; mas o ouro não te faz feliz. Por que buscas a ilusão? E com tudo o mais que aqui procuras, quando procuras mundanamente, quando o fazes amando a terra, quando o fazes lambendo a terra, sempre visas isto: ser feliz. Ora, coisa alguma da terra te faz feliz. Por que não cessas de buscar a mentira?

> *Se vivemos bem, é que morremos e ressuscitamos. Quem, porém, ainda não morreu, também não ressuscitou, vive mal ainda; e se vive mal, não vive; morra para que não morra. Que quer dizer: morra para que não morra? Converta-se, para não ser condenado.*

---

37. Sl 71:9.

Como, pois, haverás de ser feliz? "Ó filhos dos homens, até quando sereis pesados de coração, vós que onerais com as coisas da terra o vosso coração?"[38] Até quando foram os homens pesados de coração? Foram-no antes da vinda de Cristo, antes que ressuscitasse o Cristo. Até quando tereis o coração pesado? E por que amais a vaidade e procurais a mentira? Querendo tornar-vos felizes, procurais as coisas que vos tornam míseros! Engana-vos o que desejais, é ilusão o que buscais.

Queres ser feliz? Mostro-te, se te agrada, como o serás. Continuemos ali adiante (no versículo do Salmo): "Até quando sereis pesados de coração? Por que amais a vaidade e buscais a mentira?". "Sabei" – o quê? – "que o Senhor engrandeceu o seu Santo."[39]

O Cristo veio até nossas misérias, sentiu a fome, a sede, a fadiga, dormiu, realizou coisas admiráveis, padeceu duras coisas, foi flagelado, coroado de espinhos, coberto de escarros, esbofeteado, pregado no lenho, transpassado pela lança, posto no sepulcro; mas no terceiro dia ressurgiu, acabando-se o sofrimento, morrendo a morte. Eis, tende lá os vossos olhos na ressurreição de Cristo; porque tanto quis o Pai engrandecer o seu Santo, que o ressuscitou dos mortos e lhe deu a honra de se assentar no céu à sua direita. Mostrou-te o que deves saborear se queres ser feliz, pois aqui não o poderás ser. Nesta vida não podes ser feliz, ninguém o pode. Boa coisa a que desejas, mas não nesta terra se encontra o que desejas. Que desejas? A vida bem-aventurada. Mas aqui não reside ela.

Nesta vida não podes ser feliz, ninguém o pode. Boa coisa a que desejas, mas não nesta terra se encontra o que desejas. Que desejas? A vida bem-aventurada. Mas aqui não reside ela.

Se procurasses ouro num lugar onde não houvesse, alguém, sabendo da sua não existência, haveria de te dizer: "Por que estás a cavar? Que pedes a terra? Fazes uma fossa na qual hás de apenas descer, na qual nada encontrarás!".

---

38. Sl 4:3.
39. Sl 4:3.

Que responderias a tal conselheiro? "Procuro ouro." Ele te diria: "Não nego que exista o que desejas, mas não existe onde o procuras". Assim também, quando dizes: "Quero ser feliz". Boa coisa queres, mas aqui não se encontra. Se aqui a tivesse tido o Cristo, igualmente a teria eu. Vê o que ele encontrou nesta região da tua morte: vindo de outros páramos, que achou aqui senão o que existe em abundância? Sofrimentos, dores, morte. Comeu contigo do que havia na cela de tua miséria. Aqui bebeu vinagre, aqui teve fel. Eis o que encontrou em tua morada.

Contudo, convidou-te à sua grande mesa, à mesa do céu, à mesa dos anjos, onde ele mesmo é o pão. Descendo até cá, e tantos males recebendo de tua cela, não só não rejeitou a tua mesa, mas prometeu-te a sua.

E que nos diz ele?

"Crede, crede que chegareis aos bens da minha mesa, pois não recusei os males da vossa."

Tirou-te o mal e não te dará o seu bem? Sim, dá-lo-á. Prometeu-nos sua vida, mas é ainda mais incrível o que fez: ofereceu-nos a sua morte. Como se dissesse: "À minha mesa vos convido. Nela ninguém morre, nela está a vida verdadeiramente feliz, nela o alimento não se corrompe, mas refaz e não se acaba. Eis para onde vos convido, para a morada dos anjos, para a amizade do Pai e do Espírito Santo, para a ceia eterna, para a fraternidade comigo; enfim, a mim mesmo, à minha vida eu vos conclamo! Não quereis crer que vos darei a minha vida? Retende, como penhor a minha morte".

Agora, pois, enquanto vivemos nesta carne corruptível, morramos com Cristo pela conversão dos costumes, vivamos com Cristo pelo amor da justiça.

Não haveremos de receber a vida bem-aventurada senão quando chegarmos àquele que veio até nós, e quando começarmos a viver com aquele que por nós morreu.[40]

---

40. In: Folch Gomes, C. *Antologia dos santos padres*. São Paulo: Paulinas, 1979, pp. 336-339.

São João Crisóstomo[41]

NA VIRTUDE CONSISTE A PERFEITA SABEDORIA DA ALMA.[42]

Basílica de Santa Sofia, Istambul

Célebre pela oratória (Crisóstomo: boca de ouro, em grego) e pela facilidade de expor os ensinamentos da Bíblia relacionando-os à vida cotidiana. É crítico da ostentação de riquezas. Acentua a necessidade de uma vida dedicada ao Senhor.

Vede como o Senhor se abstém de todo fausto e grandeza! Sem cortejo numeroso, vai por toda a parte, atravessa cidades e aldeias a curar doenças. Quando a multidão acorre, senta-se em lugar campestre, não em povoado ou no meio das praças, mas na solidão de um monte. Dessa maneira nos ensina a nada fazer por ostentação e a afastar-nos do tumulto e ruído, para ouvirmos os ensinamentos da sabedoria e meditarmos sobre as verdades eternas.

---

41. São João Crisóstomo (347-407) é considerado um dos maiores pregadores do cristianismo.
42. Extrato da Homília XV sobre Mateus, de São João Crisóstomo.

Aproximam-se os discípulos, depois que ele subiu ao monte e se assentou. Notai seu progresso na virtude e a feliz transformação por que passaram. Enquanto muitos só aspiravam a ver milagres, eles desejavam uma grande e sublime doutrina. Foi o que levou o mestre a instruí-los e a dar início a este discurso. Não só curava os corpos, mas também convertia as almas; passava de um ministério a outro, variando seus benefícios e unindo à pregação da doutrina o ensinamento por obras. Assim impunha silêncio à ousadia dos hereges, pois, ao prestar cuidado tanto às almas como aos corpos, comprovava ser o Criador de todo o composto humano. A ambas as substâncias estendia sua providência, curando ora uma ora outra. Tal era seu modo de proceder.

Dessa maneira nos ensina a nada fazer por ostentação e a afastar-nos do tumulto e ruído, para ouvirmos os ensinamentos da sabedoria e meditarmos sobre as verdades eternas.

"Abrindo a boca" – diz o Evangelho – "ensinava-os". Por que motivo se acrescentou esta expressão: "Abrindo a boca"? Para aprenderdes que ele ensinava seja calando, seja falando, tanto por palavras como por obras fazia ouvir sua voz. Ao ouvirdes que ele "os ensinava", não julgueis que se dirigia somente aos discípulos, mas, por intermédio deles, a todos os demais. Como a multidão do povo ainda rastejava por terra, o Senhor coloca diante de si o grupo dos discípulos e lhes dirige seu discurso, moderando as palavras, para não molestar os rudes com a doutrina da sabedoria. É o que Lucas também insinua. O mesmo declara Mateus, quando diz: "Aproximaram-se dele seus discípulos e ele os ensinava". Deste modo, os ouvintes prestariam mais atenção do que se a todos dirigisse a palavra.

Por onde começa? Que fundamento estabelece para a nova lei? Ouçamos o que vai dizer; porquanto, se para alguns ouvintes suas palavras foram proferidas, para todos os vindouros foram escritas. Na pregação dirigida aos discípulos, não restringe a eles seu discurso, mas de medo indeterminado proclama as bem-aventuranças.

Com efeito, não disse: "Bem-aventurados sereis, se fordes pobres", mas "bem-aventurados os pobres". Embora lhes falasse em particular, os conselhos haviam de ser comuns a todos os pósteros. Assim, ao dizer: "Eis que estou convosco todos os dias até a consumação dos séculos",[43] não falava apenas aos discípulos presentes, mas na pessoa deles ao mundo inteiro. De igual modo, quando os declara bem-aventurados por terem de sofrer perseguição, exílio e toda espécie de intoleráveis injúrias, não só a eles promete recompensa, senão a quantos suportarem corajosamente idênticos males.

Além disso, para que essa verdade se torne mais evidente e compreendais que a vós e a toda a natureza humana se dirigem os conselhos, ouvi o exórdio desse admirável discurso: "Bem-aventurados os pobres de espírito, porque deles é o reino dos céus".

Quem são os pobres de espírito? Os humildes e os contritos de coração. Nessa passagem, o espírito significa a alma, a intenção da vontade. Muitos pobres há, não por livre escolha, mas constrangidos pela necessidade; a estes não se refere o Senhor, porque tal condição não é motivo de elogio; os primeiros que ele declara bem-aventurados são os que por própria deliberação se humilham e abatem.

Por que não os chama humildes, mas pobres? É porque este título abrange o outro. Designa os homens tementes a Deus e observantes dos seus preceitos, os mesmos nos quais pelo profeta Isaías o Senhor declara comprazer-se: "A quem olharei senão ao pobrezinho contrito de coração, que teme minhas palavras?".[44]

"Bem-aventurados os que têm fome e sede de justiça." Que devemos entender por esta palavra? A virtude, em geral, ou a espécie de justiça oposta à avareza? Como o Senhor ia promulgar o preceito relativo à esmola, ensina de que modo é necessário exercê-lo. Beatificando a justiça, condena a avidez.

Notai a força da expressão usada pelo Senhor. Não disse apenas: "Bem-aventurados os que têm fome e sede de justiça"? Assim, inculca a necessidade de abraçá-la com todo o ardor da alma, não apenas por desencargo de consciência. Maior do que o desejo de alimento e bebida é a ambição da avareza em adquirir e possuir bens; por isso nos manda transformar tal desejo na virtude oposta a esse vício. E de novo promete prêmio sensível, dizendo:

---

43. Mt 28:20.
44. Is 66:2.

"Porque serão saciados". É opinião corrente que a avareza enriquece. Cristo afirma o contrário: é a justiça que produz esse efeito. Se caminhardes nas vias da justiça, não deveis recear a pobreza, pois não havereis de sofrer fome. Aos homens ambiciosos cabe o temor de serem despojados de seus bens; os justos, porém, hão de possuir tudo com segurança. Se os que não cobiçam os bens alheios gozam de tantas riquezas, quanto mais os que distribuem os próprios haveres.

"Bem-aventurados os misericordiosos." Não merecem este título somente os que fazem esmola com dinheiro; julgo que também dele são dignos os

Não só curava os corpos, mas também convertia as almas; passava de um ministério a outro, variando seus benefícios e unindo à pregação da doutrina o ensinamento por obras. Assim impunha silêncio à ousadia dos hereges, pois, ao prestar cuidado tanto às almas como aos corpos, comprovava ser o Criador de todo o composto humano.

que a praticam pelas obras. Diversas formas revestem a misericórdia, bem extenso é esse preceito. Qual será sua recompensa? "Eles mesmos alcançarão misericórdia." Os termos são equivalentes; mas na realidade a recompensa supera de muito a boa obra. Os homens exercem a misericórdia na medida em que podem; em troca recebem-na de Deus em medida copiosa. Pois, não há comparação entre a misericórdia divina e a humana; entre ambas a distância é como entre a bondade e a malícia.

"Bem-aventurados os puros de coração, porque verão a Deus." Eis outra vez a promessa de recompensa espiritual. Os homens de coração puro são, conforme o pensamento do Senhor, os que praticam toda espécie de virtudes e cuja consciência de nada os acusa, ou os que vivem na castidade? Com efeito, não há virtude que nos seja tão necessária como esta para contemplarmos a Deus. Por esse motivo, dizia são Paulo: "Vivei em paz com todos e na pureza, sem a qual ninguém verá o Senhor".[45]

Trata-se da visão de Deus, na medida em que é possível ao homem. Muitos há que fazem esmolas, não são ambiciosos ou avarentos e todavia

---

45. Hb 12:14.

entregam-se à impureza. A tais homens adverte o Senhor não serem suficientes as outras virtudes. Também Paulo na Epístola aos Coríntios diz, a respeito dos macedônios, que eram ricos não só pela prática da esmola senão também por outras virtudes. Após ter falado da liberdade de seus dons, acrescenta: "Eles se dedicaram ao Senhor e a nós".[46]

"Bem-aventurados os pacíficos." Não se contenta o Senhor em banir dissensões e inimizades. Exige algo mais: que procuremos restabelecer a concórdia entre adversários. Promete uma recompensa espiritual. Em que consiste essa recompensa? "Serão chamados filhos de Deus." É obra por excelência do Filho unigênito unir os que estavam separados, reconciliar os litigiosos. Em seguida, para que não julgueis ser desejável a paz sob qualquer condição, prossegue: "Bem-aventurados os que sofrem perseguição por amor à justiça", a saber, por causa da virtude, pela defesa do próximo ou da religião. Na virtude consiste a perfeita sabedoria da alma.

É opinião corrente que a avareza enriquece. Cristo afirma o contrário: é a justiça que produz esse efeito. Se caminhardes nas vias da justiça, não deveis recear a pobreza, pois não havereis de sofrer fome.

"Bem-aventurados sereis quando vos injuriarem, perseguirem e, mentindo, disserem todo mal contra vós por minha causa. Alegrai-vos e exultai." É como se Cristo dissesse: "Quando vos chamarem de sedutores e maléficos ou vos derem qualquer outro nome injurioso, então sereis felizes". Que haverá de mais estranho do que tais exortações, propondo a nossos desejos o que sempre será objeto de temor, a saber: mendigar, chorar, sofrer perseguições e insultos? Todavia, assim falou Cristo para persuadir não a duas, dez, vinte, cem, mil pessoas, mas ao mundo inteiro. As multidões, atônitas, ouviam predições tão terríveis, tão contrárias ao sentimento vulgar. Ouviam-no, contudo, por ser grande a autoridade do mestre.[47]

---

46. 2Cr 8:5.
47. In: Folch Gomes, C. *Antologia dos santos padres*. São Paulo: Paulinas, 1979, pp. 287-290.

Lourenço de Médici[48]

Por que unir-se com o papa e o rei de Nápoles contra a liberdade desta República?[49]

Discurso pronunciado após a Conspiração dos Pazzi (26 de abril de 1478). Médici destaca os interesses da sua família e da Comuna em um momento complexo da vida italiana. Nele é possível notar ainda a defesa das instituições republicanas e de referências indiretas ao apoio popular aos Médici. Deve ser lembrado que apoiaram, cem anos antes, a revolta dos Ciompi.

Não sei, excelsos senhores, e vós, magníficos cidadãos, se com vós me queixo pelas coisas acontecidas ou se me alegro. Na verdade, quando penso com quanta fraude, com quanto ódio tenha sido atacado e meu irmão assassinado,[50] não posso deixar de me entristecer e com todo o coração,

---

48. Lourenço de Médici (1449-1492) foi príncipe do Estado (Florença).
49. Discurso pronunciado em Florença em abril de 1478 no palácio da Senhoria.
50. Juliano.

toda a alma, me condoer. Mas quando considero depois com quanta rapidez, com quanto cuidado, quanta unanimidade de consenso de toda a cidade foi vingado meu irmão e fui defendido, devo não só me alegrar, mas em toda a minha pessoa experimentar a exaltação e a glória. E, verdadeiramente, se a experiência me fez saber que nesta cidade tinha mais inimigos do que pensava, também me mostrou que tinha mais fervorosos e cálidos amigos do que podia crer. Sou forçado, portanto, a condoer-me com vós pelas injúrias dos outros e a alegrar-me por vossos méritos, e sou, sim, obrigado a condoer-me tanto dessas injúrias quanto elas são poucas, quanto são inauditas, quanto não as mereceis. Considerai, magníficos cidadãos, a que ponto a má fortuna conduziu a nossa família, que entre os amigos, entre os parentes, na igreja não estava segura. Costumam os que temem a morte recorrer aos amigos, aos parentes, para ajuda, e nós os encontramos armados para nos destruir. Costumam refugiar-se nas igrejas os que por públicos ou privados motivos são perseguidos. No entanto, pelo que a outros defendem nós somos mortos; onde os parricidas, os assassinos estão seguros, os Médici encontram seus matadores. Mas Deus, que no passado jamais abandonou nossa casa, também nos acaba de salvar e tomou a defesa de nossa justa causa. Porque qual foi a injúria que jamais fizemos a alguém para merecermos tanto desejo de vingança? Na verdade, esses que se demonstraram tão inimigos jamais por

> *[...] a experiência me fez saber que nesta cidade tinha mais inimigos do que pensava, também me mostrou que tinha mais fervorosos e cálidos amigos do que podia crer.*

nós foram em sua vida privada atacados. Porque se nós os tivéssemos atacado, não teriam oportunidade de nos atacar. Se atribuem a nós as injúrias do estado, caso alguma tenha sido feita, não sei, ofendem a vós mais que a nós, mais este palácio e a majestade deste governo do que à nossa casa, demonstrando que por nossa causa vós injuriais imerecidamente vossos cidadãos. Isso se afasta de qualquer verdade; porque nem vós se pudéssemos o teríamos feito, nem vós quando desejássemos que o fizésseis. Porque quem procurar bem a verdade encontrará nossa família não por outro motivo com tanto consenso ser sempre exaltada por vós senão porque com humanidade, com liberalidade, com benefícios se esforçou para ser a primeira. Se honrávamos os estrangeiros, como haveríamos de injuriar os parentes? Se decidiriam fazer isso pelo desejo de dominar, como mostra a ocupação do palácio, vir com os homens armados à praça, o quanto esse motivo é feio, ambicioso e condenável por si só se descobre e se condena. Se o fizeram por ódio e inveja que tinham de nossa autoridade, tendo-nos sido concedida por vós, não a vós, a vós ofenderam. Na verdade, merecem ser odiadas as autoridades que pelos homens são usurpadas, não as que são adquiridas pela liberalidade, humanidade e magnificência. E vós sabeis que jamais subiu a nossa família a grau algum de grandeza sem ser impelida por este palácio ou por vosso unânime consenso; não retornou Cosme, meu avô, do exílio, com as armas e por violência, mas por vosso consenso e unanimidade. Meu pai, velho e enfermo, já não defendeu ele mesmo o estado de tantos inimigos, o defendestes vós com vossa autoridade e benevolência; nem mesmo eu teria mantido, depois da morte de meu pai, sendo, pode-se dizer, ainda um menino, o prestígio de minha casa se não fossem vossos conselhos e favores. Minha casa não teria podido governar esta República, nem poderia agora se vós com ela não a tivésseis governado e a continuássemos governando. Não sei, portanto, qual motivo do ódio possa haver neles contra nós, ou qual a justa razão de inveja. Que dirijam seu ódio a seus antepassados, cuja soberba e avareza fizeram perder a reputação que os nossos souberam adquirir com procedimentos contrários aos deles! Mas concedamos que as injúrias que

Na verdade, estes que se demonstraram tão inimigos jamais por nós foram em sua vida privada atacados. Porque se nós os tivéssemos atacado, não teriam oportunidade de nos atacar. Se atribuem a nós as injúrias do estado, caso alguma tenha sido feita, não sei, ofendem a vós mais que a nós, mais este palácio e a majestade deste governo do que à nossa casa, demonstrando que por nossa causa vós injuriais imerecidamente vossos cidadãos.

fizemos a eles sejam grandes e com razão desejassem nossa ruína: por que vir atacar este palácio? Por que unir-se com o papa[51] e o rei de Nápoles[52] contra a liberdade desta República? Por que romper uma longa paz na Itália? Para isso não tem desculpa alguma, porque deviam atacar quem os atacou, e não confundir inimizades privadas com injúrias públicas. Isso fez com que, apesar de terem desaparecido, aumentasse o nosso mal, vindo por causa deles o papa e o rei de Nápoles a nos atacar, guerra essa que, afirmam, dirigem a mim e à minha casa. Coisa que queira Deus fosse verdade e os remédios seriam rápidos e certeiros, porque não seria tão mau cidadão que olhasse mais por minha salvação do que pelos perigos vossos, ao contrário, de bom grado vosso incêndio apagaria com minha ruína.

Costumam os que temem a morte recorrer aos amigos, aos parentes, para ajuda, e nós os encontramos armados para nos destruir. Costumam refugiar-se nas igrejas os que por públicos ou privados motivos são perseguidos. No entanto, pelo que a outros defendem nós somos mortos; onde os parricidas, os assassinos estão seguros, os Médici encontram seus matadores.

E como os poderosos sempre as injúrias que fazem encobrem com algum menos desonesto pretexto, buscaram igualmente encobrir essa desonesta injúria. Mesmo assim, se pensardes de outra forma, coloco-me em vossas mãos. Haveréis de me reger ou abandonar, vós meus pais, vós meus defensores; e quando por vós me pedíreis que faça essa guerra, começada com o sangue de meu irmão, a farei de bom grado e não recusarei jamais, quando bem entendais, que com o meu seja terminado.[53]

---

51. Papa Sisto IV.
52. Fernando I.
53. In: Maquiavel, Nicolau. *História de Florença*. São Paulo: Musa, 1994, pp. 386--388.

Um antigo sábio asteca[54]

Nossos deuses já estão mortos.[55]

Neste diálogo, são apresentadas duas tradições religiosas, duas visões de mundo. Uma, a do conquistador espanhol representado pelos missionários franciscanos; outra, a de sábios astecas. Uma, a que vai prevalecer; outra, que está em processo de extinção.

> Senhores nossos, mui estimados senhores:
> Haveis sofrido dificuldades para chegar a esta terra.
> Aqui diante de vós,
> vos contemplamos, nós, gente ignorante...
> E, agora, o que é que diremos?

---
54. É desconhecida a autoria desse pronunciamento.
55. Resposta de um sábio asteca, três anos após a conquista do Império Asteca pelos espanhóis. O diálogo ocorreu no pátio do convento de São Francisco, na Cidade do México.

O que é que devemos dirigir a vossos ouvidos?
Somos por acaso alguma coisa?
Somos tão somente gente comum...
Através de intérprete respondemos,
devolvemos o alento e a palavra
do Senhor que está perto e conosco.
Por causa dele nos aventuramos,
por isso nos lançamos ao perigo...
Talvez para nossa perdição,
talvez para nossa destruição,
é para aí somente que seremos levados.
(Mas) aonde deveremos ainda ir?
Somos gente simples,
somos perecíveis, somos mortais,
deixai-nos, pois, morrer,
deixai-nos perecer,
pois nossos deuses já estão mortos.
(Porém) Tranquilize-se vosso coração e vossa carne,
senhores nossos,
porque abriremos um pouco,
agora um pouquinho abriremos
o segredo, a arca do Senhor, nosso (deus).
Vós dissestes
que nós não conhecemos
o Senhor que está perto e
conosco,
aquele de quem são os
céus e a terra.
Dissestes
que não eram verdadeiros
nossos deuses.
Nova palavra é esta,
a que falais,
por causa dela estamos perturbados,

*Somos gente simples,
somos perecíveis, somos
mortais, deixai-nos,
pois, morrer,
deixai-nos perecer,
pois nossos deuses já estão
mortos.*

por causa dela estamos incomodados.
Porque nossos progenitores,
os que existiram, os que viveram sobre a terra,
não falavam desta maneira.
Eles nos deram
suas normas de vida,
eles tinham os deuses por verdadeiros,
prestavam-lhes culto,
louvavam os deuses.
Eles nos ensinaram
todas as suas formas de culto,
todos os seus modos de louvar (os deuses).
Por isso, diante deles aproximamos a terra à boca,
(por eles) nos sangramos,
cumprimos as promessas,
queimamos copal (incenso)
e oferecemos sacrifícios.
Era doutrina de nossos antepassados
que são os deuses pelos quais se vive,
eles nos mereceram (com seu sacrifício nos deram vida).
De que maneira, quando, aonde?
Quando ainda era de noite.
Era sua doutrina (dos antepassados)
que eles (os deuses) nos dão nosso sustento,
tudo quanto se bebe e se come,
o que conserva a vida, o milho, o feijão,
os bredos, a chia.
Eles são a quem pedimos
água, chuva,
pelas quais se produzem as coisas na terra.
Eles mesmos são ricos,
são felizes,
possuem as coisas,
de maneira que sempre e para sempre

as coisas germinam e verdejam em sua casa...
lá "onde de algum modo se existe", no lugar de Tlalocan.
Nunca ali há fome,
não há enfermidade,
não há pobreza.
Eles dão aos humanos
o valor e o comando...
E de que maneira, quando, onde, foram os deuses invocados,
foram suplicados, foram tidos por tais,
foram reverenciados?
Isso se dá já há muitíssimo tempo,
foi lá em Tula,
foi lá em Huapalcalco,
foi lá em Xuchatlapan,
foi lá em Tamoanchan,
foi lá em Yohualichan,
foi lá em Teotihuacan.[56]
Eles sobre todo o mundo
haviam fundado
seu domínio.

Eles deram
o comando, o poder,
a glória, a fama.
E, agora, nós destruiremos
a antiga regra de vida?
A dos chichimecas,
a dos toltecas,
a dos acolhuas,
a dos tepanecas?
Nós sabemos
a quem se deve a vida,
a quem se deve o nascer,
a quem se deve o gerar,

Nós sabemos
a quem se deve a vida,
a quem se deve o nascer,
a quem se deve o gerar,
a quem se deve o crescer,
como se deve invocar,
como se deve rogar.

---

56. São denominações de diversas comunidades astecas ou sob seu domínio.

a quem se deve o crescer,
como se deve invocar,
como se deve rogar.
Ouvi, senhores nossos,
não façais algo a vosso povo
que lhe cause a desgraça,
que o faça perecer...
Tranquila e amigavelmente
considerei, senhores nossos,
o que é necessário.
Não podemos estar tranquilos,
e certamente não cremos ainda,
não o tomamos por verdade,
(ainda quando) vos ofendemos.
Aqui estão os senhores,
os que governam,
os que conduzem, que têm a
seu cargo o mundo inteiro.
Já é muito que hajamos
perdido,
que se nos haja tirado,
que se nos haja impedido,
nosso governo.
Se no mesmo lugar
permanecermos,
somente seremos
prisioneiros.
Fazei conosco
o que quiserdes.
Isto é tudo o que respondemos,
o que retrucamos, ao vosso alento,
à vossa palavra, ó Senhores Nossos![57]

*Porque nossos progenitores,
os que existiram, os que viveram sobre a terra,
não falavam dessa maneira.
Eles nos deram
suas normas de vida,
eles tinham os deuses por
verdadeiros,
prestavam-lhes culto,
louvavam os deuses.*

---

57. León-Portilla, Miguel. *A conquista da América vista pelos índios:* relatos astecas, maias e incas. Petrópolis: Vozes, 1984, pp. 20-23.

Padre Antônio Vieira[58]

Conjugam por todos os modos o verbo furtar.[59]

Museu de Arte da Bahia, Salvador

Neste sermão, padre Vieira, o maior orador sacro de sua época, destaca como tema central a corrupção nos negócios da Coroa portuguesa. Enfatiza os desvios ocorridos no Brasil e em outras colônias, como na Índia. Estava presente toda a Corte, inclusive o rei dom João IV.

[...] Todos devem imitar ao rei dos reis, e todos têm muito que aprender nessa última ação de sua vida. Pediu o bom ladrão a Cristo que se lembrasse dele no seu reino. [...] E a lembrança que o Senhor teve dele foi que ambos se vissem juntos no Paraíso. [...] Essa é a lembrança que devem ter todos os reis, e a que eu quisera lhes persuadissem os que são ouvidos de

---

58. Padre Antônio Vieira (1608-1697).
59. Sermão do bom ladrão. Pronunciado em 1655 na igreja da Misericórdia de Lisboa.

perto. Que se lembrem não só de levar os ladrões ao Paraíso, senão de os levar consigo. [...] Isso é o que hei de pregar. Ave-Maria.

[...] A restituição do alheio, sob pena da salvação, não só obriga aos súditos e particulares, senão também aos cetros e às coroas. Cuidam ou devem cuidar alguns príncipes que, assim como são superiores a todos, assim são senhores de tudo, e é engano. A lei da restituição é lei natural e lei divina. Enquanto lei natural obriga os reis, porque a natureza fez iguais a todos; e enquanto lei divina também os obriga, porque Deus, que os fez maiores que os outros, é maior que eles. Essa verdade só tem contra si a prática e o uso. [...] A rapina ou roubo é tomar o alheio violentamente contra a vontade de seu dono; os príncipes tomam muitas coisas a seus vassalos violentamente, e contra sua vontade: logo, parece que o roubo é lícito em alguns casos, porque, se dissermos que os príncipes pecam nisso, todos eles, ou quase todos se condenariam. [...] Os príncipes tiram dos súditos o que segundo justiça lhes é devido para conversação do bem comum, ainda que o executem com violência, não é rapina ou roubo. Porém, se os príncipes tomarem por violência o que se lhes não deve, é rapina e latrocínio. Donde se segue que estão obrigados à restituição, como os ladrões, e que pecam tanto mais gravemente que os mesmos ladrões, quanto é mais perigoso e mais comum o dano com que ofendem a justiça pública, de que eles estão postos por defensores.

> *Os príncipes tiram dos súditos o que segundo justiça lhes é devido para conversação do bem comum, ainda que o executem com violência, não é rapina ou roubo. Porém, se os príncipes tomarem por violência o que se lhes não deve, é rapina e latrocínio. Donde se segue que estão obrigados à restituição, como os ladrões, e que pecam tanto mais gravemente que os mesmos ladrões, quanto é mais perigoso e mais comum o dano com que ofendem a justiça pública, de que eles estão postos por defensores.*

[...] Navegava Alexandre[60] em uma poderosa armada pelo mar Eritreu a conquistar a Índia, e como fosse trazido à sua presença um pirata que por ali andava roubando os pescadores, repreendeu-o muito Alexandre de andar em tão mau ofício; porém, ele, que não era medroso nem lerdo, respondeu assim. – Basta, senhor, que eu, porque roubo em uma barca, sou ladrão, e vós, porque roubais em uma armada, sois imperador? – Assim é. O roubar pouco é culpa, o roubar muito é grandeza; o roubar com pouco poder faz os piratas, o roubar com muito, os Alexandres.

[...]

Suponho finalmente que os ladrões de que falo não são aqueles miseráveis, a quem a pobreza e a vileza de sua fortuna condenou a esse gênero de vida. [...] O ladrão que furta para comer, não vai nem leva ao inferno; os que não só vão mas levam, de que eu trato, são outros ladrões, de maior calibre e de mais alta esfera. [...] Não são só ladrões, diz o santo,[61] os que cortam bolsas ou espreitam os que se vão banhar, para lhes colher a roupa: os ladrões que mais própria e dignamente merecem esse título são aqueles a quem os reis encomendam os exércitos e legiões, ou o governo das províncias, ou a administração das cidades, os quais já com manha, já com força, roubam e despojam os povos. – Os outros ladrões roubam um homem: esses roubam cidades e reinos; os outros furtam debaixo do seu risco: esses sem temor, nem perigo; os outros, se furtam, são enforcados: esses furtam e enforcam. Diógenes,[62] que tudo via com mais aguda vista que os outros homens, viu que uma grande tropa de varas e ministros de justiça levavam a enforcar uns ladrões, e começou a bradar: – Lá vão os ladrões grandes a enforcar os pequenos. – Ditosa Grécia, que tinha tal pregador! E mais ditosas as outras nações, se nelas não padecera a justiça as mesmas afrontas! Quantas vezes se viu Roma ir a enforcar um ladrão, por ter furtado um carneiro, e no mesmo dia ser levado em triunfo um cônsul, ou ditador, por ter roubado uma província. E quantos ladrões teriam enforcado esses mesmos ladrões triunfantes?

[...]

---

60. Alexandre Magno (336-333 a.C.).
61. Referência a são Basílio Magno (c. 330-378).
62. Filósofo grego (c. 413 a.C.-323 a.C.).

Declarado assim por palavras não minhas, senão de muito bons autores, quão honrados e autorizados sejam os ladrões de que falo, estes são os que disse e digo que levam consigo os reis ao inferno. Que eles fossem lá sós, e o diabo os levasse a eles, seja muito na má hora, pois assim o querem; mas que hajam de levar consigo os reis é uma dor que se não pode sofrer, e por isso nem calar. Mas se os reis tão fora estão de tomar o alheio, que antes eles são os roubados, e os mais roubados de todos, como levam ao inferno consigo esses maus ladrões a esses bons reis? Não por um só, senão por muitos modos, os quais parecem insensíveis e ocultos, e são muito claros e manifestos. O primeiro, porque os reis lhes dão os ofícios e poderes com que roubam; o segundo, porque os reis os conservam neles; o terceiro, porque os reis os adiantam e promovem a outros maiores; e, finalmente, porque, sendo os reis obrigados, sob pena de salvação, a restituir todos esses danos, nem na vida nem na morte os restituem. E quem diz isto já se sabe que há de ser são Tomás.[63] [...]

Quantas vezes se viu Roma ir a enforcar um ladrão, por ter furtado um carneiro, e no mesmo dia ser levado em triunfo um cônsul, ou ditador, por ter roubado uma província. E quantos ladrões teriam enforcado esses mesmos ladrões triunfantes?

Aquele que tem obrigação de impedir que se não furte, se o não impediu, fica obrigado a restituir o que se furtou. E até os príncipes, que por sua culpa deixarem crescer os ladrões, são obrigados à restituição, porquanto as rendas, com que os povos os servem e assistem, são como estipêndios instituídos e consignados por eles, para que os príncipes os guardem e mantenham em justiça.

[...]

Dom Fulano – diz a piedade bem-intencionada – é um fidalgo pobre: dê-se-lhe um governo. – E quantas impiedades, ou advertidas ou não, se contêm nesta piedade? Se é pobre, deem-lhe uma esmola honestada com o nome de tença, e tenha com que viver. Mas por que é pobre, um governo, para que vá desempobrecer à custa dos que governar? E para que vá fazer

---

63. São Tomás de Aquino (1225-1274).

muitos pobres à conta de tornar muito rico? Isso quer quem o elege por esse motivo. Vamos aos do prêmio, e também aos do castigo. Certo capitão mais antigo tem muitos anos de serviço: deem-lhe uma fortaleza nas conquistas. Mas se esses anos de serviço assentam sobre um sujeito que os primeiros despojos que tomava na guerra eram a farda e a ração dos seus próprios soldados, despidos e mortos de fome, que há de fazer em Sofala ou em Mascate? [...]

Encomendou el-rei dom João, o Terceiro,[64] a são Francisco Xavier[65] o informasse do estado da Índia, por via de seu companheiro, que era mestre do príncipe; e o que o santo escreveu de lá, sem nomear ofícios nem pessoas, foi que o verbo rapio[66] na Índia se conjugava por todos os modos. [...] E este assaz é o que especificou melhor são Francisco Xavier, dizendo que conjugam o verbo rapio por todos os modos. O que eu posso acrescentar, pela experiência que tenho, é que não só do cabo da Boa Esperança para lá, mas também das partes daquém, se usa igualmente a mesma conjugação. Conjugam por todos os modos o verbo rapio, porque furtam por todos os modos da arte, não falando em outros novos e esquisitos, que não conheceu Donato nem Despautério.

Tanto que lá chegam, começam a furtar pelo modo indicativo, porque a primeira informação que pedem aos práticos é que lhes apontem e mostrem os caminhos por onde podem abarcar tudo. Furtam pelo modo imperativo, porque, como têm o mero e misto império, todo ele aplicam despoticamente às execuções da rapina. Furtam pelo modo mandativo, porque aceitam quanto lhes mandam, e, para que mandem todos, os que não mandam não são aceitos. Furtam pelo modo optativo, porque desejam quanto lhes parece bem e, gabando as coisas desejadas aos donos delas, por cortesia, sem vontade, as fazem suas. Furtam pelo modo conjuntivo, porque ajuntam o seu pouco cabedal com o daqueles que manejam muito, e basta só que ajuntem a sua graça, para serem quando menos meeiros na ganância. Furtam pelo modo potencial, porque, sem pretexto nem cerimônia, usam de potência. Furtam pelo modo permissivo, porque

---

64. Dom João III (1502-1557).
65. São Francisco Xavier (1506-1552).
66. Furtar.

permitem que outros furtem, e estes compram as permissões. Furtam pelo modo infinitivo, porque não tem o fim o furtar com o fim do governo, e sempre lá deixam raízes em que se vão continuando os furtos. Esses mesmos modos conjugam por todas as pessoas, porque a primeira pessoa do verbo é a sua, as segundas os seus criados, e as terceiras quantas para isso têm indústria e consciência. Furtam juntamente por todos os tempos, porque do presente – que é o seu tempo – colhem quanto dá de si o triênio; e para incluírem no presente o pretérito e o futuro, do pretérito desenterram crimes, de que vendem os perdões, e dívidas esquecidas, de que se pagam inteiramente, e do futuro empenham as rendas e antecipam os contratos, com que tudo o caído e não caído lhes vem a cair nas mãos. Finalmente, nos mesmos tempos, não lhes escapam os imperfeitos, perfeitos, *plus quam* perfeitos, e quaisquer outros, porque furtam, furtaram, furtavam, furtariam e haveriam de furtar mais, se mais houvesse. Em suma, que o resumo de toda essa rapante conjugação vem a ser o supino do mesmo verbo: a furtar para furtar. E quando eles têm conjugado assim toda a voz ativa, e as miseráveis províncias suportado toda a passiva, eles, como se tiveram feito grandes serviços, tornam carregados de despojos e ricos, e elas ficam roubadas e consumidas.

O pirata do mar não rouba aos da sua República: os da terra roubam os vassalos do mesmo rei, em cujas mãos juraram homenagem; do corsário do mar posso me defender: aos da terra não posso resistir; do corsário do mar posso fugir: dos da terra não me posso esconder; o corsário do mar depende dos ventos; os da terra sempre têm por si a monção; enfim, o corsário do mar pode o que pode: os da terra podem o que querem, e por isso nenhuma presa lhes escapa.

É certo que os reis não querem isso, antes mandam em seus regimentos tudo o contrário; mas como as patentes se dão aos gramáticos dessas conjugações, tão peritos ou tão cadimos nelas, que outros efeitos se podem esperar dos seus governos? Cada patente dessas, em própria significação, vem a ser uma licença geral *in scriptis*, ou um passaporte para furtar. Na Holanda, onde há tantos armadores de corsários, repartem-se as costas da África, da Ásia e da América com tempo limitado, e nenhum pode sair a roubar sem passaporte, a que chamam carta de marca. Isso mesmo valem as provisões, quando se dão aos que eram mais dignos da marca que da carta. Por mar padecem os moradores das conquistas a pirataria dos corsários estrangeiros, que é contingente; na terra suportam a dos naturais, que é certa e infalível. E se alguém duvida qual seja maior, note a diferença de uns a outros. O pirata do mar não rouba aos da sua República, os da terra roubam os vassalos do mesmo rei, em cujas mãos juraram homenagem; do corsário do mar posso me defender, aos da terra não posso resistir; do corsário do mar posso fugir, dos da terra não me posso esconder; o corsário do mar depende dos ventos; os da terra sempre têm por si a monção; enfim, o corsário do mar pode o que pode, os da terra podem o que querem, e por isso nenhuma presa lhes escapa. Se houvesse um ladrão onipotente, que vos parece que faria a cobiça junta com a onipotência? Pois isso é o que fazem esses corsários.[67] [...]

---

67. In: http://www.dominiopublico.gov.br/download/texto/fs000025pdf.pdf.

Maximilien Robespierre[68]

Fui feito para combater o crime, não para governá-lo.[69]

É o seu último discurso. Foi guilhotinado dois dias depois. É uma espécie de testamento político, em que expõe sua interpretação da Revolução Francesa, seu significado histórico e seus princípios de governo.

[...]

    As revoluções que até nossos dias alteraram a face dos impérios não tiveram por objetivo mais que uma mudança de dinastia, ou a passagem do poder de um só ao poder de muitos. A Revolução Francesa é a primeira fundada sobre a teoria dos direitos da humanidade e sobre os princípios da justiça. As outras só exigiam ambição; a nossa impõe as virtudes.

---

68. Maximilien Robespierre (1758-1794), representante de Paris na Convenção.
69. Discurso pronunciado na Convenção, em 26 de julho de 1794.

A ignorância e a força as absorveram em um novo despotismo; a nossa, emanada da justiça, só pode repousar em seu seio.

[...]

Os amigos da liberdade procuram derrubar o poder dos tiranos pela força da verdade; os tiranos procuram destruir os defensores da liberdade pela calúnia; eles dão o nome de tirania ao próprio ascendente dos princípios da verdade. Quando esse sistema pôde prevalecer, a liberdade se perdeu; nada existe de legítimo fora a perfídia, e nada mais criminoso que a virtude, pois é da natureza das coisas que, por toda parte onde haja homens reunidos, exista uma influência da tirania ou da razão. Quando esta última é proscrita como um crime, a tirania reina; quando os bons cidadãos são condenados ao silêncio, os celerados dominam.

[...]

Povo! Lembra-te de que, se, na República, a justiça não reina com um império absoluto, e se essa palavra não significa o amor pela igualdade e pela pátria, a liberdade não passa de um nome vão! Povo! Tu que és temido, que és adulado e menosprezado; tu, soberano reconhecido, sempre tratado como escravo, lembra-te de que em todas as partes onde a justiça não reina são as paixões dos magistrados que o fazem – e que o povo mudou de grilhões, mas não de destino!

A Revolução Francesa é a primeira fundada sobre a teoria dos direitos da humanidade e sobre os princípios da justiça. As outras só exigiam ambição; a nossa impõe as virtudes. A ignorância e a força as absorveram em um novo despotismo; a nossa, emanada da justiça, só pode repousar em seu seio.

Lembra-te de que existe em teu seio uma liga de malfeitores que luta contra a virtude pública e que tem mais influência que tu mesmo sobre teus próprios assuntos, que te teme e te adula em massa, mas te proscreve individualmente na pessoa de todos os bons cidadãos!

Lembra-te de que, longe de sacrificar esse bando de malfeitores por tua felicidade, teus inimigos querem te sacrificar por esse punhado de autores de todos os males e únicos obstáculos à prosperidade pública!

Saiba que todo homem que se levantar para defender tua causa e a moralidade pública será sobrecarregado de afrontas e proscrito pelos malfeitores; saiba que todo amigo da liberdade será sempre colocado entre um dever e uma calúnia; que aqueles que não puderam ser acusados de traição serão acusados de ambição; que a influência da probidade e dos princípios será comparada à força da tirania e à violência das facções; que tua confiança e tua estima serão títulos de proscrição para todos os teus amigos; que os gritos do patriotismo oprimido serão chamados de gritos de sedição, e que, não ousando atacar-te em massa, te proscreverão individualmente na pessoa de todos os bons cidadãos, até que os ambiciosos tenham organizado sua tirania. Tal é o império armado dos tiranos contra nós, tal é a influência de sua liga com todos os homens corrompidos, sempre prontos a servi-los. Assim, pois, os celerados nos impõem a lei de trair o povo, sob pena de sermos chamados de ditadores! Obedeceremos nós a essa lei? Não! Defendamos o povo, sob o risco de sermos estimados por isso; que eles corram ao cadafalso pelo caminho do crime, e nós pelo caminho da virtude.

Povo! Lembra-te de que, se na República a justiça não reina com um império absoluto, e se essa palavra não significa o amor pela igualdade e pela pátria, a liberdade não passa de um nome vão!

Diremos que tudo está bem? Continuaremos a louvar, por hábito ou por prática, o que está mal? Nós perderíamos a pátria. Revelaremos os abusos ocultos? Denunciaremos os traidores? Vão dizer que abalamos as autoridades constituídas, que queremos adquirir, a suas expensas, uma influência pessoal. Que faremos então? O nosso dever. Que podemos objetar àquele que quer dizer a verdade e que consente em morrer por ela? Digamos, portanto, que existe uma conspiração contra a liberdade pública; que ela deve sua força a uma coalizão criminosa que intriga no próprio seio da Convenção;[70] que essa coalizão tem cúmplices no Comitê de

---

70. Assembleia instalada em 21 de setembro de 1792. Era eleita pelo voto universal masculino.

Segurança Geral[71] e nos escritórios desse comitê que eles dominam; que os inimigos da República opuseram esse comitê ao Comitê de Salvação Pública, e constituíram assim dois governos; que membros do Comitê de Salvação Pública participam desse complô; que a coalizão assim formada busca a perdição dos patriotas e da pátria. Qual é o remédio para esse mal? Punir os traidores, renovar o Comitê de Segurança Geral, depurá-lo e subordiná-lo ao Comitê de Salvação Pública,[72] depurar o próprio Comitê de Salvação Pública, constituir a unidade do governo sob a autoridade suprema da Convenção Nacional, que é o centro e o juiz, e esmagar assim todas as facções com o peso da autoridade nacional, para elevar sobre suas ruínas o poder da justiça e da liberdade: tais são os princípios. Se é impossível defendê-los sem passar por ambicioso, concluirei disso que os princípios estão proscritos e que a tirania reina entre nós. Mas não que eu deva calá-los. O que podemos objetar a um homem que tem razão e que sabe morrer por seu país? Fui feito para combater o crime, não para governá-lo. Não chegou ainda o tempo em que os homens de bem possam servir impunemente à pátria; os defensores da liberdade serão proscritos enquanto a horda de malfeitores predominar.[73]

> *[...] os celerados nos impõem a lei de trair o povo, sob pena de sermos chamados de ditadores! Obedeceremos nós a essa lei? Não! Defendamos o povo, sob o risco de sermos estimados por isso; que eles corram ao cadafalso pelo caminho do crime, e nós pelo caminho da virtude.*

---

71. Criado pela Convenção em 2 de outubro de 1792.
72. Criado pela Convenção em 6 de abril de 1793.
73. In: Robespierre, Maximilien. *Virtude e terror*. Rio de Janeiro: Jorge Zahar, 2008, pp. 200, 216-217. Tradução: José Mauricio Gradel.

THOMAS JEFFERSON[74]

ESSA ESTRADA É A ÚNICA QUE NOS CONDUZ À PAZ, À LIBERDADE E À SEGURANÇA.[75]

O discurso é um chamamento à concórdia em meio a uma acesa luta entre federalistas e republicanos. Os federalistas, liderados por John Adams, defendiam um governo central forte. Os republicanos, que tinham em Thomas Jefferson seu principal representante, enfatizavam o direito dos estados. Tudo isso em meio ao conflito europeu opondo a França revolucionária à Inglaterra – e que repercutia no continente americano.

Amigos e concidadãos:

    Chamado a exercer as obrigações do cargo de presidente de nosso país, aproveito-me da presença dessa parte de meus concidadãos, aqui reunida, para expressar meus agradecimentos pela gentileza com que lhes

---

74. Thomas Jefferson (1743-1826), terceiro presidente dos Estados Unidos.
75. Discurso de posse na presidência dos Estados Unidos em 4 de março de 1801.

aprouve lançar suas vistas para mim, declarar sincera e conscientemente que a tarefa está acima de minhas aptidões e que dela me aproximo com forte e grande ansiedade que a grandeza do cargo e a fraqueza de minhas forças inspiram. Uma nação em ascensão, espalhada por vastas e fecundas terras, atravessando todos os mares com os ricos produtos de sua indústria, empenhada no comércio com nações que sentem sua força e esquecem o direito, avançando rápido para destinos fora do alcance dos olhos mortais – quando contemplo esses transcendentes objetivos e vejo a honra, a felicidade e as esperanças deste amado país comprometidas com a causa e os auspícios deste dia, recuo da contemplação e me humilho ante a magnitude do empreendimento. Deveria de fato desesperar-me não fosse a presença de muitos, que aqui vejo, lembrar-me que nas outras altas autoridades estabelecidas pela nossa Constituição[76] encontrarei recursos de sabedoria, virtude e zelo em todas as dificuldades. A vós, pois, senhores, que estais encarregados das funções soberanas de legislar, e àqueles ligados a vós, dirijo-me encorajado em busca da orientação e do apoio que me capacitarão a conduzir com segurança o barco, no qual todos nós embarcamos em meio aos elementos em choque de um mundo conturbado.

Todos, também, terão em mente este sagrado princípio que, conquanto a vontade da maioria deva prevalecer em todos os casos, essa vontade, para ser legítima, tem que ser razoável: que a minoria possui iguais direitos, que leis iguais devem proteger e que, violá-los, seria opressão.

Durante a luta de opiniões por que passamos, a veemência das discussões e dos esforços trazia um aspecto que poderia surpreender estranhos não acostumados a pensar livremente e a falar e a escrever o que pensam. Isso, porém, foi agora resolvido pela voz da nação, enunciada segundo os preceitos da Constituição, e todos se submeterão à vontade da lei e unir-se-ão, em esforços comuns, para o bem comum. Todos, também, terão em mente este sagrado princípio que, conquanto a vontade da maioria deva

---

76. A Constituição de 1787.

prevalecer em todos os casos, essa vontade, para ser legítima, tem que ser razoável: que a minoria possui iguais direitos, que leis iguais devem proteger e que violá-los seria opressão. Unamo-nos, pois, concidadãos, com um só coração e um só espírito; restituamos às relações sociais essa harmonia e afeição sem as quais a liberdade e a própria vida teriam triste feição. E reflitamos que tendo banido de nosso país a intolerância religiosa sob a qual os homens, durante tanto tempo, se esvaíram em sangue e sofreram, pouco ainda ganharemos se favorecermos uma intolerância despótica, perversa e capaz de perseguições acerbas e sangrentas. Durante as dores e convulsões do mundo antigo, durante os espasmos cruciantes de homens enfurecidos, procurando, através do sangue e do morticínio, sua liberdade há muito perdida,[77] não foi maravilhoso que a agitação dos vagalhões alcançasse mesmo estas praias distantes e pacíficas, que isso devesse ser mais sentido e temido por alguns e menos por outros e dividisse opiniões quanto às medidas de segurança?[78]

Mas toda diferença de opinião, entretanto, não implica diferença de princípio. Temos chamado por nomes diferentes irmãos do mesmo princípio. Somos todos republicanos; somos todos federalistas. Se houver qualquer entre nós que deseje dissolver a União ou mudar-lhe a forma republicana, que se manifeste incólume como monumento da segurança com a qual o erro da opinião pode ser tolerado e que a razão tem liberdade de combater. Sei, realmente, que alguns homens sinceros temem que um governo republicano não possa ser forte, que este governo não seja forte o suficiente. Mas abandonaria um patriota honesto, em plena maré da experiência bem-sucedida, um governo que até então nos manteve livres e firmes, com base no temor teórico e visionário de que este governo, a melhor esperança do mundo, possa provavelmente precisar de energia para preservar-se? Acredito que não. Ao contrário, creio que este é o governo mais forte da Terra. Creio ser ele o único onde todo homem, quando conclamado pela lei, acorreria para a bandeira da lei e enfrentaria as

---

77. Referência aos conflitos militares entre a França revolucionária e as monarquias europeias.
78. Alusão às leis sobre estrangeiros e sediciosos de 1798 adotados na presidência de John Adams, que impunha limites à liberdade de expressão e permitia a deportação de estrangeiros considerados rebeldes.

perturbações da ordem pública como sendo de seu próprio interesse. Diz-se, às vezes, que ao homem não se pode confiar o governo de si mesmo. Pode-se então confiar-lhe a governança de outros? Ou encontramos anjos, na forma de reis, para governá-lo? Responda a história a esta questão.

Prossigamos, pois, com coragem e confiança, com nossos próprios princípios federais e republicanos, nossa devoção à União e ao governo representativo. Bondosamente separados pela natureza e um vasto oceano do caos devastador de uma quarta parte do globo; demasiado magnânimos para suportar as degradações dos outros; possuindo uma terra favorecida, com espaço suficiente para nossos descendentes até a milhares e milhares de gerações; nutrindo a devida noção de nosso direito igual ao uso de nossas próprias faculdades, às aquisições de nossa própria indústria, à honra e confiança de nossos concidadãos, resultantes não do nascimento, mas de nossas ações e o senso delas; esclarecidos por uma religião benigna, professada de fato e praticada em várias formas, ainda assim todas elas incluindo honestidade, verdade, temperança, gratidão e amor ao homem; reconhecendo e adorando uma Providência suprema que, por todos os seus desígnios, prova que Lhe apraz a felicidade do homem aqui e sua maior felicidade daqui por diante; com todas essas bênçãos, que mais é necessário para tornar-nos um povo feliz e próspero? Ainda outra coisa, concidadãos – um governo sábio e sóbrio que impedirá os homens de prejudicarem uns aos outros, deixá-los-á ao contrário livres para regularem suas próprias tarefas de indústria e melhoria e não arrancará

[...] tendo banido de nosso país a intolerância religiosa sob a qual os homens, durante tanto tempo, se esvaíram em sangue e sofreram, pouco ainda ganharemos se favorecermos uma intolerância despótica, perversa e capaz de perseguições acerbas e sangrentas.

da boca do trabalhador o pão que ele ganhou. Esta é a soma do bom governo, o necessário para fechar o círculo de nossa felicidade.

Prestes a entrar, concidadãos, no exercício das obrigações que abrangem tudo que vos é caro e valioso, convém compreenderdes o que julgo princípios essenciais de nosso governo e, consequentemente, que devem modelar sua administração. Vou condensá-los no menor espaço possível, enunciando o princípio geral, mas não todas as suas limitações: justiça igual e exata a todos os homens, qualquer que seja seu Estado ou sua crença política ou religiosa; paz, comércio e amizade honesta com todas as nações, não envolvendo isso aliança com nenhuma; apoio aos governos dos estados em todos os seus direitos, como sendo as mais competentes administrações para nossos interesses internos e os mais seguros baluartes contra tendências antirrepublicanas; preservação do governo geral em toda sua vigência constitucional, como a grande âncora de nossa paz e segurança no exterior; zelo pelo direito de eleição pelo povo, suave e seguro corretivo dos abusos cortados pela espada da revolução onde não estão estabelecidos remédios pacíficos; absoluta aquiescência às decisões da maioria, princípio vital das repúblicas, do qual não há apelo senão pela força, princípio vital e pai imediato do despotismo; uma milícia bem disciplinada, nosso melhor apoio na paz e para os primeiros momentos da guerra, até que forças regulares possam substituí-las; supremacia da autoridade civil sobre a militar; economia nas despesas públicas, para que os impostos sejam leves; honesto pagamento de nossas dívidas e preservação sagrada da confiança pública; estímulo à agricultura, e ao comércio como complemento; difusão de informações e denúncia de todos os abusos ao tribunal da razão pública; liberdade de religião; liberdade de imprensa; liberdade da pessoa, sob proteção do *habeas corpus*; e julgamento por júris imparcialmente selecionados. Esses princípios formam a brilhante constelação que caminhou a nossa frente e guiou nossos passos através de uma era de revolução e reforma. A sensatez de nossos sábios e o sangue de nossos heróis foram devotados à concretização deles; devem ser o credo de nossa religião política, o texto de instrução cívica, a pedra de toque com a qual são experimentados os serviços daqueles em quem confiamos; e, caso deles nos afastemos em momentos de erro e alarma, apressemo-nos a voltar sobre nossos passos e palmilhar, de novo, essa estrada que é a única que nos conduz à paz, à liberdade e à segurança.

Assumo, pois, concidadãos, o posto que me atribuístes. Com experiência bastante em cargos subordinados para ter visto as dificuldades deste, o maior de todos, aprendi a esperar que raramente cabe à sorte do homem imperfeito retirar-se dessa posição com a reputação e os favores que o trazem para ela. Sem pretensões a essa alta confiança que depositastes em nossa primeira e grande figura revolucionária, cujos preeminentes serviços lhe deram o direito de ocupar o primeiro lugar na afeição de seu país, e destinaram a ele as mais belas páginas no volume da história fiel, peço, tão só, a confiança que possa dar a firmeza e a eficiência à administração legal de vossos negócios. Errarei muitas vezes por falta de julgamento. Quando certo, serei muitas vezes julgado por aqueles cujas posições não dominam todo o cenário. Peço vossa indulgência para meus erros, que jamais serão intencionais, e vosso apoio contra os erros de outros que possam condenar aquilo que não condenariam se vistos em todas as suas partes. A aprovação implícita em vosso sufrágio[79] é um grande consolo para mim quanto ao passado, e minha futura solicitude será reter a boa opinião daqueles que a concederam antecipadamente, conciliar a de outros ao fazer-lhes todo bem a meu alcance ser o instrumento da felicidade e da liberdade de todos.

> *Creio que este é o governo mais forte da Terra. Creio ser ele o único onde todo homem, quando conclamado pela lei, acorreria para a bandeira da lei e enfrentaria as perturbações da ordem pública como sendo de seu próprio interesse.*

    Confiando no patrocínio de vossa boa vontade, avanço com obediência para o trabalho, pronto para afastar-me dele quando perceberdes que podereis fazer melhor escolha. E possa o Poder Infinito que governa os destinos do universo dirigir nossos conselhos para o que seja melhor, dando resultado favorável para vossa paz e prosperidade.[80]

---

79. Menção à vitória obtida contra John Adams.
80. In: Jefferson, Thomas. *Escritos políticos*. São Paulo: Ibrasa, 1964, pp. 38-42.

Frei Caneca[81]

O Poder Moderador é a chave mestra da opressão da nação brasileira e o garrote mais forte da liberdade dos povos.[82]

Fundação Biblioteca Nacional, Rio de Janeiro

É uma clara defesa do federalismo, que permitiria autonomia às províncias. Ataca o centralismo, os poderes imperiais de dom Pedro I, especialmente o Poder Moderador, e acentua a necessidade da construção de uma Constituição democrática.

Senhor presidente, tendo eu recebido a honra de ser convidado por V. Ex.ª para, como membro do corpo literário desta cidade, dar o meu voto sobre a matéria do decreto de S.M.I. e C. de 11 de março do presente ano, pelo qual o dito senhor manda jurar, como Constituição do Império do Brasil,

---

81. Frei Caneca (1779-1825). Jornalista e um dos líderes da Confederação do Equador.
82. Discurso pronunciado em 6 de junho de 1824 na cidade do Recife.

o projeto feito pelo ministério e Conselho do Estado,[83] apareci neste lugar, não só para provar a V. Ex.ª quanto prezei o seu convite, mas também para fazer aos meus honrados compatriotas, que não me poupo a cooperar com eles para o bem e felicidade da pátria, quanto permitem minha fraqueza e meu estado; e não para fazer parada de conhecimentos, que não tenho, nem passar por oráculo em uma Assembleia que compreende tantas pessoas acima de mim em princípios luminosos e sentimentos liberais. Portanto, me abalanço a manifestar as minhas curtas e mesquinhas ideias na esperança de que dos sábios merecerei correção, e dos que não se acham nessa linha, desculpa e docilidade; digo, pois, que não se deve adotar, nem jurar como Constituição do império o projeto oferecido para este fim.

A certeza, em que estou, de falar entre cidadãos livres, patriotas e caroáveis da verdade, é o sustentáculo da liberdade e franqueza, com que avanço esta proposição, que por mais escabrosa que pareça aos ânimos prejudicados, e idólatras fanáticos de antigos prejuízos, se fará aceitável, se me não engano, pelas razões que desenvolverei; e é a quanto aspiro.

Parecia-me que seria útil, para melhor estabelecer o meu voto, fazer aqui uma ligeira exposição das vicissitudes e mudanças políticas, por que há passado a nossa pátria, o Brasil, desde que S.M.I. se dignou ficar conosco[84] até agora; mas, respeitáveis senhores, lembrando-me que talvez a julgásseis supérflua, por estardes ao fato de tudo, a deixei de mão, e passo logo a tratar da matéria. Falarei primeiramente da qualidade do presente projeto, quanto posso alcançar, para depois examinar se se deve ou não adotar.

Uma *Constituição* não é outra coisa que a ata do pacto social, que fazem entre si os homens quando se ajuntam e se associam para viver em reunião ou sociedade. Esta ata, portanto, deve conter a matéria sobre o que se pactuou, apresentando as relações em que ficam os que governam e os governados, pois que sem governo não pode existir sociedade. Essas relações, a que se dão o nome de deveres e direitos, devem ser tais que defendam e sustentem a vida dos cidadãos, a sua liberdade, a sua propriedade, e dirijam todos os negócios sociais à conservação, bem-estar e vida cômoda dos sócios, segundo as

---

83. A Assembleia Constituinte foi fechada *manu militare* em 11 de novembro de 1823.
84. Alusão ao Dia do Fico, 9 de janeiro de 1822.

circunstâncias de seu caráter, seus costumes, usos e qualidade do seu território etc. Projeto de Constituição é o rascunho desta ata, que ainda vai se passar a limpo, ou apontamentos das matérias hão de ser ventiladas no pacto, ou, usando de uma metáfora, é o esboço na pintura, isto é, a primeira delineação, nem perfilada, nem acabada. Portanto, o projeto oferecido por S.M. nada mais é do que o apontamento das matérias, sobre que S.M. vai contratar conosco.

Vejamos, portanto, se a matéria aí lembrada, suas divisões e as relações destas são compatíveis com as circunstâncias de independência, liberdade, integridade do nosso território, melhoramento moral e físico, e segura felicidade.

Uma Constituição não é outra coisa que a ata do pacto social, que fazem entre si os homens quando se ajuntam e se associam para viver em reunião ou sociedade. Esta ata, portanto, deve conter a matéria sobre o que se pactuou, apresentando as relações em que ficam os que governam e os governados, pois que sem governo não pode existir sociedade.

Sendo a nossa primeira e principal questão, em que temos empenhado nossos esforços, brio e honra, a emancipação e independência de Portugal, esta não se acha garantida no projeto com aquela determinação e dignidade necessária, porque 1º) no projeto não se determina positiva e exclusivamente o território do império, como é de razão e o têm feito com sabedoria as Constituições mais bem formadas da Europa e América; e com isso se deixa uma fisga, para se aspirar à união com Portugal, o que não só trabalham por conseguir os déspotas da Santa Aliança[85] e o rei de Portugal,[86] como o manifestam os periódicos mais apreciáveis da mesma Europa e as negociações do ministério português com o Rio de Janeiro e correspondência daquele rei com o nosso imperador, com o que S.M. tem dado fortes indícios de estar deste acordo, não só pela

---

85. Criada em 1815 após a derrota de Napoleão Bonaparte. Era uma aliança entre os Impérios Russo e Austríaco e o Reino da Prússia. Defendia a recolonização das colônias ibéricas.
86. Dom João VI.

dissolução arbitrária e despótica da soberana Assembleia Constituinte, e proibição da outra que nos havia prometido, mas também, além de outras muitas coisas, porque se retirou da capital do império para não solenizar o dia 8 de maio, aniversário da instalação da Assembleia, que por decreto era dia de grande gala, e no dia 13, dia do aniversário do rei de Portugal, S.M. deu beija-mão no paço e foi à ilha das Enxadas, onde se achavam as tropas de Portugal, vindas de Montevidéu, estando arvorada com o maior escândalo a bandeira portuguesa; 2º) porquanto ainda no primeiro artigo se diga que a nação brasileira não admite com outra qualquer laço algum de união ou federação que se oponha à sua independência, contudo, esta expressão é para iludir-nos; pois que o Executivo, nela sua oitava atribuição (art. 102), pode ceder ou trocar o território do império ou de possessões a que o império tenha direito, e isto independentemente da Assembleia Geral; 3º) porque, jurando o imperador a integridade e indivisibilidade do império, não jura a sua independência.

Depois é esse juramento contraditório, com a oitava atribuição, porque se S.M. jura a indivisibilidade do império, como pode ceder ou trocar o seu território? Somente se isso der a entender que devíamos ceder o território do império todo por inteiro e passar-nos então a todos, com suas famílias e haveres, ou para os desertos da Tartária, ou para os da África, ou afinal lá para os botocudos, entregando as nossas cidades e vilas ao que com ele contratar.

O artigo 2º não pode ser mais prejudicial à liberdade política do Brasil; porque permitindo que as províncias atuais sofram novas subdivisões, as reduz a um império da China, como já se lembrou e conheceu igual maquiavelismo no projeto dos Andradas[87] o deputado Barata;[88] enfraquece as províncias, introduzindo rivalidades, aumentando os interesses dos ambiciosos, para melhor poder subjugá-las umas por outras; e essa desunião tanto mais se manifesta pelo artigo 83, em que se proíbe aos conselhos provinciais de poderem propor e deliberar sobre projetos de quaisquer ajustes de uma para as outras províncias, o que nada menos

---

87. José Bonifácio, Martim Francisco e Antônio Carlos.
88. Referência a Cipriano Barata, constituinte, símbolo do radicalismo liberal de antanho.

é que estabelecer o desligamento das províncias entre si, e fazê-las todas dependentes do governo executivo, e reduzir a mesma nação a diversas hordas de povos desligados e indiferentes entre si, para melhor poder, em última análise, estabelecer-se o despotismo asiático.

O Poder Moderador[89] da nova invenção maquiavélica é a chave mestra da opressão da nação brasileira e o garrote mais forte da liberdade dos povos. Por ele, o imperador pode dissolver a Câmara dos Deputados, que é a representante do povo, ficando sempre no gozo de seus direitos o Senado, que é o representante dos apaniguados do imperador. Essa monstruosa desigualdade das duas Câmaras, além de se opor de frente ao sistema constitucional, que se deve chegar o mais possível à igualdade civil, dá ao imperador, que já tem de sua parte o Senado, o poder de mudar a seu bel-prazer os deputados que ele entender que se opõem aos seus interesses pessoais e fazer escolher outros de sua facção, ficando o povo indefeso nos atentados do imperador contra seus direitos, e realmente escravo, debaixo porém das formas da lei, que é o cúmulo da desgraça, como tudo agora está sucedendo na França, cujo rei em dezembro passado dissolveu a Câmara dos Deputados, e mandando-se eleger outros, foram ordens do ministério para os departamentos a fim de que os prefeitos fizessem eleger tais e tais pessoas para deputados, declarando-se-lhes logo que quando o governo empregava a qualquer, era na esperança de que este marchará por onde lhe mostrassem a estrada. Ademais, eu não

> *O Poder Moderador da nova invenção maquiavélica é a chave mestra da opressão da nação brasileira e o garrote mais forte da liberdade dos povos. Por ele, o imperador pode dissolver a Câmara dos Deputados, que é a representante do povo, ficando sempre no gozo de seus direitos o Senado, que é o representante dos apaniguados do imperador.*

---

89. Criação da Constituição de 1824, sob influência de Benjamin Constant. Segundo o artigo 98: "O Poder Moderador é a chave de toda a organização política, e é delegado privativamente ao imperador, como chefe supremo da nação, e seu primeiro representante, para que incessantemente vele sobre a manutenção da independência, equilíbrio e harmonia dos demais poderes políticos".

posso conceber como é possível que a Câmara dos Deputados possa dar motivos para ser dissolvida, sem jamais poder dá-los a dos senadores. A qualidade de ser a dos deputados temporária, e vitalícia a dos senadores, não só é uma desigualdade que se refunde toda em aumentar os interesses do imperador, como é o meio de criar no Brasil, que felizmente não a tem, a classe da nobreza opressora dos povos, a qual só se tem atendido naqueles povos, que foram constituídos depois de já terem entre si seus duques, seus condes, seus marqueses etc. E esse é o mesmo fim da atribuição undécima do poder executivo, que na minha opinião é o braço esquerdo do despotismo, sendo o direito o ministério organizado da maneira que se vê no projeto.

Podem os ministros de Estado propor leis (art. 53), assistir a sua discussão, votar sendo senadores e deputados (art. 54). Qual será a coisa, portanto, que deixarão eles de conseguir na Assembleia Geral? Podem ser senadores e deputados (art. 30), exercitando ambos os empregos de senadores e ministros; e o mesmo se diz dos conselheiros (art. 32), ao mesmo tempo que o deputado, sendo escolhido para ministro, não pode conservar um e outro emprego; isto além de ser um estatuto sem o equilíbrio que deve haver entre os mandados e o mandante, é um absurdo em política que aqueles que fazem ou influem na fatura das leis sejam os mesmos que as executem; e não se pode apresentar uma prova mais autêntica da falta de liberalidade do projeto do que esta. É por esse motivo que diz o sábio cardeal Maury que "Todo cidadão que sabe calcular as consequências dos princípios políticos deve abjurar uma pátria em que aqueles que fazem as leis são magistrados, e onde os representantes do povo que têm fixado a legislação pretendem influir na administração da justiça".

A suspensão da *sanção* imperial a qualquer lei formada pela Assembleia Geral por duas legislaturas (art. 65) é inteiramente ruinosa à felicidade da nação, que pode muito bem depender de uma lei que não deva admitir uma dilação pelo menos de oito anos, sobretudo quando vemos que para passar a lei como sancionada, pela dilação do tempo, é indispensavelmente necessário que as duas legislaturas seguintes insistam a eito sobre a mesma lei (art. 65).

A oitava atribuição do poder executivo, que é de fazer tratados de aliança defensiva e ofensiva, levando-os depois de concluídos ao conhecimento da Assembleia Geral, é de muito perigo para a nação, pois que ela não infere com o seu conhecimento e consentimento em negócio de tanta importância, muito principalmente quando se vê que o mesmo Executivo julga necessária a aprovação prévia da Assembleia Geral para execução das breves letras pontifícias, decretos e concílios, quando envolverem disposição geral (art. 14).

A atribuição privativa do Executivo do empregar, como bem lhe parecer conveniente à segurança e defesa do Império, a armada de mar e terra (art. 148) é a coroa do despotismo e a fonte caudal da opressão da nação, e o meio de que se valeram todos os déspotas para escravizar a Ásia e a Europa, como nos conta a história antiga e moderna.

Pelos artigos 55, 56, 57, 58 e 59, a Câmara dos Deputados está quase escrava à dos senadores, e o remédio que se aplica, no caso da discórdia, me parece paliativo, obscuro e impraticável.

Os conselhos das províncias são uns meros fantasmas para iludir os povos; porque devendo levar suas decisões à Assembleia Geral e ao Executivo em conjunto, isto bem nenhum pode produzir às províncias; pois que o arranjo, atribuições e manejo da Assembleia Geral faz tudo em último resultado depender da vontade e arbítrio do imperador, que com astúcia evoca tudo a si, e de tudo dispõe a seu contento e pode oprimir a nação do modo mais prejudicial, debaixo das formas da lei. Depois, tira-se aos conselhos o poder de projetar sobre a execução das leis, atribuição esta que parece de suma necessidade ao conselho, pois que este, mais do que nenhum outro, deve estar o fato das circunstâncias do tempo, lugar etc., da sua província, conhecimentos indispensáveis para a cômoda e frutuosa aplicação das leis.

Essas são as coisas maiores que minha fraqueza pode descobrir no *projeto* em questão, e que eu julgo de sumo perigo para a independência do império, sua integridade, sustentação da liberdade dos povos e conservação sagrada da sua propriedade, e estas mesmas coisas as expus sumariamente, ou levemente tocadas, por não admitir a presente conferência discursos extensos. Talvez eu nestas mesmas me engane, e não tenha ideias exatas, nem saiba combiná-las e conhecer-lhes a necessária relação que há entre si, por cujo motivo me pareça mau, opressor e contraditório o *projeto*; mas no entanto é o que por ora entendo, e sendo chamado para dar o meu voto, hei de votar, não pelas ideias que os outros têm, mas sim pelas minhas; portanto digo que pelo que é em si essa peça de política, este rascunho de Constituição não se deve admitir.[90]

[...]

---

90. In: Cabral de Mello, Evaldo (org.). *Frei Joaquim do Amor Divino Caneca*. São Paulo: Editora 34, 2001, pp. 559-563.

SIMÓN BOLÍVAR[91]

TENHAMOS PRESENTE QUE NOSSO POVO NÃO É O EUROPEU, NEM O AMERICANO DO NORTE.[92]

O tema central do discurso é a questão que envolve as ideias fora do lugar. Bolívar insiste na especificidade da formação histórico-política da América Latina de colonização espanhola. Considerava um grave equívoco copiar modelos estrangeiros. Isso, segundo ele, não permitiria a construção de repúblicas estáveis.

[...]
Quanto mais admiro a excelência da Constituição Federal da Venezuela tanto mais me convenço da impossibilidade de sua aplicação em

---

91. Simón Bolívar (1783-1830) foi o principal líder do processo independentista na América do Sul de colonização espanhola.
92. Discurso pronunciado quando da instalação do Congresso de Angostura, Venezuela, em 15 de fevereiro de 1819.

nosso Estado. Segundo meu modo de ver, é um prodígio que seu modelo, na América do Norte,[93] subsista tão prosperamente e não se transtorne ao deparar com o primeiro embaraço ou perigo. Apesar de ser aquele povo um modelo singular de virtudes políticas e de ilustração moral; não obstante a liberdade ter sido seu berço e de ter sido ele criado em liberdade e se alimentado de pura liberdade, direi que, embora sob muitos aspectos esse povo seja o único na história do gênero humano, é um prodígio, repito, que um sistema tão frágil e complicado como o federal tenha podido regê-lo em circunstâncias tão difíceis e delicadas como as passadas. Mas, seja o que for deste governo, em relação à nação americana devo dizer que nem remotamente pensei assimilar a situação e natureza de Estados tão diferentes como o inglês-americano e o americano-espanhol. Não seria já muito difícil aplicar à Espanha o código de liberdade política, civil e religiosa da Inglaterra? Pois é ainda mais difícil adaptar à Venezuela as leis da América do Norte. Não afirma o *Do Espírito das Leis*[94] que estas devem ser próprias para o povo a que se destina?, que é uma grande casualidade que as de uma nação possam convir a outra?, que as leis devem ser relativas aos aspectos físicos do país, ao clima, à qualidade do terreno, à sua situação, à sua extensão, ao gênero de vida dos povos? Referir-se ao grau de liberdade que a Constituição pode sofrer, à religião dos habitantes, às suas inclinações, às suas riquezas, ao seu número, ao seu comércio, aos seus costumes, à sua maneira de ser? Eis aqui o código que devíamos consultar e não o de Washington!!!

 A Constituição venezuelana apesar de ter se baseado no mais perfeito modelo, se se atender à correção dos princípios e aos efeitos benéficos de sua administração, diferiu essencialmente da americana num ponto fundamental e, sem dúvida, o mais importante. O Congresso da Venezuela, como o americano, participa de algumas das atribuições do poder executivo. Além disso, nós subdividimos esse poder, entregando-o a um corpo coletivo, sujeito, portanto, aos inconvenientes de tornar periódica a existência do governo, de suspendê-lo ou de dissolvê-lo sempre que se separassem seus membros. Nosso triunvirato carece, por assim dizer, de

---

93. Alusão à Constituição norte-americana de 1787.
94. Referência ao livro clássico de Montesquieu publicado em 1748.

unidade, de continuidade e de responsabilidade individual; está privado de ação momentânea, de vida contínua, de uniformidade real e de responsabilidade imediata; um governo que não possui tudo quanto constitui sua moralidade deve considerar-se nulo.

Embora as faculdades do presidente dos Estados Unidos estejam limitadas por restrições excessivas, ele exerce por si só todas as funções governativas que a Constituição lhe atribui, e está fora de dúvida que sua administração deve ser mais uniforme, constante e verdadeiramente própria do que a de um poder disseminado entre vários indivíduos, cuja composição não pode ser menos que monstruosa.

O poder judiciário na Venezuela é semelhante ao americano, indefinido em duração, temporal e não vitalício; goza de toda a independência que lhe corresponde.

O primeiro Congresso, em sua Constituição Federal, levou mais em conta o espírito das províncias do que a ideia sólida de formar uma República indivisível e centralizada. Aqui, nossos legisladores cederam ao empenho não refletido dos provincianos seduzidos pelo deslumbrante brilho da felicidade do povo americano, pensando que as bênçãos de que goza são devidas exclusivamente à forma de governo e não ao caráter e aos costumes dos cidadãos. Com efeito, o exemplo dos Estados Unidos, pela sua extraordinária prosperidade, era por demais promissor para não ser seguido. Quem pode resistir ao atrativo vitorioso do gozo pleno e absoluto da soberania, da independência e da liberdade? Quem pode resistir ao amor que inspira um governo inteligente, que atende, ao mesmo tempo, os direitos particulares e os direitos gerais, que transforma a vontade

Os restos da dominação espanhola permanecerão longo tempo antes que cheguemos a anulá-los: o contágio com o despotismo impregnou nossa atmosfera e nem o fogo da guerra nem as emanações próprias de nossas saudáveis leis purificaram o ar que respiramos. Nossas mãos já estão livres, mas nossos corações ainda padecem das doenças da servidão.

comum em lei suprema da vontade individual? Quem pode resistir ao império de um governo benfeitor que com mão hábil, ativa e poderosa dirige sempre, e em todas as partes, todos os seus recursos para a perfeição social, que é o fim único das instituições humanas?

Mas por mais atraente que pareça, e o seja de fato, não era dado aos venezuelanos usufruir desse magnífico sistema federativo, repentinamente, ao sair dos grilhões. Não estávamos preparados para tanto bem; o bem, como o mal, mata quando é súbito e excessivo. Nossa constituição moral não tinha ainda a consistência necessária para receber o benefício de um governo completamente representativo e tão sublime que poderia ser adaptado a uma República de santos.

Representantes do povo! Vós estais chamados a consagrar ou a suprimir quanto vos pareça digno de ser conservado, reformado ou desfeito em nosso pacto social. A vós cabe corrigir a obra dos nossos primeiros legisladores. Queria dizer que cabe a vós cumprir uma parte da beleza que contém nosso código político, porque nem todos os corações estão formados para amar todas as beldades, nem todos os olhos são capazes de suportar a luz celestial da perfeição. O livro dos apóstolos, a moral de Jesus, a obra divina que nos enviou a providência para aperfeiçoar os homens, tão sublime e tão santa, é um dilúvio de fogo para Constantinopla, e a Ásia inteira arderia em vivas chamas se este livro de paz se lhe impusesse repentinamente por código de religião, de leis e de costumes.

Seja-me permitido chamar a atenção do Congresso sobre uma matéria que pode ser de uma importância vital. Tenhamos presente que nosso povo não é o europeu, nem o americano do norte, é antes um composto de África e América do que uma emanação da Europa, pois que a Espanha mesma deixa de ser Europa pelo seu sangue africano, pelas suas instituições e por seu caráter. É impossível caracterizar com propriedade a que família humana pertencemos. A maior parte do indígena se aniquilou, o europeu mesclou-se com o americano e com o africano e este mesclou-se com o índio e com o europeu. Nascidos todos do seio de uma mesma mãe, nossos pais, diferentes em origem e em sangue, são estrangeiros, e todos diferem visivelmente na epiderme; essa dessemelhança traz uma ligação da maior importância.

Todos os cidadãos da Venezuela gozam, pela Constituição – intérprete da natureza –, de uma perfeita igualdade política. Posto que essa igualdade não tivesse sido um dogma em Atenas, na França e na América, nós deveríamos consagrá-lo para corrigir a diferença que aparentemente existe. Minha opinião é, legisladores, que o princípio fundamental de nosso sistema depende imediata e exclusivamente da igualdade estabelecida e praticada na Venezuela. Que os homens nascem todos com iguais direitos aos bens da sociedade, está consagrado pela pluralidade dos sábios, como está também que nem todos os homens nascem igualmente aptos para a obtenção de todas as posições, pois todos devem praticar a virtude e nem todos a praticam, todos devem ser valorosos e nem todos o são, todos devem possuir talentos e nem todos os possuem. Daqui vem a distinção efetiva que se observa entre os indivíduos da sociedade estabelecida de modo mais liberal. Se o princípio da igualdade política é geralmente reconhecido, não o é menos o da desigualdade física e moral. A natureza faz os homens desiguais em gênio, em temperamento, forças e caracteres. As leis corrigem essa diferença porque colocam o indivíduo na sociedade para que a educação, a indústria, as artes, os serviços, as virtudes deem-lhe uma igualdade fictícia, propriamente chamada política e social. É uma inspiração eminentemente benéfica a reunião de todas as classes num Estado, no qual à diversidade se multiplica em razão da propagação da espécie. Por esse único passo arrancou-se pela raiz a cruel discórdia. Quantos ciúmes, rivalidades e ódios foram evitados!

Mas por mais atraente que pareça, e o seja de fato, não era dado aos venezuelanos usufruir desse magnífico sistema federativo, repentinamente, ao sair dos grilhões. Não estávamos preparados para tanto bem; o bem, como o mal, mata quando é súbito e excessivo. Nossa constituição moral não tinha ainda a consistência necessária para receber o benefício de um governo completamente representativo e tão sublime que poderia ser adaptado a uma República de santos.

Tendo já pactuado com a justiça e com a humanidade, pactuemos agora com a política, com a sociedade, aplainando as dificuldades que se antepõem a um sistema tão singelo e natural, mas tão fraco que, ao menor tropeço, se transtorna, se arruína. A diversidade de origem requer um pulso infinitamente firme, um tato infinitamente delicado para manipular a sociedade heterogênea, cujo complicado artifício se desloca, se divide, se dissolve diante da mais leve alteração.

O mais perfeito sistema de governo é aquele que produz maior soma de felicidade possível, a maior soma de segurança social e a maior soma de estabilidade política. Pelas leis ditadas pelo primeiro Congresso temos o direito de esperar que a sorte seja o dote da Venezuela; pelas vossas leis, devemos esperar que a segurança e a estabilidade eternizarão essa sorte. A vós cabe resolver o problema. Como, depois de ter rompido o entrave que representava nossa antiga opressão, podemos realizar a maravilhosa obra de evitar que os restos de nossos grilhões transformem-se em armas liberticidas? Os restos da dominação espanhola permanecerão longo tempo antes que cheguemos a anulá-los: o contágio com o despotismo impregnou nossa atmosfera e nem o fogo da guerra nem as emanações próprias de nossas saudáveis leis purificaram o ar que respiramos. Nossas mãos já estão livres, mas nossos corações ainda padecem das doenças da servidão. O homem, ao perder a liberdade, dizia Homero, perde a metade de seu espírito.

Um governo republicano foi, é e deve ser o da Venezuela; suas bases devem ser a soberania do povo: a divisão dos poderes, a liberdade civil, a proscrição da escravidão, a abolição da monarquia e dos privilégios. Necessitamos da igualdade para refundir, digamos assim, num todo, a espécie dos homens, as opiniões políticas e os costumes públicos. Logo, estendendo a vista sobre o vasto campo que nos falta para percorrer, fixemos a atenção nos perigos que devemos evitar. Que a história nos sirva de guia nessa carreira. A primeira Atenas nos dá o exemplo mais brilhante de uma democracia absoluta e, ao mesmo tempo, a mesma Atenas nos oferece o exemplo mais melancólico da extrema debilidade dessa espécie de governo. O mais sábio legislador da Grécia não viu sua República conservar--se dez anos e sofreu a humilhação de reconhecer a impossibilidade de a democracia absoluta reger qualquer espécie de sociedade, mesmo a mais culta, acomodada e limitada, porque só brilha com relâmpagos de liberdade. Reconheçamos, pois, que Sólon[95] frustrou o mundo e lhe ensinou quão difícil é dirigir os homens por simples leis.[96]

A República de Esparta, que parecia uma invenção quimérica, produziu mais efeitos reais do que a obra engenhosa de Sólon. Glória, virtude, moral e, consequentemente, felicidade nacional foi o resultado da legislação de Licurgo.[97] Ainda que dois reis num Estado sejam dois monstros, Esparta pouco teve de sentir de seu duplo trono; da mesma forma que Atenas prometia a sorte mais esplêndida, com uma soberania absoluta, livre eleição de magistrados, frequentemente renovados, leis suaves, sábias e políticas. Pisístrato, usurpador e tirano, foi mais saudável a Atenas do que suas leis, e Péricles,[98] embora também usurpador, foi o mais útil dos cidadãos. A República de Tebas não teve mais vida do que a de Pelópidas[99] e de Epaminondas, porque, às vezes, não são os homens e os princípios que formam os governos. Os códigos, os sistemas, os estatutos, por mais sábios que sejam, são obras mortas que pouco influem sobre as sociedades; homens virtuosos, homens patriotas, homens ilustrados são os que constituem as repúblicas!

A Constituição romana foi que trouxe maior poder e fortuna a um povo, sendo que ali não havia uma exata distribuição dos poderes. Os cônsules, o Senado e o povo eram ora legisladores, ora magistrados, ora juízes; todos participavam de todos os poderes. O executivo, composto por dois cônsules, sofria o mesmo inconveniente que o de Esparta. Apesar de sua deformidade, não sofreu a República a desastrosa divisão que se supunha inseparável de uma magistratura composta de dois indivíduos, habilitados ambos com os poderes de um monarca. Um governo cuja única inclinação era a conquista não parecia destinado a lançar as bases da felicidade de sua nação. Um governo monstruoso e estritamente guerreiro elevou Roma ao mais alto esplendor da virtude e da glória e transformou a terra em um

---

95. Célebre legislador ateniense conhecido pelas reformas que ampliaram a participação popular nos negócios da cidade.
96. Alusão ao tirano Pisístrato, que tomou o poder em Atenas e governou despoticamente por dezenove anos.
97. Mítico legislador de Esparta.
98. Considerado o pai da democracia ateniense.
99. Político e militar tebano, assim como Epaminondas.

domínio romano, para mostrar aos homens de quanto são capazes as virtudes políticas e quão diferentes são as instituições.

Passando dos tempos antigos aos modernos, encontraremos a Inglaterra e a França atraindo a atenção de todas as nações, dando-lhes lições eloquentes, de toda espécie, em matéria de governo. A revolução desses dois grandes povos,[100] como um radiante meteoro, inundou o mundo com tal profusão de luzes políticas que já todos os seres que pensam aprenderam quais são os direitos e os deveres do homem, no que consiste a excelência dos governos e no que consistem seus vícios. Todos sabem apreciar o valor real das teorias especulativas dos filósofos e dos legisladores modernos. Finalmente, esse astro, em sua luminosa carreira, incendiou o peito dos apáticos espanhóis, que também se lançaram no torvelinho político, fizeram suas efêmeras provas de liberdade, reconheceram sua incapacidade para viver sob o doce domínio das leis e voltaram a encerrar-se em suas prisões e fogueiras imemoriais.

> *[...] a excelência de um governo não consiste em sua teoria, nem em sua forma, nem em seu mecanismo, mas em ser adequado à natureza e ao caráter da nação a que se destina.*

Aqui é lugar de vos repetir, legisladores, o que disse o eloquente Volney[101] em seu discurso diante das ruínas de Palmira: "Aos povos nascentes das Índias Castelhanas, aos chefes generosos que os guiam para a liberdade, que os erros e os infortúnios do mundo antigo levem a sabedoria e a felicidade ao mundo novo". Que não se percam, pois, as lições da história e que os acontecimentos da Grécia, de Roma, da França, da Inglaterra e da América nos instruam na difícil ciência de criar e conservar as nações com leis próprias, justas, legítimas e principalmente úteis. Não esquecendo jamais que a excelência de um governo não consiste em sua teoria, nem em sua forma, nem em seu mecanismo, mas em ser adequado à natureza e ao caráter da nação a que se destina.[102]

---

100. Referência às revoluções inglesas do século XVII e à Revolução Francesa de 1789.
101. Conde de Volney, francês, conhecido especialmente como orientalista.
102. In: Belloto, Manoel Lelo e Anna Maria Martinez Correa (orgs.). *Bolívar*. São Paulo: Ática, 1983, pp. 120-125.

LORD BYRON[103]

NUNCA CONTEMPLEI TAMANHA MISÉRIA E ESQUALIDEZ.[104]

Biblioteca do Congresso, Washington

O discurso foi proferido quando da intensificação do movimento de destruição das máquinas que estavam revolucionando a produção e gerando, em larga escala, o desemprego. Ficou conhecido como ludista, denominação derivada de Ned Ludd, célebre líder operário que teria quebrado o tear do patrão, em Loughborough, no final do século XVIII.

Cavalheiros,

O tema agora submetido pela primeira vez a Vossas Senhorias, embora novo na Casa,[105] não é, de forma alguma, novo no país. Acredito ter este ocupado os sérios pensamentos de todo tipo de pessoas muito antes de ser

---

103. George Gordon Byron, mais conhecido como Lord Byron (1788-1824).
104. Discurso pronunciado na Câmara dos Lordes em 27 de fevereiro de 1812.
105. Quando do discurso, Byron tinha 24 anos. Estava na Câmara dos Lordes desde 1809.

trazido ao conhecimento da Legislatura, cuja única interferência poderia ser de real utilidade.

[...]

Entrar em quaisquer detalhes desses distúrbios seria supérfluo; a Casa já está ciente de que todo tipo de crime, salvo o derramamento de sangue, foi perpetrado e que os proprietários dos teares proscritos pelos amotinadores, bem como todas as pessoas de alguma maneira a eles conectadas, foram vítimas de insultos e violência. Durante o curto espaço de tempo que passei recentemente em Nottinghamshire, não transcorreram doze horas sem algum novo ato de violência; e no dia em que deixei o condado fui informado de que quarenta teares haviam sido quebrados na noite anterior e, como de hábito, sem qualquer resistência ou detecção.

Tal era, então, a situação daquele condado, e tenho razões para acreditar que continua a ser, neste momento. Mas, ainda que se deva admitir que tais atrocidades existam em alarmante proporção, não se pode negar que sejam oriundas de circunstâncias de um estado de desespero sem paralelo. A perseverança daqueles homens miseráveis em sua conduta tende a provar que não foi preciso mais do que a absoluta necessidade que poderia ter levado uma grande parcela da população, até então trabalhadora e honesta, a cometer excessos tão perigosos para si mesmos, suas famílias e a comunidade.

É a horda que cultiva vossos campos e faz o serviço doméstico em vossas casas – que tripula a vossa Armada e se alista em vosso Exército – foi ela que vos permitiu desafiar o mundo – e pode também desafiar Vossas Senhorias, quando negligenciada e levada ao desespero pelas calamidades. Vossas Senhorias podem chamar o povo de horda, mas não vos esqueçais de que uma horda muitas vezes expressa os sentimentos do povo.

[...]

Considerável prejuízo sofreram os proprietários dos teares aperfeiçoados. Aquelas máquinas lhes traziam vantagens, na medida em que substituíam a necessidade de empregar inúmeros trabalhadores que, em consequência, foram condenados a morrer à míngua. Com a adoção de um determinado tipo de tear, um só homem realizava a tarefa de muitos e os trabalhadores supérfluos foram demitidos.

[...]

Esses homens nunca destruíram seus teares até que se tornassem inúteis, pior que inúteis; até que se tornassem reais obstáculos a seus esforços para obter o pão de cada dia. Podem então Vossas Senhorias se surpreender que, em tempos como os atuais, quando a bancarrota, a fraude comprovada e o crime imputável encontram-se em níveis não muito inferiores aos de Vossas Senhorias, a parte inferior, e no entanto a mais útil da população, possa, em seu desespero, se esquecer dos seus deveres e se tornar apenas menos culpada do que um se seus representantes? Mas, enquanto o exaltado ofensor pode encontrar meios de confundir a lei, é preciso que novas ofensas capitais sejam criadas, que novas armadilhas mortais sejam criadas para o infeliz operário levado ao crime pela fome. Esses homens estavam dispostos a cavar, mas a pá estava em outras mãos; não tinham vergonha de mendigar, mas não havia ninguém para socorrê-los. Seus próprios meios de subsistência lhes foram retirados; todos os outros empregos já ocupados, e, embora deploráveis e condenáveis, dificilmente seus excessos podem ser objeto de surpresa.

Foi declarado que as pessoas em posse temporária de teares foram coniventes com sua destruição; se isso for provado em inquérito, é preciso que tais cúmplices materiais do crime sejam punidos como principais autores. Mas eu esperava que quaisquer medidas propostas pelo governo de Sua Majestade à decisão de Vossas Senhorias tivessem por base a conciliação; ou, em caso de impossibilidade, que se julgasse necessária alguma investigação prévia, alguma deliberação; não que devêssemos ser consultados de imediato, sem exame e sem causa, para ditar sentenças por atacado e assinar sentenças de morte às cegas.

Mas, admitindo que esses homens não tivessem motivo algum de queixa e que suas reclamações e as de seus empregadores fossem igualmente sem fundamento, que eles merecessem o pior, quanta ineficiência, quanta imbecilidade, evidenciou-se no método escolhido para reprimi-los.

Por que foram os militares convocados para fazer um papel ridículo – se é que deveriam ter sido convocados?

[...]

Assim como a espada é o pior argumento que se possa empregar, da mesma maneira deveria ser o último: nessa ocasião, foi o primeiro, mas, por sorte, permaneceu embainhada. A atual medida irá, na verdade, arrancá-la da bainha; embora reuniões apropriadas tenham sido realizadas nos primeiros estágios desses motins, tivessem as queixas desses homens e de seus patrões (pois eles também tinham queixas) sido avaliadas com imparcialidade e examinadas com probidade, acredito que isso significasse que fórmulas deveriam ter sido encontradas para devolver esses homens a seus empregos e a restabelecer a tranquilidade no condado. No momento, o condado sofre o duplo flagelo de tropas ociosas e população faminta. Em que estado de apatia estamos mergulhados por tanto tempo para que só agora, pela primeira vez, a Casa tenha sido oficialmente informada desses distúrbios? Tudo isso aconteceu a cerca de duzentos quilômetros de Londres e mesmo assim nós, "homens bons e decentes", nos ocupávamos tranquilamente de celebrar nossos triunfos no exterior, em meio à calamidade doméstica!

[...]

Vossas Senhorias se referem a tais homens como uma horda frenética, perigosa e ignorante, e

[...] não há suficientes penas capitais em vossos estatutos? Não há sangue bastante em vosso código penal, ou mais ainda deve ser derramado para que suba aos céus e testemunhe contra vossas atitudes? Como levareis a cabo tal prescrição? Podereis encarcerar todo um condado?

parecem pensar que a única maneira de acalmar o *Bellua multorum capitum*[106] é abater algumas das cabeças supérfluas. Mas até mesmo uma horda pode ser mais facilmente reconduzida à razão por um misto de conciliação e firmeza do que por uma irritação adicional e um agravamento das punições. Estaremos conscientes de nossas obrigações para com uma horda? É a horda que cultiva vossos campos e faz o serviço doméstico em vossas

---

106. Monstro de muitas cabeças – em latim no original.

casas – que tripula a vossa Armada e se alista em vosso Exército – foi ela que vos permitiu desafiar o mundo – e pode também desafiar Vossas Senhorias, quando negligenciada e levada ao desespero pelas calamidades. Vossas Senhorias podem chamar o povo de horda, mas não vos esqueçais de que uma horda muitas vezes expressa os sentimentos do povo. E devo, aqui, observar com que entusiasmo estão Vossas Senhorias acostumados a voar em socorro aos vossos infelizes aliados, deixando os infelizes de vosso próprio país aos cuidados da Providência ou... da paróquia.

Quando os portugueses[107] sofreram após a retirada dos franceses, todos os braços foram estendidos, todas as mãos foram abertas – da generosidade do rico ao óbolo da viúva, tudo foi prodigado para lhes permitir reconstruírem suas aldeias e reabastecerem seus celeiros. E agora, quando milhares de vossos compatriotas, equivocados, mas mais desafortunados, enfrentam extremas dificuldades de penúria e fome, vossa caridade, que começou no exterior, inexiste em casa. Uma quantia muito inferior – um dízimo da generosidade concedida a Portugal, mesmo se tais homens (o que não posso admitir sem examinar) possam não ser reconduzidos a seus empregos, teria tornado desnecessário o uso da baioneta e da forca. Mas sem sombra de dúvida nossos fundos fazem face a demasiadas reivindicações estrangeiras para admitirem a possibilidade de ajudas domésticas – embora jamais lhes tenha sido exigido tal objetivo. Eu atravessei o cenário de guerra na península; estive em algumas das mais oprimidas províncias da Turquia; mas nunca, sob os mais despóticos governos infiéis, contemplei tamanha miséria e esqualidez como as que tenho presenciado, desde o meu retorno, no âmago de um país cristão. E quais são os vossos remédios? Após meses de inação e meses de ação pior do que a inatividade, chega por fim a grande e infalível receita de todos os doutores do Estado, desde os dias de Drácon[108] até o momento atual. Depois de sentir o pulso e sacudir a cabeça sobre o paciente, prescrevendo as habituais água quente e sangrias – a água quente de vossa polícia piegas e as lancetas dos vossos

---

107. A Inglaterra teve participação decisiva na expulsão dos franceses de Portugal. Era aliada – e protetora – do reino luso desde o século XVII.
108. De acordo com a tradição teria sido o primeiro legislador de Atenas (século VII a.C.), célebre pela rigidez das leis.

soldados –, as convulsões devem terminar em morte, o inevitável resultado das prescrições de todos os sangrados políticos.

Deixando de lado a palpável injustiça e a garantida ineficiência do projeto, não há suficientes penas capitais em vossos estatutos? Não há sangue bastante em vosso código penal, ou mais ainda deve ser derramado para que suba aos céus e testemunhe contra vossas atitudes? Como levareis a cabo tal prescrição? Podereis encarcerar todo um condado? Erigireis em cada campo um patíbulo e enforcareis homens como espantalhos ou procedereis (como necessário será para a execução de tal medida) por dizimação, colocando o país sob lei marcial, despovoando e espalhando os dejetos, e restaurareis, como apanágio à coroa, a floresta de Sherwood à sua primitiva condição de caça real e asilo para os proscritos?[109] Serão esses os remédios ministrados a uma população famélica e desesperada? Temerão o patíbulo os pobres esfaimados que enfrentaram vossas baionetas? Quando a morte é apanágio, e ao que tudo indica o único alívio que lhes será concedido, serão eles coagidos à tranquilidade! Atingirão vossos carrascos o objetivo não alcançado por vossos granadeiros? Se Vossas Senhorias agem conforme a lei, onde estão vossas provas? Aqueles que se negaram a acusar seus cúmplices, quando a deportação era o único castigo, dificilmente se sentirão tentados a testemunhar contra eles quando a punição for a morte.

> *Esses homens estavam dispostos a cavar, mas a pá estava em outras mãos; não tinham vergonha de mendigar, mas não havia ninguém para socorrê-los. Seus próprios meios de subsistência lhes foram retirados; todos os outros empregos já ocupados, e, embora deploráveis e condenáveis, dificilmente seus excessos podem ser objeto de surpresa.*

Com toda a deferência devida aos nobres lordes oponentes, acredito que algumas averiguações, um pouco de inquérito prévio, poderia induzi-los até a mudar de atitude. Tal recurso, o favorito do Estado, tão

---

109. Alusão a Robin Hood, que teria, no século XIII, na Inglaterra, vivido na floresta de Sherwood, onde defendia os pobres das violências dos nobres.

maravilhosamente eficaz em tantas e recentes instâncias, a contemporização, não seria, agora, desvantajosa. Quando é apresentada uma proposta de emancipação ou soltura, Vossas Senhorias hesitais, deliberais por anos a fio, contemporizais e manipulais as mentes dos homens; mas um projeto de pena de morte precisa ser aprovado de improviso, sem preocupação com as consequências. Tenho certeza, pelo que ouvi e pelo que vi, de que aprovar o projeto nas atuais circunstâncias, sem enquete e sem deliberação, só somaria injustiça à irritação e barbárie à negligência. Os autores de tal projeto devem resignar-se às honras daquele legislador ateniense cujas leis, assim se afirmava, não eram escritas com tinta, e sim com sangue.

Mas suponhamos que seja aprovado – suponhamos que um daqueles homens que vi, emaciados pela fome, esgotados pelo desespero, desinteressados de uma vida que Vossas Senhorias talvez estejam a ponto de avaliar como algo mais barato do que o custo de um tear; imaginemos esse homem cercado por aquelas crianças para as quais ele é incapaz de dar pão, mesmo arriscando a vida, prestes a se ver para sempre arrancado de uma família até então sustentada por seu pacífico ofício e que, não por sua culpa, é agora incapaz de sustentar; imaginemos esse homem – e como ele há dez mil entre os quais podeis escolher vossas vítimas – arrastado ao tribunal para ser julgado por esse novo crime, por essa nova lei... Ainda faltam dois itens para sentenciá-lo e condená-lo, que são, a meu ver: doze carniceiros no júri e um Jefferies como juiz!

ALEXIS DE TOCQUEVILLE[110]

DORMIMOS SOBRE UM VULCÃO.[111]

Palácio de Versalhes

Discurso premonitório. Identifica as crises política e social que, segundo sua interpretação, estavam latentes. Dias depois, teve início a Revolução de 1848, que derrubou a monarquia (Luís Felipe) e proclamou a República. No mesmo ano, em dezembro, foi eleito presidente Luís Napoleão. Da França, a revolução se espalhou por outros países. Até ao Brasil chegaram os ecos de 1848, como na Revolução Praieira.

[...]
    Diz-se que não há perigo, porque não há agitação; diz-se que, como não há desordem material na superfície da sociedade, as revoluções estão longe de nós.

---
110. Alexis de Tocqueville (1805-1859). Parlamentar na Assembleia Nacional.
111. Discurso pronunciado em 29 de janeiro de 1848.

[...]

Senhores, permiti-me dizer-vos que creio que vos enganais. Sem dúvida, a desordem não está nos fatos, mas entrou bem profundamente nos espíritos. Olhai o que se passa no seio dessas classes operárias, que hoje, reconheço, estão tranquilas. É verdade que não são atormentadas pelas paixões políticas propriamente ditas, no mesmo grau em que foram por elas atormentadas outrora; mas não vedes que suas paixões, de políticas, tornam-se sociais? Não vedes que pouco a pouco propagam-se em seu seio opiniões, ideias que de modo nenhum irão somente derrubar tal lei, tal ministério, mesmo tal governo, mas a sociedade, abalando as bases nas quais ela hoje repousa? Não escutais o que se diz todos os dias em seu seio? Não ouvis que entre elas [as classes operárias] repete-se constantemente que tudo o que se acha acima é incapaz e indigno de governá-las? Que a divisão dos bens ocorrida no mundo até o presente é injusta? Que a propriedade repousa em bases que não são igualitárias? E não credes que, quando tais opiniões adquirem raízes, quando se propagam de maneira quase geral, quando penetram profundamente nas massas, devem acarretar, cedo ou tarde – não sei quando, não sei como –, as mais terríveis revoluções? Tal é, senhores, minha convicção profunda: no momento em que estamos, creio que dormimos sobre um vulcão; disso estou profundamente convencido.

[...]

Dizia-vos ainda há pouco que esse mal levará, cedo ou tarde, não sei como nem de onde elas virão, mas levará cedo ou tarde a gravíssimas revoluções neste país: podeis ficar disso convencidos.

Quando passo a procurar em diferentes tempos, em diferentes épocas, entre diferentes povos qual foi a causa eficaz que provocou a ruína das classes que governavam, vejo claramente tal acontecimento, tal homem, tal causa acidental ou superficial; acreditai, porém, que a causa real e eficaz que faz com que os homens percam o poder é que se tornaram indignos de mantê-lo.

Pensai, senhores, na antiga monarquia; ela era mais forte que vós, por sua origem; apoiava-se melhor que vós em antigos costumes, usos, crenças; era mais forte que vós e, no entanto, caiu no pó. E por quê? Acreditais que tenha sido por tal acidente particular? Julgais que fora obra de tal homem, do déficit, do Jeu de Paume,[112] de La Fayette,[113] de Mirabeau?[114]

> *Conservai as leis, se quereis; embora eu julgue que muito vos enganais ao fazê-lo, conservai-as; conservai mesmo os homens, se isso vos agrada: não oponho a isso obstáculo algum; mas, por Deus, mudai o espírito do governo, pois – repito-vos – esse espírito está conduzindo-vos ao abismo.*

Não, senhores; há outra causa: é que a classe que então governava tornara-se, por indiferença, egoísmo, vícios, incapaz e indigna de governar.

Eis a verdadeira causa.

Pois, senhores, se é justo ter essa preocupação patriótica em todos os tempos, até que ponto não é mais justo ainda tê-la em nossa época? Não ouvis então, por uma espécie de intuição instintiva que não se pode analisar, mas que é certa, que o solo treme de novo na Europa? Não ouvis então... como direi?... um vento de revolução que paira no ar? Não se sabe

---

112. Alusão ao juramento do jogo da pela em 20 de junho de 1789 por parte dos representantes do Terceiro Estado.
113. Referência ao marquês de La Fayette (1757-1834), participante da luta pela independência dos Estados Unidos e da primeira fase da Revolução Francesa.
114. Conde de Mirabeau (1749-1791), líder da corrente moderada no início da Revolução Francesa.

onde ele nasce, de onde vem, nem, acreditai, o que carrega: e é em tempos como esse que ficais calmos na presença da degradação dos costumes públicos, porque a palavra não é suficientemente forte.

Falo aqui sem amargura; falo-vos, creio eu, até sem espírito de partido; ataco homens contra os quais não tenho cólera, mas, enfim, sou obrigado a dizer a meu país qual é minha convicção profunda e meditada. Pois bem: minha convicção profunda e meditada é que os costumes públicos estão se degradando; é que a degradação dos costumes públicos vos levará, em curto espaço de tempo, brevemente talvez, a novas revoluções. Estaria por acaso a vida dos reis presa por fios mais firmes e mais difíceis de partir que a dos outros homens? Tereis, à hora em que nos encontramos, a certeza de um amanhã? Sabeis o que pode ocorrer na França daqui a um ano, um mês, um dia talvez? Vós ignorais; mas sabeis que a tempestade está no horizonte e que ela marcha sobre vós; deixar-vos-eis antecipar por ela?

Não ouvis então, por uma espécie de intuição instintiva que não se pode analisar, mas que é certa, que o solo treme de novo na Europa? Não ouvis então... como direi?... um vento de revolução que paira no ar?

Senhores, suplico-vos que não o façais, não vo-lo peço, suplico-vos; de bom grado cairia de joelhos diante de vós, tão sério e real creio ser o perigo, tanto creio que o assinalar não é recorrer a uma vã forma de retórica. Sim, o perigo é grande! Conjurai-o enquanto ainda é tempo; corrigi o mal por meios eficazes, não atacando seus sintomas, mas o próprio mal.

Falou-se em modificações na legislação. Tenho muitas razões para crer que essas mudanças não são apenas muito úteis, mas necessárias: assim, creio na utilidade da reforma eleitoral, na urgência da reforma parlamentar, porém não sou tão insensato, senhores, que não saiba que não são as leis em si mesmas que fazem o destino dos povos; não, não é o mecanismo das leis que produz os grandes acontecimentos, senhores, é o próprio espírito do governo. Conservai as leis, se quereis; embora eu julgue que muito vos enganais ao fazê-lo, conservai-as; conservai mesmo os homens, se isso vos agrada: não oponho a isso obstáculo algum; mas, por Deus, mudai o espírito do governo, pois – repito-vos – esse espírito está conduzindo-vos ao abismo.[115]

---

115. In: Tocqueville, Alexis de. *Lembranças de 1848:* as jornadas revolucionárias em Paris. São Paulo: Companhia das Letras, 2011, pp. 51-54. Trad. de Modesto Florenzano.

VICTOR HUGO[116]

O SUFRÁGIO UNIVERSAL DIZ A TODOS: FIQUEM TRANQUILOS, VOCÊS SÃO SOBERANOS.[117]

Célebre escritor. Foi eleito parlamentar no início da Segunda República (1848--1852). Defende neste discurso o sufrágio universal que estava sendo ameaçado por um projeto de lei restritivo. Acentua a importância do voto como instrumento de participação popular e de construção de uma sociedade republicana.

Senhores, a revolução de fevereiro[118] – e, no que me concerne, por parecer vencida, por ser caluniada, buscarei todas as oportunidades de glorificá-la no que ela fez de magnânimo e belo (*Muito bem! Muito bem!*) –, a revolução de fevereiro tinha dois magníficos pensamentos. O primeiro, eu lhes

---

116. Victor Hugo (1802-1885), deputado na Assembleia Nacional.

117. Discurso pronunciado a 20 de maio de 1850.

118. Referência à revolução de fevereiro de 1848, que destronou Luís Felipe e acabou levando à Proclamação da República.

recordava outro dia, foi subir aos píncaros da ordem política e de lá arrancar a pena de morte; o segundo, foi levar de repente as mais humildes regiões da ordem social ao nível das mais altas e lá instalar a soberania.

Dupla e pacífica vitória do progresso que, por um lado, dignificava a humanidade e, por outro, constituía o povo, que enchia de luz, ao mesmo tempo, o mundo político e o mundo social e que a ambos regenerava e consolidava simultaneamente: um pela clemência, o outro pela igualdade. (*Bravo! à esquerda.*)

Senhores, o grande ato, tanto político quanto cristão, por meio do qual a revolução de fevereiro fez penetrar seus princípios até o cerne das raízes da ordem social, foi a instituição do sufrágio universal: fato capital, fato imenso, acontecimento considerável que introduziu no Estado um elemento novo, irrevogável, definitivo. Observem, senhores, toda a sua dimensão. Sem dúvida, foi um grande feito o reconhecimento do direito de todos, a composição da autoridade universal da soma das liberdades individuais, a dissolução do que restava das castas na unidade augusta de uma soberania comum, a colocação do povo em todos os compartimentos do velho mundo social; sem dúvida, tudo isso foi grande; mas, senhores, é sobretudo por sua ação sobre as classes consideradas até então como classes inferiores que sobressai a beleza do sufrágio universal. (*Risos irônicos à direita.*)

Senhores, seus risos me obrigam a insistir. Sim, o lado maravilhoso do sufrágio universal, o lado eficaz, o lado político, o lado profundo, não foi abolir a bizarra proibição eleitoral que, sem que se possa adivinhar a razão, mas tal era a sabedoria dos homens de estado daquele tempo (*Risos à esquerda.*) – que são os mesmos dos tempos atuais... – (*Novos risos de aprovação à esquerda.*); não foi, dizia eu, abolir a bizarra proibição eleitoral que pesava sobre uma parte do que se chamava de classe média, e mesmo do que era chamado de classe alta; não foi restituir seu direito ao homem que era advogado, médico, culto, administrador, oficial militar, professor, padre, magistrado e não era eleitor; ao homem que era jurado e não era eleitor; ao homem que era membro do instituto e não era eleitor; ao homem que era par de França e não era eleitor; não, o lado maravilhoso, repito, o lado profundo, eficaz, político do sufrágio universal foi buscar nas regiões dolorosas da sociedade, no submundo, como dizem os senhores, o ser curvado sob o peso das negativas sociais, o ser amarfanhado que, até então, não possuía qualquer esperança além da revolta, e a ele levar esperança sob um outro aspecto (*Muito bem!*) e lhe dizer: Vote! Não se debata mais! (*Movimento.*) Foi entregar sua cota de soberania àquele que até então nada tivera além de sua cota de sofrimento! Foi abordar em suas trevas materiais e morais o desafortunado que, nos confins de sua desgraça, não possuía arma alguma, defesa alguma, recurso algum além da violência, e colocar em suas mãos, no lugar da violência, o direito! (*Prolongadas aclamações.*)

Sim, a grande sabedoria dessa revolução de fevereiro que, tomando como base da política o Evangelho (*À direita: Que heresia!*), instituiu o sufrágio universal; sua grande sabedoria e, ao mesmo tempo, sua grande justiça não foi apenas a de unir e dignificar no exercício do mesmo poder soberano o burguês e o proletário; foi a de buscar no desalento, na negligência, no abandono, nesse rebaixamento que dá tão maus conselhos, o homem desesperado e a ele dizer: Tenha esperança!; o homem encolerizado e a ele dizer: Seja sensato!, o mendigo, como é chamado, o vagabundo, como é chamado, o pobre, o indigente, o deserdado, o infeliz, o miserável, como é chamado, e a ele sagrar cidadão! (*Aclamação à esquerda.*)

Vejam, senhores, o que é profundamente justo é sempre, ao mesmo tempo, profundamente político: o sufrágio universal, ao dar uma cédula de voto aos que sofrem, tira-lhes das mãos o fuzil. Ao lhes dar o poder, dá-lhes a calma. Tudo o que engrandece o homem o acalma. (*Movimento.*)

Há um dia no ano em que o chefe de família, o jornaleiro, o peão de obra, o homem que arrasta cargas, o homem que quebra pedras à beira das estradas, julga o Senado, toma nas mãos, endurecidas pelo trabalho, os ministros, os representantes, o presidente da República, e diz: O poder sou eu!

O sufrágio universal diz a todos, e não conheço mais admirável fórmula da paz pública: Fiquem tranquilos, vocês são soberanos. (*Sensação.*)

E acrescenta: Vocês estão sofrendo? Pois bem, não agravem seus sofrimentos, não agravem as desgraças públicas com a revolta? Vocês estão sofrendo? Pois bem, vocês mesmos irão trabalhar, desde agora, na grande obra da destruição da miséria, através de homens que lhes serão caros, através de homens em quem confiam e que serão, de alguma forma, suas mãos. Fiquem tranquilos.

E depois, aos que se sentiriam tentados a recalcitrar, ele diz:

Vocês votaram? Sim. Vocês exerceram seu direito, tudo está dito. Quando o voto se expressou, pronunciou-se a soberania. Não cabe a uma fração desfazer ou refazer a obra coletiva. Vocês são cidadãos, vocês são livres, sua hora chegará, saibam esperá-la. Enquanto esperam, falem, escrevam, discutam, contestem, ensinem, esclareçam; esclareçam-se, esclareçam os outros. Vocês possuem, hoje, a verdade, amanhã a soberania: vocês são fortes. Pois então! Duas maneiras de agir estão à sua disposição, o direito do soberano e o papel do rebelde; vocês escolheriam o papel do rebelde? Seria uma asneira e seria um crime. (*Aplausos à esquerda.*)

Eis os conselhos que dá às classes sofredoras o sufrágio universal. (*Sim! Sim! à esquerda. – Risos à direita.*)

Senhores, desfazer animosidades, desarmar ódios, fazer cair o cartucho das mãos da miséria, reerguer o homem injustamente abatido e curar o espírito doente através do que há de mais puro no mundo, o sentimento do direito livremente exercido; retirar de cada um o direito de força, que é o fato natural, e lhe dar em troca a cota de soberania, que é o fato social; mostrar aos sofrimentos uma saída para a luz e o bem-estar; afastar os fracassos revolucionários e dar à sociedade, avisada, tempo para se preparar; inspirar nas massas a paciência forte que cria os grandes povos: eis a obra do sufrágio universal (*Sensação profunda.*), obra eminentemente social do ponto de vista do Estado, eminentemente moral do ponto de vista do indivíduo.

Meditem a respeito, de fato: sobre esta terra de igualdade e de liberdade, todos os homens respiram o mesmo ar e o mesmo direito. (*Movimento.*) Há no ano um dia no qual aquele que obedece se vê como seu semelhante, no qual aquele que serve se vê como seu igual, no qual cada cidadão, entrando na balança universal, sente e constata o peso específico do direito de cidadania e no qual o menor é o equilíbrio do maior. (*Bravo! à esquerda – Risos à direita.*) Há um dia no ano em que o chefe de família, o jornaleiro, o peão de obra, o homem que arrasta cargas, o homem que quebra pedras à beira das estradas, julga o Senado, toma nas mãos, endurecidas pelo trabalho, os ministros, os representantes, o presidente da República, e diz: O poder sou eu! Há um dia no ano em que o cidadão mais imperceptível, em que o átomo social participa da vida imensa do país inteiro, em que o peito mais franzino se dilata no vasto ar dos negócios públicos; um dia em que o mais fraco sente em si a grandeza da soberania nacional, em que o mais humilde sente em si a alma da pátria! (*Aplausos à esquerda.* – *Risos e ruídos à direita.*) Que engrandecimento de dignidade para o indivíduo e, em consequência, de moralidade! Que satisfação e, em consequência, que apaziguamento! Observem o operário que vai ao escrutínio. Ele entra com o rosto triste do proletário sobrecarregado, ele sai com o olhar de um soberano. (*Aclamações à esquerda.* – *Murmúrios à direita.*)

Ora, o que é tudo isso, senhores? É o fim da violência, é o fim da força bruta, é o fim do motim, é o fim do fato material e o começo do fato moral. [...] É, se me permitem a repetição de minhas próprias palavras, o direito de insurreição abolido pelo direito de sufrágio.

Ora, o que é tudo isso, senhores? É o fim da violência, é o fim da força bruta, é o fim do motim, é o fim do fato material e o começo do fato moral. (*Movimento.*) É, se me permitem a repetição de minhas próprias palavras, o direito de insurreição abolido pelo direito de sufrágio. (*Sensação.*)

Pois muito bem! Os senhores, legisladores encarregados pela Providência de fechar os abismos e não de abri-los, os senhores que vieram para consolidar e não para abalar, os senhores, representantes desse grande povo da iniciativa e do progresso, os senhores, homens de sabedoria e de razão, que compreendem toda a santidade de sua missão e que, por certo, não falhariam, sabem os senhores o que vem fazer hoje essa lei fatal, essa lei cega que ousam com tanta imprudência lhes apresentar? (*Profundo silêncio.*)

Ela vem, digo com um estremecimento de angústia, digo com a dolorosa ansiedade do bom cidadão temeroso das aventuras em que é precipitada a pátria, vem propor à assembleia a abolição do direito de sufrágio pelas classes sofredoras e, como consequência, não sei qual restabelecimento abominável e ímpio do direito de insurreição. (*Movimento prolongado.*)

Eis toda a situação resumida. (*Novo movimento.*)

Sim, senhores, esse projeto, que é toda uma política, faz duas coisas: ele faz uma lei e cria uma situação.

Uma situação grave, inesperada, nova, ameaçadora, complicada, terrível.

Vamos ao mais urgente. A vez da lei, considerada em si mesma, chegará.

Examinemos primeiro a situação.

Pois então! Depois de dois anos de agitação e provações, inseparáveis, é preciso que se diga, de toda grande comoção social, o objetivo havia sido alcançado.

Pois então! A paz estava feita! Pois então! A parte mais difícil da solução, o modo de agir, havia sido encontrado e, com o modo de agir, a certeza. Pois então! O modo da criação pacífica do progresso havia substituído o modo violento; as impaciências e as cóleras estavam desarmadas; a troca do direito de revolta pelo direito de sufrágio estava consumada; o homem das classes sofredoras havia aceitado; havia aceitado com suavidade e nobreza. Nenhuma agitação, nenhuma turbulência. O infeliz se sentira dignificado pela confiança social. Esse novo cidadão, esse soberano restaurado, entrara na cidade com uma dignidade serena. (*Aplausos à esquerda. – Depois de alguns instantes, um ruído quase contínuo, vindo de alguns bancos à direita, mistura-se à voz do orador. O sr. Victor Hugo se interrompe e se vira para a direita.*)

Senhores, eu bem sei que essas interrupções calculadas e sistemáticas (*Negações à direita. – Sim! Sim! à esquerda*) têm o objetivo de desconcentrar o pensamento do orador (*É verdade!*) e de roubar-lhe a liberdade de espírito, o que é uma maneira de lhe roubar a liberdade da palavra. (*Muito bem!*) Mas trata-se verdadeiramente de um triste papel, pouco digno de uma grande assembleia. (*Negações à direita.*) Quanto a mim, coloco o direito de orador sob a salvaguarda da verdadeira maioria, ou seja, todos os espíritos generosos e justos que ocupam todos os bancos e que são sempre os mais numerosos entre os eleitos por um grande povo. (*Muito bem! à esquerda. – Silêncio à direita.*)

Prossigo: A vida pública chegara ao proletário sem surpreendê-lo nem inebriá-lo. Os dias de eleição eram, para o país, melhores do que os dias de festa, eram dias de calma. (*É verdade!*) Diante de tal calma, o movimento dos negócios, das transações, do comércio, da indústria, do luxo, das artes, recrudescera; voltavam as pulsações da vida regular. Um resultado admirável fora obtido. Um imponente tratado de paz fora assinado entre o que ainda se chama de parte alta e parte baixa da sociedade. (*Sim! Sim!*)

E é esse o momento que os senhores escolhem para tudo rediscutir! E aquele tratado assinado, os senhores o rasgam! (*Movimento.*) E é exatamente esse homem, o último da escada da vida, que, agora, esperava subir aos poucos e com tranquilidade, é o pobre, é o infeliz, antes temido, agora reconciliado, apaziguado, confiante, fraterno, é ele a quem sua lei vai buscar? Por quê? Para fazer uma coisa insensata, indigna, odiosa, anárquica, abominável! Para retirar dele seu direito de sufrágio! Para arrancá-lo das ideias de paz, de conciliação, de esperança, de justiça, de concórdia e, em consequência, devolvê-lo às ideias de violência! Mas, então, que homens de desordem são os senhores? (*Novo movimento.*)

Porque ele ousa usar seu voto a seu bel-prazer, esse povo, porque ele parece ter essa surpreendente audácia de se imaginar livre e que, ao que tudo indica, lhe passa pela cabeça essa outra estranha ideia de ser soberano [...]; porque, enfim, ele tem a insolência de lhes dar uma opinião sob a forma pacífica do escrutínio e de não se prosternar pura e simplesmente aos pés dos senhores.

Pois então! O porto havia sido encontrado, e são os senhores que recomeçam as aventuras! Pois então! O pacto estava concluído, e são os senhores que o violam!

E por que essa violação do pacto? Por que essa agressão em plena paz? Por que essas exaltações? Por que esse atentado? Por que esta loucura? Por quê? Eu lhes direi: porque quis o povo, depois de haver nomeado quem os senhores queriam, o que os senhores acharam muito bom, nomear quem os senhores não queriam, o que os senhores acham ruim. Porque ele julgou dignos de sua escolha homens que os senhores julgavam dignos de seus insultos. Porque é presumível que a ousadia de mudar de opinião a seu respeito desde que os senhores são o poder e que eles podem comparar os atos aos programas, e o que havia sido prometido com o que se cumpriu. (*Isso mesmo!*) Porque é provável que ele não considere seu governo absolutamente sublime (*Muito bem – Risos.*) Porque ele parece se permitir não os admirar como convém. (*Muito bem! muito bem! – Movimento.*) Porque ele ousa usar seu voto a seu bel-prazer, esse povo, porque ele parece ter essa surpreendente audácia de se imaginar livre e que, ao que tudo indica, lhe passa pela cabeça essa outra estranha ideia de ser soberano (*Muito bem!*); porque, enfim, ele tem a insolência de lhes dar uma opinião sob a forma pacífica do escrutínio e de não se prosternar pura e simplesmente aos pés dos senhores. [...]

ABRAHAM LINCOLN[119]

QUE O GOVERNO DO POVO, PELO POVO, PARA O POVO NÃO DESAPAREÇA DA FACE DA TERRA.[120]

Biblioteca do Congresso, Washington

O presidente da República expressou em poucas palavras a importância dos valores democráticos para a constituição da sociedade americana. Isso em plena Guerra Civil (1861-1865), o conflito militar mais violento do século XIX. Só na Batalha de Gettysburg as baixas superaram cinquenta mil soldados.

Há 87 anos, nossos antepassados fizeram surgir neste continente uma nova nação, concebida na liberdade e consagrada ao princípio de que todos os homens nascem iguais.[121] Estamos agora empenhados numa enorme guerra civil, que põe à prova se essa nação, ou qualquer outra concebida e

---

119. Abraham Lincoln (1809-1865), eleito presidente dos Estados Unidos em 1860.
120. Discurso pronunciado em 19 de novembro de 1863 no cemitério de Gettysburg, Pensilvânia.
121. Referência à Declaração de Independência de 4 de julho de 1776.

consagrada da mesma forma, tem como perdurar. Estamos reunidos num importante campo de batalha dessa guerra.[122] Viemos consagrar uma parte desse campo, como um local de repouso final para os que deram a vida para que essa nação sobreviva. É perfeitamente correto e adequado que o façamos.

> *[...] que esta nação, com a bênção de Deus, tenha um novo nascimento da liberdade – e que o governo do povo, pelo povo, para o povo, não desapareça da face da Terra.*

Contudo, num sentido mais amplo, não podemos dedicar – não podemos consagrar – não podemos santificar – esse campo. Os homens admiráveis, mortos e vivos, que lutaram aqui, já o consagraram muito mais do que nos permite nosso fraco poder para acrescentar ou subtrair. O mundo dará pouca atenção ao que dissermos aqui, nem se lembrará de nossas palavras por muito tempo, mas ele jamais se esquecerá do que eles fizeram aqui. Cabe a nós, os vivos, consagrarmo-nos à obra incompleta que aqueles que aqui morreram empreenderam com tanta nobreza. Compete a nós consagrarmos aqui à sublime tarefa que temos pela frente – que desses mortos que aqui honramos possamos extrair uma devoção maior à causa pela qual eles deram a última prova plena de coragem – que nós aqui assumamos o compromisso solene de que esses homens não tenham morrido em vão – que esta nação, com a bênção de Deus, tenha um novo nascimento da liberdade – e que o governo do povo, pelo povo, para o povo, não desapareça da face da Terra.[123]

> *O mundo dará pouca atenção ao que dissermos aqui, nem se lembrará de nossas palavras por muito tempo, mas ele jamais se esquecerá do que eles fizeram aqui. Cabe a nós, os vivos, consagrarmo-nos à obra incompleta que aqueles que aqui morreram empreenderam com tanta nobreza.*

---

122. Alusão à Batalha de Gettysburg, de 1º a 3 de julho de 1863.
123. In: Goodwin, Doris Kearns. *Lincoln*. Rio de Janeiro: Record, 2015, pp. 246-247.

ANTERO DE QUENTAL[124]

A NOSSA FATALIDADE É A NOSSA HISTÓRIA.[125]

A geração de 1870, especialmente Antero de Quental, é crítica do atraso político e econômico de Portugal. Ataca a paralisia do país, a monarquia e a Igreja. O célebre poeta acrescenta um tempero socialista ao seu discurso. Deve ser recordado que os ecos da Comuna de Paris (março-maio de 1871) estavam muito próximos.

[...]

Há, com efeito, nos atos condenáveis dos povos peninsulares, nos erros da sua política, e na decadência que os colheu, alguma coisa de fatal: é

---

124. Antero de Quental (1842-1891). Escritor e um dos principais representantes da geração de 1870.
125. Conferência pronunciada em 27 de maio de 1871 na sala do Cassino Lisbonense, em Lisboa, Portugal.

a lei da evolução histórica, que inflexível e impassivelmente tira as consequências dos princípios uma vez introduzidos na sociedade. Dado o catolicismo absoluto, era impossível que se lhe não seguisse, deduzindo-se dele, o absolutismo monárquico. Dado o absolutismo, vinha necessariamente o espírito aristocrático, com o seu cortejo de privilégios, de injustiças, com o predomínio das tendências guerreiras sobre as industriais. Os erros políticos e econômicos saíam daqui naturalmente; e de tudo isso, pela transgressão das leis da vida social, saía naturalmente a decadência sob todas as formas.

E essas falsas condições sociais não produziram somente os efeitos que apontei.

Produziram um outro, que por ser invisível e insensível, nem por isso deixa de ser o mais fatal. E o abatimento, a prostração do espírito nacional, pervertido e atrofiado por uns poucos de séculos da mais nociva educação. As causas, que indiquei, cessaram em grande parte, mas os efeitos morais persistem, e é a eles que devemos atribuir a incerteza, o desânimo, o mal-estar da nossa sociedade contemporânea. A influência do espírito católico, no seu pesado dogmatismo, deve ser atribuída essa indiferença universal pela filosofia, pela ciência, pelo movimento moral e social moderno, esse adormecimento sonambulesco em face da revolução do século XIX, que é quase a nossa feição característica e nacional entre os povos da Europa. Já não cremos, certamente, com o ardor apaixonado e cego de nossos avós, nos dogmas católicos, mas continuamos a fechar os olhos às verdades descobertas pelo pensamento livre.

> À influência do espírito católico, no seu pesado dogmatismo, deve ser atribuída essa indiferença universal pela filosofia, pela ciência, pelo movimento moral e social moderno, esse adormecimento sonambulesco em face da revolução do século XIX [...].

Se a Igreja nos incomoda com as suas exigências, não deixa por isso também de nos incomodar a revolução com as lutas. Fomos os portugueses intolerantes e fanáticos dos séculos XVI, XVII e XVIII: somos agora os portugueses indiferentes do século XIX. Por outro lado, se o poder absoluto da monarquia acabou, persiste a inércia política das populações, a necessidade (e o gosto talvez) de que as governem, persiste a centralização e o militarismo, que anulam, que reduzem ao absurdo as liberdades constitucionais. Entre o senhor rei de então, e os senhores influentes de hoje, não há tão grande diferença: para o povo é sempre a mesma servidão. Éramos mandados, somos agora governados: os dois termos quase que se equivalem. Se a velha monarquia desapareceu, conservou-se o velho espírito monárquico: é quanto basta para não estarmos muito melhor do que nossos avós. Finalmente, do espírito guerreiro da nação conquistadora, herdamos um invencível horror ao trabalho e um íntimo desprezo pela indústria. Os netos dos conquistadores de dois mundos podem, sem desonra, consumir no ócio o tempo e a fortuna, ou mendigar pelas secretarias um emprego: o que não podem, sem indignidade, é trabalhar! Uma fábrica, uma oficina, uma exploração agrícola ou mineira, são coisas impróprias da nossa fidalguia. Por isso, as melhores indústrias nacionais estão nas mãos dos estrangeiros, que com elas se enriquecem, e se riem das nossas pretensões. Contra o trabalho manual, sobretudo, é que é universal o preconceito: parece-nos um símbolo servil! Por ele sobem as classes democráticas em todo o mundo, e se engrandecem as nações; nós preferimos ser uma aristocracia de pobres ociosos, a ser uma democracia próspera de trabalhadores. É o fruto que colhemos de uma educação secular de tradições guerreiras e enfáticas!

Dessa educação, que a nós mesmos demos durante três séculos, provêm todos os nossos males presentes. As raízes do passado rebentam por todos os lados no nosso solo: rebentam sob forma de sentimentos, de hábitos, de preconceitos. Gememos sob o peso dos erros históricos. A nossa fatalidade é a nossa história.

> [...] do espírito guerreiro da nação conquistadora, herdamos um invencível horror ao trabalho e um íntimo desprezo pela indústria. Os netos dos conquistadores de dois mundos podem, sem desonra, consumir no ócio o tempo e a fortuna, ou mendigar pelas secretarias um emprego: o que não podem, sem indignidade, é trabalhar!

Que é, pois, necessário para readquirirmos o nosso lugar na civilização? Para entrarmos outra vez na comunhão da Europa culta? É necessário um esforço viril, um esforço supremo: quebrar resolutamente com o passado. Respeitemos a memória dos nossos avós: memoremos piedosamente os atos deles, mas não os imitemos. Não sejamos, à luz do século XIX, espectros a que dá uma vida emprestada o espírito do século XVI. A esse espírito mortal oponhamos francamente o espírito moderno.

Oponhamos ao catolicismo, não a indiferença ou uma fria negação, mas a ardente afirmação da alma nova, a consciência livre, a contemplação direta do divino pelo humano (isto é, a fusão do divino e do humano), a filosofia, a ciência, e a crença no progresso, na renovação incessante da humanidade pelos recursos inesgotáveis do seu pensamento, sempre inspirado. Oponhamos à monarquia centralizada, uniforme e impotente, a federação republicana de todos os grupos autonômicos, de todas as vontades soberanas, alargando e renovando a vida municipal, dando-lhe um caráter radicalmente democrático, porque só ela é a base e o instrumento natural de todas as reformas práticas, populares, niveladoras. Finalmente, à inércia industrial oponhamos a iniciativa do trabalho livre, a indústria do povo, pelo povo, e para o povo, não dirigida e protegida pelo Estado, mas espontânea, não entregue à anarquia cega da concorrência, mas organizada de uma maneira solidária equitativa, operando assim gradualmente a transição para o novo mundo industrial do socialismo, a quem pertence o futuro. Essa é a tendência do século, essa deve também ser a nossa. Somos uma raça decaída por ter rejeitado o espírito moderno: regenerar-nos-emos abraçando francamente esse espírito. O seu nome é revolução: revolução não quer dizer guerra, mas sim paz; não quer dizer licença, mas sim ordem, ordem verdadeira pela verdadeira liberdade. Longe de apelar para a insurreição, pretende preveni-la, torná-la impossível: só os seus inimigos, desesperando-a, a podem obrigar a lançar mão das armas. Em si, é um verbo de paz, porque é o verbo humano por excelência.

Meus senhores: há 1.800 anos apresentava o mundo romano um singular espetáculo. Uma sociedade gasta, que se aluía, mas que no seu aluir, se debatia, lutava, perseguia para conservar os seus privilégios, os seus preconceitos, os seus vícios, a sua podridão: ao lado dela, no meio dela, uma sociedade nova, embrionária, só rica de ideias, separações e justos sentimentos, sofrendo, padecendo, mas crescendo por entre os padecimentos. A ideia desse mundo novo impõe-se gradualmente ao mundo velho, converte-o, transforma-o: chega um dia em que o elimina, e a humanidade conta mais uma grande civilização.

Chamou-se a isso o cristianismo.

Pois bem, meus senhores: o cristianismo foi a revolução do mundo antigo. A revolução não é mais do que o cristianismo do mundo moderno.[126]

---

126. In: Quental, Antero de. *Causas da decadência dos povos peninsulares*. Lisboa: Ulmeiro, 1996, pp. 64-69.

Friedrich Engels[127]

Marx descobriu a lei do desenvolvimento da história humana.[128]

Entre as várias correntes do socialismo do século XIX, o marxismo acabou obtendo a hegemonia. A partir da fundação da II Internacional (1889), foi a ideologia predominante entre os partidos e movimentos socialistas, sendo Karl Marx seu principal teórico. E, no século XX, o marxismo acabou tendo participação decisiva nas revoluções russa e chinesa, especialmente.

Dia 14 de março, às três horas menos um quarto da tarde, deixou de pensar o maior pensador de nossos dias. Mal o deixamos dois minutos

---

127. Friedrich Engels (1820-1895). Parceiro e colaborador de Marx em vários artigos, ensaios e livros, como o Manifesto Comunista (1848).
128. Discurso pronunciado em 17 de março de 1883, em Londres, diante da sepultura de Karl Marx.

sozinho, e quando voltamos foi para encontrá-lo dormindo suavemente em sua poltrona, mas para sempre.

É totalmente impossível calcular o que o proletariado militante da Europa e da América e a ciência histórica perderam com esse homem. Logo se fará sentir o claro que se abriu com a morte dessa figura gigantesca.

Assim como Darwin descobriu a lei do desenvolvimento da natureza orgânica, Marx[129] descobriu a lei do desenvolvimento da história humana: o fato tão simples, mas que até ele se mantinha oculto pelo ervaçal ideológico, de que o homem precisa, em primeiro lugar, comer, beber,

Cooperar, de um modo ou de outro, para a derrubada da sociedade capitalista e das instituições políticas por ela criadas, contribuir para a emancipação do proletariado moderno, a quem ele havia infundido pela primeira vez a consciência de sua própria situação e de suas necessidades, a consciência das condições de sua emancipação, tal era a verdadeira missão de sua vida.

ter um teto e vestir-se antes de poder fazer política, ciência, arte, religião etc.; que, portanto, a produção dos meios de subsistência imediatos, materiais e, por conseguinte, a correspondente fase econômica de desenvolvimento de um povo ou de uma época é a base a partir da qual se desenvolveram as instituições políticas, as concepções jurídicas, as ideias artísticas e inclusive as ideias religiosas dos homens e de acordo com a qual devem, portanto, explicar-se; e não ao contrário, como se vinha fazendo até então.

Mas não é isso só. Marx descobriu também a lei específica que move o atual modo de produção capitalista e a sociedade burguesa criada por ele. A descoberta da mais-valia[130] iluminou de súbito esses problemas, enquanto todas as pesquisas anteriores, tanto as dos economistas burgueses como as dos críticos socialistas, haviam vagado nas trevas.

---

129. Karl Marx (1818-1883). O personagem mais importante do socialismo do século XIX.
130. De acordo com a teoria marxista, é o sobretrabalho não pago e apropriado pelo capitalista na esfera da produção.

Duas descobertas como essas deviam bastar para uma vida. Quem tenha a sorte de fazer apenas uma descoberta dessas já se pode considerar feliz. Mas não houve um campo sequer que Marx deixasse de submeter à pesquisa – e esses campos foram muitos, e não se limitou a tocar de passagem em qualquer deles – incluindo a matemática, em que não fizesse descobertas originais.

Tal era o homem de ciência. Mas não constituía, por muito que fosse, a metade do homem. Para Marx, a ciência era uma força histórica motriz, uma força revolucionária. Por mais puro que fosse o prazer que oferecesse uma nova descoberta feita em qualquer ciência teórica e cuja aplicação prática talvez não pudesse ser ainda prevista de modo algum, era outro o prazer que experimentava quando se tratava de uma descoberta capaz de exercer imediatamente uma influência revolucionária na indústria e no desenvolvimento histórico em geral. Por isso acompanhava detalhadamente a marcha das descobertas realizadas no campo da eletricidade, até as de Marcel Deprez[131] nos últimos tempos.

Pois Marx era, antes de tudo, um revolucionário. Cooperar, de um modo ou de outro, para a derrubada da sociedade capitalista e das instituições políticas por ela criadas, contribuir para a emancipação do proletariado moderno, a quem ele havia infundido pela primeira vez a consciência de sua própria situação e de suas necessidades, a consciência das condições de sua emancipação, tal era a verdadeira missão de sua vida. A luta era o seu elemento. E lutou com uma paixão, uma tenacidade e um êxito como poucos. *Primeira Gazeta Renana*, 1842; *Vorwärts* de Paris, 1844; *Gazeta Alemã* de Bruxelas, 1847; *Nova Gazeta Renana*, 1848/1849; *The New York Times*, 1852 a 1861[132] – a tudo isso é necessário acrescentar uma porção de folhetos de luta e o trabalho nas organizações de Paris, Bruxelas e Londres, até que nasceu, por último, como coroamento de

Assim como Darwin descobriu a lei do desenvolvimento da natureza orgânica, Marx descobriu a lei do desenvolvimento da história humana.

---

131. Engenheiro elétrico francês.
132. Publicações nas quais Marx colaborou escrevendo artigos e ensaios.

tudo, a grande Associação Internacional dos Trabalhadores,[133] que era, na verdade, uma obra da qual o seu autor podia estar orgulhoso, ainda que não houvesse criado outra coisa.

Marx, por isso, era o homem mais odiado e mais caluniado de seu tempo. Os governos, tanto os absolutistas como os republicanos, o expulsavam.

Os burgueses, tanto os conservadores como os ultrademocratas, competiam em lançar difamações contra ele. Marx punha de lado tudo isso como se fossem teias de aranha, não fazia caso; só respondia quando isso era exigido por uma necessidade imperiosa. E morreu venerado, querido, pranteado por milhões de operários da causa revolucionária, como ele, espalhados por toda a Europa e a América, desde as minas da Sibéria até a Califórnia. E posso atrever-me a dizer que se pôde ter muitos adversários, teve somente um inimigo pessoal.

A produção dos meios de subsistência imediatos, materiais e, por conseguinte, a correspondente fase econômica de desenvolvimento de um povo ou de uma época é a base a partir da qual se desenvolveram as instituições políticas, as concepções jurídicas, as ideias artísticas e inclusive as ideias religiosas dos homens e de acordo com a qual devem, portanto, explicar-se.

Seu nome viverá através dos séculos, e com ele a sua obra.[134]

---

133. Denominação da I Internacional fundada em 1864, em Londres.
134. In: Marx, Karl e Friedrich Engels. *Textos*. Volume 2. São Paulo: Edições Sociais, 1976, pp. 213-214.

JOAQUIM NABUCO[135]

ACABAR COM A ESCRAVIDÃO NÃO NOS BASTA; É PRECISO DESTRUIR A OBRA DA ESCRAVIDÃO.[136]

Foi o principal líder do movimento abolicionista. Defendeu em discursos, artigos, ensaios e livros que a escravidão deveria ser extinta e o liberto, transformado em cidadão. Para isso, a condição indispensável seria uma lei agrária que democratizasse a propriedade da terra. Apostava em uma democracia de pequenos proprietários rurais.

[...]

É triste, senhores, que até hoje, quando apenas cinco anos nos separam do centenário glorioso dos direitos do homem,[137] nesta América que

---

135. Joaquim Nabuco (1849-1910). Candidato a deputado representando a província de Pernambuco pelo Partido Liberal. Principal líder parlamentar abolicionista.
136. Discurso proferido na cidade de Recife em 5 de novembro de 1884.
137. Alusão à Declaração dos Direitos do Homem e do Cidadão, de 26 de agosto de 1789, aprovada pela Assembleia Nacional francesa.

parecia ser o refúgio de todos os perseguidos, o asilo de todas as consciências, a praça inexpugnável de todos os direitos, a escravidão ainda mancha a face do continente, e um grande país, como o Brasil, seja aos olhos do mundo nada mais, nada menos, do que um mercado de escravos. (*Grandes aplausos.*)

Pois bem, é contra esse escândalo vergonhoso que nos levantamos e procuramos levantar-vos, e o que se passa aqui neste momento, essa insurreição da consciência pública, é um espetáculo que deve encher-nos de contentamento a nós, abolicionistas, a nós que entramos nessa longa, áspera e difícil campanha contra alguns detentores da riqueza nacional só com um interesse: o de podermos confessar que somos brasileiros sem que nos lancem no rosto sermos os últimos representantes na América, e quase que no mundo, da instituição homicida e inumana que foi o verdadeiro inferno da história. (*Aplausos.*)

Vede também que forças nós criamos! Vede o entusiasmo, a dedicação, o desinteresse que nos acompanham; vede que ressuscitamos o espírito público, e que o país inteiro estremece

> O período atual, porém, não é de conservação, é de reforma, tão extensa, tão larga e tão profunda que se possa chamar revolução; de uma reforma que tire o povo do subterrâneo escuro da escravidão onde ele viveu sempre, e lhe faça ver a luz do século XIX. Sabeis que reforma é essa? É preciso dizê-lo com a maior franqueza: é uma lei de abolição que seja também uma lei agrária.

de esperança como que nas vésperas de uma segunda independência! Vede tudo isso, eleitores de São José, e dizei-me se forças tais são a criação da cabala, do empenho, da compressão, da venalidade. Se o governo podia unir esperanças e aspirações patrióticas, que nada pretendem do governo, que nada aceitariam dele. Se a miséria de alguns empregos ou um punhado de ouro das verbas secretas poderia criar assim a alma, a consciência de um povo.

O povo de São José sabe que não tem escolha, hoje, senão entre dois nomes. A trégua de Deus assinada entre todos os partidos adiantados da opinião, para que a hora presente seja do abolicionismo, habilita-me a dizer-vos que não haveria candidato mais adiantado do que eu. A vossa escolha está, pois, limitada a dois homens: um que representa o movimento que já libertou três províncias,[138] outro que assentou praça de soldado raso nas fileiras do sr. Paulino...[139] Porventura os vossos sentimentos serão conservadores? Conservar o quê? O que é que neste país não carece de reforma radical?

Para que os conservadores voltem ao poder é preciso que nós, homens da reforma e do movimento, lhes deixemos a eles, os homens da conservação, alguma coisa que mereça ser conservada! (*Aprovação geral.*) O período atual, porém, não é de conservação, é de reforma, tão extensa, tão larga e tão profunda que se possa chamar revolução; de uma reforma que tire o povo do subterrâneo escuro da escravidão onde ele viveu sempre, e lhe faça ver a luz do século XIX. Sabeis que reforma é essa? É preciso dizê-lo com a maior franqueza: é uma lei de abolição que seja também uma lei agrária.

Não sei se todos me compreendeis e se avaliais até onde avanço neste momento levantando pela primeira vez a bandeira de uma lei agrária, a bandeira da constituição da democracia rural, esse sonho de um grande coração, como não o tem maior o abolicionismo, esse profético sonho de André Rebouças.[140]

Pois bem, senhores, não há outra solução possível para o mal crônico e profundo do povo senão uma lei agrária que estabeleça a pequena propriedade, e que vos abra um futuro, a vós e vossos filhos, pela posse e pelo cultivo da terra. Essa congestão de famílias pobres, essa extensão de miséria – porque o povo de certos bairros desta capital não vive na pobreza, vive na miséria –, esses abismos de sofrimento não têm outro remédio senão a organização da propriedade da pequena lavoura. É preciso que os brasileiros possam ser proprietários de terra, e que o Estado os ajude a sê-lo. Não há empregos públicos que bastem as necessidades de uma população inteira. É desmoralizar o operário acenar-lhe com uma existência de empregado público, porque é prometer-lhe o que não se lhe pode dar e desabituá-lo do trabalho que é a lei da vida.

---

138. Rio Grande do Sul, Amazonas e Ceará.
139. Referência ao político conservador Paulino José Soares de Sousa, filho do visconde do Uruguai.
140. Negro, engenheiro e líder abolicionista.

O que pode salvar a nossa pobreza não é o emprego público, é o cultivo da terra, é a posse da terra que o Estado deve facilitar aos que quiserem adquiri-la, por meio de um imposto – o imposto territorial. É desse imposto que nós precisamos principalmente, e não de impostos de consumo que vos condenam à fome, que recaem sobre as necessidades da vida e sobre o lar doméstico da pobreza. A Constituição diz: "Ninguém será isento de contribuir para as despesas do Estado em proporção dos seus haveres". Pois bem, senhores, ninguém neste país contribui para as despesas do Estado em proporção dos seus haveres. O pobre carregado de filhos paga mais impostos ao Estado do que o rico sem família. É tempo de cessar esse duplo escândalo de um país nas mãos de alguns proprietários que nem cultivam suas terras nem consentem que outros as cultivem, que esterilizam e inutilizam a extensão e a fertilidade do nosso território; e de uma população inteira reduzida à falta de independência que vemos. Se eu não estivesse convencido de que uma lei agrária prudente e sábia podia criar um futuro aos brasileiros privados de trabalho, teria que aconselhar-lhes que emigrassem, porque a existência que levam não é digna de homens que se sentem válidos e querem dar a seus filhos uma educação que os torne independentes e lhes prepare uma condição melhor do que a da presente geração. (*Adesão.*)

> *O que pode salvar a nossa pobreza não é o emprego público, é o cultivo da terra, é a posse da terra que o Estado deve facilitar aos que quiserem adquiri-la, por meio de um imposto – o imposto territorial. É desse imposto que nós precisamos principalmente, e não de impostos de consumo que vos condenam à fome, que recaem sobre as necessidades da vida e sobre o lar doméstico da pobreza.*

Senhores, a propriedade não tem somente direitos, tem também deveres, e o estado da pobreza entre nós, a indiferença com que todos olham para a condição do povo, não faz honra à propriedade, como não faz honra aos poderes do Estado. Eu, pois, se for eleito, não separarei mais as duas questões – a da emancipação dos escravos e a da democratização do solo.

(*Longos aplausos.*) Uma é o complemento da outra. Acabar com a escravidão não nos basta; é preciso destruir a obra da escravidão. Compreende-se que em países velhos, de população excessiva, a miséria acompanhe a civilização como a sua sombra, mas em países novos, onde a terra não está senão nominalmente ocupada, não é justo que um sistema de leis concebidas pelo monopólio da escravidão produza a miséria no seio da abundância, a paralisação das forças diante de um mundo novo que só reclama trabalho.

Sei que falando assim serei acusado de ser um nivelador.[141] Mas não tenho medo de qualificativos. Sim, eu quisera nivelar a sociedade, mas para cima, fazendo-a chegar ao nível do artigo 179 da Constituição, que nos declara todos iguais diante da lei. (*Aplausos.*) Vós não calculais quanto perde o nosso país por haver um abismo entre senhores e escravos, por não existir o nivelamento social.

Sei que nos chamam anarquistas, demolidores, petroleiros,[142] não sei que mais, como chamam os homens do trabalho o do salário. Os que nada têm que perder. Todos aqueles que de qualquer modo adquiriram fortuna entre nós, bem ou mal ganha, entendem que são eles, eles os que têm que perder, quem deve governar e dirigir este país!

Não preciso dizer-vos quanto essa pretensão tem de absurda. Eles são uma insignificante minoria, e vós, do outro lado, sois a nação inteira. Eles representam a riqueza acumulada, vós representais o trabalho, e as sociedades não vivem pela riqueza acumulada, vivem pelo trabalho. (*Aplausos.*) Eles têm, por certo, interesse na ordem pública, mas vós tanto como eles, porque para eles mesmo grandes abalos sociais resultariam na privação de alguns prazeres da vida, de alguma satisfação de vaidade, de algum luxo dispendioso tão prejudicial à saúde do corpo como à do caráter – e vós, perdendo o trabalho, vos achais diante da dívida que é uma escravidão também, diante da necessidade, em cuja noite sombria murmuram os demônios das tentações mercenárias, os filhos sem pão, a família sem roupa, o mandado de despejo nas mãos do oficial de justiça, o raio da penhora trazendo sobre

---

141. Alusão aos niveladores (*levellers*), corrente política radical da Revolução Inglesa de 1640.
142. Referência aos participantes da Comuna de Paris (1871). Sinônimo à época, no Brasil, de comunista.

a casa todos os horrores da miséria! Quem tem à vista desse quadro mais interesse em que a marcha da sociedade seja tão regular e contínua como a de um relógio ou a das estações – o capitalista ou o operário? (*Aplausos*.)

Quanto a mim, tenho tanto medo de abalar a propriedade destruindo a escravidão quanto teria de destruir o comércio acabando com qualquer forma de pirataria. Por outro lado, não tenho receio de destruir a propriedade fazendo com que ela não seja monopólio e generalizando-a, porque onde há grande número de pequenos proprietários a propriedade, está muito mais firme e solidamente fundada do que onde por leis injustas ela é o privilégio de muito poucos.

Eleitores de São José, não é a minha causa que está em vossas mãos neste momento. Eu vos repito o que disse aos eleitores de Santo Antônio: já cheguei em nossa pátria à posição que, sem ousar aspirar a ela, me pareceu sempre a maior das medidas de uma ambição verdadeiramente patriótica, a de ser ouvido pela nação como um conselheiro leal e desinteressado.

> *[...] é um espetáculo que deve encher-nos de contentamento a nós, abolicionistas, a nós que entramos nesta longa, áspera e difícil campanha contra alguns detentores da riqueza nacional só com um interesse: o de podermos confessar que somos brasileiros sem que nos lancem no rosto sermos os últimos representantes na América, e quase que no mundo, da instituição homicida e inumana que foi o verdadeiro inferno da história.*

Essa função de dizer o que me parece ser a verdade ao meu país posso exercer onde quer que me ache. Se eu pudesse fazer uma distinção dentro de mim mesmo, entre o particular e o homem público, eu diria que a derrota deste seria a vitória daquele, mas não posso porque o indivíduo desapareceu no abolicionista. Fez dos entusiasmos, das esperanças, das tristezas deste os seus entusiasmos, as suas esperanças e tristezas próprias, desde que entrou em campanha contra a escravidão. (*Adesão*.)

Liberais, conservadores, republicanos, abolicionistas, vós tendes hoje duas únicas bandeiras diante de vós. A inscrição de uma é este brado da civilização: "Abaixo a escravidão". A inscrição da outra é um sofisma: "Respeitemos o direito de propriedade", quando o objeto possuído é um homem como nós. Entre essas duas bandeiras a vossa consciência não deve hesitar – ela não há de sancionar por mais tempo os abusos e os horrores da escravidão que mancha a história da América; ela não há de ter compaixão de um regime que degrada com uma das mãos o escravo na senzala e com a outra esmaga o operário nas cidades; ela não prolongará por um dia o prazo fatal dessa instituição que forma um império no Império; para a qual vós, artistas e operários, não sois mais do que os substitutos dos escravos, e que se atreve a querer avassalar o eleitorado desta capital, juntando a todas as suas opressões mais esta, a opressão da consciência de homens livres, e a todos os seus tráficos da dignidade humana mais este, o tráfico do voto. (*Ruidosos aplausos*.) Sim, senhores, vós mostrareis que a escravidão não há de produzir neste país depois do mercado de escravos o mercado de eleitores. Ela pode ter por si todos os votos de partido e, além desses, todos os votos venais e todos os votos que possam ser obtidos pela compressão, mas os votos livres, os votos independentes, hão de salvar na hora suprema o nome pernambucano.

Senhores, um antagonista meu, o qual só poderia prejudicar-me inutilizando o grande esforço que está fazendo o Partido Liberal unido e dando ganho de causa ao Partido Conservador, alegou para merecer a vossa escolha o muito que tem sido preterido e o muito que tem esperado em vão... Mas há neste país quem tenha sido mais preterido, quem tenha esperado em vão, mais, infinitamente mais do que ele... São os escravos que esperam há três séculos (*Longos aplausos*.), é o povo brasileiro preterido desde a independência (*Continuam os aplausos*.), e é como representante dessa enorme massa de vítimas da escravidão que eu vos peço que me mandeis ao Parlamento... Votando por mim não votais por um indivíduo, não votais somente por um partido... votais pela libertação do nosso território e pelo engrandecimento do nosso povo, votais por vós mesmos, e vos elevais neste país de toda a altura da liberdade e da dignidade humana. (*Prolongadas aclamações e vivas*.)[143]

---

143. In: Nabuco, Joaquim. *Campanha abolicionista no Recife*. Brasília: Senado Federal, 2010, pp. 55-61.

Silva Jardim[144]

Subir, sim, a montanha! Chegar-lhe, sim, à cumeada! Plantar aí, sim, a bandeira da liberdade![145]

Museu da República, Rio de Janeiro

Provavelmente Silva Jardim foi o principal propagandista da República. Exerceu papel fundamental na divulgação dos ideais republicanos. Era um radical. Sua principal referência era a Terceira República Francesa (1870-1940). Acabou isolado quando do golpe militar de 15 de novembro de 1889. Logo se desiludiu com o novo regime.

---

144. Antônio da Silva Jardim (1860-1891), advogado, abolicionista e propagandista da República.

145. Discurso pronunciado em São Paulo em 7 de abril de 1889. Em 7 de abril de 1831, dom Pedro I abdicou do trono. Alguns imaginavam que viria a República. Porém, foi a Regência que se impôs. Assim como o acontecido na França, quando da Revolução de 1830, os republicanos denominaram o 7 de abril como uma jornada de tolos.

[...]
Sem dúvida que não faremos a República apenas pelo regime eleitoral, já declarei que sou um franco inimigo do parlamentarismo.[146] (*Muito bem.*) Assim me exprimindo, faço-o com certo desinteresse, porque é sabido que amigos solícitos, aos quais sou mui grato, e a cuja dedicação tenho o dever de não ser indiferente, têm falado no meu nome, como devendo ser apresentado por diversos distritos eleitorais; e tenho declarado a esses amigos que se meu partido me levar ao Parlamento peço-lhe lá me deixe apenas durante o tempo em que se fizer a República, porque a posição de um eterno oposicionista dentro de um regime monárquico jamais se combinaria com a minha educação filosófica, nem com as minhas tendências naturais.
[...]
Tudo isto é caminho para a revolução, se isso já não é a revolução, se a revolução já não tem sido isso. Pela palavra revolução eu não entendo o armamento de milhares de homens, voluntários ou mercenários, contra outros milhares: isso seria a guerra civil. Com franqueza, não creio que devêssemos fazê-la, porque seria a prova de que não estava conosco, como apregoamos, a unanimidade da nação; não creio que pudéssemos fazê-la, pela impossibilidade de coordenação de esforços no momento a substituir a guerra pelo trabalho, nem creio que tivéssemos tempo de fazê-la, atendendo-se ao limite de intensidade máxima à nossa ação revolucionária – a véspera do terceiro reinado,[147] o dia seguinte ao terceiro reinado... dia... dias... quem sabe!, quem sabe até onde poderá ir a nossa miséria, o nosso desespero! (*Sensação. Muito bem!*)
[...]
A ninguém mancha o motim político. Se é ser desordeiro sustentar o motim político, devemos proclamar, como verdades a seguir, o suditismo e a vassalagem. (*Apoiados.*) Tal deve ser nesse ponto o nosso programa: exercendo o direito de liberdade de imprensa, de tribuna etc., aceitar

---

146. Sistema de governo adotado no Império, especialmente a partir de 1847, quando foi criada a presidência do Conselho de Ministros.
147. Referência ao possível Terceiro Reinado tendo à frente, como chefe de Estado, a princesa Isabel.

o ataque oferecido pela monarquia, e enfraquecer sempre a autoridade atual, porque ilegítima, e ela sairá enfraquecida fatalmente, desde que tenhamos dedicação; se vitoriosa, ela se abate pela tirania, que irrita sempre as multidões; se vencida, ela é abatida pelo desprestígio e pelo ridículo; nunca o povo é vencido quando sai digno do combate; sempre o poder é vencido, quando combate contra o povo! (*Aplausos.*)

[...]

A política, senhores, não é principalmente uma obra de inteligência, e de sentimento, a política é sobretudo uma obra de caráter. Ao homem político exige-se, como condição primeira, não tanto uma afetividade excepcional e sim vasto e excepcional caráter. (*Muito bem.*) E se o caráter do homem político salienta-se nas épocas de governo pela prudência, nas épocas de revolução deve impor-se pela energia, (*Muito bem!*) pela audácia. (*Muito bem.*)

Em política, eu sou um doutrinário: audácia, audácia, e sempre audácia! Para evitar grandes convulsões sociais, provocadas pelos reis, o terror é às vezes remédio salutar; o terror aos maus salva os bons. (*Muito bem.*) Não sou mau, não sou sanguinário, mas nesse papel de resistência, aos que atacarem os nossos direitos, não trepido aconselhar a violência, entendendo que se deve recuar somente diante do crime individual vergonhoso e infamante. (*Muito bem! Muito bem!*) O segredo mesmo, eu o julgo bom sob qualquer forma nas épocas de desespero para a liberdade: se nas épocas de paz a reserva e a discrição são um dever, como não seria o segredo um direito nas épocas de revolução? (*Muito bem!*)

[...]

Creio bem que, assim procedendo, a todos o nosso patriotismo conquistará. As forças militares virão a nós; é possível que o soldado se esqueça de que é brasileiro, e que tenha a coragem de nos tratar com menor bondade do que tratou ontem ao escravizado?[148] Pois, como este, não somos nós os escravizados políticos, os súditos de Sua Majestade o imperador? Quando assim fosse, porém, a arma que ferisse em nós a liberdade, tornaria para todo o sempre oprimido o que dela usasse. (*Aplausos.*) Virão a nós os grandes do Império, forçados pela opinião pública unânime e triunfantemente a nosso favor; virá a nós a burguesia; virão as classes proprietárias, o comércio, como já veio a lavoura; virão a nós os mesmos proletários pretos, perante cujos ataques, declaro, a melhor defesa seria fugir, se possível, e atacar seus mandatários, porque prepararia uma República antiproletária, ultraconservadora, má, que atacasse hoje o proletariado preto, fraco, pobre, ignorante, irresponsável quase;[149] (*Muito bem!*) todos virão a nós, até mesmo os funcionários da administração pública, que, no dizer de um escritor, desgostam da novidade, são rotineiros, porque são irresponsáveis: só virão a nós à última hora, quando a República estiver triunfante, sim, os egoístas, as naturezas de lama, corvos sobre o cadáver apodrecido da pátria, raça de roedores sociais, que em todos os tempos tiveram forma humana e não foram homens, habitaram um país e nunca foram cidadãos! (*Muito bem! Muito bem!*)

[...]

Senhores, vou concluir. Liguemos todos os nossos esforços para a instituição da República. Que os homens da capital da República, que os homens da capital se recordem que a sociedade não lhes forneceu os meios de adquiri-lo e conservá-lo para mero gozo individual; e sim para manutenção e salvação da mesma sociedade. Que os ricos reflitam que a revolução só é prejudicial à riqueza, se os ricos não são bons, se não são generosos, se não vão adiante da revolução. Que as forças intelectuais se

> *Que os ricos reflitam que a revolução só é prejudicial à riqueza, se os ricos não são bons, se não são generosos, se não vão adiante da revolução.*

---

148. A abolição da escravatura tinha ocorrido no ano anterior, em 13 de maio de 1888.
149. A Guarda Negra, organização paramilitar, formada por ex-escravos em sua maioria, vinha se notabilizando por atacar as reuniões republicanas.

reúnam todas; que pequenas rivalidades desapareçam, e que todos se lembrem do ensino do poeta: de que o competente, pelo talento, pelo coração e pelo caráter:

"... onde tiver força o regimento
Direito, e não de afeitos ocupado,
Subirá (como deve) a ilustre mando,
Contra a vontade sua, e não rogando". (*Lusíadas*, VI, 99)

Que todos vejamos quase inaugurado o terceiro reinado; e ao espírito observador não escapa a sua preparação, ao lado da preparação republicana; e pois que todos sintamos próximo o dia para a satisfação dos nossos compromissos da honra individual, de honra das nossas províncias, de honra da nossa pátria! (*Aplausos*.)

Senhores, a República ou a Morte! Que o Expatriado[150] fira-se na ponta de sua própria espada no momento de dirigi-la ao coração da pátria; que a Cúmplice[151] se envenene no perfume das mesmas flores com que se orna para zombar sobre os nossos cadáveres! (*Aplausos*.)

Que, bem como a hulha, produção antiga das velhas árvores que sanearam a atmosfera do planeta, e que ficaram soterradas, serve ainda hoje ao progresso industrial, as sombras dos velhos batalhadores da liberdade inspirem a nossa atividade, guiem pelo seu exemplo a nossa razão, fortifiquem os nossos sentimentos de amor e dedicação pelo povo. (*Muito bem!*)

[...]

O que eu sei é que sou um homem fatalmente votado a trabalhar pela liberdade em minha pátria. Tudo: festas como a vossa, hurras pela liberdade, aclamações populares, explosões de entusiasmo, vivas na praça pública, estrugir de fogos, acordes de hinos triunfais, flores esparzidas; rugidos de cóleras inimigas, gritos de dor do sofrimento de amigos, apupos de garotos, zombaria de assalariados; manifestações de simpatia, olhares de respeito e admiração, curiosidade das turbas; adesões motivadas de sectários, consagração de chefes; ódios concentrados, invejas

---

150. Referência a Gastão de Orleans, o conde d'Eu, marido da princesa Isabel.
151. A "cúmplice" é a princesa Isabel.

contidas, tentativas de morte; votos de triunfo em segredo, combates à plena luz, gentilezas de damas, sorrisos de crianças, conselhos de velhos, energias de amigos, florestas e campos, praças e cidades; tudo inclusive a visão dos filhos, a saudade da esposa, a lembrança dos pais; tudo, senhores, me tem arrastado, me tem preso, me tem votado com a irresistível fatalidade de um corpo que não pode deixar de ser cumprido, a trabalhar pela causa da liberdade em minha pátria. (*Aplausos prolongados.*) Sei que tenho diante de mim uma montanha, e que tenho de subir a montanha? Se exausto e ensanguentado rolar cadáver dos seus flancos, possa servir o meu cadáver de ponte de passagem de uma nação de súditos para uma nação de cidadãos!

Possa servir de bandeira para o combate pelo povo, ou possa servir de suporte para a bandeira do mesmo povo! Possa a visão da minha cabeça presidir satisfeita aos vossos banquetes, na nova pátria, na pátria livre, na pátria amada, na pátria republicana! O que sei é que tenho de subir a montanha. Se para no seu alto firmar o estandarte da liberdade brasileira, ou se para tombar do outro lado do abismo, não sei! O que eu sei é que então cairia no regaço das crianças, ao lado das senhoras, no meio do povo! O que eu sei é que caindo, desejaria vingásseis a minha morte, com tanta coragem quanta eu a teria tido em devotá-la à vossa vida, à vida da pátria... Subir, sim, a montanha! Chegar-lhe, sim, à cumeada! Plantar aí, sim, a bandeira da liberdade! Ver vacilar, sim, o velho trono monárquico, opressão para o Brasil e vergonha para a América! Alimentemos, cidadãos, essa

[...] todos virão a nós, até mesmo os funcionários da administração pública, que, no dizer de um escritor, desgostam da novidade, são rotineiros, porque são irresponsáveis: só virão a nós à última hora, quando a República estiver triunfante, sim, os egoístas, as naturezas de lama, corvos sobre o cadáver apodrecido da pátria, raça de roedores sociais, que em todos os tempos tiveram forma humana e não foram homens, habitaram um país e nunca foram cidadãos!

esperança... Cair, sim!, mas cair bradando; de joelhos, cidadãos! Beijai os pés da pátria republicana! (*Muito bem! Muito bem!*) (*Aplausos prolongados. Salva de palmas. O orador é felicitado e abraçado pelos amigos presentes.*)[152]

---

152. In: Jardim, Antônio da Silva. *Propaganda republicana (1888-1889)*. Rio de Janeiro: Casa de Rui Barbosa-MEC, 1978, pp. 345-352.

William Jennings Bryan[153]

Não crucificarão a humanidade em nome de uma cruz de ouro.[154]

Neste célebre discurso, William Bryan venceu a convenção do Partido Democrata e se lançou candidato à presidência da República. Obteve 47% dos votos populares. Se o bimetalismo aparece como principal mote do discurso, na essência os elementos centrais são a grave crise econômica, o desemprego e o descontentamento social. Representa fielmente o pensamento do que ficou conhecido como o populismo americano.

Seria pretensão minha, sem dúvida, apresentar-me ao lado dos ilustres cavalheiros que os senhores já ouviram, caso se tratasse apenas de uma avaliação de aptidões; mas essa não é uma disputa entre pessoas. O mais

---

153. William Jennings Bryan (1860-1925). Candidato do Partido Democrata à presidência da República.
154. Discurso pronunciado em 9 de julho de 1896.

humilde cidadão de toda a Terra, quando envergando a armadura de uma causa justa, é mais forte do que todas as hordas de erros que se apresentam. Venho lhes falar em defesa de uma causa tão sagrada quanto a causa da liberdade – a causa da humanidade. Quando este debate estiver encerrado, haverá uma moção para que se apresente a resolução oferecida em louvor da administração e também a resolução em condenação da administração. Objetarei quanto a rebaixar esta questão a um nível de pessoas. O indivíduo não passa de um átomo; ele nasce, ele age, ele morre; mas os princípios são eternos, e esta tem sido uma disputa de princípios.

Nunca antes na história deste país testemunhou-se uma disputa como a que presenciamos. Nunca antes na história da política americana houve tão grande discussão travada como a presente pelos próprios votantes.

A 4 de março de 1895, alguns democratas, a maioria constituída por membros do Congresso, fizeram um comunicado aos democratas do país afirmando que o problema financeiro era a questão primordial do momento; afirmando também o direito da maioria do Partido Democrata de controlar a posição do partido em relação a essa questão primordial; concluindo com o pedido de que todos os que acreditam na livre cunhagem da prata no Partido Democrata organizassem, se responsabilizassem e assumissem o controle da política do Partido Democrata. Três meses depois, em Memphis, montou-se uma organização e os Democratas da Prata saíram em campo, aberta, audaciosa e corajosamente proclamando sua crença e declarando que, caso vencessem, cristalizariam numa plataforma a declaração que fizeram; e iniciou-se então o conflito, com um zelo que se aproximava daquele que inspirou os cruzados a seguirem Pedro, o Eremita.[155] Nossos Democratas da Prata foram de vitória em vitória até se reunirem agora para discutir, não para debater, mas para ratificar o julgamento feito pelas pessoas simples deste país.

[...]

Quando os senhores vêm a nós e nos dizem que vamos atrapalhar seus interesses comerciais, respondemos que, com sua atitude, os senhores atrapalham nossos interesses comerciais. Dizemos que os senhores tornaram por demais limitada a aplicação da definição de empresário. O

---

155. Pedro, o Eremita (1053-1115). Líder da Cruzada dos Mendigos (1096).

assalariado é tão empresário quanto seu empregador. O advogado num tribunal do interior é tão empresário quanto o representante de uma firma numa grande metrópole. O comerciante de estrada é tão homem de negócios quanto um comerciante de Nova York. O agricultor que acorda pela manhã e trabalha duro o dia inteiro, começa na primavera e trabalha duro por todo o verão e, aplicando seu cérebro e músculos aos recursos naturais deste país, cria a prosperidade, é tão empresário quanto o homem que vai à Junta Comercial e aposta no preço dos grãos. Os mineiros que descem a trezentos metros de profundidade ou sobem a seiscentos metros de altura e lá extraem de seus esconderijos os preciosos metais a serem distribuídos pelos canais de comércio são tão empresários quanto os poucos magnatas financeiros que, nos bastidores, monopolizam o dinheiro do mundo.

Viemos falar para essa classe mais ampla de empresários. Ah, meus amigos, não dizemos uma única palavra contra os que vivem na costa do Atlântico; mas aqueles intrépidos pioneiros que enfrentaram todos os perigos da natureza selvagem, que fizeram o deserto florescer como a rosa — aqueles pioneiros distantes daqui, criando seus filhos junto ao coração da natureza onde podem mesclar suas vozes às vozes dos pássaros — lá onde construíram escolas para educar seus filhos, igrejas onde louvam seu Criador e cemitérios onde dormem as cinzas dos seus mortos — são tão merecedores da consideração deste partido quanto qualquer outra pessoa neste país.

É por esses que falamos. Não viemos agredir. Nossa guerra não é uma guerra de conquista. Lutamos em defesa dos nossos lares, de nossas famílias e da posteridade. Pedimos, e nossos pedidos foram desprezados. Suplicamos, e nossas súplicas foram desprezadas. Imploramos, e zombaram quando a calamidade se abateu sobre nós. Não mais imploramos, não mais suplicamos, não mais pedimos. Nós os desafiamos!

É por esses que falamos. Não viemos agredir. Nossa guerra não é uma guerra de conquista. Lutamos em defesa dos nossos lares, de nossas famílias e da posteridade. Pedimos, e nossos pedidos foram desprezados. Suplicamos, e nossas súplicas foram desprezadas. Imploramos, e zombaram quando a calamidade se abateu sobre nós.

Não mais imploramos, não mais suplicamos, não mais pedimos. Nós os desafiamos!

[...]

Dizem-nos que esta plataforma foi criada para angariar votos. Respondemos que mudar as circunstâncias cria novas saídas, que os princípios sobre os quais repousa a democracia são tão imperecíveis quanto as colinas; mas que tais princípios precisam ser aplicados às novas circunstâncias à medida que surgem. Novas circunstâncias surgiram e estamos tentando lidar com essas circunstâncias. Dizem-nos que o imposto sobre a renda não deve ser abordado aqui. Não se trata de uma ideia nova. Criticam-nos por nossa crítica à Suprema Corte dos Estados Unidos. Meus amigos, não fizemos crítica alguma. Apenas chamamos a atenção para o que já sabem. Se desejam críticas, leiam as opiniões dissidentes do tribunal. Isso lhes dará críticas.

Dizem que aprovamos uma lei inconstitucional. Eu nego. O imposto sobre a renda não era inconstitucional quando foi aprovado. Não era inconstitucional quando foi apresentado diante da Suprema Corte pela primeira vez. Não se tornou inconstitucional até que um juiz mudasse de ideia; e não se pode esperar que saibamos quando um juiz mudará de ideia.

O imposto sobre a renda é uma lei justa. Pretende apenas pôr o ônus do governo legitimamente sobre os ombros do povo. Sou a favor de um imposto sobre a renda. Quando vejo um homem que não está disposto a pagar sua cota de ônus ao governo que o protege, vejo um homem que não merece usufruir das benesses de um governo como o nosso.

[...]

Dizemos em nossa plataforma que acreditamos que o direito de cunhar e emitir moedas é função do governo. Acreditamos nisso. Acreditamos tratar-se de uma parte da soberania e não pode mais ser, com segurança, delegada a particulares, não mais do que o poder de criar estatutos penais ou aplicar leis de tributação.

[...]

Deixe-me chamar atenção sobre dois ou três aspectos relevantes. Os cavalheiros de Nova York dizem que ele irá propor uma emenda que prevê que essa mudança em nossa lei não afetará os contratos que, de acordo com as leis atuais, podem ser pagos em ouro. Mas se ele tenciona dizer que não podemos mudar nosso sistema monetário sem proteger aqueles que tomaram empréstimos antes que a mudança fosse feita, quero perguntar-lhe onde, na lei ou na moral, ele poderá encontrar base legal por não proteger os devedores quando a lei de 1873 foi aprovada, quando ele agora insiste que devemos proteger o credor. Ele diz que também quer emendar essa plataforma de modo que, se falharmos em manter a paridade dentro do prazo de um ano, deveremos então suspender a cunhagem de moedas de prata. Respondemos que, quando defendemos algo que acreditamos que terá sucesso, não somos compelidos a levantar dúvidas quanto à nossa própria sinceridade, tentando demonstrar o que faremos se estivermos equivocados.

[...]

Agora, meus amigos, deixem-me abordar a questão mais importante. Se nos perguntarem aqui por que falamos mais a respeito da questão monetária do que da questão tarifária, respondo que, se a proteção matou milhares, o padrão-ouro matou dezenas de milhares. Se nos perguntam por que não incorporamos todas essas coisas em nossa plataforma na qual acreditamos, respondemos que quando tivermos restaurado o dinheiro da Constituição, todas as outras reformas necessárias serão possíveis e que, até que isso seja feito, não há reforma que se possa realizar.

> *Quando vejo um homem que não está disposto a pagar sua cota de ônus ao governo que o protege, vejo um homem que não merece usufruir das benesses de um governo como o nosso.*

Por que em três meses tal mudança atingiu o sentimento da nação? Há três meses, quando foi confidencialmente afirmado que aqueles que acreditavam no padrão-ouro iriam sabotar nossas plataformas e indicar nossos candidatos, mesmo os defensores do padrão-ouro não imaginavam que pudéssemos eleger um presidente; mas eles tinham bons motivos para tal

suspeita, porque praticamente nenhum estado aqui hoje pede o padrão-
-ouro que não esteja dentro do controle absoluto do Partido Republicano.
[...]
Quero sugerir essa verdade, que se o padrão-ouro é algo bom, devemos nos declarar a favor da sua manutenção e não a favor do seu abandono; e se o padrão-ouro for algo ruim, por que devemos esperar até que outros países queiram nos ajudar a abandoná-lo?

Essa é a frente de batalha. Não nos importamos com qual questão nos forçam a lutar. Estamos preparados para enfrentá-los em quaisquer das questões ou em ambas. Se nos disserem que o padrão-ouro é o padrão da civilização, responderemos que esta, a mais iluminada de todas as nações da Terra, nunca declarou um padrão-ouro, e ambos os partidos estão este ano se declarando contra ele. Se o padrão-ouro é o padrão da civilização, por que, meus amigos, não devemos adotá-lo? Então, se eles concordarem conosco nesse ponto, poderemos apresentar a história do nosso país. Mais do que isso, podemos dizer-lhes isso, que eles procurarão em vão nas páginas da história para encontrar um único momento em que o povo simples de qualquer nação alguma vez se declarou a favor do padrão-ouro. Será possível encontrar onde os acionistas de investimentos fixos assim fizeram.
[...]
Meus amigos, trata-se apenas de decidir de que lado lutará o Partido Democrata. Do lado dos ociosos acionistas do capital ocioso, ou do lado do povo sofredor? Essa é a pergunta que o partido deve responder primeiro; e que, então, deve ser respondida por todos os indivíduos. As defesas do Partido Democrata, como descritas na plataforma, estão do lado do povo sofredor, que são a base do Partido Democrata.

Há dois conceitos de governo. Há os que acreditam que, se legislarmos apenas para que os ricos prosperem, sua prosperidade escorrerá para aqueles que estão abaixo. O conceito democrata tem sido que se legislarmos para fazer com que as massas prosperem, sua prosperidade encontrará a maneira de subir e penetrar em todas as classes que nelas se apoiam.

Dizem-nos que as grandes cidades são a favor do padrão-ouro. Eu lhes digo que as grandes cidades se apoiam nesses vastos e férteis campos. Queimem suas cidades e nos deixem nossas fazendas, e suas cidades ressurgirão como mágica. Mas destruam nossas fazendas e o mato crescerá nas ruas de cada cidade deste país.

Meus amigos, declaramos que esta nação é capaz de legislar pelo seu povo em todos os assuntos sem ter de esperar pela ajuda ou pelo consentimento de qualquer outra nação do mundo, e sobre essa questão esperamos o apoio de cada Estado desta União.

[...]

Nossos antepassados, quando não passavam de três milhões, tiveram a coragem de declarar sua independência política de qualquer outra nação do mundo. Iremos, nós, seus descendentes, que chegamos a 70 milhões, declarar que somos menos independentes do que nossos ancestrais? Não, meus amigos, esse nunca será o julgamento deste povo. Não nos importam, portanto, quais as frentes de batalha. Se disserem que o bimetalismo é bom, mas que não poderemos tê-lo até que alguma nação nos ajude, responderemos que, em vez de ter um padrão-ouro porque a Inglaterra o tem, restauraremos o bimetalismo, e deixaremos então a Inglaterra ter o bimetalismo porque os Estados Unidos o têm.

Caso tenham a ousadia de sair em campo aberto e defender o padrão-ouro como algo bom, nós os combateremos ao máximo, tendo atrás de nós as massas produtoras da nação e do mundo. Tendo atrás de nós os interesses comerciais, os interesses trabalhistas e todas as massas trabalhadoras, atenderemos às suas demandas por um padrão-ouro, dizendo-lhes que não colocarão sobre a fronte dos trabalhadores essa coroa de espinhos. Não crucificarão a humanidade em nome de uma cruz de ouro.[156]

> **Queimem suas cidades e nos deixem nossas fazendas, e suas cidades ressurgirão como mágica. Mas destruam nossas fazendas e o mato crescerá nas ruas de cada cidade deste país.**

---

156. In: http://beersandpolitics.com/discursos/WILLIAM-JENNINGS-BRYAN/CROSS-OF-GOLD-SPEECH-MESMERIZING-THE-MASSES/1096.

SÍLVIO ROMERO[157]

JÁ ANDAMOS FARTOS DE DISCUSSÕES POLÍTICAS E LITERÁRIAS.[158]

É um discurso de um desiludido com a República. Não economiza nas críticas. Aponta as contradições do poder oligárquico. Tudo na presença de Afonso Pena, que tinha acabado de ocupar a presidência da República. Desde então os discursos passaram primeiro pelo crivo do presidente da Academia Brasileira de Letras.

Que lição poderemos tirar do discurso, dos artigos, dos estudos, do livro do sr. Euclides da Cunha,[159] eu digo lição que possa aproveitar o povo, que já anda cansado de frases e promessas, desiludido de engodos e miragens,

---

157. Sílvio Romero (1851-1914). Político, juiz, promotor, literato e professor.

158. Discurso proferido no dia 18 de dezembro de 1906 quando da posse de Euclides da Cunha na Academia Brasileira de Letras.

159. Referência a *Os Sertões* (1902), que trata da guerra contra Canudos (1896-1897).

sequioso de justiça, de paz, de sossego, de bem-estar que lhe fogem, esse amado povo brasileiro, paupérrimo no meio das incalculáveis riquezas de sua terra?

[...]

Já andamos fartos de discussões políticas e literárias. O Brasil social é que deve atrair todos os esforços de seus pensadores, de seus homens de coração e boa vontade, todos os que têm um pouco de alma para devotar à pátria.

É onde pulsa a maior intensidade dos problemas nacionais, que exigem solução, sob pena, senão de morte, de retardamento indefinido no aspirar ao progresso, no avançar para o futuro.

[...] não é de reformar pelas cimalhas que havemos mister. Não estamos no caso de ter academias de luxo, quando o povo não sabe ler; de ter palácios Monroe, quando a maior parte da gente mora em estalagens e cortiços e casas de pensão proliferam; de ter avenidas à beira-mar e teatros monumentais, que vão ficar fechados, quando não temos fartas fontes de renda, quando a miséria é geral e quase todas as vilas e cidades do Brasil são verdadeiras taperas.

Vós, sr. Euclides da Cunha, em vosso discurso, aludindo, célere, de raspão, aos nossos desvarios e aos nossos desengonçados e tumultuários esforços e planos de reforma, dizeis que sofremos de vesânia de reformar pelas cimalhas... É a verdade. Mas por quê? Reformar pelas cimalhas e não pela base, pelo alicerce... Por quê? Donde provém esse perpétuo desatino de tantos homens inteligentes?

[...]

A força de resistência, em que pese aos fantasistas, da população brasileira está precisamente nessas gentes do interior, nos 12 milhões de sertanejos, matutos, tabaréus, caipiras, jagunços, caboclos, gaúchos...

O problema brasileiro por excelência consiste exatamente em compreender esse fato tão simples e tratar de fazer tudo que for possível em prol de tais populações, educando-as, ligando-as ao solo, interessando-as nos destinos desta pátria.

O maior obstáculo a isso têm sido as literatices dos escritores e políticos que se julgam, eles, esses desfrutadores de empregos públicos, posições e profissões liberais, os genuínos e únicos brasileiros, a alma e o braço do povo. Por isso é que se arvoram em nossos diretores...

Outra singularidade latino-americana agravada no Brasil, e oriunda das precedentes, é que não conseguimos formar ainda um povo devidamente organizado de alto a baixo.

Faltam-nos a hierarquização social, o encadeamento das classes, a solidariedade geral, a integração consensual, a disciplina consciente de um ideal comum, a homogeneidade íntima.

Falta-nos a radicação a terra pela propriedade espalhada largamente, pelo cultivo, pela produção autônoma da riqueza nacional.

O nosso povo está em regra desenraizado do solo ou nele subsiste como uma vegetação estranha. Faltam-nos o aferro ao trabalho, a base econômica, livre, ampla e segura, e, mais, a masculinidade da vontade, o espírito de iniciativa, a audácia do esforço, do empreendimento, da luta pelo progresso e bem-estar.

[...]

A politicagem, entretida, no desfrutar das fartas posições estupedificadas pela dupla miragem dos capitais e dos braços estrangeiros, como se estes tivessem sido criados para estar à nossa disposição e nos eram ofertados de mão beijada, nada viu, de nada curou nem sabia curar... Pois poder-se-ia lá pensar que avessados cultores da advocacia administrativa, insignes inventores de malabarescas concessões, elas e seus aliados dos governos, dos ministérios, dos parlamentos, do jornalismo, espreitadores de lucros, favores e vantagens, interrompessem seus graves afazeres para pensar no povo, na plebe, nos matutos, nos sertanejos, nos ex-escravos, na lavoura...

Que loucura!

[...]

O começo de falha revolução social, que se devia iniciar com a emancipação dos escravos, foi logo entravado e desviado de seu curso pela revolução política da Proclamação da República. O movimento social que devia prosseguir no intuito de criar um povo de pequenos proprietários agrícolas e de trabalhadores livres, todos ligados à terra, já com elementos alienígenas, já com elementos nacionais, remodelando a propriedade territorial, parou de súbito e tudo se atordoou com inesperada e intensa reviravolta política, que atraiu todas as atenções. Veio à tona, um momento ao menos, o militarismo cercado de abusos. Surgiu de todos os lados o espírito de revolta e desordem.

Reapareceu a velha tendência oligárquica, mais ou menos apagada pela adoção do Império e retomou posição em todos os estados.

Desencadeou-se febrilmente o ânimo de ganância e fortuna fácil ou a loucura do encilhamento; parou a colonização; surgiram as crises do trabalho e da produção.

Encilhamentos,[160] revoltas; das quais a de Canudos tão vigorosamente descrita pelo nosso consócio foi apenas um rápido episódio, trouxeram a bancarrota, a moratória, o *funding loan*,[161] a desordem econômica geral.

Chegamos, assim, à suprema degradação de retrogradar, dando, de novo, um sentido histórico às oligarquias locais e outorgando-lhes nova função política e social, que estão a exercer nos estados com o mais afoito desembaraço; e essa nova função vem a ser a consciência geralmente espalhada da impossibilidade de deitar por terra uma oligarquia sem que se levante outra, porque – ou oligarquia ou anarquia!...

E como era preciso que nos iludíssemos, fascinando-nos com vistosas miragens, decretam-se avenidas e bulevares, multiplicando os empréstimos, avolumando as dívidas a um ponto inacreditável e gravemente perigoso.

---

160. Referência ao período de especulação financeira no início da República, quando o ministro da Fazenda era Rui Barbosa.
161. Alusão ao *funding loan* de 1898, durante o governo Campos Sales, quando foi renegociada a dívida externa.

O capital estrangeiro, sempre sôfrego por empregar-se, canalizou-se para cá, mas com a segurança de garantias definidas na hipoteca das rendas aduaneiras e, em vários pontos, com agentes seus nas repartições fiscais...

A escravidão foi abolida e com ela a realeza; mas, com as nossas loucuras políticas todas feitas pelas admiráveis classes dirigentes, não curamos de educar as populações no trabalho remunerador e autônomo, não cuidamos de preparar o operariado livre nacional nem da colonização habilmente encaminhada nem da exploração da terra pela indústria magna – a cultura. Chegamos, assim, à suprema degradação de retrogradar, dando, de novo, um sentido histórico às oligarquias locais e outorgando-lhes nova função política e social, que estão a exercer nos estados com o mais afoito desembaraço; e essa nova função vem a ser a consciência geralmente espalhada da impossibilidade de deitar por terra uma oligarquia sem que se levante outra, porque – ou oligarquia ou anarquia!...

E mais, digo-o com dor, chegamos ao ponto de não poder botar abaixo qualquer um desses governichos criminosos e asfixiadores senão pela traição ou pelo assassinato!

Com essas nefastas preocupações políticas, cujo principal móvel é fazer uma parte da população trabalhar para sustentar a outra, não admira que seja detestável o estado social da nação e peculiarmente instável e embaraçosa sua posição econômica. Não admira que se levantem constantemente clamores de todos os lados. Inteligente, a seu modo, a afanosa elite sonha reformas aptas a calarem os brados das populações e mais aptas ainda a conservá-la na direção dos negócios.

E então que surge o negativo esforço de reformar pelas cimalhas, na vossa frase, sr. Euclides da Cunha.

No principal, o estado social do povo, que deve ser remodelado por uma educação adequada à vida moderna e pelo aproveitamento hábil da colonização estrangeira e nacional, não se cogita.

As suas reformas começam pelo fim, julgam que com o alargamento de ruas podem resolver os tremendamente inquietadores problemas brasileiros. A nação chegou ao século XX, o século em que se vai resolver o seu destino, inteiramente despercebida a luta.

[...]

A crise da nossa transformação para o moderno viver, tivemos a infelicidade que viesse a coincidir com o surto assombroso de força e riqueza dos grandes povos progressivos de formação particularista.

Assaz temos já sentido a garra do leão em nossas carnes. As forças vivas da economia do povo estão passando ou já estão quase todas nas mãos deles: o grande comércio bancário, o farto jogo dos câmbios, o alto comércio importador e exportador, as melhores empresas de mineração, viação, transportes, navegação, obras de toda casta, acham-se nesse número.

[...]

Só falta que os milionários alienígenas, blindados pelos trustes, se apoderem diretamente das fontes de produção, das fazendas.

Caminhamos para lá, porque essa evolução já está iniciada. Dessa maneira, claro, não é de reformar pelas cimalhas que havemos mister. Não estamos no caso de ter academias de luxo, quando o povo não sabe ler; de ter palácios Monroe, quando a maior parte da gente mora em estalagens e cortiços e as casas de pensão proliferam; de ter avenidas à beira-mar e teatros monumentais, que vão ficar fechados, quando não temos fartas fontes de renda, quando a miséria é geral e quase todas as vilas e cidades do Brasil são verdadeiras taperas.

[...]

O começo de falha revolução social, que se devia iniciar com a emancipação dos escravos, foi logo entravado e desviado de seu curso pela revolução política da proclamação da República. O movimento social que devia prosseguir no intuito de criar um povo de pequenos proprietários agrícolas e de trabalhadores livres, todos ligados à terra, já com elementos alienígenas, já com elementos nacionais, remodelando a propriedade territorial, parou de súbito [...].

Tendes sido apenas o joguete do capital estrangeiro, ávido por emprego e bom juro, e de certas corporações ou indivíduos postos por ele a seu serviço e que precisavam de apanhar grossas somas numa espécie de novo encilhamento.

[...]
Senão, cairemos na vossa alternativa, sr. dr. Euclides da Cunha. O Brasil progredirá, é certo, porque ele tem de ser arrastado pela enorme reserva de força, poder e riqueza que está nas mãos das três ou quatro grandes nações que se acham à frente do imperialismo moderno. Progredirá quase exclusivamente com os braços, os capitais, os esforços, as ideias, as iniciativas, as audácias, as criações dos estrangeiros, já que não queremos ou não podemos entrar diretamente na faina, ocupando o primeiro lugar como colaboradores.

Progredirá, certo; porque, afeiçoado o país pouco a pouco, a seu jeito, eles de posse das grandes forças produtoras, de todas as fontes de riquezas, virão chegando oportunamente e tomando posição seleta entre os habitantes da terra, e, se não estivermos aparelhados, apercebidos, couraçados por todos os recursos da energia do caráter para a concorrência, iremos nós, os latino-americanos, insensivelmente e fatalmente, para o segundo plano...

Assistiremos, como hilotas,[162] o banquetear dos poderosos: ficaremos, os da elite de hoje, na mesma posição a que temos condenado, mais ou menos em geral, os africanos e indígenas e seus descendentes mais próximos, que trabalham para nós...

Triste vingança da história!
E sabe Deus a mágoa com que o digo...
Portanto, excelsior, excelsior! *Sursum corda*!
Trabalhemos, eduquemo-nos, reformemo-nos para viver...[163]

---

[162]. Os hilotas, em Esparta, eram servos vinculados à terra e não tinham nenhum direito político.
[163]. In: Romero, Sílvio. *O Brasil social e outros estudos sociológicos*. Brasília: Senado Federal, 2001, pp. 85-102.

Ricardo Flores Magón[164]

OS POBRES SÃO A FORÇA, NÃO PORQUE SÃO POBRES, MAS PORQUE SÃO A MAIORIA.[165]

Coleção particular

Flores Magón, numa curiosa – e original – antropofagia política, transforma o ideário anarquista em guia de ação política às vésperas do início da Revolução Mexicana. E mais, o anarquismo serve também como elemento interpretativo da história do México.

Companheiros:

Uma gloriosa recordação e uma sagrada aspiração nos reúnem esta noite. Cada vez mais claro, à medida que o tempo avança, cada vez mais definido, à medida que transcorrem os anos, vemos aquele ato grandioso,

---

164. Ricardo Flores Magón (1873-1922). Líder do Partido Liberal Mexicano.

165. Discurso pronunciado nos Estados Unidos, provavelmente na Califórnia, em 16 de setembro de 1910 por motivo do centenário do início do processo independentista do México.

aquele ato imortal levado a cabo por um homem que, nos umbrais da morte, quando sua religião lhe revelava o ciclo, voltou os olhos para a Terra, onde os homens gemiam sob o peso das correntes, e não quis deixar esta vida, não quis dar seu eterno adeus à humanidade sem antes quebrar as correntes e transformar o escravo em homem livre.

Gosto de imaginar o ato glorioso. Vejo com os olhos da minha imaginação a simpática figura de Miguel Hidalgo.[166] Vejo seus cabelos, branqueados pelos anos e pelos estudos, flutuando no ar. Vejo o nobre gesto do herói iluminar o rosto gentil daquele ancião. Eu o vejo, na tranquilidade dos seus aposentos, levantar-se de repente e erguer a mão nervosa à sua frente.

Todos dormem, menos ele. A vida parece suspensa naquele povoado de homens cansados pelo trabalho e pela tirania; mas Hidalgo vela por todos, Hidalgo pensa por todos. Vejo Hidalgo lançar-se sobre meia dúzia de homens para subjugar um despotismo sustentado por muitos milhares de homens. Com um punhado de valentes, chega ao cárcere e liberta os presos; vai depois à igreja e congrega o povo e, à frente de menos de cinquenta homens, desafia o despotismo.

Foi esse o início da formidável rebelião cujo centenário celebramos esta noite; foi esse o começo da insurreição que, se algo nos pode ensinar, é a não desconfiar da força do povo, porque foram seus autores exatamente aqueles que, na aparência, são os mais fracos.

A liberdade por vocês conquistada não pode ser eficaz, não poderá beneficiá-los enquanto não conquistarem a base primordial de todas as liberdades: a liberdade econômica, sem a qual o homem é um miserável joguete dos ladrões do governo e dos bancos, que trazem a humanidade submissa com algo mais pesado do que as correntes, com algo mais perverso do que as prisões e que se chama miséria, o inferno instaurado na Terra pela ganância dos ricos!

---

166. Miguel Hidalgo (1753-1811). Principal líder da independência do México.

[...]

Os pobres são a força, não porque são pobres, mas porque são a maioria. Quando as pessoas se conscientizarem de que são mais fortes do que seus dominadores, não haverá mais tiranos.

Proletários: a obra da *independência* foi obra sua; o triunfo contra o poderio da Espanha foi triunfo seu; mas que não sirva tal triunfo para que se ponham a dormir nos braços da glória. Com toda a sinceridade da minha consciência honrada, eu os convido a despertar.

O triunfo da revolução iniciada em 16 de setembro de 1810 lhes deu a *independência nacional*; o triunfo da revolução iniciada em Ayutla[167] lhes deu a *liberdade política*; mas vocês continuam todos a ser escravos, escravos desse moderno senhor que não carrega espada, não usa um elmo de guerreiro, não vive em castelos fortificados, nem é herói de alguma epopeia: são escravos desse novo senhor cujos castelos são os bancos e cujo nome é Capital.

Tudo está subordinado às exigências e à conservação do Capital. O soldado distribui a morte em prol do Capital; o juiz sentencia à prisão em prol do Capital; toda a máquina governamental funciona, exclusivamente, em prol do Capital; o próprio Estado, republicano ou monárquico, é uma instituição que tem como exclusivo objetivo a proteção e a salvaguarda do Capital.

O Capital é o Deus moderno, a cujos pés se ajoelham e engolem pó todos os povos da Terra. Nenhum Deus teve maior número de crentes nem foi tão universalmente adorado e temido como o Capital, e nenhum Deus, como o Capital, teve em seus altares maior número de sacrifícios.

O Deus Capital não tem coração nem sabe ouvir. Tem garras e presas. Proletários, vocês estão todos entre as garras e as presas do Capital; o Capital bebe seu sangue e destrói o futuro de seus filhos.

Ao descer às minas, vocês não o fazem para ficar ricos, e sim para enriquecer seus patrões. Ao se encerrarem por longas horas nesses presídios modernos que se chamam fábricas e escritórios, vocês não o fazem para

---

167. Alusão à Revolução de Ayutla (1854-1857), que levou à deposição do ditador Antonio López de Santa Anna e, posteriormente, ao domínio liberal em meio a diversos conflitos, como a Guerra da Reforma.

cultivar o seu bem-estar, nem o de suas famílias: é para prover o bem-estar de seus patrões; se vão às ferrovias pregar trilhos, vocês não o fazem para viajar, e sim para que viajem os seus patrões; se erguem com suas mãos um palácio, não é para que nele morem sua mulher e seus filhos, e sim para que nele vivam os senhores do Capital.

Em troca de tudo o que fazem, em troca do seu trabalho, lhes é dado um salário perfeitamente calculado para que possa apenas atender às suas necessidades mais urgentes, e nada mais.

O sistema de salários nos faz depender, por completo, da vontade e do capricho do Capital. Há apenas uma diferença entre vocês e os escravos da antiguidade, e essa diferença consiste em que vocês têm a liberdade de escolher seus patrões.

O Capital é o Deus moderno, a cujos pés se ajoelham e engolem pó todos os povos da Terra. Nenhum Deus teve maior número de crentes nem foi tão universalmente adorado e temido como o Capital, e nenhum Deus, como o Capital, teve em seus altares maior número de sacrifícios.

Companheiros: vocês conquistaram a *independência nacional* e por isso se chamam mexicanos; conquistaram, ainda, sua *liberdade política* e por isso se chamam cidadãos; falta-lhes conquistar a mais preciosa das liberdades: aquela que fará da espécie humana o orgulho e a glória desta triste Terra, até hoje desonrada pelo orgulho dos de cima e pela humildade dos de baixo.

A liberdade econômica é a base de todas as liberdades. Diante do inegável fracasso da liberdade política em todos os povos cultos da Terra, como panaceia para curar todas as dores da espécie humana, o proletariado chegou *à conclusão de que a emancipação dos trabalhadores deve ser obra dos próprios trabalhadores*, e esse sensato axioma é a base de granito de toda obra verdadeiramente revolucionária.

Companheiros, eu conheço o mexicano. A história me conta tudo o que pode fazer o mexicano. Abram a página desse grande livro que se chama *História do México* e nela encontrarão os grandes feitos dos homens de nossa raça.

É grande o mexicano quando repudia, com seu peito desnudo e suas armas de pedra, a bandidagem espanhola caída em nossa terra, em som de conquista; é grande o mexicano quando, vencido e torturado, quando suas carnes ardem no suplício do fogo, lança um olhar depreciativo para seus verdugos e formula, com um sorriso nos lábios, aquela pergunta digna de um deus em desgraça e que é algo assim como a nota mais alta da ironia, arrancada dos horrores da tragédia: *Por acaso estou eu num leito de rosas?*[168]

[...]

A cada vez que o progresso humano dá um passo, vocês também dão um passo. Não querem recuar, têm vergonha de ficar atrás dos seus irmãos de outras raças, e mesmo quando o peso da tirania, quando a consciência humana parece dormir e corpo e espírito são escravos, vivem em vocês, com a

O triunfo da revolução iniciada a 16 de setembro de 1810 lhes deu a Independência nacional*; o triunfo da revolução iniciada em Ayutla lhes deu a* liberdade política*; mas vocês continuam todos a ser escravos, escravos desse moderno senhor que não carrega espada, não usa um elmo de guerreiro, não vive em castelos fortificados, nem é herói de alguma epopeia: são escravos desse novo senhor cujos castelos são os bancos e cujo nome é Capital.*

vida intensa das qualidades da raça, o estoicismo de Cuauhtémoc, a serena audácia de Hidalgo, o indomável arrojo de Morelos,[169] a virtude de Guerrero[170] e a constância inquebrantável de Juárez,[171] o índio sublime, o

---

168. Frase atribuída a Cuauhtémoc, último imperador asteca, quando estava sendo torturado pelos espanhóis para que revelasse a localização dos (supostos) tesouros escondidos na capital, Tenochtitlán.

169. José Maria Morelos (1765-1815). Sucedeu Hidalgo como principal líder do processo independentista.

170. Vicente Guerrero (1782-1831). Líder independentista e que chegou a ser, brevemente, presidente do México.

171. Benito Juárez (1806-1872). Presidente do México. Principal líder da resistência à invasão patrocinada por Napoleão III que levou, por um curto período, Maximiliano ao trono do México.

índio imenso, o gigante navegador que levou a raça a um porto seguro em meio às armadilhas e tempestades de um mar traiçoeiro.

Mexicanos: seu passado merece um aplauso. Agora é preciso que conquistem o aplauso do futuro por sua conduta no presente. Vocês cumpriram com seu dever nas grandes lutas do passado; mas é preciso que cumpram com o papel que lhes corresponde nas grandes lutas do presente.

A liberdade por vocês conquistada não pode ser eficaz, não poderá beneficiá-los enquanto não conquistarem a base primordial de todas as liberdades: *a liberdade econômica*, sem a qual o homem é um miserável joguete dos ladrões do governo e dos bancos, que trazem a humanidade submissa com algo mais pesado do que as correntes, com algo mais perverso do que as prisões e que se chama miséria, o inferno instaurado na Terra pela ganância dos ricos!

Vocês se libertaram da Espanha; libertem-se, agora, da miséria. Vocês foram audazes naquela ocasião; sejam audazes agora unindo todas as suas forças às do Partido Liberal Mexicano em sua luta de morte contra o despotismo de Porfirio Díaz.

ORTEGA Y GASSET[172]

VIVER É VIVER EM ALGUMA CIRCUNSTÂNCIA.[173]

A inter-relação entre o homem e o momento histórico é o cerne deste discurso. Problematiza as transformações na sociedade e a maneira de o homem agir e modificar o mundo. Insiste na historicidade e no diálogo do eu com suas circunstâncias.

[...]

    Não se vive senão num orbe cheio de outras coisas, sejam objetos ou criaturas; é ver essas coisas e vibrar, amá-las ou odiá-las. Em suma, todo o viver é ocupar-se de coisas que não são sempre o mesmo; somente viver é viver em torno de circunstâncias. Que esta vida signifique isso, apenas. Não é só, mas faz parte de nós e do mundo. Ela, nossa vida, dependerá,

---
172. Ortega y Gasset (1883-1955). Filósofo espanhol.
173. Discurso pronunciado em Gijon.

pois, não só do que é nossa pessoa individual como da força do que representa o nosso mundo. Não é mais preciso um termo que outro; não é que, primeiro, nos descubramos a nós mesmos, e depois descubramos o mundo, circunstâncias em derredor, mas o viver é já, sem sua raiz, fazer-se como se o mundo à nossa frente, com todos os elementos e ingredientes – pois ele se compõe, apenas, do que nos afeta –, seja inseparável de nós. Nasce conosco e vem a ser como essas divindades, aos pares, da antiga Grécia e Roma, que tinham de nascer e morrer juntos. Do mesmo modo, o homem e a circunstância formam e integram a vida, e um não é inferior ao outro. Viver é viver em alguma circunstância. Vivemos aqui, isto é, aqui nos encontramos num lugar do mundo. A vida, com efeito, deixa sempre uma margem de possibilidades dentro do mundo; mas não somos livres para existir neste mundo ou em outro. Podemos renunciar à vida, mas, se vivemos, não nos cabe escolher o mundo em que se vive. Viver não é entrar num sítio previamente escolhido a seu gosto, como se escolhe o teatro, depois da ceia, mas sim achar-se, subitamente, sem saber como, tombado, projetado, submetido, num mundo imutável, numa circunstância única e determinada, neste mundo de agora. Uma imagem esclarecedora eu vos quero apresentar: pensemos em alguém que houvesse adormecido nos bastidores de um teatro e que, por um empurrão, fosse lançado à ribalta, ante o público. Em que situação se encontraria o homem que despertasse dessa maneira? A situação consistiria em não ter mais remédio e não poder ele senão resolver de maneira decorosa aquela exposição ante o público, que ele não buscou nem preparou, nem previu.

> *Vivemos aqui, isto é, aqui nos encontramos num lugar do mundo. A vida, com efeito, deixa sempre uma margem de possibilidades dentro do mundo; mas não somos livres para existir neste mundo ou em outro. Podemos renunciar à vida, mas, se vivemos, não nos cabe escolher o mundo em que se vive.*

Em suas grandes linhas, a vida é sempre imprevista; nada nos consultam sobre ela; não nos perguntam, antes de nascer, em que época e em que mundo, em que circunstância vamos viver; mas, encontramo-nos sempre, de repente, de forma imprevista, tendo que nadar numa circunstância, inexoravelmente indeterminada. A vida nos é sempre lançada à queima-roupa e isso eu expresso, dizendo que o segundo atributo da vida é que ela é sempre circunstancial. Viver é como uma situação que tenha de ser enfrentada, num mundo indeterminado. Essa imagem expressa, a meu ver, de certa forma, a essência de viver. Notem: a vida nos é dada, ou melhor, nos é arremessada, ou ainda somos nela arrojados; todavia ela que nos é dada, é um problema que temos de resolver nós mesmos, e isso não só naquelas circunstâncias especialmente difíceis, que qualificamos familiarmente de conflitos e apuros, mas sempre e em qualquer circunstância.

[...]

O mais trágico do homem é o mais glorioso, pois tem obrigação de escolher e, portanto, queira ou não, tem que levar a efeito sua liberdade. A vida tem, frente à fatalidade, uma medida de fatalidade. Para isso não se pode viver sem decidir livremente o que se vai fazer. A vida é sempre mais ou menos nossa criação e tem, em sua raiz, um germe de arte. E a arte começa aceitando uma fatalidade. O poeta aceita a fatalidade da rima e do ritmo e, concentrando-se, apoia-se nela, criando a poesia. Daí poder dizer-se do homem, em geral, o que Nietzsche dizia da arte. Nietzsche falava da arte que vibra acorrentada. A vida é uma criação rítmica como a dança que o homem exibe, com a corrente da fatalidade. Mas é preciso que haja criação: não há vida sem criação, boa ou má. O que se chama vida é, já, uma criação; é criar a anulação da própria existência, tê-la assimilado, havê-la sufocado.

Porém, senhores, perguntareis, a essa altura: "Qual é o papel do homem?" – Há algum tempo escreveu-se um ensaio, publicado no estrangeiro, não na Espanha, sob o título: Quem é você? A pergunta parece ser a coisa mais fácil de responder, a todos; mas, se a fizerdes alguma vez, a uma determinada pessoa e se quiserdes, peremptoriamente, uma resposta, vereis a grande dificuldade em que se encontra o interpelado. De pronto, dará respostas inoportunas ou vulgares, ou demasiado sábias. Dirá: "Quem sou eu? – Fulano de tal, e enunciará um nome civil. Mas essa pessoa pode mudar de nome sem que deixe de ser quem é. Então, mais sabiamente, corrigirá e dirá: – Eu sou meu corpo e minha alma. Ou então. Eu não sou meu corpo, eu não sou minha alma. Meu corpo e minha alma são mecanismos perfeitos ou uniformes, com os quais me sinto, como me sinto em meu ambiente. Sou, se quiserdes, tudo do mundo que me está mais próximo, aquilo que tenho de manejar da maneira mais imediata, para viver. Posso ter um corpo enfermo e maltratado; posso ter uma alma sem domínio e sem vontade e, todavia, EU SOU. Preciso utilizar esses momentos para viver minha vida, para resolver o problema da minha existência. Eu não sou minha alma, nem meu corpo, vivo com eles, como no ambiente; são elementos do ambiente. Por isso, do ambiente nos vêm tantas e tão constantes influências.

[...]

Cada qual é, pois, um determinado programa vital, que se realiza ou não; mas com o qual oprimimos a situação, oprimimos a fatalidade a fim de ver que parte dele pode ser realizada. Pois bem, os dois fundamentos de verificação da visão são esses: o de que não aceitamos, em todo seu rigor, e com clareza, as circunstâncias que nos rodeiam, que vivemos em situações imaginárias, mentirosas, ou, de que o programa vital, com o qual forçamos o destino,

[...] a vida é sempre imprevista; nada nos consultam sobre ela; não nos perguntam, antes de nascer, em que época e em que mundo, em que circunstância vamos viver; mas, encontramo-nos sempre, de repente, de forma imprevista, tendo que nadar numa circunstância, inexoravelmente indeterminada.

não seja sincero, que não seja autenticamente nosso, que não seja nossa vocação.

O programa tem que ser positivo. Isto dizia eu, não faz muito tempo, no Parlamento, quando advertia que política é, antes de tudo, um projeto de vida, em comum, que o governo oferece a um povo, que é a imaginação de grandes empresas onde cada cidadão tem seu afazer, sua ocupação. Política é, antes de tudo, delinear atraentes horizontes. Não me quiseram entender. Disseram-me que isso era esboçar, apenas. Mas já o vistes; da mesma forma que na vida intelectual, na vida coletiva há uma necessidade que não admite desculpa, do ser vivente, individual ou coletivo, de organizar um programa. O que faz falta é a sinceridade nesse programa, porque em tempos como este nada é mais fácil do que o desperdício em insinceridades, em falsidades e em traições.

Constantemente o ambiente nos está solicitando que sejamos infiéis ao nosso programa vital. Os jovens, sobretudo, pelo pouco peso e densidade que possuem em sua nova existência, têm facilidade de ser arrebatados como folhas, por qualquer vento. O jovem está sempre querendo ser diferente do que é: personagem de novela, herói político que, na ocasião, está em moda. Tem, pois, o mais grave que possa acontecer ao homem: contágio espiritual. A maior parte de nossas ideias e sentimentos não são nossos: são como o pó do caminho. Não foram pensadas essas ideias, sentidos esses sentimentos, no fundo de sua origem absoluta. Foram só recebidos.

[...]

Depois de tudo, não faremos senão servir àquela norma em que o velho Píndaro[174] resume sua época, e que a mim me parece o princípio de todos os princípios morais. Píndaro dizia que tudo se resumia a: "Chegar a ser o que se é".[175]

---

174. Píndaro (522-433 a.C.). Poeta grego.
175. In: Liacho, Lázaro (org.). *Titãs da oratória*. Rio de Janeiro: El Ateneo do Brasil, sem data, pp. 432-433; 437-440.

Rui Barbosa[176]

O Brasil não aceita a cova que lhe estão cavando os cavadores do Tesouro, a cova onde o acabariam de roer até os ossos os tatus-canastra da politicalha. Nada, nada disso é o Brasil.[177]

Este discurso é da última campanha presidencial de Rui Barbosa. O cerne do pronunciamento é a liberdade do voto e de como a Primeira República (1889-1930) impedia, pela fraude, as atas falsas e o voto a descoberto a livre escolha dos cidadãos. As eleições não passavam, portanto, de uma farsa.

Senhores: conheceis, porventura, o Jeca Tatu, dos "Urupês",[178] de Monteiro Lobato, o admirável escritor paulista? Tivestes, algum dia, ocasião

---

176. Rui Barbosa (1849-1923). Senador da República.
177. Discurso pronunciado no Rio de Janeiro em 20 de março de 1919.
178. Coletânea de crônicas e contos de Monteiro Lobato editada em 1918. A crônica "Urupês" foi originalmente publicada no jornal *O Estado de S. Paulo* de 1914. Ficou célebre pelo personagem Jeca Tatu.

de ver surgir, debaixo desse pincel de uma arte rara, na sua rudeza, aquele tipo de uma raça que, "entre as formadoras da nossa nacionalidade", se perpetua, "a vegetar de cócoras, incapaz de evolução e impenetrável ao progresso"?

Solta Pedro I o grito do Ipiranga; e o caboclo em cócaras. Vem, com o 13 de maio, a libertação dos escravos; e o caboclo, de cócaras. Derriba o 15 de novembro um trono, erguendo uma República; e o caboclo acocorado. No cenário da revolta, entre Floriano, Custódio e Gumercindo,[179] se joga a sorte do país, esmagado quatro anos por Incitatus;[180] e o caboclo, ainda com os joelhos à boca. A cada um desses baques, a cada um desses estrondos, soergue o torso, espia, coça a cabeça, "magina", mas volve à modorra, e não dá pelo resto.

De pé, não é gente. A não ser assentado sobre os calcanhares, não desemperra a língua, "nem há de dizer coisa com coisa". A sua biboca de sapé faz rir os bichos de toca. Por cama, "uma esteira espipada".

Roupa, a do corpo. Mantimentos, os que junta aos cantos da sórdida arribana. O luxo do toucinho, pendente de um gancho, à cumeeira. À parede, o pica-pau, o polvarinho de chifre, o rabo de tatu, e em pararaios, as palmas bentas. Se a cabana racha, está de "janelinhas abertas para o resto da vida". Quando o colmo do teto, aluído pelo tempo, escorre para dentro a chuva, não se veda o rombo; basta aparar-lhe a água num gamelo. Desaprumando-se os barrotes da casa, um santo de mascate, grudado à parede, lhe vale de contraforte, embora, quando ronca a trovoada, não deixe o dono de se julgar mais um em seguro no oco de uma árvore vizinha.

O mato vem beirar com o terreirinho nu da palhoça. Nem flores, nem frutas, nem legumes. Da terra, só a mandioca, o milho e a cana, porque não exige cultura, nem colheita. A mandioca, "sem-vergonha", não teme formiga. A cana dá a rapadura, dá a garapa, e açucara, de um rolete espremido a pulso, a cuia do café.

---

179. Floriano Peixoto (1839-1895), presidente da República; Custódio de Mello (1840-1902), principal articulador do golpe de Estado que obrigou Deodoro da Fonseca a renunciar à presidência (23 de novembro de 1891); Gumercindo Saraiva (1852-1894), um dos principais líderes da Revolução Federalista.

180. Incitatus, célebre cavalo do imperador romano Calígula.

Para Jeca Tatu, "o ato mais importante da sua vida é votar no governo". "Vota. Não sabe em quem, mas vota." "Jeca por dentro rivaliza com Jeca por fora. O mobiliário cerebral vale o do casebre." Não tem o sentimento da pátria, nem sequer a noção do país. De "guerra, defesa nacional ou governo", tudo quanto sabe se reduz ao pavor do recrutamento. Mas, para todas as doenças, dispõe de meizinhas prodigiosas como as ideias dos nossos estadistas. Não há bronquite que resista ao cuspir do doente na boca do peixe, solto, em seguida, água abaixo. Para brotoeja, cozimento de beiço de pote. Dor de peito? "O porrete é jasmim-de-cachorro." Parto difícil? Engula a cachopa três caroços de feijão mouro e "vista pelo avesso a camisa do marido".

> *Eis o que eles enxergam, o que eles têm por averiguado, o que os seus atos dão por líquido, no povo brasileiro: uma ralé semianimal e semi-humana de escravos de nascença, concebidos e gerados para a obediência, como o muar para a albarda, como o suíno para o chiqueiro, como o gorila para a corrente; uma raça cujo cérebro ainda se não sabe se é de banana, ou de mamão para se empapar de tudo que lhe embutam [...].*

Um fatalismo cego o acorrenta à inércia. Nem um laivo de imaginação ou mais longínquo rudimento de arte, na sua imbecilidade. Mazorra e soturna, apenas rouqueja lúgubres toadas. "Triste como o curiango nem sequer assobia." No meio da natureza brasileira, das suas catadupas de vida, sons e colorido, "é o sombrio urupê de pau podre, a modorrar silencioso no recesso das grotas. Não fala, não canta, não ri, não ama, não vive".

Não sei bem, senhores, se, no tracejar desse quadro, teve o autor só em mente debuxar o piraquara do Paraíba e a degenerescência inata da sua raça. Mas a impressão do leitor é que, nesse símbolo de preguiça e fatalismo, de sonolência e imprevisão, de esterilidade e de tristeza, de subserviência e hebetamento, o gênio do artista, refletindo alguma cousa do seu meio, nos pincelou, consciente, ou inconscientemente, a síntese da concepção, que têm, da nossa nacionalidade, os homens que a exploram.

Se os mandachuvas deste sertão mal roçado, que se chama Brasil, o considerassem habitado, realmente, de uma raça de homens, evidentemente não teriam a petulância de o governar por meio de farsantarias, como a com que acabam de arrostar a opinião nacional e a opinião internacional, atirando à cara da primeira o ato de mais violento desprezo, que nunca se ousou contra um povo de mediana consciência e qualquer virilidade.

Para animar esses gozadores inveterados nas covardias do egoísmo a esse rasgo de intrepidez contra os sentimentos de uma nação inteira, justamente quando esses sentimentos se estão patenteando com toda essa intensidade, havendo de supor que o vezo de se encontrarem com um país de resignação ilimitada e eterna indiferença os acostumou a verem nos seus conterrâneos a caboclada lerdaça e tardonha da família do herói dos Urupês, a raça despatriada e lorpa, que vegeta, como os lagartos, ao sol, madraçaria e lombeira dos campos descultivados.

O que eles veem, sucedendo à idade embrionária do colono, dobrado ao jugo dos capitães-mores; o que eles veem, seguindo-se à época tenebrosa do africano vergalhado pelo relho dos negreiros, é o período banzeiro do autóctone, cedido pela catequese dos missionários à catequese dos politiqueiros, lanzudo ainda na transição mal-amanhada, e susceptível, pelo seu baixo hibridismo, das bestializações mais imprevistas.

Eis o que eles enxergam, o que eles têm por averiguado, o que os seus atos dão por líquido, no povo brasileiro: uma ralé semianimal e semi--humana de escravos de nascença, concebidos e gerados para a obediência, como o muar para a albarda, como o suíno para o chiqueiro, como o gorila para a corrente; uma raça cujo cérebro ainda se não sabe se é de banana, ou de mamão para se empapar de tudo que lhe embutam; uma raça cujo coração ainda não se estudou se é de cortiça, ou de borracha, para não guardar mossa de nada, que o contunda; uma raça, cujo sangue seja de sânie, ou de lodo, para não sair jamais da estagnação do charco, ou do esfacelo da gangrena; uma raça, cuja índole não participe, sequer, por alguns instintos nobres ou úteis, dos graus superiores da animalidade.

De outra sorte não poderia suceder que, precisamente quando se trata do ato mais vital de uma nação, a escolha da cabeça do seu governo, seja essa nação a que se elimine, para exercer as suas vezes o lendeaço dos seus parasitas. De outro modo não se conceberia que, justamente quando os mais obdurados e truculentos despotismos do mundo rolam pelo chão, arrastando na queda os mais velhos tronos e as dinastias mais poderosas, aqui, três ou quatro moirões de lenho podre até o cerne, se ponham rosto a rosto com todas as expressões do sentimento público, e as levem de vencida. De outra maneira não se explicaria que, exatamente quando se anunciava aos quatro ventos um movimento de regeneração dos costumes políticos, empenhados em corresponder à grandeza das dificuldades com a grandeza dos exemplos, tudo se resolvesse na comédia mais ignóbil, de que nunca foi testemunha a nossa história. Não, senhores, de outro jeito não se explicaria que, quando todas as nações andam à competência, no campo da honra, em dar, qual a qual mais, em modelos ao universo atento, os seus maiores homens, as suas maiores ações e as suas maiores qualidades, a política brasileira elegesse este momento para assombrar o mundo com a sua inveja, a sua tacanharia, a sua corrupção e a sua cegueira; para juntar, aos olhos do estrangeiro, em uma só cena, como representação da nossa mentalidade e da nossa moralidade, um concurso de indivíduos, vícios e opróbrios, que obrigariam a corar o mais desgraçado e o menos sensível retalho da humanidade.

Não valerá realmente mais o povo brasileiro do que os conventilhos de advogados administrativos, as quadrilhas de corretores políticos e vendilhões parlamentares, por cujas mãos corre, barateada, a representação da sua soberania?

Mas, senhores, se é isso o que eles veem, será isso, realmente, o que nós somos? Não seria o povo brasileiro mais do que esse espécime do caboclo mal desasnado, que não se sabe ter de pé, nem mesmo se senta, conjunto de todos os estigmas de calaçaria e da estupidez, cujo voto se compre com um rolete de fumo, uma andaina de sarjão e uma vez de aguardente? Não valerá realmente mais o povo brasileiro do que os conventilhos de advogados administrativos, as quadrilhas de corretores políticos e vendilhões parlamentares, por cujas mãos corre, barateada, a representação da sua soberania? Deverão, com efeito, as outras nações, a cujo grande conselho compareçamos, medir o nosso valor pelo dessa troça de escaladores do poder, que o julgam ter conquistado, com a submissão de todos, porque, em um lance de roleta viciada, empalmaram a sorte e varreram a mesa?

Não. Não se engane o estrangeiro. Não nos enganemos nós mesmos. Não! O Brasil não é isso. Não! O Brasil não é o sócio de clube, de jogo e de pândega dos vivedores, que se apoderaram da sua fortuna, e o querem tratar como a libertinagem trata as companheiras momentâneas da sua luxúria. Não! O Brasil não é esse ajuntamento coletício de criaturas taradas, sobre que possa correr, sem a menor impressão, o sopro das aspirações, que nessa hora agitam a humanidade toda. Não! O Brasil não é essa nacionalidade fria, deliquescente, cadaverizada, que recebe na testa, sem estremecer, o carimbo de uma camarilha, como a messalina recebe no braço a tatuagem do amante, ou o calceta, no dorso, a flor-de-lis do verdugo. Não! O Brasil não aceita a cova que lhe estão cavando os cavadores do Tesouro, a cova onde o acabariam de roer até os ossos os tatus-canastra da politicalha. Nada, nada disso é o Brasil.

O Brasil não é isso. É isso. O Brasil, senhores, sois vós. O Brasil é esta assembleia. O Brasil é este comício imenso de almas livres. Não são os comensais do erário. Não são as ratazanas do Tesouro. Não são os mercadores do Parlamento. Não são as sanguessugas da riqueza pública. Não são os falsificadores de eleições. Não são os compradores de jornais. Não são os corruptores do sistema republicano. Não são os oligarcas estaduais. Não são os ministros de tarraxa. Não são os presidentes de palha. Não são os publicistas de aluguel. Não são os estadistas de impostura. Não são os diplomatas de marca estrangeira. São as células ativas da vida nacional. E a multidão que não adula, não teme, não corre, não recua, não deserta, não se vende. Não é a massa inconsciente, que oscila da servidão à desordem, mas a coesão orgânica das unidades pensantes, o oceano das consciências, a mole das vagas humanas, onde a Providência acumula reservas inesgotáveis de calor, de força e de luz para a renovação das nossas energias. É o povo, em um desses movimentos seus, em que se descobre toda a sua majestade. [...]

O voto é a primeira arma do cidadão. Com ele vencereis. Agora, se vo-lo roubarem, é outra coisa. Com ladrões, como ladrões. Quando a ofensiva nos arrebata um direito, até onde exigir a recuperação deste, até aí deve ir a defensiva.

Comem-vos os parasitas, comendo-vos o imposto? Pois é cortardes os mantimentos aos parasitas. Já vo-lo disse. Como? Recusando-vos a pagar os tributos legais? Não: apoderando-vos, pelas urnas, da função legislativa, que é função do imposto. Quem não o vota, não pode ser obrigado a pagá-lo.

Agora, se vos enxotarem das urnas, se vos tangerem do Parlamento, e, salteando a soberania nacional, vos exigirem impostos, que não votastes, porque não elegestes a quem os votou, isso é outro caso. Com salteadores, como com salteadores. Na guerra, como na guerra. O povo não é obrigado a pagar senão o imposto que votou. [...]

Dessa guisa vamos, pé adiante, pé atrás, mão atrás, mão adiante, ao tom da chacoalhada, por essas terras de Santa Cruz, por essas imensidades, que as valadas afundam, as chãs explanam, as florestas encrespam, as serranias azulejam, as águas dos rios argentinam e os raios do sol dardejantes semeiam o ouro – por aí vamos, a orelha murcha, o olho baixo, o passo apalpante, as moscas ao lombo, cabeceando, banzando, caxingando, na marcha tardonha e trupitante da eterna obediência, do ramerrão eterno, cansada, arquejante, resignada, sonolenta, sem outro cuidado mais do que o do pasto e bebedouro à boca.

O Brasil não é isso. É isso. O Brasil, senhores, sois vós. O Brasil é esta assembleia. O Brasil é este comício imenso de almas livres. Não são os comensais do erário. Não são as ratazanas do Tesouro. Não são os mercadores do Parlamento. Não são as sanguessugas da riqueza pública. Não são os falsificadores de eleições. Não são os compradores de jornais. Não são os corruptores do sistema republicano. Não são os oligarcas estaduais.

Eis como eles reputam, senhores, a nacionalidade brasileira. Eis o que eles enxergam no povo brasileiro. Eis o que eles tudo envidam por converter a humanidade brasileira, manada raciocinante (aos olhos deles, e sob seu regime), manada raciocinante, que a natureza apascenta num território digno das maiores nações do mundo, e que a disciplina da nossa pecuária, aplicada ao homem, rebaixa ao nível das mais atrasadas gentes da terra.[181] [...]

---

181. In: Barbosa, Rui. *Pensamento e ação de Rui Barbosa*. Brasília: Senado Federal, 1999, pp. 367-371; 410 e 414.

VLADIMIR ILICH LÊNIN[182]

AS TAREFAS E AS OBRIGAÇÕES DO PROLETARIADO SÃO CLARAS.[183]

Lênin expõe sua defesa enfática da luta de classes como motor do processo de transição ao socialismo. Aponta a necessidade de eliminação do campesinato e da pequena burguesia, que seriam, de acordo com ele, classes inimigas do socialismo. A defesa da ditadura do proletariado é explícita.

Camaradas, permitam-me primeiramente agradecer vosso acolhimento e responder da mesma maneira, saudando vosso congresso. (*Aplausos efusivos.*) Antes de entrar diretamente nas tarefas que fazem o objeto de vossos

---

182. Vladimir Ilich Ulianov, mais conhecido como Lênin (1870-1924), principal líder do Partido Bolchevique e da Revolução Russa.

183. Discurso proferido no Congresso dos Trabalhadores dos Transportes da Rússia em 27 de março de 1921.

trabalhos e no que o poder soviético espera de vosso congresso, permitam-me começar um pouco antes.

Há poucos momentos, atravessando vossa sala, notei uma tabuleta com a inscrição: "O reino dos operários e dos camponeses será infinito". Lendo essa estranha tabuleta que não estava, é verdade, em seu lugar habitual, mas colocada num canto – talvez alguém tenha se dado conta de que ela não é excelente e a tenha colocado de lado – lendo essa estranha tabuleta, pensei: eis, pois, verdades elementares e fundamentais que suscitam, entre nós, mal-entendidos e falsas interpretações. Com efeito, se o reino dos operários e dos camponeses devesse ser infinito, isso quereria dizer que jamais haveria socialismo, pois o socialismo é a supressão das classes; enquanto existirem operários e camponeses, haverá classes diferentes e, consequentemente, não poderá haver socialismo integral. E é pensando nisso que, três anos e meio após a Revolução de Outubro,[184] encontram-se ainda, entre nós, tão estranhas tabuletas colocadas, é verdade, num canto, veio-me à ideia de que mesmo as palavras de ordem mais propagadas, mais correntes, suscitariam grandes mal-entendidos. Assim cantamos todos que nos engajamos na luta final e decisiva. É uma das palavras de ordem mais espalhadas, e que repetimos em qualquer ocasião. Mas tenho medo que se se perguntar à maioria dos comunistas contra quem eles se engajam hoje, não na luta final, isso seria avançar um pouco demais, mas num de nossos últimos e decisivos combates, temo que muito pouca gente saberia dar a resposta certa e mostrar que compreende verdadeiramente bem contra o que ou contra quem nos engajamos hoje num de nossos últimos e decisivos combates. E penso que nessa primavera, com os acontecimentos políticos que retiveram a atenção das grandes massas operárias e camponesas, penso que com esses acontecimentos, seria bom, em primeiro lugar, saber, mais uma vez, ou, pelo menos, tentar saber

> *[...] o socialismo é a supressão das classes; enquanto existirem operários e camponeses, haverá classes diferentes e, consequentemente, não poderá haver socialismo integral.*

---

184. Referência à Revolução de 25 de outubro de 1917.

contra quem nos engajamos hoje, nessa primavera, num de nossos últimos e decisivos combates. Permitam-me parar nesse ponto.

[....]

Para bem apreender essa questão, creio que é necessário, antes de tudo, considerar uma vez mais, com o máximo de precisão e de lucidez, as forças em presença cuja luta determina a sorte do poder soviético e, de maneira geral, o curso e o desenvolvimento da revolução proletária, da revolução para a destruição do capital, tanto na Rússia como em outros países.

Quais são essas forças? Como estão agrupadas umas contra as outras? Qual é, no momento atual, a disposição respectiva dessas forças? Toda crise política de alguma gravidade, qualquer nova reviravolta, mesmo pouco considerável, nos acontecimentos políticos, deve necessariamente levar todo operário, todo camponês capaz de refletir, a se colocar esta pergunta: Quais são as forças em presença, como estão agrupadas? E somente após termos aprendido a bem avaliar essas forças, com perfeita lucidez, independentemente de nossas simpatias e de nossos desejos pessoais, é que poderemos tirar as conclusões quanto à nossa política em geral, e às nossas obrigações imediatas. Permitam-me, pois, descrever-vos brevemente essas forças.

Existem três forças essenciais, fundamentais. Começarei pela que está mais perto de nós, pelo proletariado. É a primeira força. É a primeira classe social distinta. Isso vós o sabeis muito bem, pois vós mesmos estais no centro dessa classe. Qual é, hoje, sua situação? Na República soviética,[185] é a classe que, há três anos e meio, tomou o poder e exerceu, desde seu domínio, sua ditadura; é ela que, durante três anos e meio, sofreu mil mortes, suportou privações e calamidades mais que todas as outras classes. Esses três anos e meio, dos quais a maior parte passou-se numa guerra civil[186] sem limites, sustentada pelo poder soviético contra todo o mundo capitalista, trouxeram à classe operária, ao proletariado, males, privações, sacrifícios, agravamento de todas as misérias sem precedentes. E nós vimos essa coisa estranha. A classe que tomou em suas mãos o poder político fê--lo sabendo, ao mesmo tempo, que era a única a tomá-lo. É o que implica

---

185. A União das Repúblicas Socialistas Soviéticas (URSS), a União Soviética, foi criada no ano seguinte.
186. Guerra civil de 1918-1921.

a noção de ditadura do proletariado. Essa noção só tem sentido quando uma classe sabe que ela sozinha toma o poder político, sem enganar-se a si mesma nem aos outros ao falar do poder de "todo o povo, eleito por todos, consagrado por todo o povo". Vocês sabem que há muitos mesmo muitíssimos amantes dessa retórica, mas, em todo caso, não no seio do proletariado, pois os proletários compreenderam e inscreveram na Constituição, em leis fundamentais da República, que se trata da ditadura do proletariado. Essa classe se dava conta de que ela sozinha tomava o poder, em condições excepcionalmente difíceis. Exerceu o poder como se exerce qualquer ditadura, isto é, estabeleceu seu domínio político com o máximo de firmeza e sem desfalecimento. Ao mesmo tempo, sofreu, nesses três anos e meio de domínio político, males, privações, fome, agravamento de sua situação econômica, que nenhuma classe do mundo jamais teve conhecimento. Concebe-se, pois, após uma tensão tão sobre-humana, que essa classe esteja hoje particularmente fatigada, esgotada, abatida.

A classe que tomou em suas mãos o poder político fê-lo sabendo, ao mesmo tempo, que era a única a tomá-lo. É o que implica a noção de ditadura do proletariado.

[...]

A segunda força situa-se entre o capital evoluído e o proletariado. É a pequena burguesia, os pequenos patrões; são aqueles que, na Rússia, formam a esmagadora maioria da população: os camponeses. Trata-se, principalmente, de pequenos patrões, de pequenos agricultores. Nove entre dez o são, e não poderia ser de outra maneira. Não participam cotidianamente da luta encarniçada que opõe o capital ao trabalho, não estiveram nessa escola; suas condições de vida, econômicas e políticas, longe de aproximá-los, os separam, os afastam uns dos outros, fazendo deles milhões de pequenos patrões isolados. Tais são os fatos que vós conheceis muito bem. Não existe coletividade, kolkhoz,[187] comuna que aí possa mudar qualquer coisa antes de longos, três longos anos. Graças à energia revolucionária e à abnegação da ditadura proletária, essa força pôde triunfar com rapidez

---

187. Propriedade rural coletiva imposta pelo governo bolchevique.

inigualável sobre seus inimigos de direita, da classe dos grandes proprietários fundiários; ela os varreu de alto a baixo, aboliu seu domínio com rapidez inaudita. Quanto mais rápido abolia essa dominação, mais rápido estendia sua exploração sobre as terras devolvidas ao povo, mais resolutamente fazia justiça a uma pequena minoria de kulaks,[188] e mais rapidamente ela própria se transformava em pequenos patrões. Vós sabeis que, durante esse período, o campo russo se nivelou. O número de grandes cultivadores e de camponeses sem terra diminuiu, o de camponeses médios aumentou. Nossos campos se tornaram, durante esse período, mais pequeno-burgueses. É uma classe à parte, a única classe que, uma vez eliminados, expulsos, os grandes proprietários fundiários e os capitalistas, é suscetível de se opor ao proletariado. Eis porque é absurdo escrever em tabuletas que o reino dos operários e dos camponeses será infinito.

[...]

Nossa experiência nos ensinou, e o curso de todas as revoluções o confirma se se considerar a época moderna, digamos, os últimos 150 anos, no mundo inteiro, que sempre e em todo lugar o resultado foi idêntico: todas as tentativas da pequena burguesia em geral, e dos camponeses em particular, para tomar consciência de sua força, para dirigir à sua maneira a economia e a política, terminaram num revés. Ou bem a direção do proletariado, ou bem a direção dos capitalistas. Não há meio-termo. E os que sonham com um meio-termo são sonhadores, fantasistas. A política, a economia e a história os desmentem. Toda a doutrina de Marx mostra que, a partir do momento em que o pequeno patrão é proprietário dos meios de produção e da terra, as trocas entre os pequenos produtores engendrarão necessariamente o capital, ao mesmo tempo que as contradições entre o capital e o trabalho. A luta do capital contra o proletariado é inevitável: é uma lei que se verificou no mundo inteiro; quem não quiser enganar-se a si mesmo é forçado a reconhecê-lo.

[...]

---

188. Definia os camponeses considerados pelas autoridades bolcheviques como ricos. Serão os alvos preferenciais do poder soviético quando da coletivização forçada, entre 1929-1933. Estima-se que morreram centenas de milhares de camponeses.

A terceira força é conhecida por todos: são os grandes proprietários fundiários e os capitalistas. No momento atual, ela não é vista entre nós. Mas um dos acontecimentos particularmente importantes, uma das lições particularmente importantes dessas últimas semanas, os acontecimentos de Kronstadt,[189] foram uma espécie de raio que, melhor do que qualquer outra coisa, iluminou a realidade.

[...]

Embora a luta em que nos engajamos atualmente não seja a luta final, mas um dos últimos e decisivos combates, se se perguntar contra quem vamos agora iniciar um desses combates decisivos, a única resposta certa é a seguinte: contra o elemento pequeno-burguês que está entre nós. (*Aplausos.*) No que concerne aos grandes proprietários latifundiários e aos capitalistas, nós os vencemos durante a primeira campanha, mas só na primeira; a segunda se desenvolverá em escala internacional. O capitalismo atual, fosse ele cem vezes mais forte, não poderia nos fazer guerra, porque acolá, nos países adiantados, os operários a sabotaram ontem e recomeçarão hoje ainda melhor, ainda mais seguramente; pois cada vez mais, as consequências da guerra se fazem sentir. Quanto ao elemento pequeno-burguês entre nós, nós o vencemos, mas ele se manifestará ainda, e é o que esperam os grandes proprietários fundiários e os capitalistas, sobretudo os mais inteligentes, tais como Miliukov,[190] que disse aos monarquistas: não se revoltem, calem-se, de outra maneira vocês irão apenas reforçar o poder soviético. É o que mostrou

> *Embora a luta em que nos engajamos atualmente não seja a luta final, mas um dos últimos e decisivos combates, se se perguntar contra quem vamos agora iniciar um desses combates decisivos, a única resposta certa é a seguinte: contra o elemento pequeno-burguês que está entre nós.*

---

189. Rebelião de marinheiros contra o governo bolchevique entre 1º a 18 de março de 1921. Defendiam a liberdade de expressão e manifestação. Advogavam eleições livres para os sovietes. Centenas de rebeldes foram fuzilados.

190. Pavel Miliukov era o principal líder do Partido Constitucional Democrata Russo. Partiu para o exílio em 1918.

o curso geral das revoluções, onde havia breves ditaduras de trabalhadores, temporariamente apoiados pelos campos, mas em que o poder dos trabalhadores não era reforçado; em pouco tempo, era a degringolada, pois os camponeses, os trabalhadores, os pequenos patrões não podem ter política própria; após uma série de oscilações, são forçados a voltar atrás. É o que aconteceu durante a Grande Revolução Francesa[191] assim como, em menor escala, em todas as revoluções. E concebe-se que todos tenham aproveitado essa lição. Nossos guardas brancos procuraram refúgio além da fronteira, a três dias de viagem, e estão alertas, seguros do apoio e do auxílio do capital da Europa ocidental. Tal é a situação. As tarefas e as obrigações do proletariado são claras.[192]

---

191. Referência à Revolução Francesa de 1789.
192. In: Fernandes, Florestan (org.). V. I. *Lênin:* política. São Paulo: Ática, 1978, pp. 83-92.

BENITO MUSSOLINI[193]

TODO AQUELE QUE SE LEVANTAR CONTRA O ESTADO SERÁ PUNIDO.[194]

Mussolini expõe com transparência os princípios que irão nortear seu governo (1922-1943). A defesa da ditadura fascista é exposta sem tergiversar. O papel do Estado é central no fascismo. O enfado em relação ao parlamentarismo é o prenúncio da extinção da democracia.

Senhores, o que faço hoje, nesta Casa, é um ato de deferência formal para com os senhores e para o qual não lhes peço qualquer atestado especial de reconhecimento. Há muitos, na verdade há muitíssimos anos, as crises do governo eram colocadas e solucionadas pela Câmara através de manobras e emboscadas mais ou menos tortuosas, a ponto de uma crise ser regularmente qualificada de golpe e o ministério representado por uma instável

---
193. Benito Mussolini (1883-1945). Primeiro-ministro do Reino da Itália.
194. Discurso pronunciado no Parlamento em 16 de novembro de 1922.

diligência postal. Sucedeu agora, pela segunda vez no decorrer de uma década, que o povo italiano – no que tem de melhor – derrubou um ministério e escolheu um governo fora, acima e contra qualquer designação do Parlamento. A década de que lhes falo vai de maio de 1915 a outubro de 1922. Deixo aos melancólicos defensores do superconstitucionalismo a tarefa de discutir tal fato com maior ou menor grau de desânimo. Afirmo que a revolução tem seus direitos. Acrescento, para que todos saibam, que estou aqui para defender e consolidar ao máximo a revolução dos "camisas negras", incorporando-a intimamente, como uma força de desenvolvimento, progresso e equilíbrio, à história da nação. Recusei-me a vencer, e poderia vencer.

Impus-me limites. Disse a mim mesmo que a melhor sabedoria é a que não nos abandona depois da vitória. Com trezentos mil jovens armados até os dentes, dispostos a tudo e quase misticamente prontos para obedecer a uma ordem minha, eu poderia castigar todos os que difamaram e tentaram denegrir o fascismo. Eu poderia fazer desta Assembleia surda e grisalha um acampamento de centuriões, poderia fechar o Parlamento e constituir um governo exclusivamente de fascistas. Poderia, mas não quis, pelo menos não neste primeiro momento.

Com trezentos mil jovens armados até os dentes, dispostos a tudo e quase misticamente prontos para obedecer a uma ordem minha, eu poderia castigar todos os que difamaram e tentaram denegrir o fascismo. Eu poderia fazer desta Assembleia surda e grisalha um acampamento de centuriões: poderia fechar o Parlamento e constituir um governo exclusivamente de fascistas. Poderia, mas não quis, pelo menos não neste primeiro momento.

Os oponentes permaneceram em seus abrigos: deles saíram com tranquilidade e tiveram direito à livre circulação, da qual já se aproveitam para cuspir veneno e armar emboscadas como em Carana, Bergamo, Udine e Trieste. Constituí um governo de coalizão e não com a intenção de obter maioria parlamentar, da qual posso hoje prescindir, e sim para arregimentar, pelo bem da nação agonizante, todos aqueles que, acima das sensibilidades partidárias, queiram salvar essa mesma nação. Agradeço do fundo do coração aos meus colaboradores, ministros e subsecretários; agradeço aos meus colegas do governo, que quiseram assumir comigo as pesadas responsabilidades desta hora; e não posso deixar de recordar com simpatia o comportamento das massas trabalhadoras italianas que, com sua solidariedade ativa ou passiva, encorajaram o movimento fascista. Creio também interpretar o pensamento de toda esta Assembleia e, com certeza, da maioria do povo italiano ao prestar uma calorosa homenagem ao soberano[195] que, ao refutar as inúteis tentativas reacionárias de última hora, evitou a guerra civil e permitiu que se vertesse nas exauridas artérias do Estado parlamentar a nova e impetuosa corrente fascista, vinda da guerra e exaltada pela vitória.

Antes de chegarmos a este local, de toda parte nos pediam um programa. O que falta à Itália não são, infelizmente, programas, e sim homens e vontade de aplicar os programas. Todos os problemas da vida italiana, todos, repito, já estão resolvidos no papel: faltou, porém, a vontade de traduzi-los em fatos. O governo representa, hoje, essa firme e categórica vontade.

A política externa é aquela que, sobretudo neste momento, mais nos ocupa e preocupa. Dela trato de imediato por acreditar que, com o que direi, dissiparei muitas apreensões. Não discutirei todos os detalhes porque, também nesse terreno, prefiro a ação às palavras. As diretrizes fundamentais da nossa política externa são os seguintes: os tratados de paz, sejam bons ou maus, uma vez assinados e ratificados, serão executados.

No que diz respeito à Itália, tencionamos seguir uma política de dignidade e de utilidade nacional.

Não podemos nos dar ao luxo de uma política de altruísmo insensato ou de completa dedicação aos desígnios alheios. *Do ut des.*[196] A Itália de hoje tem valor, e deve se dar ao adequado valor. Isso começa a ser reconhecido mesmo além das fronteiras. Não temos o mau gosto de exagerar nosso poder, mas também não queremos, por excessiva e inútil modéstia,

---

195. Vítor Emanuel III.
196. Locução latina significando "Dou para que me dês".

diminuí-lo. Minha fórmula é simples: quem não dá, não recebe. Quem desejar receber de nós provas concretas de nossa amizade, que nos dê as mesmas provas de amizade concreta. A Itália fascista, assim como não pretende desrespeitar os tratados, também por muitas razões de ordem política, econômica e moral não pretende abandonar os aliados de guerra. Roma está em sintonia com Paris e Londres, mas a Itália deve se impor e deve pedir aos aliados aquele corajoso e severo exame de consciência que não foi feito por eles desde o armistício até hoje.

Trata-se, em suma, de sair do simples terreno do expediente diplomático, que se renova e se repete a cada conferência, para entrar no dos fatos históricos, ou seja, no campo em que é possível determinar, num sentido ou em outro, o curso dos acontecimentos. Uma política externa como a nossa, uma política de utilidade nacional, uma política de respeito aos tratados, uma política de esclarecimento equitativo da posição da Itália na Entente, não pode ser rotulada como uma política aventureira ou imperialista, no sentido vulgar da palavra.

Propusemo-nos a dar à nação uma disciplina, e a daremos. Que nenhum dos adversários de ontem, de hoje ou de amanhã se iluda quanto à brevidade da nossa passagem pelo poder. Ilusão pueril e tola como as de ontem.

[...]

Quem fala em trabalho, fala em burguesia produtiva e em classes trabalhadoras das cidades e dos campos. Sem privilégios para a primeira, sem privilégios para as últimas, mas proteção de todos os interesses que se harmonizem com os da produção e da nação. O proletariado que trabalha, e com cujo destino nos preocupamos, mas sem indulgências incriminadoras e demagógicas, nada tem a temer e nada a perder, mas com certeza tudo a ganhar com uma política financeira que salve o orçamento do Estado e evite a bancarrota que se faria sentir de forma desastrosa, sobretudo pelas classes mais humildes da população. Nossa política emigratória deve se desvincular de um excessivo paternalismo, mas que o cidadão italiano que emigrar saiba que será amplamente assistido pelos representantes da nação no exterior. O aumento do prestígio de uma nação no mundo é proporcional à disciplina de que dá provas no interior. Não restam dúvidas de que a situação interna melhorou, mas ainda não como eu gostaria. Não me deixarei embalar por fáceis otimismos. Não gosto de Pangloss.[197] As grandes cidades e, de modo geral, todas as cidades estão tranquilas: os episódios de violência são esporádicos e periféricos, mas devem acabar. Os cidadãos, filiados que estejam em qualquer partido, poderão circular; todas as crenças religiosas serão respeitadas, com especial atenção dada à dominante, que é o catolicismo; as liberdades estatutárias não serão violadas; a lei se fará respeitar a qualquer custo.

O Estado é forte e demonstrará sua força contra todos, até mesmo contra eventuais ilegalidades fascistas, pois que se tratariam de ilegalidades inconscientes e impuras que não teriam quaisquer justificativas. Devo acrescentar, entretanto, que a quase totalidade dos fascistas aderiram perfeitamente à nova ordem das coisas. O Estado não pretende ceder perante quem quer que seja. Todo aquele que se levantar contra o Estado será punido. Essa observação explícita é dirigida a todos os cidadãos, e sei que deve parecer especialmente agradável aos ouvidos dos fascistas, que lutaram e venceram para ter um Estado que se imponha a todos com a necessária e inexorável energia. Não devemos nos esquecer de que, além das minorias que fazem política militante, há quarenta milhões de ótimos italianos que trabalham, se reproduzem, perpetuam as camadas profundas da raça, pedem e têm o direito de não serem lançados na desordem crônica, indubitável prelúdio da ruína geral. Uma vez que, evidentemente, não bastam os sermões, o Estado cuidará de selecionar e aperfeiçoar as forças armadas

> *O que falta à Itália não são, infelizmente, programas, e sim homens e vontade de aplicar os programas. Todos os problemas da vida italiana, todos, repito, já estão resolvidos no papel; faltou, porém, a vontade de traduzi-los em fatos. O governo representa, hoje, essa firme e categórica vontade.*

---

197. Personagem de Voltaire, símbolo do otimismo vazio.

que o protegem, o Estado fascista constituirá uma polícia única, perfeitamente equipada, de grande mobilidade e elevado espírito moral; enquanto o Exército e a Marinha, gloriosíssimos e caros a todos os italianos – a salvo das mutações da política parlamentar, reorganizados e reforçados, representam a reserva suprema da nação, no interior e no exterior do país.

Senhores: posteriores comunicados lhes darão ciência do programa fascista em seus detalhes e para cada um dos departamentos do Estado. Pedimos plenos poderes porque queremos assumir plena responsabilidade. Sem plenos poderes, sabem muito bem os senhores que não faríamos uma lira[198] – digo, nem uma única lira – de economia. Com isso, não pretendemos excluir a possibilidade de colaborações voluntárias que aceitaremos cordialmente, quer partam de deputados, senadores, ou de simples cidadãos competentes. Temos, cada um de nós, o sentido religioso de nossa difícil tarefa. O país nos encoraja e observa. Desejamos fazer uma política externa de paz, mas ao mesmo tempo de dignidade e firmeza, e assim faremos. Propusemo-nos a dar à nação uma disciplina, e a daremos. Que nenhum dos adversários de ontem, de hoje ou de amanhã se iluda quanto à brevidade da nossa passagem pelo poder. Ilusão pueril e tola como as de ontem. Nosso governo tem formidáveis bases na consciência da nação e é apoiado pelas melhores, pelas mais jovens gerações italianas. Não há dúvida de que, nos últimos dias, foi dado um passo gigantesco para a unificação dos espíritos. A pátria italiana reencontrou-se uma vez mais, do Norte ao Sul, do continente às ilhas generosas, que já não serão esquecidas, das metrópoles às colônias trabalhadoras do Mediterrâneo e do Adriático. Não lancem, senhores, mais mensagens inúteis à nação. Cinquenta e dois inscritos para tecer comentários aos meus comunicados – é demais. Trabalhemos, antes, com o coração puro e a mente alerta para garantir a prosperidade e a grandeza da pátria.

---

198. Moeda italiana da época.

GETÚLIO VARGAS[199]

ENTREGUEI AO POVO A DECISÃO DA CONTENDA.[200]

Coleção particular

O discurso induz o povo a apoiar a revolução. Expõe que a revolta armada foi adotada como último recurso diante da fraude no processo eleitoral, de acordo com a sua interpretação ante esse processo. O tom é de um liberal clássico, muito distinto do que adotará após assumir o governo, um mês depois, por quinze anos.

Ninguém ignora os persistentes esforços por mim empregados, desde o início da campanha da sucessão presidencial da República, no sentido de que o prélio eleitoral se mantivesse rigorosamente no terreno da ordem e da lei.

---

199. Getúlio Vargas (1883-1954). À época, governador do Rio Grande do Sul e líder da Revolução de 1930.
200. Discurso pronunciado em Porto Alegre em 4 de outubro de 1930.

Jamais acenei para a revolução, nem sequer proferi uma palavra de ameaça.

Sempre que as contingências da luta me forçaram a falar ao público, apelei para os sentimentos de cordialidade e para as inspirações do patriotismo, a fim de que a crescente exaltação dos espíritos não desencadeasse a desordem material.

Ainda mesmo quando percebi que a hipertrofia do Executivo, inteiramente descomedido, absorvendo os outros poderes, aniquilava o regime e assumia, de maneira ostensiva, a direção da pugna eleitoral, em favor da candidatura do meu opositor,[201] tentei uma solução conciliatória.

As violências e perseguições prévias, como atos preparatórios da fraude, deixavam evidente que, após o pleito eleitoral, viria, com a cumplicidade de um Congresso sem compreensão de seus altos deveres, o ajuste de contas pelo sacrifício dos direitos líquidos de todos os elementos incorporados à corrente liberal.

Sempre estive, igualmente, pronto à renúncia de minha candidatura, assumindo a responsabilidade de todas as acusações que, por certo, recairiam sobre mim, uma vez adotadas medidas que satisfizessem as legítimas aspirações coletivas, com aceitação dos princípios propugnados pela Aliança Liberal[202] e execução de providências que correspondessem aos desejos generalizados do povo brasileiro.

Esforcei-me, também, para que a campanha prosseguisse num regime de garantias e respeito integrais de todos os direitos consagrados pelo sufrágio eleitoral.

Somente tal conduta permitiria que, após o pleito, pudessem os adversários dar, lealmente, por finda a luta, reconciliando-se, desde logo, sem ressentimentos.

Estive sempre pronto a assumir, com a renúncia de quaisquer aspirações políticas e da própria posição que ocupo, a responsabilidade integral

---

201. Júlio Prestes, ex-governador de São Paulo.
202. Frente política unindo as situações estaduais do Rio Grande do Sul, de Minas Gerais e da Paraíba, além de diversas oposições estaduais, como o Partido Democrático de São Paulo. A Aliança Liberal participou do pleito presidencial de 1930 lançando a chapa Getúlio Vargas e João Pessoa, governadores do Rio Grande do Sul e da Paraíba, respectivamente.

dos atos determinantes da luta, a fim de que a coletividade colhesse, assim, algum benefício e não se sacrificassem interesses de terceiros.

Da inutilidade de minha atitude teve o povo brasileiro demonstração fidelíssima na farsa eleitoral de 1º de março.[203]

Nos estados que apoiaram o Catete,[204] os candidatos a cargos eletivos foram empossados, mercê de uma montanha de atas falsas.

Quanto aos Estados liberais, Paraíba teve toda a sua representação, legitimamente eleita, espoliada de seus direitos. Em Minas Gerais, o Estado de maior coeficiente eleitoral, o povo não pôde votar, e foi uma espécie de loteria o reconhecimento executado pelo Congresso. No Rio Grande do Sul, não houve alquimia capaz de alterar o expressivo resultado das urnas. Não logrando os pseudocandidatos reacionários obter maioria em uma única seção eleitoral nem os inspiradores da fraude encontrar apoio na integridade da Junta Apuradora desse Estado, tornou-se impossível qualquer artifício de cálculo que alterasse o verdadeiro resultado das urnas.[205]

[...] esperamos que a nação reentre na posse de sua soberania, sem maior oposição dos reacionários, para evitar a perda inútil de vidas e de bens, abreviar a volta do país à normalidade e a instauração de um regime de paz, de harmonia e tranquilidade, sob a égide da lei.

Além disso, o Rio Grande e os outros estados aliancistas foram, pelo governo federal, tratados como veros inimigos, negando-se-lhes até a solução de problemas administrativos de imediato interesse público, olvidado o dever elementar de colaboração do regime federativo, como se os

---

203. Em 1º de março de 1930, realizou-se a eleição para a sucessão de Washington Luís. Júlio Prestes obteve 1,1 milhão contra 737 mil atribuídos a Getúlio Vargas.

204. Alusão aos candidatos governistas. O palácio do Catete era a sede do Executivo federal.

205. Durante a Primeira República, o voto era a descoberto. As atas das seções eleitorais, no caso de uma eleição para o Congresso Nacional, eram encaminhadas ao Rio de Janeiro. Lá um pequeno grupo de parlamentares verificava os resultados, confirmando ou não a escolha dos eleitores. Geralmente a eleição de um candidato oposicionista não era reconhecida.

negócios oficiais fossem de propriedade privada, dependentes, exclusivamente, da munificência dos poderosos.

Apesar, entretanto, de todos esses desmandos, não devendo ser juiz em causa própria, resolvi lançar o manifesto de 31 de maio, em que entregava ao povo a solução do momentoso caso.

Na Paraíba, foi ainda amparada e, criminosamente, estimulada pelos poderes públicos a rebelião do cangaço, que terminou, como é notório, no miserável assassínio do imortal João Pessoa, candidato à vice-presidência da República, na chapa liberal.[206]

As violências e perseguições prévias, como atos preparatórios da fraude, deixavam evidente que, após o pleito eleitoral, viria, com a cumplicidade de um Congresso sem compreensão de seus altos deveres, o ajuste de contas pelo sacrifício dos direitos líquidos de todos os elementos incorporados à corrente liberal.

Grave erro foi, sem dúvida, supor que o dissídio aberto em torno da sucessão presidencial da República se resumia num simples choque de preferências ou interesses pessoais.

Transformou-se a luta no leito propício e amplo, que, nas proximidades do seu estuário, haveria de receber a corrente impetuosa e irresistível das opiniões democráticas do nosso povo e do eloquente protesto nacional contra a deturpação do regime político.

Empenhados na contenda, passaram os homens dos dois partidos a valer apenas pelas ideias que representavam, pelas tendências coletivas que neles se resumiam e pelos ideais que propugnavam.

Compreendi, desde o primeiro momento, a magnitude do prélio, que, levado às últimas consequências, seria, forçosamente, decisivo para os destinos da República brasileira.

Por isso mesmo, julguei possível um entendimento, leal e franco, que tivesse por base a própria reconciliação dos brasileiros, pondo de parte quaisquer considerações de ordem pessoal.

---

206. João Pessoa foi assassinado em 26 de julho de 1930, em Recife.

Os adversários, porém, não queriam apenas a vitória eleitoral, obtida, embora, à custa de todas as artimanhas e à sombra dos mais impressionantes e condenáveis abusos do poder. Foram ainda mais longe os nossos opositores, no seu intuito de triunfar. Vencida a minha candidatura, pretenderam subjugar a própria liberdade de consciência, a dignidade do cidadão brasileiro e o direito de pensar e agir dentro da lei.

E quando a nacionalidade inteira, depois da vergonhosa vitória da fraude eleitoral de 1º de março, esperava que os favorecidos, ainda mesmo não ocorrendo outra razão, houvessem, por simples e elementar prudência, de dar ao público demonstrações de comezinho decoro cívico, passamos todos a assistir, constrangidos e humilhados, ao tripúdio mais desenfreado e impudente, ante as vítimas da sanha de um poder que entrava, francamente, na fase final do delírio.

Dados tais acontecimentos, qual a perspectiva que se nos desenha e que porvir nos espera, com o prosseguimento do atual estado de coisas? Um infinito Saara moral, privado de sensibilidade e sem acústica. O povo oprimido e faminto. O regime representativo golpeado de morte, pela subversão do sufrágio popular. O predomínio das oligarquias e do profissionalismo político. As forças armadas, guardas incorruptíveis da dignidade nacional, constrangidas ao serviço de guarda-costas do caciquismo político. A brutalidade, a violência, o suborno, o malbarato dos dinheiros públicos, o relaxamento dos costumes e, coroando esse cenário desolador, a advocacia administrativa a campear em todos os ramos da governação pública.

> *Os adversários, porém, não queriam apenas a vitória eleitoral, obtida, embora, à custa de todas as artimanhas e à sombra dos mais impressionantes e condenáveis abusos do poder. Foram ainda mais longe os nossos opositores, no seu intuito de triunfar. Vencida a minha candidatura, pretenderam subjugar a própria liberdade de consciência, a dignidade do cidadão brasileiro e o direito de pensar e agir dentro da lei.*

Daí, como consequência lógica, a desordem moral, a desorganização econômica, a anarquia financeira, o marasmo, a estagnação, o favoritismo, a falência da justiça.

Entreguei ao povo a decisão da contenda, e este, cansado de sofrer, rebela-se contra os seus opressores. Não poderei deixar de acompanhá-lo, correndo todos os riscos em que a vida será o menor dos bens que lhe posso oferecer.

Estamos ante uma contrarrevolução para readquirir a liberdade, para restaurar a pureza do regime republicano, para a reconstrução nacional.

Trata-se de um movimento generalizado, do povo fraternizando com a tropa, desde o Norte valoroso e esquecido dos governos até o extremo Sul.

Amparados no apoio da opinião pública, prestigiados pela adesão dos brasileiros, que maior confiança inspiram dentro e fora do país, contando com a simpatia das forças armadas e a cooperação de sua melhor parte, fortes pela justiça e pelas armas, esperamos que a nação reentre na posse de sua soberania, sem maior oposição dos reacionários, para evitar a perda inútil de vidas e de bens, abreviar a volta do país à normalidade e a instauração de um regime de paz, de harmonia e tranquilidade, sob a égide da lei.

Não foi em vão que o nosso Estado realizou o milagre da união sagrada.[207]

É preciso que cada um de seus filhos seja um soldado da grande causa.

Rio Grande, de pé, pelo Brasil! Não poderás falhar ao teu destino heroico![208]

---

207. Alusão ao Pacto de Pedras Altas que encerrou a Revolução de 1923 e abriu caminho para, anos depois, unificar a política estadual rio-grandense.
208. In: Vargas, Getúlio. *A nova política do Brasil*. Volume I. Rio de Janeiro: José Olympio, 1938, pp. 59-63.

FRANKLIN DELANO ROOSEVELT[209]

ESTE É O MOMENTO DE DIZER TODA A VERDADE, COM FRANQUEZA E OUSADIA.[210]

Biblioteca do Congresso, Washington

O presidente reconhece a grave crise vivida pelos Estados Unidos, ressalta a necessidade de manter o otimismo tendo como base a formação histórica do país. Deixa claro que usará, se necessário, de poderes especiais para enfrentar a depressão econômica e suas mazelas. Ressalta que seu governo – ele será reeleito por três vezes – será um rompimento com o passado recente inclusive na política externa.

Estou certo de que meus concidadãos americanos esperam que, por ocasião da minha posse na presidência, eu me dirija a eles com a sinceridade

---

209. Franklin Delano Roosevelt (1882-1945), eleito presidente dos Estados Unidos da América em 1933.
210. Discurso proferido em 4 de março de 1933 em Washington, D.C., na posse da presidência da República.

e determinação que exige a atual situação do nosso país.[211] Este é, em especial, o momento de dizer toda a verdade, com franqueza e ousadia. Não precisamos nos furtar a encarar com honestidade a atual situação do nosso país. Esta grande nação há de resistir, como resistiu até agora, há de reviver e prosperar. Assim, antes de tudo, permitam-me afirmar-lhes minha convicção de que a única coisa que precisamos temer é o próprio medo – indescritível, irracional, injustificável, que paralisa os esforços necessários para converter o retrocesso em progresso. Em todas as horas negras da nossa vida nacional, uma liderança de franqueza e vigor contou com a compreensão e o apoio do próprio povo, fundamentais para a vitória. Estou convencido de que, nestes dias críticos, vocês, uma vez mais, apoiarão a liderança.

Os agiotas desertaram de seus altos assentos no templo de nossa civilização. Podemos agora devolver esse templo às antigas verdades. A medida dessa restauração reside na extensão em que aplicamos valores sociais mais nobres do que o mero lucro monetário.

Com tal espírito, em mim e em vocês, enfrentamos nossas dificuldades comuns. Que, graças a Deus, só representam questões materiais.

Os valores foram reduzidos a níveis inacreditáveis; as taxas subiram; nossos recursos econômicos diminuíram; o governo, sob vários aspectos, enfrenta uma grave redução de aportes; os intercâmbios congelaram nas correntes mercantis, as folhas murchas dos empreendimentos industriais espalham-se por toda parte; agricultores não encontram mercados para seus produtos; em milhares de famílias, foram-se as economias de muitos anos. E, mais importante, uma grande quantidade de cidadãos desempregados enfrenta a triste crise da sobrevivência e um número semelhante trabalha duro com pouco retorno. Só um otimista ingênuo pode negar a trágica realidade do momento.

Nossos problemas, porém, não se devem a uma carência de recursos. Não fomos atingidos por nenhuma praga de gafanhotos. Em comparação

---

211. O ano de 1933 foi o ápice da depressão econômica.

com os perigos vencidos pelos nossos antepassados porque acreditavam e não tinham medo, ainda temos muito pelo que agradecer. A natureza ainda nos oferece suas benesses e os esforços humanos se multiplicaram. A abundância está à nossa porta, mas seu uso generoso faz definhar a própria visão do abastecimento. Em primeiro lugar, isso acontece porque os gestores do intercâmbio dos bens da humanidade falharam devido a sua obstinação e incompetência, admitiram seu fracasso e abdicaram. As práticas dos agiotas inescrupulosos são indiciadas no tribunal da opinião pública e repudiadas pelos corações e mentes humanos.

A bem da verdade, eles tentaram, mas seus esforços traziam a marca de uma tradição obsoleta. Confrontados com o fracasso do crédito, propuseram apenas o empréstimo de mais dinheiro. Despojados da sedução do lucro com que induzir nosso povo a seguir a sua falsa liderança, recorreram a exortações, suplicando com lágrimas nos olhos a restauração da confiança. Só conhecem as regras de uma geração de egoístas. Não têm visão, e quando não há visão o povo fenece.

Os agiotas desertaram de seus altos assentos no templo de nossa civilização. Podemos agora devolver esse templo às antigas verdades. A medida dessa restauração reside na extensão em que aplicamos valores sociais mais nobres do que o mero lucro monetário.

A felicidade não reside na simples posse do dinheiro; ela se encontra na alegria da realização, na excitação do esforço criativo. A alegria e o estímulo moral do trabalho não podem continuar a ser esquecidos na louca busca de lucros fugazes. Estes dias sombrios valerão tudo o que nos custam se nos ensinarem que nosso verdadeiro destino não é o de sermos socorridos, e sim o de servirmos a nós mesmos e a nossos semelhantes.

O reconhecimento da falsidade da riqueza material como critério para o sucesso anda de mãos dadas com o abandono da falsa crença de que os cargos públicos e as altas posições políticas devem ser valorizados apenas pelos padrões em função do orgulho da posição e do proveito pessoal dela auferido; e deve ser dado fim às condutas nos bancos e nos negócios que com muita frequência deram a uma confiança sagrada a aparência de uma transgressão insensível e egoísta. Não é surpresa que a confiança decresça, porque ela só floresce perante a honestidade, a honra, o caráter sagrado dos compromissos, a proteção fiel e o comportamento altruísta; sem eles, ela não pode viver. A recuperação, porém, não pede apenas mudanças de ética. Esta nação pede ação, e ação imediata.

Nossa primeira e mais importante tarefa é fazer com que o povo trabalhe. Esse não é um problema insolúvel, se encarado com sensatez e coragem. Pode ser em parte solucionado por um recrutamento do próprio governo, tratando o problema como trataríamos a urgência de uma guerra, mas, realizando, ao mesmo tempo e graças a esses empregos, os grandes projetos de que tanto precisamos para estimular e reorganizar o uso de nossos recursos naturais.

Ainda ao mesmo tempo, devemos reconhecer com honestidade o excesso de população em nossos centros industriais e, pela implantação de uma redistribuição em escala nacional, tentar proporcionar um melhor uso da terra para os mais aptos a trabalhá-la. Tal tarefa pode ser ajudada por esforços decisivos para elevar os valores dos produtos agrícolas e, em consequência, o poder de compra das produções de nossas cidades. Pode ser ajudada evitando-se com realismo a tragédia das crescentes perdas advindas da apreensão de nossas casas modestas e de nossas fazendas. Pode ser ajudada pela insistência de que os governos federal, estaduais e locais respondam de imediato à demanda da drástica redução de seus custos. Pode ser ajudada pela unificação

> *No campo da política internacional, consagrarei esta nação à política de boa vizinhança – o vizinho que, com afinco, respeita a si mesmo e que, por assim fazer, respeita o direito dos outros – o vizinho que respeita suas obrigações e respeita a inviolabilidade de seus acordos com e na comunidade mundial de vizinhos.*

das atividades de resgate que são hoje muitas vezes dispersas, pouco econômicas e desiguais. Pode ser ajudada por um planejamento nacional e pela supervisão de todos os meios de transporte e de comunicação, bem como de outros equipamentos de caráter definitivamente públicos. Há muitas formas de ajudá-la, mas contentar-se apenas em falar a respeito nunca poderá ser ajudá-la. Precisamos agir, e agir depressa.

Enfim, em nossa escalada em direção a uma retomada do trabalho, precisamos de duas salvaguardas contra o retorno dos males da velha ordem: será preciso um rigoroso controle de todas as atividades bancárias, créditos e investimentos, a fim de que seja abolida qualquer especulação com o dinheiro alheio, e medidas deverão ser tomadas para restabelecer a provisão de uma moeda adequada, mas sólida.

São essas as linhas de ataque. Insistirei agora, junto a um novo Congresso, em sessão especial, por medidas detalhadas para sua implantação, e buscarei a imediata assistência dos muitos estados. Por meio desse programa de ação, nós nos empenhamos em arrumar nossa casa nacional e a tornar excedente o nosso saldo comercial. Nossas relações comerciais internacionais, embora extremamente importantes, são, no momento e diante das necessidades, secundárias para o estabelecimento de uma economia nacional sadia. Sou a favor, como política concreta, de priorizar as coisas primordiais. Não pouparei esforços para restabelecer o comércio mundial pelo reajuste econômico internacional, mas a urgência doméstica não pode esperar até que isso aconteça.

A ideia fundamental em que se baseiam tais meios específicos da recuperação nacional não se restringe ao nacionalismo. É a insistência, como primeiro fator a ser levado em conta, na interdependência dos diversos elementos e territórios dos Estados Unidos – um reconhecimento da antiga e sempre importante manifestação do espírito americano de pioneirismo. É o caminho da recuperação. O caminho imediato. A mais sólida garantia de que a recuperação perdurará.

No campo da política internacional, consagrarei esta nação à política de boa vizinhança[212] – o vizinho que, com afinco, respeita a si mesmo e que, por assim fazer, respeita o direito dos outros – o vizinho que respeita suas obrigações e respeita a inviolabilidade de seus acordos com e na comunidade mundial de vizinhos.

Se interpreto corretamente o ânimo do nosso povo, compreendemos agora, como nunca havíamos compreendido antes da nossa recíproca

---

212. A política de boa vizinhança interrompeu o intervencionismo americano na América Latina, presente desde o final do século XIX. Foi substituído pela cooperação econômica e militar e pelo intercâmbio cultural.

interdependência, que não podemos nos limitar a tomar, mas que também precisamos dar; que, se queremos prosseguir, precisamos avançar como um exército leal e treinado, disposto ao sacrifício pelo bem de uma disciplina comum, porque sem tal disciplina nenhum progresso é alcançado, nenhuma liderança se torna eficaz. Sei que estamos prontos e dispostos a submeter nossas vidas e nossas propriedades a tal disciplina, porque ela torna possível uma liderança que visa o bem maior. É o que me proponho a oferecer-lhes, confiando em que os maiores propósitos nos unirão uns aos outros como uma sagrada obrigação e uma unidade de dever até agora só evocadas em tempos de luta armada.

Assumindo esse compromisso, assumo sem hesitar a liderança desse grande exército do nosso povo dedicado a um ataque disciplinado dos nossos problemas comuns.

Pedirei ao Congresso o único instrumento restante para enfrentar a crise – plenos poderes executivos para travar uma guerra contra a emergência, tão grandes quanto o poder que me seria outorgado se fôssemos de fato invadidos por um inimigo estrangeiro.

Uma ação de tal porte e com tal finalidade é viável com a forma de governo que herdamos dos nossos antepassados. Nossa Constituição é tão simples e prática que é sempre possível enfrentar necessidades extraordinárias com mudanças na ênfase e no arranjo sem perda da forma essencial. É por isso que o nosso sistema constitucional provou ser o mais soberanamente duradouro mecanismo político já conhecido pelo mundo moderno. Ele enfrentou todas as tensões devidas à vasta expansão do território, a guerras estrangeiras, a amargos conflitos internos, às relações internacionais.

Devemos esperar que o equilíbrio normal das autoridades executivas e legislativas seja de todo adequado para enfrentar a tarefa sem precedentes que nos aguarda. Mas pode ser que uma demanda e a necessidade sem precedentes de uma ação inadiável requeira um temporário afastamento desse equilíbrio normal do procedimento político.

Estou preparado, como é meu dever constitucional, para recomendar as medidas que se façam necessárias a uma nação sobrecarregada em meio a um mundo abalado. Nos limites da minha autoridade constitucional, procurarei fazer com que sejam adotadas tais medidas, ou quaisquer outras medidas que o Congresso possa elaborar com sua experiência e sabedoria. Mas, na eventualidade de que o Congresso venha a falhar em seguir um desses dois caminhos e na eventualidade de que a emergência nacional continue crítica, não hesitarei diante do claro dever que precisarei enfrentar. Pedirei ao Congresso o único instrumento restante para enfrentar a crise – plenos poderes executivos para travar uma guerra contra a emergência, tão grandes quanto o poder que me seria outorgado se fôssemos de fato invadidos por um inimigo estrangeiro. Pela confiança em mim depositada, responderei com a coragem e a dedicação que convêm ao momento. Não posso fazer menos.

Estamos diante de dias árduos, que nos aguardam com a calorosa coragem da unidade nacional, com a consciência tranquila derivada do severo desempenho do dever tanto por velhos quanto por jovens. Visamos a segurança de uma vida nacional completa e duradoura.

Não perdemos a fé no futuro da indispensável democracia. O povo dos Estados Unidos não falhou. Em sua necessidade, transmitiu um mandato do qual desejam uma ação direta e enérgica. Pediu disciplina e direção da liderança. Fez de mim o presente instrumento de suas aspirações. Nesse espírito, eu o aceito.

Nesta posse de uma nação, humildemente pedimos as bênçãos de Deus. Que Ele proteja a todos e a cada um de nós. Que Ele me guie nos dias vindouros.[213]

---

213. In: http://www.presidency.ucsb.edu/ws/index.php?pid=14473.

FRANCISCO FRANCO[214]

A SITUAÇÃO DA ESPANHA É CADA VEZ MAIS CRÍTICA.[215]

Museu do Exército, Toledo

É o início do levante contra o governo republicano espanhol. A guerra civil (1936-1939) se estabelece. Franco defende a unidade da Espanha, ataca as tendências regionalistas, acusa a União Soviética de interferência na vida interna espanhola. Conclama a rebelião.

Espanhóis,

Todos os que sentem o sagrado amor pela Espanha, todos que, nas fileiras do Exército e da Marinha, fizeram profissão de fé a serviço da pátria, todos os que juraram defendê-la de seus inimigos até perder a vida, a nação os conclama em sua defesa. A situação da Espanha é cada vez mais crítica; a anarquia reina na maioria dos campos e aldeias; autoridades nomeadas pelo governo presidem revoltas, quando não as fomentam; a tiros

---

214. Francisco Franco (1892-1975). Comandante militar das Canárias.
215. Discurso pronunciado em Las Palmas em 18 de julho de 1936.

de pistola e metralhadora são dirimidas as diferenças entre os cidadãos que, dissimulados e traidores, assassinam sem que os poderes públicos imponham a paz e a justiça. Greves revolucionárias de todos os tipos paralisam a vida da população, arruinando e destruindo suas fontes de riqueza e criando uma situação de fome que lançará no desespero os homens trabalhadores. Os monumentos e tesouros artísticos são objeto dos mais violentos ataques das hordas revolucionárias, em obediência a slogans recebidos de diretrizes estrangeiras e com a cumplicidade e negligência de governadores-fantoches. Os mais graves crimes são cometidos nas cidades e nos campos, enquanto as forças da ordem pública permanecem aquarteladas, corroídas pelo desespero provocado por uma obediência cega a governantes que tencionam desonrá-las. O Exército, a Marinha e as demais instituições armadas são alvo dos mais profanos e caluniosos ataques, exatamente por parte daqueles que deveriam zelar pelo seu prestígio e, enquanto isso, os estados de exceção e de alarme servem apenas para amordaçar o povo e fazer com que a Espanha ignore o que acontece fora das portas de suas aldeias e cidades, bem como para encarcerar pretensos adversários políticos.

> *[...] a anarquia reina na maioria dos campos e aldeias; autoridades nomeadas pelo governo presidem revoltas, quando não as fomentam; a tiros de pistola e metralhadora são dirimidas as diferenças entre os cidadãos que, dissimulados e traidores, assassinam sem que os poderes públicos imponham a paz e a justiça.*

A Constituição, por todos suspensa e violada, sofre um eclipse total: não há igualdade perante a lei; nem liberdade, trancafiada pela tirania; nem fraternidade, quando o ódio e o crime substituíram o respeito mútuo; nem unidade da pátria, mais ameaçada pelo dilaceramento territorial do que pelo regionalismo, fomentado pelos próprios poderes; nem integridade de nossas fronteiras, quando no coração da Espanha são ouvidas emissoras estrangeiras que pregam a destruição e a partilha do nosso solo.

A magistratura, cuja independência é garantia da Constituição, sofre também perseguições que a enervam ou tolhem, e recebe os mais duros ataques à sua independência. Pactos eleitorais feitos à custa da integridade da própria pátria, somados a assaltos a governos civis e caixas fortes para falsear as atas, formaram a casca de legalidade que nos preside. Nada conteve a sede de poder, destituição ilegal do moderador, glorificação das revoluções das Astúrias e da Catalunha, uma e outra abaladoras da Constituição que, em nome do povo, era o código fundamental de nossas instituições.

Ao espírito revolucionário e inconsciente das massas iludidas e exploradas pelos agentes soviéticos[216] ocultam-se as sangrentas realidades daquele regime que, para sua existência, sacrificou vinte e cinco milhões de pessoas, somando-se a ociosidade e a negligência das autoridades de todas as classes, que, amparadas por um poder claudicante, carecem de autoridade e prestígio para impor a ordem no império da liberdade e da justiça.

Será possível admitir por mais um dia o vergonhoso espetáculo que estamos oferecendo ao mundo? Poderemos abandonar a Espanha aos inimigos da pátria, com atitudes covardes e traidoras, entregando-a sem luta e sem resistência?

Não! Que assim ajam os traidores. Mas não o faremos nós, que juramos defendê-la.

Oferecemos justiça e igualdade perante as leis.

Paz e amor entre os espanhóis; liberdade e fraternidade isentas de libertinagens e tirania.

> *Será possível admitir por mais um dia o vergonhoso espetáculo que estamos oferecendo ao mundo? Poderemos abandonar a Espanha aos inimigos da pátria, com atitudes covardes e traidoras, entregando-a sem luta e sem resistência? Não! Que assim ajam os traidores. Mas não o faremos nós, que juramos defendê-la.*

Trabalho para todos, justiça social levada a cabo sem rancor ou violência e uma equitativa e progressiva distribuição de renda, sem destruir nem colocar em risco a economia espanhola.

---

216. Alusão ao apoio da União Soviética ao governo republicano.

Mas, diante disso, uma guerra sem tréguas aos exploradores da política, aos fraudadores do operário honrado, aos estrangeiros e seus simpatizantes, que direta e dissimuladamente buscam destruir a Espanha.

Neste momento, é toda a Espanha que se levanta pedindo paz, fraternidade e justiça; em todas as regiões, o Exército, a Marinha e as forças da ordem pública prontificam-se a defender a pátria.

A energia na manutenção da ordem será proporcional à magnitude da resistência oferecida.

Nosso ímpeto não é determinado pela defesa de interesses bastardos nem pelo desejo de retroceder no caminho da história, porque as instituições, sejam quais forem, devem garantir um mínimo de convivência entre os cidadãos que, malgrado as ilusões propostas por tantos espanhóis, se viram espoliadas, apesar da tolerância e compreensão de todos os organismos nacionais, por uma resposta anárquica, cuja realidade é imponderável.

A Constituição, por todos suspensa e violada, sofre um eclipse total: não há igualdade perante a lei; nem liberdade, trancafiada pela tirania; nem fraternidade, quando o ódio e o crime substituíram o respeito mútuo; nem unidade da pátria, mais ameaçada pelo dilaceramento territorial do que pelo regionalismo, fomentado pelos próprios poderes [...].

Como a pureza de nossas intenções nos impede de guilhotinar as conquistas que representem um avanço na melhoria político-social, o espírito de ódio e vingança não encontra abrigo em nosso peito; do forçoso naufrágio que sofrerão alguns ensaios legislativos, saberemos salvar o que for compatível com a paz interna da Espanha e sua ansiada grandeza, tornando real, pela primeira vez e nesta ordem, a trilogia: fraternidade, liberdade e igualdade.

Espanhóis: viva a Espanha! Viva o honrado povo espanhol![217]

---

217. In: http://beersandpolitics.com/discursos/FRANCISCO-FRANCO/PROCLAMATION-DEL-ALZAMIENTO-LAS-PALMAS/941.

FRANCISCO CAMPOS[218]

O DEZ DE NOVEMBRO NÃO FOI UM ATO DE VIOLÊNCIA.[219]

O discurso defende explicitamente o autoritarismo político. Nega as instâncias criadas pela Constituição de 1934, o liberalismo clássico. Simpatiza com as soluções totalitárias europeias, especialmente o fascismo italiano. Dá ao Executivo a primazia exclusiva do governo. Defende o centralismo administrativo e o fim da autonomia dos estados. Elogia a Constituição de 1937, da qual foi o principal autor.

O Dez de Novembro[220] não é um marco arbitrariamente fincado no tempo, nem uma criação gratuita da hora que passa. Emerge de um longo

---

218. Francisco Campos (1891-1968). Ministro da Justiça e autor da Constituição de 1937.
219. Discurso pronunciado no Rio de Janeiro quando do primeiro aniversário do golpe do Estado Novo e da imposição da Constituição de 1937.
220. Alusão ao golpe de Estado de 10 de novembro de 1937.

passado de erros e falsidades e é uma severa afirmação para o presente e para o futuro, incluindo-se entre as categorias da duração. O Dez de Novembro resulta de cinquenta anos de experiência política. Cinquenta anos de Constituição acima, cinquenta anos de Constituição abaixo,[221] cinquenta anos de falso sistema representativo, em que os Paracelsos[222] do regime introduziram progressivamente todas as abusões de sua medicina mágica, do mito do sufrágio universal e do espiritismo do voto secreto à nova regra pitagórica da eleição proporcional. Enquanto a mentira, as abusões e o psitacismo parlamentar se assenhoreavam do campo da política, dele se ausentavam, dia a dia, a razão e o sentimento de responsabilidade, a autoridade intelectual e a autoridade moral, a razão, em suma, a cujos mandamentos se organiza em estado a matéria política que, sem ela, cai no domínio das manipulações e das fraudes, passando pelas pseudomorfoses mágicas com que os Paracelsos da política faziam o povo tomar por Juno,[223] ou pelo Estado, a nuvem de palavras, atrás de cujo fantasma se dissimulava a substância dos interesses dos grupos, das igrejas e dos partidos em que se desmembrara a unidade da nação.

Os Estados autoritários não são criação arbitrária de um reduzido número de indivíduos: resultam, ao contrário, da própria presença das massas. Onde quer que existam massas, sempre se encontra a autoridade, tanto maior e tanto mais forte quanto mais numerosas e densas forem aquelas.

O Dez de Novembro pôs termo ao jogo, aos passes e às encantações, e confiscou os instrumentos de prestidigitação com que os especuladores do regime operavam sobre a boa-fé do povo, narcotizada pelas drogas políticas que lhe davam a ilusão de serem da sua vontade as decisões tomadas em seu nome.

O Dez de Novembro não foi um ato de violência. O antigo regime era, evidentemente, um regime demissionário e caduco. Os seus braços

---
221. Referência às constituições republicanas de 1891 e 1934.
222. Alusão irônica ao célebre alquimista Paracelso.
223. Na mitologia romana, esposa de Júpiter.

senis não podiam mais abarcar o tronco do poder, cujo vulto havia crescido na proporção do crescimento do país. Cada vez mais divorciada do regime, a nação havia crescido fora dos quadros desse regime e adquirira a consciência de que os instrumentos de governo não estavam condicionados às exigências, às dificuldades e às imposições da vida em nosso tempo. Os verdadeiros interesses nacionais não encontravam ressonâncias nas salas deliberativas, umas calculadas para os segredos e as combinações, e outras para a frase espetacular em que a substância do governo se dissolvia em fatuidades discursivas.

O Estado Novo nasceu como uma imposição da ambiência social e política em que vínhamos vivendo. Inspirou-o e permitiu-lhe a realização o estado de incerteza em que estava o Brasil, insatisfeito com a solução das suas instituições e desassossegado em face das soluções agressivas e extremas que se propunham ao seu caso, nenhuma delas com raízes no passado, justificações no presente e perspectivas para o futuro.

O Estado era uma "terra de ninguém" mais ou menos ao alcance dos imperialismos estaduais, que medravam e cresciam à custa da unidade espiritual e política da nação. Era imperioso remover os obstáculos que impediam a ação, imediata e eficaz, necessária para compor e restaurar aquela unidade, imprimindo-lhe o sentido da ordem, da decisão e da vontade sem o que o Estado, em vez de aglutinação, se transformava em motivo de discórdia, de conflitos e de divisões. Com a sua unidade ameaçada, sem ordem interna, e sem segurança externa, ao Brasil faltavam os instrumentos adequados à sua própria restauração, e a tais circunstâncias acrescia ainda o fato de que se haviam artificialmente estabelecido lutas e antagonismos políticos e sociais, a que não correspondia nenhum sentimento substancial e para os quais o país não se encontrava preparado. O Brasil estava dotado de instituições em que não ressoavam as vozes claras da realidade e, ao mesmo tempo, criavam-se, pelo artifício e pela mentira, correntes de opinião estranhas aos seus sentimentos, à sua índole, à sua cultura e à sua formação nacional. Subitamente, desse plano lunar de bovarismo político, fomos precipitados na mais crua realidade, como o demonstram acontecimentos recentes. A nação havia ultrapassado o ponto crucial do regime de irresponsabilidade, de irrealidade, de indecisão permanente e de inconsciência geral, sob o qual vinha penosamente arrastando uma existência ameaçada, dos quatro cantos, de perigos reais e iminentes.

O Estado Novo teve, por fim, destruir justamente esse sistema organizado de mistificação nacional, desarticulando os sindicatos, as comparsarias e os grupelhos que, com os seus enredos e maranhas, compunham a prodigiosa teia de engodo da nação, e combater aquele duplo bovarismo, substituindo as antigas instituições por novas, adequadas às condições reais do Brasil. Sendo autoritário, por definição e por conteúdo, o Estado Novo não contraria, entretanto, a índole brasileira, porque associa à força o direito, à ordem a justiça, à autoridade a humanidade. Do que ele realizou, o mais importante não é o que os olhos veem, mas o que o coração sente: com ele, o Brasil sentiu pulsar, pela primeira vez, a vocação da sua unidade, tornando, assim, possível substituir, sem oposições nem violências, à política dos estados a política da nação.

Cinquenta anos de Constituição acima, cinquenta anos de Constituição abaixo, cinquenta anos de falso sistema representativo, em que os Paracelsos do regime introduziram progressivamente todas as abusões de sua medicina mágica, do mito do sufrágio universal e do espiritismo do voto secreto à nova regra pitagórica da eleição proporcional.

Nesse primeiro ano de Estado Novo, não só os acontecimentos nacionais justificaram e legitimaram a transformação das nossas instituições. Acontecimentos mundiais acabam de demonstrar que, para dar à nação o sentimento de segurança por ela exigido como condição de vida, é indispensável não só realizar de maneira mais efetiva a sua unidade espiritual, senão também proceder a uma unificação política mais rigorosa e completa.

Nação não é apenas número e espaço: é preciso organizar o número e articular o espaço, por forma a dar à nação o sentimento de que ela constitui um só corpo e uma só vontade. Fora dos quadros estabelecidos pela técnica do Estado Novo, não há solução para o problema social e político do Brasil, a menos que uma nação possa viver e realizar o seu destino dentro de um constante estado de desassossego, de desordem e de insegurança, sobrepondo aos valores permanentes, condição da vida coletiva, os valores efêmeros, fundados no capricho e na mobilidade humana. E esse fenômeno não é apenas brasileiro, mas universal. À medida que cresce o número dos indivíduos e se torna mais densa e compacta a coletividade humana, a autoridade tem de ser mais forte, mais vigilante e mais efetiva. Os Estados autoritários não são criação arbitrária de um reduzido número de indivíduos: resultam, ao contrário, da própria presença das massas. Onde quer que existam massas, sempre se encontra a autoridade, tanto maior e tanto mais forte quanto mais numerosas e densas forem aquelas. À medida que o espaço se povoa e se articula, que deixam de existir áreas rarefeitas, de distância e isolamento, a técnica da convivência humana e os instrumentos de atividade postos à disposição dos indivíduos se multiplicam, torna-se necessário, para garantir os bens da civilização e da cultura, dotar o governo de possibilidades de ação rápida e eficaz.

A Constituição que veio consubstanciar os princípios e as normas essenciais do Estado Novo não podia, portanto, ser obra de combinações, coordenações e ajustamentos parlamentares. Não podia ser obra especulativa, de ideólogos ou dialetas, mas devia ser obra política, isto é, realista. O Estado deixou de ser uma entidade para ser um fato, e a Constituição só poderia ser o que é: obra de experiência, de meditação e de entendimento com a realidade do Brasil, inspirada num longo passado, de tentativas frustradas, em que se procurara transplantar para o país instituições inadequadas à sua vocação e – por que não dizer? – inadequadas até ao próprio espaço sobre que se teria de exercer a autoridade do governo. Assim é que a Constituição assegura aos brasileiros todos os direitos próprios à

> *O Estado Novo teve, por fim, justamente destruir esse sistema organizado de mistificação nacional, desarticulando os sindicatos, as comparsarias e os grupilhos que, com os seus enredos e maranhas, compunham a prodigiosa teia de engodo da nação, e combater aquele duplo bovarismo, substituindo as antigas instituições por novas, adequadas às condições reais do Brasil.*

dignidade humana, sem esquecer-se, todavia, de conferir à nação as garantias essenciais à preservação da sua unidade, da sua segurança e da sua paz. A sua sombra, todos os brasileiros podem viver em concórdia e em harmonia uns com os outros, desde que não coloquem acima do Brasil pessoas, opiniões, credos ou ideologias.

Estou seguro de que, passadas as inquietações dos primeiros tempos, a paz, a concórdia, a fraternidade e o sentimento de segurança e tranquilidade hão de ancorar-se profundamente no coração de todos os brasileiros, afirmando-se e consolidando-se cada vez mais a confiança nas novas instituições, de modo que o Brasil possa conquistar e garantir, no mundo, o crédito correspondente às suas proporções geográficas e morais.

O novo governo correspondeu ao novo Estado e transformou-se em um vasto e poderoso *sensorium*, de cuja sensibilíssima capacidade de captação e ressonância repercutem, com a densidade e a profundeza das vozes da vida, as ansiedades, as esperanças e as aspirações da nação.

Urge agora que todos os brasileiros, com aquele mesmo sentido de ordem na unidade, se integrem e se fundam num só pensamento, que é o de criar no país uma atmosfera de confiança e de boa vontade, a fim de que antagonismos pessoais, intrigas e lutas de grupilhos e campanários não perturbem o ritmo do trabalho do Brasil e do seu crescimento, nem desviem de seus desígnios a linha clara e definida que o destino lhe traçou.

Esse é o sentimento do povo brasileiro, que plebiscitou o regime antes do seu advento e só terá inspirações e motivos para, na oportunidade própria,[224] confirmar a antecipação do seu voto e reafirmar o *imperium* da sua vontade.[225]

---

224. Rezava o artigo 187: "Esta Constituição entra em vigor na sua data e será submetida ao plebiscito nacional na forma regulada em decreto do presidente da República". O plebiscito nunca foi marcado.
225. In: Campos, Francisco. *O Estado nacional*. Brasília: Senado Federal, 2001, pp. 197-201.

WINSTON CHURCHILL[226]

SANGUE, TRABALHO ÁRDUO, LÁGRIMAS E SUOR.[227]

Momento mais crítico da Segunda Guerra Mundial. O exército alemão, na frente ocidental, estava próximo do Canal da Mancha, tinha ocupado a Dinamarca e a Noruega, e estava prestes a tomar a Holanda. A situação na França era desesperadora. Três dias depois de ser nomeado primeiro-ministro, Churchill vai à Câmara dos Comuns e pronuncia seu discurso mais célebre.

Na última sexta-feira à noite, recebi de Sua Majestade[228] a incumbência de formar um novo governo. O desejo e a vontade evidentes do Parlamento e da nação são que este governo tenha a base mais ampla possível e possa

---

226. Winston Churchill (1874-1965). Primeiro-ministro do Reino Unido.
227. Discurso proferido na Câmara dos Comuns, em Londres, em 13 de maio de 1940.
228. Rei Jorge VI.

incluir todos os partidos, tanto os que apoiaram o governo anterior[229] como os da oposição. Já concluí a parte mais importante dessa tarefa. Formamos um Gabinete de Guerra com cinco membros, que representam, com os liberais da oposição, a unidade da nação. Os três líderes de partidos[230] concordaram em fazer parte ou do Gabinete de Guerra ou de altos cargos do Executivo. Os postos dos três Serviços de Combate foram preenchidos. Foi necessário fazer isso em apenas um dia, dadas a extrema urgência e a gravidade dos acontecimentos. Vários outros cargos, cargos-chave, foram definidos ontem, e hoje à noite vou submeter à apreciação de Sua Majestade outra lista. Espero completar a nomeação dos principais ministros amanhã. A nomeação dos demais ministros costuma ser mais demorada, mas acredito que, quando o Parlamento voltar a se reunir, essa parte de minha tarefa estará concluída, e teremos um governo completo em todos os aspectos.

> *Vocês perguntarão, qual é o nosso objetivo? Eu responderei com uma só palavra: vitória, vitória a qualquer custo, vitória a despeito de todo o terror, vitória por mais longa e difícil que seja a estrada; pois sem a vitória, não há salvação.*

Julguei ser do interesse público sugerir que a Casa se reunisse hoje. O senhor presidente da Câmara concordou, e tomou as necessárias medidas, segundo os poderes a ele conferidos pela Resolução da Câmara. Hoje, ao final dos trabalhos, será proposto um recesso até terça-feira, 21 de maio, com, é claro, provisão para uma reunião antecipada caso seja necessário. O assunto a ser considerado nesta semana será notificado aos membros na primeira oportunidade. Agora convido a Casa, pela moção que está em meu nome, a registrar sua aprovação às medidas propostas e declarar sua confiança no novo governo.[231]

---

229. Referência ao gabinete liderado por Neville Chamberlain.
230. Partidos conservador, liberal e trabalhista.
231. Procedimento rotineiro em um regime parlamentarista quando da designação de um novo gabinete.

Formar um governo desse porte e complexidade é um empreendimento sério por si só, mas devemos lembrar que estamos nos estágios preliminares de uma das maiores batalhas da história, que estamos combatendo em vários outros pontos na Noruega e na Holanda, que temos de estar preparados para o Mediterrâneo, que as batalhas aéreas são contínuas e que muitos preparativos, como os que têm sido indicados por meu honorável amigo nas galerias, têm que ser feitos aqui em casa. Nessa crise, espero ser perdoado por não me dirigir à Casa mais extensamente. Espero que meus amigos e colegas, ou antigos colegas, que foram afetados pela reconstrução política, me perdoem, e perdoem totalmente, por qualquer eventual falta de cerimônia, com a qual sempre é necessário agir. Eu diria à Casa, como disse àqueles que aceitaram participar deste governo: "Nada tenho a oferecer senão sangue, trabalho árduo, lágrimas e suor".

Temos diante de nós uma provação das mais duras. Temos diante de nós muitos e muitos longos meses de luta e sofrimento. Vocês perguntarão, qual é a nossa política? Eu direi: é travar a guerra, por mar, terra e ar, com todo o nosso poder e todas as forças que Deus nos der; travar guerra contra uma tirania[232] monstruosa, nunca superada no sombrio e lamentável catálogo dos crimes humanos. Essa é a nossa política. Vocês perguntarão, qual é o nosso objetivo? Eu responderei com uma só palavra: vitória, vitória a qualquer custo, vitória a despeito de todo o terror, vitória por mais longa e difícil que seja a estrada; pois sem a vitória, não há salvação.

> *Vocês perguntarão, qual é a nossa política? Eu direi: é travar a guerra, por mar, terra e ar, com todo o nosso poder e todas as forças que Deus nos der; travar guerra contra uma tirania monstruosa, nunca superada no sombrio e lamentável catálogo dos crimes humanos. Essa é a nossa política.*

Compreendam bem; não há salvação para o Império Britânico, não há salvação para tudo o que o Império Britânico defende, não há salvação para o desejo e o impulso de eras de que a humanidade caminhe em direção ao seu destino. Mas assumo minha tarefa com entusiasmo e esperança. Tenho

---

232. Alusão à Alemanha nazista.

certeza de que a nossa causa não fracassará entre os homens. Neste momento, sinto-me autorizado a pedir a ajuda de todos e dizer: "Venham, então, vamos avançar juntos, com nossas forças unidas".[233]

Eu diria à Casa, como disse àqueles que aceitaram participar deste governo: "Nada tenho a oferecer senão sangue, trabalho árduo, lágrimas e suor".

---

233. In: McCarten, Anthony. *O destino de uma nação*: como Churchill desistiu de um acordo de paz para entrar em guerra contra Hitler. São Paulo: Planeta, 2017, pp. 111-112.

CHARLES DE GAULLE[234]

ACONTEÇA O QUE ACONTECER, A CHAMA DA RESISTÊNCIA FRANCESA NÃO DEVE SE APAGAR E NÃO SE APAGARÁ.[235]

Em Londres, De Gaulle conclamava a resistência dos franceses. Paris tinha caído quatro dias antes. No dia anterior ao discurso, o marechal Petain propôs o armistício. A França estava derrotada – e humilhada. A guerra na frente ocidental continental estava finalizada com a vitória alemã.

Os chefes que, há incontáveis anos, estão à frente das Forças Armadas francesas formaram um governo.[236]

---

234. Charles de Gaulle (1890-1970). General e ex-comandante da 4ª Divisão Blindada.
235. Discurso proferido em Londres em 18 de junho de 1940 em uma emissão radiofônica da BBC.
236. Alusão ao governo que tinha à frente o marechal Henri Philippe Pétain como primeiro-ministro.

Esse governo, alegando a derrota de nossas Forças Armadas, fez um acordo com o inimigo para cessar o combate.

Sem dúvida, nós fomos, nós estamos dominados pela força mecânica, terrestre e aérea do inimigo.

Em número infinitamente maior, há os tanques, os aviões, a tática dos alemães que nos fazem recuar. Foram os tanques, os aviões e a tática dos alemães que surpreenderam nossos chefes a ponto de levá-los até onde estão hoje.

Mas terá sido dita a última palavra? Deve desaparecer a esperança? A derrota é definitiva? Não!

Acreditem em mim, que lhes falo com conhecimento de causa e lhes digo que nada está perdido para a França. Os mesmos meios que nos venceram podem um dia nos trazer a vitória.

Acreditem em mim, que lhes falo com conhecimento de causa e lhes digo que nada está perdido para a França. Os mesmos meios que nos venceram podem um dia nos trazer a vitória.
[...]
Aconteça o que acontecer, a chama da resistência francesa não deve se apagar e não se apagará.

Pois a França não está sozinha! Ela não está sozinha! Ela não está sozinha! Ela tem atrás de si um vasto Império! Ela pode se unir ao Império Britânico que domina o mar e continua a luta. Ela pode, como a Inglaterra, usar sem limites a imensa indústria dos Estados Unidos.

Esta guerra não se limita ao território infeliz de nosso país. Esta guerra não foi decidida pela batalha da França. Esta guerra é uma guerra mundial. Todos os erros, todos os atrasos, todos os sofrimentos, não impedem que existam, no universo, todos os meios necessários para um dia esmagar nossos inimigos. Fulminados hoje pela força mecânica, poderemos vencer no futuro, por uma força mecânica superior. Aí reside o destino do mundo.

Eu, o general De Gaulle, atualmente em Londres, convido os oficiais e os soldados franceses que se encontram em território britânico ou que aqui venham a se encontrar, com suas armas ou sem suas armas, convido os engenheiros e os operários especializados das indústrias de armamentos que se encontram em território britânico ou que aqui venham a se encontrar, a entrar em contato comigo.

Aconteça o que acontecer, a chama da resistência francesa não deve se apagar e não se apagará.

Amanhã, como hoje, falarei à rádio de Londres.[237]

Esta guerra não se limita ao território infeliz de nosso país. Esta guerra não foi decidida pela batalha da França. Esta guerra é uma guerra mundial. Todos os erros, todos os atrasos, todos os sofrimentos, não impedem que existam, no universo, todos os meios necessários para um dia esmagar nossos inimigos.

---

237. In: http://enfantsdelhistoire.com/lappel-du-18-juin-1940-du-general-de-gaulle--le-debut-de-la-resistance-et-de-la-france-libre/#sthash.0SBeUdf0.dpbs.

Adolf Hitler[238]

O ANO DE 1941 SERÁ, ESTOU CONVENCIDO, O ANO HISTÓRICO DE UMA GRANDE NOVA ORDEM EUROPEIA.[239]

Neste momento, a Alemanha é a grande vencedora da guerra. Restava a Inglaterra – razão das inúmeras críticas endereçadas a ela. Ainda não tinha invadido a União Soviética – mas o fará cinco meses depois (em junho). Ataca o Tratado de Versalhes e justifica a razão da guerra. Apresenta alguns princípios do nacional-socialismo, a ditadura nazista. E não esquece o antissemitismo.

Meus compatriotas alemães, homens e mulheres, [*longa pausa*]
Mudanças de governo têm ocorrido com frequência na história, e na história de nosso povo. É certo, porém, que nunca uma mudança de governo produziu resultados de tão longo alcance como a de oito anos

---
238. Adolf Hitler (1889-1945). Chanceler e *führer* da Alemanha.
239. Discurso proferido no palácio dos Esportes, em Berlim, em 30 de janeiro de 1941.

atrás.[240] Naquela ocasião, a situação do Reich era desesperadora. Fomos chamados a assumir a liderança da nação num momento em que ela não parecia se encaminhar para um grande progresso. [...] A não ser que a nação alemã pudesse ser salva por um milagre, a situação se encaminhava para o desastre. Por um período de quinze anos, os acontecimentos resvalavam sem trégua para o abismo. Por outro lado, essa situação era apenas o resultado da Guerra Mundial: do desfecho da Guerra Mundial, do nosso próprio colapso interno, político, moral e militar. Por essas razões, é particularmente importante, num dia como este, repensar o percurso de toda aquela desgraça nacional.

Qual foi a causa da Guerra Mundial? [...] A causa, portanto, não pode ser atribuída a falhas ou à vontade dos indivíduos. As razões foram mais profundas. A forma de governo alemã, pois a Alemanha já era uma democracia – e que democracia! Copiada com exatidão dos países ocidentais, era um compromisso entre a monarquia e a liderança parlamentar. Devido à sua forma de governo na ocasião, este Estado não poderia sem dúvida ser a causa da guerra travada pelas democracias contra o Reich, como ocorreu. A Alemanha, considerada no mundo um fator político, era mais do que uma causa, porque, após séculos de desordens e consequente enfraquecimento, as tribos e os estados germânicos se haviam afinal combinado num novo Estado que, naturalmente, introduziu um novo elemento na assim chamada balança de poder, elemento que foi considerado pelos outros como um corpo estranho. Talvez ainda mais poderoso tenha sido o desagrado do Reich como fator econômico. Depois de a Alemanha ter tentado durante séculos remediar sua angústia econômica deixando as pessoas morrerem à míngua ou obrigando-as a emigrar, a crescente consolidação do poder político do Reich incrementou o desenvolvimento do poder econômico. A Alemanha começou a exportar mercadorias em vez de homens, garantindo assim os necessários mercados mundiais, um processo natural e justo do nosso ponto de vista, mas considerado por outros uma usurpação dos seus domínios mais sagrados. Aqui chegamos ao Estado que considerava intolerável tal intrusão: a Inglaterra.

---

240. Hitler tomou posse como chanceler do Reich em 30 de janeiro de 1933.

Nos últimos trezentos anos, a Inglaterra construiu pouco a pouco o seu Império, talvez não através do livre-arbítrio ou das demonstrações unânimes por parte dos afetados, mas durante trezentos anos esse Império Mundial foi mantido unido exclusivamente pela força. As guerras se sucediam. Uma nação depois da outra teve sua liberdade roubada; um Estado depois do outro foi destruído a fim de que pudesse surgir a estrutura autointitulada Império Britânico. A democracia não passou de uma máscara cobrindo a subjugação e opressão de nações e indivíduos. Esse Estado não pode permitir que seus próprios súditos votem se hoje, depois de terem trabalhado durante séculos, deveriam ser livres para optar, se desejam, ser membros dessa Commonwealth.[241] Ao contrário, milhares de nacionalistas egípcios e hindus lotam as prisões. Os campos de concentração não foram inventados na Alemanha; foram os ingleses os engenhosos inventores dessa ideia.[242] Com tais métodos conseguiram dobrar a espinha dorsal de outras nações, eliminar sua resistência, esgotá-las e, por fim, torná-las propensas a se submeter ao jugo britânico da democracia.

Enquanto os britânicos falavam de Deus sem perder de vista seus interesses econômicos, a nação alemã, sobrecarregada ao máximo de suas forças, dava aos problemas religiosos uma importância tal que resultou em séculos de guerras sanguinolentas. Foi essa uma das condições que tornaram possível a formação do Império Britânico, pois, na mesma medida em que a nação alemã gastava internamente suas forças, ela era eliminada como potência internacional e, na mesma medida, a Inglaterra podia, imperturbável, construir seu império pelo roubo.

[...]

---

241. Comunidade Britânica das Nações.
242. A expressão nasceu na guerra dos bôeres (1899-1902) na África do Sul. Era a denominação dada pela Inglaterra aos campos de prisioneiros bôeres.

É importante, meus compatriotas, gritar isso para o mundo, vezes sem fim, porque eles são insolentes mentirosos democratas que afirmam que os assim chamados Estados Autoritários existem para conquistar o mundo quando, na verdade, os conquistadores do mundo são os nossos velhos inimigos. O Império Mundial Britânico, ao ser criado, deixou pelo caminho um rio gelado de sangue e lágrimas. Hoje, sem dúvida, ele governa uma enorme fração do globo. Mas esse governo mundial é influenciado não pelo poder de uma ideia e sim, essencialmente, pela força e, onde a força não é suficiente, pelo poder dos interesses capitalistas ou econômicos.

Levando em consideração a história do Império Britânico, podemos compreender o processo em si como um resultado da completa ausência, no continente europeu, de uma entidade que desafiasse tal desenvolvimento, sobretudo pela ausência do Reich alemão. Durante trezentos anos, a Alemanha praticamente inexistiu. Enquanto os britânicos falavam de Deus sem perder de vista seus interesses econômicos, a nação alemã, sobrecarregada ao máximo de suas forças, dava aos problemas religiosos uma importância tal que resultou em séculos de guerras sanguinolentas. Foi essa uma das condições que tornaram possível a formação do Império Britânico, pois, na mesma medida em que a nação alemã gastava internamente suas forças, ela era eliminada como potência internacional e, na mesma medida, a Inglaterra podia, imperturbável, construir seu império pelo roubo.

Não só a Alemanha foi praticamente eliminada da competição mundial nesses três séculos; o mesmo vale para a Itália, onde ocorreram fenômenos semelhantes aos da Alemanha, embora de natureza mais política e dinástica do que religiosa. Também por outros problemas, foi eliminada uma grande nação da Ásia oriental,[243] ao longo de quase quatro séculos. Pouco a pouco foi se afastando do resto do mundo e, deixando de considerar vital o seu próprio espaço, mergulhou num isolamento voluntário.

Assim se desenvolveu, sobretudo na Europa, um sistema que a Inglaterra definia como balança de poder e que de fato significa desorganização do continente europeu a favor das Ilhas Britânicas. Por essa razão foi, durante séculos, objetivo da política manter tal desorganização, não sob

---

243. Referência ao Japão, aliado da Alemanha na Segunda Guerra Mundial.

o nome de desorganização, é claro, mas com um termo mais agradável aos ouvidos. Assim como não dizem algodão e dizem "Deus", não falam de desorganização da Europa e sim de "balança de poder". E essa assim chamada balança de poder, que é a verdadeira importância interna da Europa, permitiu à Inglaterra, vezes a fio, jogar um Estado contra outro, mantendo dessa maneira as potências europeias envolvidas em lutas internas. Assim foi possível que a Inglaterra avançasse, imperturbável, em outros terrenos que, em comparação, ofereciam pouca resistência.

[...]

Quando voltei para casa em 1918 e vivi o inverno de 1918 e 1919, dei-me conta, como tantas outras pessoas, de que não poderíamos esperar regeneração do mundo político existente na Alemanha e passei então a buscar – como tantas outras pessoas – e foi assim que nasceu a ideia que mais tarde conquistou a nação alemã como nacional-socialismo. Parti de uma intuição: a nação alemã caiu porque se deu ao luxo de gastar suas forças em casa. Esse uso interno da força minou a força externa ao se adequar a uma lei externa. A nação alemã havia esperado ganhar, em retorno, a boa vontade alheia, mas só encontrou o puro e simples egocentrismo dos mais cruéis e mais mesquinhos interesses particulares, que começaram a saquear tudo o que havia para ser saqueado. Não deveríamos ter esperado outra coisa. Mas a sorte estava lançada. Uma coisa me parecia óbvia: nenhum progresso poderia se originar

> *Quando voltei para casa em 1918 e vivi o inverno de 1918 e 1919, dei-me conta, como tantas outras pessoas, de que não poderíamos esperar regeneração do mundo político existente na Alemanha e passei então a buscar – como tantas outras pessoas – e foi assim que nasceu a ideia que mais tarde conquistou a nação alemã como nacional-socialismo. Parti de uma intuição: a nação alemã caiu porque se deu ao luxo de gastar suas forças em casa. Esse uso interno da força minou a força externa ao se adequar a uma lei externa.*

do exterior. Primeiro, a nação alemã precisava aprender a compreender sua própria batalha política, o que lhe permitiria fazer confluir toda a energia alemã para a sua força idealista. E tal força idealista só poderia, na época, ser encontrada em dois campos; nos campos socialista e nacionalista. Mas tratavam-se de dois campos entre os quais havia os mais mortais conflitos e hostilidades. Esses dois campos precisavam ser fundidos numa nova unidade.

[...]

Meu programa era me desembaraçar de Versalhes.[244] Pessoas de todo o mundo não deveriam fingir ser simplórias e agir como se eu só tivesse descoberto este programa em 1933, 1935 ou 1937. Esses senhores deveriam apenas ter lido o que escrevi mil vezes a meu respeito, em vez de ouvir o lixo estúpido vindo de fora. Nenhum ser humano pode ter declarado e escrito o que queria tantas vezes quanto eu, e eu escrevi inúmeras vezes: "Fora, Versalhes!". E não se tratava de um capricho nosso, a razão foi ser Versalhes a maior injustiça e o mais abjeto maltrato de um grande povo jamais visto na história. Sem a abolição daquele instrumento de força – destinado a destruir o povo alemão – teria sido impossível manter esse povo vivo.

[...]

Tínhamos um Império mundial[245] quando a Inglaterra não passava de uma ilhota, e isso durou mais do que trezentos anos. Na verdade, eles nos obrigaram a tomar o caminho que tomamos. A Liga das Nações só nos ridicularizou e zombou de nós. Nós a abandonamos. Na Conferência do Desarmamento, aconteceu o mesmo, e nós a abandonamos. Seguimos o caminho que fomos obrigados a escolher, mas durante todo o tempo nos batemos por compreensão e conciliação. A esse respeito, posso salientar que os nossos esforços num caso, o da França, quase foram bem-sucedidos. Quando teve lugar o Plebiscito de Saar e o território de Saar foi devolvido ao Reich,[246] tomei uma decisão, com dificuldade, e declarei, em nome da nação alemã, que renunciaria a qualquer outra revisão no

---

244. Referência ao Tratado de Versalhes (1919).
245. Alusão ao Sacro Império Romano-Germânico.
246. Plebiscito realizado em 1935 sob os auspícios da Liga das Nações.

Ocidente. Os franceses a aceitaram como uma realidade definitiva, mas eu disse ao embaixador francês da época: veja bem, isso de modo algum significa uma realidade definitiva, como vocês parecem imaginar. O que estamos fazendo é um sacrifício no interesse da paz. Fazemos esse sacrifício, mas, em troca, queremos ter paz.

Mas a crueldade dos plutocratas capitalistas nesses países sempre irrompeu num curto espaço de tempo, fomentada por emigrantes que pintavam um quadro da situação alemã, naturalmente muito insano, mas digno de crédito porque parecia agradável; e então, é claro, propagado pelo ódio judaico. Essa soma de, por um lado, interesses capitalistas, instintos judaicos de ódio e a ânsia dos emigrantes por vingança, conseguiu nublar cada vez mais a visão do mundo, envelopando-o em frases, e incitando-o contra o atual Reich alemão, exatamente como fora contra o Reich que nos precedeu. Naquela ocasião, opunham-se à Alemanha do kaiser, desta vez se opunham à Alemanha nacional-socialista.

Não quero deixar de salientar o que afirmei em 3 de setembro [1940] no Reichstag alemão, que se os judeus queriam arrastar o mundo inteiro para a guerra, o papel dos judeus estaria terminado na Europa. Eles podem rir disso hoje, como riram antes das minhas profecias. Os próximos meses e anos hão de provar que também neste caso eu profetizei com acerto. Mas já podemos ver como os povos de nossa raça que nos são ainda hoje hostis reconhecerão um dia o maior inimigo interno, e que, então, formarão conosco também uma grande frente comum. A frente da humanidade ariana contra a exploração judaica internacional e a destruição das nações.

[...]

Quando a França entrou nesta guerra, não apresentou razão alguma. Era apenas o desejo de combater outra vez a Alemanha. Disseram: "Nós queremos a Renânia; naturalmente, queremos agora dividir a Alemanha; queremos rasgar o Ostmark, queremos desintegrar a Alemanha".

Chafurdaram de fato em fantasias de destruição do nosso Reich, completamente irreais no século XX, o século da concepção da nacionalidade. Era simplesmente pueril.

E a Inglaterra? Eu estendi a mão, muitíssimas vezes. Estava de fato no meu programa chegar a um entendimento com o povo inglês. Não tínhamos pontos de discórdia, absolutamente nenhum. Havia uma questão isolada, a devolução das colônias alemãs, e sobre isso eu disse: "Negociaremos isso algum dia. Não marco uma data". Para a Inglaterra, essas colônias são inúteis. Cobrem quarenta milhões de metros quadrados. O que eles fazem com eles? Absolutamente nada. Trata-se apenas da avareza de velhos usurários, que possuem uma coisa e dela não vão abrir mão; seres perversos que vêm seu vizinho sem ter o que comer, enquanto eles próprios não podem usar o que possuem. O simples pensamento de doar alguma coisa os deixa doentes. Além disso, eu não pedi nada que pertencesse aos ingleses, só pedi o que nos tomaram e roubaram em 1918 e 1919. Na verdade, nos tomaram e roubaram com a solene garantia do presidente americano.[247] Não lhes pedimos nada, não exigimos nada, mais de uma vez ofereci a mão para negociações. Cada vez ficou mais clara a evidência de que o que eles odeiam é a unificação alemã em si, exatamente este Estado – independentemente do seu aspecto, pouco importa se imperial ou nacional-socialista, se democrata ou autoritário. Mais do que tudo, odeiam o progresso social do Reich, e aqui, sem dúvida alguma, o ódio externo se somou ao mais cruel egoísmo interno.

[...]

Há muitos anos, em *Mein Kampf*,[248] afirmei que o nacional-socialismo colocaria seu selo nos próximos mil anos da história da Alemanha. Não se pode concebê-la sem o nacional-socialismo. Ele só desaparecerá quando seu programa se tiver tornado uma realidade definitiva.

[...]

O ano de 1941 será, estou convencido, o ano histórico de uma grande nova ordem europeia. O programa nada poderia ser além da abertura do mundo para todos, da quebra de privilégios individuais, da quebra da

---

247. Alusão ao presidente Woodrow Wilson.
248. *Minha luta* foi publicado em 1925.

tirania de alguns povos, e melhor ainda, dos seus autocratas financeiros. Por fim, este ano ajudará a assegurar os fundamentos para a compreensão entre os povos e, com isso, para a sua reconciliação. Não quero deixar de salientar o que afirmei em 3 de setembro [1940] no Reichstag alemão, que, se os judeus queriam arrastar o mundo inteiro para a guerra, o papel dos judeus estaria terminado na Europa. Eles podem rir disso hoje, como riram antes das minhas profecias. Os próximos meses e anos hão de provar que também neste caso eu profetizei com acerto. Mas já podemos ver como os povos de nossa raça que nos são ainda hoje hostis reconhecerão um dia o maior inimigo interno, e que, então, formarão conosco também uma grande frente comum. A frente da humanidade ariana contra a exploração judaica internacional e a destruição das nações.

O ano que deixamos para trás foi um ano de grandes sucessos, mas também, é verdade, de muitos sacrifícios. Mesmo se o número total de mortos e feridos é pequeno se comparado com o de guerras anteriores, os sacrifícios para cada família atingida são muito pesados. Toda a nossa simpatia, nosso amor e nosso cuidado pertencem àqueles que precisaram fazer tais sacrifícios. Eles sofreram o que gerações antes de nós precisaram sofrer. Cada um dos alemães precisou fazer outros sacrifícios. A nação trabalhou em todas as esferas. Mulheres alemãs trabalharam para substituir os homens. É uma maravilhosa ideia de comunidade a que domina o nosso povo. Que esse ideal, que toda a nossa força possa ser preservada no próximo ano – este deve ser o nosso desejo de hoje.[249]

---

249. In: http://beersandpolitics.com/discursos/ADOLF-HITLER/SPEECH-AT-
-THE-BERLIN-SPORTS-PALACE/925.

MAHATMA GANDHI[250]

A NÃO VIOLÊNCIA É UMA ARMA INCOMPARÁVEL QUE PODE AJUDAR A TODOS.[251]

Neste momento, a sorte da Segunda Guerra Mundial estava indefinida. O Japão avançava no oceano Índico e ameaçava a Índia. Gandhi insiste na defesa dos princípios da não violência como instrumento de luta pela independência, combinando-o com uma aliança momentânea com a Inglaterra.

Há quem traga no coração o ódio aos britânicos. Ouvi pessoas dizerem estar decepcionadas com eles. A mente das pessoas comuns não diferencia um cidadão britânico do modelo imperialista de seu governo. Para eles,

---

250. Mahatma Gandhi (1869-1948). Principal líder da independência da Índia.
251. Discurso na reunião do Partido Congresso em Bombaim, em 7 de agosto de 1942.

ambos são a mesma coisa. Há quem não se importe com a chegada dos japoneses.[252] Para eles, talvez, isso significaria uma troca de patrões.

Mas tal concepção é perigosa. Vocês devem removê-la de suas mentes. Esta é uma hora crucial. Se permanecermos quietos e não fizermos a nossa parte, não estaremos no bom caminho.

Se são apenas a Grã-Bretanha e os Estados Unidos quem lutam nesta guerra, e se nosso papel é apenas o de dar ajuda momentânea, quer a ofereçamos voluntariamente ou nos seja tomada contra nossos desejos, nossa posição não será muito feliz. Mas podemos mostrar nossa firmeza e valor apenas quando seja esta a nossa própria luta. Então, cada criança será um valente. Obteremos nossa liberdade pela luta. Ela não cairá do céu.

Sei muito bem que os britânicos serão obrigados a nos dar a liberdade quando tenhamos feito suficientes sacrifícios e comprovado a nossa força. Devemos retirar de nossos corações o ódio aos britânicos. Em meu coração, pelo menos, não há tal ódio. Na verdade, sou agora mais amigo dos britânicos do que jamais havia sido.

Minha democracia significa que cada um é seu próprio senhor. Li história o suficiente e nela não vi tal experiência em tão grande escala pelo estabelecimento da democracia através da não violência. Quando vocês compreenderem tais coisas, esquecerão as diferenças entre hindus e muçulmanos.

A razão para isso é que, neste momento, eles estão em apuros. Minha amizade requer que eu os ponha a par de seus equívocos. Como não estou na posição em que eles se encontram, estou em condições de apontar seus equívocos.

Sei que eles estão à beira do abismo, e que estão prestes a cair nele. No entanto, mesmo que me queiram cortar as mãos, minha amizade exige que eu deva tentar puxá-los para longe do abismo. É esta a minha

---

252. Alusão ao expansionismo militar japonês no sul da Ásia durante a Segunda Guerra Mundial.

pretensão, da qual muita gente pode rir, mas não me importo, digo que esta é a verdade.

No momento em que estou prestes a lançar a maior campanha da minha vida, não pode haver ódio aos britânicos no meu coração. A ideia de que, por estarem em perigo, eu deva lhes dar um empurrão está totalmente ausente dos meus pensamentos. Nunca esteve entre eles. É possível que, num momento de cólera, os britânicos sejam capazes de fazer coisas que possam irritá-los. Entretanto, vocês não devem recorrer à violência; isso levaria à desonra a não violência.

Quando tais coisas ocorrerem, vocês devem deduzir que não me encontrarão vivo, onde quer que eu possa estar. Seu sangue estará sobre suas cabeças. Se não compreendem isso, será melhor que rejeitem tal decisão. Redundará a seu crédito.

> *No momento em que estou prestes a lançar a maior campanha da minha vida, não pode haver ódio aos britânicos no meu coração. A ideia de que, por estarem em perigo, eu deva lhes dar um empurrão está totalmente ausente dos meus pensamentos. Nunca esteve entre eles. É possível que, num momento de cólera, os britânicos sejam capazes de fazer coisas que possam irritá-los. Entretanto, vocês não devem recorrer à violência; isso levaria à desonra a não violência.*

Como posso culpá-los das coisas que vocês não são capazes de compreender? Há na luta um princípio que vocês devem adotar. Nunca acreditar, como eu nunca acreditei, que os britânicos cairão. Eu não os considero uma nação de covardes. Sei que, antes de aceitarem a derrota, cada alma na Grã-Bretanha será sacrificada.

Eles podem ser derrotados e podem deixar vocês, como deixaram os povos da Birmânia, da Malásia e de outros lugares, com a ideia de recapturar o quanto possam o território perdido. Pode ser essa sua estratégia militar. Mas, supondo que nos deixem, o que nos acontecerá? Nesse caso, virá aqui o Japão.

A chegada do Japão implicará o fim da China e talvez também da Rússia. Nessas questões, o Pandit Jawaharlal Nehru[253] é meu guru. Não quero ser o instrumento da derrota da Rússia nem da China. Se isso acontecer, odiarei a mim mesmo.

Vocês sabem que gosto de andar em alta velocidade. Mas pode ser que eu não esteja enxergando tão depressa quanto vocês gostariam. Afirmam que Sardar Patel disse que a campanha deve terminar em uma semana. Não quero ser apressado. Se terminar em uma semana, será um milagre, e se isso acontecer significará o abrandamento do coração britânico.

Pode ser que a sabedoria desça sobre os britânicos e que eles compreendam que é um equívoco aprisionar o povo que quer lutar por eles. Pode ser, também, que ocorra uma mudança na mente de Jinnah.[254]

A não violência é uma arma incomparável, que pode ajudar a todos. Sei que não fizemos muito pelo caminho da não violência e, mesmo assim, caso sobrevenham tais mudanças, assumirei que é o resultado do nosso trabalho durante os últimos vinte e dois anos e que Deus nos ajudou a alcançá-lo.

Não queremos continuar como rãs num charco. Estamos buscando uma federação mundial. Ela somente virá através da não violência. O desarmamento só é possível se vocês empregarem a incomparável arma da não violência.

Quando levantei o tema "Deixem a Índia", o povo da Índia, então abatido, sentiu que eu havia posto diante dele algo novo. Se vocês quiserem a verdadeira liberdade, precisarão se unir, e tal união criará a verdadeira democracia – igual à que, há não muito tempo, foi tentada ou presenciada.

Tenho lido muito a respeito da Revolução Francesa. Enquanto estive no cárcere, li o trabalho de Carlyle.[255] Tenho grande admiração pelo povo francês, e Jawaharlal me disse tudo a respeito da Revolução Russa.

---

253. Aliado político de Gandhi e futuro primeiro-ministro da Índia de 1947 a 1964.
254. Menção ao líder de confissão muçulmana Muhammad Ali Jinnah. Nessa época, o território do futuro Paquistão fazia parte da Índia britânica.
255. Alusão ao livro de Thomas Carlyle, *A Revolução Francesa: uma história*.

Mas sustento que, apesar de terem sido lutas pelo povo, não eram lutas pela verdadeira democracia que visualizo. Minha democracia significa que cada um é seu próprio senhor. Li história o suficiente e nela não vi tal experiência em tão grande escala pelo estabelecimento da democracia através da não violência. Quando vocês compreenderem tais coisas, esquecerão as diferenças entre hindus e muçulmanos.

A resolução agora posta à sua frente diz: "Não queremos continuar como rãs num charco. Estamos buscando uma federação mundial. Ela somente virá através da não violência. O desarmamento só é possível se vocês empregarem a incomparável arma da não violência".

Há quem me possa chamar de visionário, mas eu sou um verdadeiro *bania* e meu negócio é obter o *swaraj*.

Se vocês não aceitarem essa resolução, não me entristecerei. Ao contrário, dançarei com alegria, porque então vocês assumirão uma tremenda responsabilidade, que agora colocam sobre mim.

Peço-lhes que adotem a não violência como uma questão de estratégia. Para mim é um credo, mas, no que lhes diz respeito, peço-lhes que a aceitem como uma estratégia. Como soldados disciplinados, vocês devem aceitá-la por inteiro e se aferrarem a ela quando se unirem à luta.

Perguntam-me até que ponto sou o mesmo homem que era em 1920. A única diferença é que, em certas coisas, estou muito mais forte agora do que em 1920.[256]

---

256. In: http://beersandpolitics.com/discursos/MAHATMA-GANDHI/EL-ARMA-DE-LA-NO-VIOLENCIA/526.

JUAN DOMINGO PERÓN[257]

ESTE É O POVO SOFREDOR QUE REPRESENTA A DOR DA TERRA MÃE.[258]

O discurso expressa o ideal peronista. O caudilho estabelece relação direta com as massas. O povo pobre aparece como protagonista, mas dentro de um viés paternalista e sob comando do líder. Não age de forma independente. Sua ação se dá através do Estado, e este tem em Perón o seu dirigente máximo.

Trabalhadores,
    Há quase dois anos[259] afirmei, deste mesmo balcão, que tinha três honras na vida: a de ser soldado, a de ser um patriota e a de ser o primeiro

---

257. Juan Domingo Perón (1895-1974). Candidato à presidência da Argentina.
258. Discurso pronunciado na Praça de Maio, em Buenos Aires, na noite de 17 de outubro de 1945.
259. Referência ao golpe militar de 4 de junho de 1943. Perón foi nomeado secretário de Trabalho e Previdência.

trabalhador argentino. Hoje à tarde, o Poder Executivo assinou meu pedido para me retirar do serviço ativo do Exército. Com isso, renunciei voluntariamente à mais insigne honra a que pode aspirar um soldado: levar as palmas e os louros de general da nação. Assim fiz porque desejo continuar a ser o coronel Perón e com este nome me colocar ao serviço integral do autêntico povo argentino.

Deixo o sagrado e honroso uniforme que me foi entregue pela pátria para vestir a paletó de civil e me misturar a essa massa sofredora e suada que constrói o trabalho e a grandeza da pátria.

Por isso dou meu abraço final a essa instituição que é o pontal da pátria: o Exército. E dou também o primeiro abraço a essa massa grandiosa, que representa a síntese de um sentimento que estava morto na República: a verdadeira civilidade do povo argentino. Isto é povo. Este é o povo sofredor que representa a dor da terra mãe, que haveremos de reivindicar. É o povo da pátria. É o mesmo povo que, nesta histórica praça, pediu ao congresso que fossem respeitados sua vontade e seu direito. É o mesmo povo que há de ser imortal, porque não haverá perfídia nem maldade humana que possa fazer tremer o povo que marcha, agora também, para pedir a seus funcionários que cumpram com seu dever para chegar ao direito do verdadeiro povo.

Muitas vezes me disseram que este povo, ao qual sacrifiquei minhas horas durante o dia e à noite, haveria de trair-me. Que saibam hoje os indignos farsantes que este povo não engana a quem o ajuda. Por isso, senhores, quero nesta oportunidade, como simples cidadão, juntar-me a essa massa suada, estreitá-la profundamente em meu coração, como poderia fazer com minha mãe.

Muitas vezes presenciei reuniões de trabalhadores. Sempre senti uma enorme satisfação; mas, a partir de hoje, sentirei um verdadeiro orgulho de ser argentino, porque interpreto esse movimento coletivo como o renascimento de uma consciência de trabalhadores, que é o único que pode tornar a pátria grande e imortal. Há dois anos, pedi confiança. Muitas vezes me disseram que este povo, ao qual sacrifiquei minhas horas durante o dia e à noite, haveria de trair-me. Que saibam hoje os indignos farsantes que este povo não engana a quem o ajuda. Por isso, senhores, quero nesta oportunidade, como simples cidadão, juntar-me a essa massa suada, estreitá-la profundamente em meu coração, como poderia fazer com minha mãe.

(*Nesse momento, alguém perto do balcão gritou: "Um abraço para a velha!".*)

Perón respondeu: que seja esta unidade indestrutível e infinita, para que nosso povo não apenas possua uma unidade, mas para que também saiba defendê-la com dignidade. Perguntam-se os senhores onde estive? Estive fazendo um sacrifício que faria mil vezes pelos senhores![260] Não quero terminar sem enviar minhas lembranças carinhosas e fraternas a nossos irmãos do interior, que se movem e palpitam em uníssono com nossos corações, de todas as extensões da pátria. E chega agora a hora, como sempre para o seu secretário de Trabalho e Previdência, que lutou e continuará lutando a seu lado para ver coroada essa que é a ambição da minha vida: que todos os trabalhadores sejam um pouquinho mais felizes.

Perante tanta nova insistência, peço-lhes que não me perguntem nem me recordem o que hoje já esqueci.

Muitas vezes presenciei reuniões de trabalhadores. Sempre senti uma enorme satisfação; mas, a partir de hoje, sentirei um verdadeiro orgulho de ser argentino, porque interpreto este movimento coletivo como o renascimento de uma consciência de trabalhadores, que é o único que pode tornar a pátria grande e imortal.

Porque os homens que não são capazes de esquecer não merecem ser queridos e respeitados por seus semelhantes. E eu aspiro a ser querido pelos senhores e não quero empanar este ato com nenhuma triste recordação. Eu disse que havia chegado a hora do conselho e lembrem-se, trabalhadores, unam-se e sejam mais irmãos do que nunca. Sobre a

---

260. Referência à sua prisão em 12 de outubro de 1945.

irmandade dos que trabalham há de se levantar nossa formosa pátria, na unidade de todos os argentinos. Iremos diariamente incorporando a essa bela massa em movimento cada um dos tristes e descontentes, para que, misturados a nós, tenham o mesmo aspecto de massa bela e patriótica que são os senhores.

Peço, ainda, a todos os trabalhadores amigos, que recebam com carinho este meu imenso agradecimento pelas preocupações que todos tiveram com este humilde homem que hoje lhes fala. Por isso, há pouco eu disse que os abraçava como abraçaria minha mãe, porque os senhores tiveram as mesmas dores e os mesmos pensamentos que a minha pobre velha querida deve ter sentido nesses dias.

E dou também o primeiro abraço a essa massa grandiosa, que representa a síntese de um sentimento que estava morto na República: a verdadeira civilidade do povo argentino. Isto é povo. Este é o povo sofredor que representa a dor da terra mãe, que haveremos de reivindicar. É o povo da pátria.

Esperamos que os dias vindouros sejam de paz e construção para a nação. Sei que haviam sido anunciados movimentos operários; agora, neste momento, não existe razão alguma para eles.[261] Por isso lhes peço, como um irmão mais velho, que voltem tranquilos para suas casas e desta única vez, já que não lhes posso falar como secretário de Trabalho e Previdência,[262] peço-lhes que comemorem o dia de descanso celebrando a glória dessa reunião de homens que vêm do trabalho e são a mais preciosa esperança da pátria.

Deixei propositalmente por último a recomendação de que, antes de abandonar esta magnífica assembleia, ajam com muito cuidado. Lembrem-se de que, entre todos, há inúmeras mulheres operárias, que devem ser protegidas, aqui e na vida, pelos mesmos operários; e, por fim, lembrem-se de que estou um pouco enfermo e necessitado de cuidados e

---

261. Alusão ao chamamento da Confederação Geral do Trabalho, entidade sob forte influência peronista, para uma greve geral dos trabalhadores.
262. Tinha sido obrigado a renunciar ao cargo em 9 de outubro de 1945.

lhes peço que recordem que preciso de um descanso que me concederei agora no Chubut, para repor as forças e voltar a lutar ombro a ombro com os senhores, até cair de exaustão se preciso for. Peço a todos que fiquemos reunidos por pelo menos mais quinze minutos, porque quero ficar, deste lugar, a contemplar este espetáculo que me arranca da tristeza que vivi nos últimos dias.

THOMAS MANN[263]

DOZE ANOS DE HITLER.[264]

A guerra estava chegando ao fim. A questão que foi colocada por Thomas Mann era sobre a responsabilidade dos alemães pela ascensão do nazismo ao poder e pela eclosão da guerra. E mais, não deixa de lado os crimes cometidos pelos nazistas. Estava também chegando a hora do acerto de contas moral e ético.

Ouvintes alemães!

Doze anos de Hitler. Dia 30 de janeiro de 1933.[265] Pois bem, isso também é uma comemoração. Ela será celebrada: certamente não com

---

263. Thomas Mann (1875-1955). Um dos mais importantes escritores alemães. Prêmio Nobel de Literatura (1929).
264. Discurso proferido em 16 de janeiro de 1945 através da BBC.
265. Data da tomada de posse de Adolf Hitler como chanceler da Alemanha.

alegria nem com orgulho, menos ainda com uma obstinação mantida artificialmente, tampouco com desespero estéril e autodesprezo, e sim com a serena compreensão de um erro terrível, metade culpa, metade fatalidade, na esperança, na certeza, de que terminará logo, de que os dias do episódio mais horrendo e mais vergonhoso da história alemã estão contados, de que chegou ao fim um pesadelo do qual só se poderia esperar que não tivesse sido nada além de pesadelo.

> *Todos nós somos responsáveis pelo que surgiu da essência alemã e que foi praticado historicamente pela Alemanha como um todo.*

Infelizmente, foi verdade. A Europa está em ruínas, e com ela a Alemanha. Os estragos provocados pelo nacional-socialismo, físicos e morais, não têm paralelo. O que ele custou em sangue e em bens por sua fúria de roubo e assassinato, por sua demoníaca política de extermínio étnico, não tem medida; quase mais terrível ainda é a desgraça espiritual que ele provocou com seu terror, a profanação e a corrupção, a degradação humana e a dissolução pela compulsão à mentira e à vida dupla, a violação da consciência. Após milhares de crimes na própria Alemanha, ele desencadeou a guerra que trazia em si, da qual era sinônimo desde o primeiro dia. É culpado o povo alemão por ter visto o salvador nesse espantalho sanguinário? Não queremos falar em culpa. Não existe nome para o encadeamento fatal de consequências de uma história infeliz, e se há culpa ela está entrelaçada com muitas culpas do mundo. Mas uma coisa é culpa, e outra é responsabilidade. Todos nós somos responsáveis pelo que surgiu da essência alemã e que foi praticado historicamente pela Alemanha como um todo.

> *Os estragos provocados pelo nacional-socialismo, físicos e morais, não têm paralelo. O que ele custou em sangue e em bens por sua fúria de roubo e assassinato, por sua demoníaca política de extermínio étnico, não tem medida [...].*

É pedir muito aos outros povos que estabeleçam com nitidez a diferença entre o nazismo e o povo alemão. Se existe a Alemanha, se existe o povo como figura histórica, como personalidade coletiva com caráter e destino, então o nacional-socialismo não é outra coisa do que a forma que um povo, o alemão, assumiu há doze anos para empreender, com os meios mais amplos, cruéis e pérfidos, a mais ousada tentativa de sujeição e escravização do mundo que a história conhece – uma empreitada que por um triz não teve êxito. É assim que o mundo deve ver as coisas, mesmo que grande parte do povo alemão amante da paz não as possa sentir assim. Os adversários da Alemanha, todos sofrendo imensamente – mesmo o país enorme e rico de onde eu falo se sacrifica e sofre imensamente –, esses adversários têm de enfrentar, desde o primeiro dia de guerra, toda a inteligência alemã, sua capacidade de invenção, bravura, amor à obediência, competência militar, em suma, toda a força do povo alemão que, como tal, está por trás do regime e vence as suas batalhas – não com Hitler e Himmler,[266] que não seriam nada se a virilidade e a cega fidelidade alemãs ainda hoje não combatessem e caíssem por esses canalhas com uma funesta coragem de leão.

Se existe a Alemanha, se existe o povo como figura histórica, como personalidade coletiva com caráter e destino, então o nacional-socialismo não é outra coisa do que a forma que um povo, o alemão, assumiu há doze anos para empreender, com os meios mais amplos, cruéis e pérfidos, a mais ousada tentativa de sujeição e escravização do mundo que a história conhece – uma empreitada que por um triz não teve êxito.

Não por eles, dizem vocês, mas pelo sagrado solo alemão? Amigos, o solo alemão foi tão profanado e violado por um governo que a Alemanha nunca deveria ter imposto a si mesma, profanado através de mentiras, injustiças e crimes, que sua defesa tornou-se absurda, obstinação teimosa e não coragem louvável. A coragem que continua a servir potências cuja maldade já foi demonstrada é na verdade medo do fim e de um novo começo, uma covardia que cai mal justamente para o povo do "morra e

---

266. Heinrich Himmler comandou a SS e exerceu diversos cargos no Estado nazista.

seja". Um jovem poeta na Alemanha nazista ousou escrever os seguintes versos durante a guerra:

> E nossa palavra, tão acostumada à mentira,
> Não tem mais valor para a canção sagrada.

O que ocorre com a palavra alemã também acontece com a espada alemã profanada. Defender uma Alemanha que para nós continua a ser sagrada nada vale há muito tempo. Joguem-na fora e acabem com isso para que um novo começo, uma nova vida, seja possível![267]

---

267. In: Mann, Thomas. *Ouvintes alemães!* Discursos contra Hitler (1940-1945). Rio de Janeiro: Zahar, 2009, pp. 193-195. Tradução: Antonio Carlos Santos e Renato Zwick.

HO CHI MINH[268]

O VIETNÃ TEM O DIREITO DE SER UM PAÍS LIVRE E INDEPENDENTE.[269]

Hábil discurso usando documentos históricos clássicos dos seus adversários, os Estados Unidos, e, principalmente, naquela conjuntura, da França. Deixa em segundo plano a defesa do socialismo e enfatiza o que na época era chamada de luta anti-imperialista. Este momento – 1945 – é o início do processo das independências das colônias francesas e inglesas, especialmente, na Ásia e na África.

"Todos os homens são criados iguais. São dotados, pelo seu Criador, de certos direitos inalienáveis; entre eles estão a Vida, a Liberdade e a busca da Felicidade."

---

268. Ho Chi Minh (1890-1969). Presidente da República Democrática do Vietnã.
269. Discurso pronunciado em 2 de setembro de 1945 em Saigon.

Esta afirmação imortal foi feita na Declaração de Independência dos Estados Unidos da América em 1776. Num sentido mais amplo, significa: todos os povos da Terra são iguais desde o nascimento, todos os povos têm direito a viver, a serem felizes e livres.

A Declaração da Revolução Francesa, feita em 1791, sobre os Direitos Humanos e dos Cidadãos, também afirma: "Todos os homens nasceram livres e com direitos iguais, e devem para sempre permanecer livres e ter direitos iguais".

Essas são verdades indiscutíveis.

Por mais de oitenta anos, porém, os imperialistas franceses, deturpando o modelo de Liberdade, Igualdade e Fraternidade, violaram nossa pátria e oprimiram nossos concidadãos. Agiram contra os ideais de humanidade e justiça.

Construíram mais prisões do que escolas. Mataram sem piedade nossos patriotas, afogaram nossas rebeliões em rios de sangue. Restringiram a opinião pública; praticaram o obscurantismo contra o nosso povo. Para enfraquecer nossa raça, obrigaram-nos a usar ópio e álcool. No campo da economia, dobraram nossa espinha dorsal, empobreceram nosso povo e devastaram nossa terra.

No campo da política, privaram nosso povo de qualquer liberdade democrática.

Promulgaram leis desumanas; criaram três regimes políticos distintos no norte, no centro e no sul do Vietnã a fim de destruir nossa unidade nacional e impedir a união do nosso povo.

Construíram mais prisões do que escolas. Mataram sem piedade nossos patriotas, afogaram nossas rebeliões em rios de sangue.

Restringiram a opinião pública; praticaram o obscurantismo contra o nosso povo.

Para enfraquecer nossa raça, obrigaram-nos a usar ópio e álcool.

No campo da economia, dobraram nossa espinha dorsal, empobreceram nosso povo e devastaram nossa terra.

Roubaram de nós nossos campos de arroz, nossas minas, nossas florestas e nossas matérias-primas. Monopolizaram a emissão de papel moeda e o comércio de exportação.

Inventaram inúmeros impostos injustificáveis e reduziram nosso povo, em especial nossos camponeses, a um estado de extrema pobreza.

Dificultaram a prosperidade da nossa burguesia nacional; exploraram sem piedade os nossos trabalhadores.

No outono de 1940, quando os fascistas japoneses violaram o território da Indochina, para lá estabeleceram novas bases em sua luta contra os aliados, os imperialistas franceses caíram de joelhos e lhes entregaram o nosso país.

Assim, a partir dessa data, nosso povo foi submetido ao duplo jugo dos franceses e japoneses. Seu sofrimento e miséria aumentaram. O resultado foi que, entre o final do ano passado e o início deste ano, mais de dois milhões dos nossos concidadãos morreram de fome na província de Quang Tri, ao norte do Vietnã. Em 9 de março [de 1945], as tropas francesas foram desarmadas pelos japoneses. Os colonialistas franceses fugiram ou se renderam, mostrando que não só eram incapazes de nos "proteger", mas também que, no espaço de cinco anos, haviam vendido duas vezes o nosso país aos japoneses.

> *[...] quando os fascistas japoneses violaram o território da Indochina, para lá estabeleceram novas bases em sua luta contra os aliados, os imperialistas franceses caíram de joelhos e lhes entregaram o nosso país. Assim, a partir dessa data, nosso povo foi submetido ao duplo jugo dos franceses e japoneses. Seu sofrimento e miséria aumentaram.*

Em diversas ocasiões, antes de 9 de março, a Liga para a Independência do Vietnã[270] pediu aos franceses que se aliassem a ela contra os japoneses. Em vez de concordar com tal proposta, os colonialistas franceses intensificaram a tal ponto as atividades terroristas contra os membros da Liga para a Independência do Vietnã que, antes de sua fuga, massacraram

---

270. Foi criada em maio de 1941.

um grande número de nossos prisioneiros políticos detidos em Yen Bai e Cao Bang.

Ainda assim, nossos concidadãos sempre mantiveram, em relação aos franceses, uma atitude tolerante e humana. Mesmo depois do golpe japonês de março de 1945, a Liga para a Independência do Vietnã ajudou muitos franceses a atravessar a fronteira, resgatou alguns das prisões japonesas e protegeu vidas e propriedades francesas.

Desde o outono de 1940, nosso país deixou de ser de fato uma colônia francesa e tornou-se uma possessão japonesa.

Depois que os japoneses se renderam aos aliados, todo o nosso povo se ergueu para recuperar nossa soberania nacional e fundar a República Democrática do Vietnã.

> *Um povo que se opôs corajosamente à dominação francesa por mais de oito anos, um povo que lutou lado a lado com os aliados contra os fascistas durante os últimos anos, um povo assim deve ser livre e independente.*

A verdade é que conquistamos nossa independência dos japoneses, e não dos franceses.

Os franceses fugiram, os japoneses capitularam, o imperador Bao Dai abdicou. Nosso povo quebrou as cadeias que por quase um século o mantinham acorrentado e ganhou a independência da pátria. Ao mesmo tempo, nosso povo derrubou o regime monárquico que reinara com supremacia por dezenas de séculos. Em seu lugar foi estabelecida a atual República Democrática.

Por essas razões, nós, membros do governo provisório, representando a totalidade do povo vietnamita, declaramos que, a partir de agora, rompemos todas as relações de caráter colonial com a França; repelimos todas as obrigações internacionais até agora subscritas pela França em nome do Vietnã e abolimos todos os direitos especiais adquiridos ilegalmente pelos franceses em nossa pátria.

Todo o povo vietnamita, animado por um propósito comum, está determinado a lutar até o fim contra qualquer tentativa de reconquista do seu país pelos colonialistas franceses.

Estamos convencidos de que as nações aliadas, que em Teerã e San Francisco reconheceram os princípios de autodeterminação e igualdade das nações, não se recusarão a reconhecer a independência do Vietnã.

Um povo que se opôs corajosamente à dominação francesa por mais de oito anos, um povo que lutou lado a lado com os aliados contra os fascistas durante os últimos anos, um povo assim deve ser livre e independente.

Por essas razões nós, membros do governo provisório da República Democrática do Vietnã, declaramos solenemente ao mundo que o Vietnã tem o direito de ser um país livre e independente – e que de fato já o é. Todo o povo vietnamita está determinado a mobilizar todas as suas forças físicas e mentais, a sacrificar sua vida e propriedades a fim de proteger sua independência e liberdade.[271]

---

271. In: http://beersandpolitics.com/discursos/HO-CHI-MINH/INDEPENDENCE-OF-VIETNAM/1092.

AFONSO ARINOS[272]

O SEU GOVERNO É HOJE UM ESTUÁRIO DE LAMA E UM ESTUÁRIO DE SANGUE.[273]

Quinze dias após este discurso, Getúlio Vargas suicida-se. A crise começou após o atentado contra o jornalista Carlos Lacerda cometido por membros da guarda pessoal do presidente Vargas. No incidente, morreu o major Rubens Vaz, da Força Aérea Brasileira, que acompanhava Lacerda. O atentado ocorreu na madrugada de 5 de agosto de 1954, próximo à residência de Lacerda, na rua Tonelero, 180, em Copacabana. O jornalista era um dos maiores opositores de Vargas e dirigia a *Tribuna da Imprensa*.

---

272. Afonso Arinos de Mello Franco (1905-1990), deputado federal pela União Democrática Nacional, representando Minas Gerais, era o líder da minoria na Câmara dos Deputados.

273. Discurso proferido em 9 de agosto de 1954 na Câmara dos Deputados, no Rio de Janeiro.

[...]
Senhor presidente, há uma versão histórica; há, pelo menos, uma tradição legendária que declara que no momento em que a maior justiça se encontrou com a maior injustiça e no dia em que o erro supremo se defrontou com a suprema verdade, nesse dia o juiz, o interessado na justiça, o representante de poder estatal, que era Pôncio Pilatos, em face da perturbadora fúria, em face do transviamento das multidões arrebatadas, esquecendo-se dos deveres morais que incumbiam a sua pessoa e dos misteres políticos que incumbiam a seu cargo, respondeu, a uma advertência, com estas palavras melancólicas: "Mas, o que é a verdade?".

A resposta a esta pergunta tem sido inutilmente procurada pelos pensadores e pelos filósofos. O que é a verdade? Para cada um, ela se apresenta para cada além, para cada esperança, para cada paixão, para cada interesse. Para cada além, para cada esperança a verdade se reveste de roupagens enganosas. Mas ninguém jamais formulou esta pergunta em relação à negação da verdade, ninguém perguntou jamais: "O que é mentira?".

Ele nos acusa de estarmos proferindo mentiras contra seu governo. Ele investe contra nós, declarando que da voz do povo sai um clamor de mentiras. E eu pergunto: será mentira a viuvez, o crime, a morte e a orfandade? Serão mentiras os corpos dos assassinados e dos feridos? Será mentira o sangue que rolou na sarjeta da rua Tonelero?

Ao senhor Getúlio Vargas respondo que, se não é possível saber o que é verdade, é perfeitamente possível saber-se o que não é a mentira.

Ele nos acusa de estarmos proferindo mentiras contra seu governo. Ele investe contra nós, declarando que da voz do povo sai um clamor de mentiras. E eu pergunto: será mentira a viuvez, o crime, a morte e a orfandade? Serão mentiras os corpos dos assassinados e dos feridos? Será mentira o sangue que rolou na sarjeta da rua Tonelero?[274] Será mentira a presença dos órfãos abandonados pelos pais que os deviam assistir? Será

---

274. Referência ao atentado contra o jornalista Carlos Lacerda.

mentira a viuvez lutuosa que outro dia assistimos, confrangida e ajoelhada na prece do perdão, na ausência do companheiro de sua vida? Será mentira que aquele velho político não saiba que um jovem herói tombou, siderado pela arma dos assassinos? Será mentira essa declaração de um condor das nossas Forças Armadas, um dos jovens condores, feito para morrer lutando no céu que uma dessas aves poderosas, cujas asas metálicas se frisam ao sol do Brasil, não morreu "peleando", como diz essa figura oracular da nova República, o tenente Gregório Fortunato?[275]

Será mentira dizer que esse jovem condor, feito para morrer nos embates e descer, como um rastro de fogo, pelo céu incendiado, não morreu "peleando", morreu golfando sangue generoso de mistura com a lama das ruas; não morreu peleando, porém, assassinado; porém baleado, por que fuzilado pelo sicário infame do governo numa tocaia sinistra? Será mentira – e clamo diante do Congresso, e lembro diante dos representantes da nação, grito para as ruas, e recordo para o povo – será mentira que falte um homem em nossas Forças Armadas? Será mentira que sobre uma viúva entre as viúvas do Brasil e que sobrem órfãos entre as crianças brasileiras? Será mentira a pedra que rola pelo despenhadeiro do descrédito? Será mentira o desprestígio das autoridades, que vão de cambulhada, com o fracasso da administração? Será mentira que os rios do descrédito e do opróbrio, será mentira que os rios e ribeiros que descem as colinas de nossa vida pública se encontrem, convergem e vão de roldão para a desagregação e para a desmoralização deste governo falido? Será mentira que o país tenha assistido, de algum tempo a esta parte aos mais graves abalos na sua vida e em sua honra? Será mentira o inquérito da *Última Hora*?[276]

---

275. Gregório Fortunato, conhecido como o "anjo negro", foi o chefe da guarda pessoal – criada em 1938, após o fracassado ataque integralista ao palácio Guanabara – de Getúlio Vargas. Acusado de ser o mandante do atentado a Lacerda, acabou processado e preso. Foi condenado a 25 anos de reclusão. Acabou assassinado na prisão, em 1962.

276. *Última Hora* foi um jornal fundado por Samuel Wainer e que contou com o apoio de empresários ligados a Getúlio Vargas. Em 1953, foi constituída uma Comissão Parlamentar de Inquérito para investigar as relações entre o jornal e o Banco do Brasil, que estaria privilegiando a publicação por solicitação de Vargas. O jornal era o único que apoiava o governo. Foram cinco meses de trabalho. Acabou sem resultados práticos.

Será mentira o inquérito da Carteira de Exportação?[277] Será mentira o espetáculo vergonhoso da submissão da nossa política internacional aos ditames e caprichos de um ditador platino?[278]

Serão acaso mentiras tantas pequenas misérias e pequenas infâmias? Serão mentirosas, ao lado da corrupção nacional, as pequenas corrupções estaduais, e as pequenas corrupções municipais dos caminhões das feiras livres e das impressões de cédulas para os apaniguados do poder? Será mentira tudo isso? Estaremos nós vivendo num meio de realidades ou de sonhos? Ou será ele o grande mentiroso, ou será ele o grande enganado ou será ele o pai supremo de fantasmagoria e da falsidade?

Nós não mentimos, senhor presidente. O que nós fazemos é conter a verdade, é reprimi-la dentro dos limites do nosso bom senso e do nosso patriotismo. É não permitir, é aconselhar, é insistir para que essa verdade não exploda na desordem e não rebente em torrentes de sangue.

A evolução de nossa vida, a sucessão dos acontecimentos que tem golpeado a sensibilidade nacional, atingiu, de fato, o limite insuperável; chegou, efetivamente, às fronteiras e aos lindes do inimaginável com o crime que nos últimos dias vem abalando a nação. Não me perderei em referências a fatos conhecidos, não insistirei no protesto, na condenação e na revolta contra as conhecidas vergonhas.

Procurarei, apenas, com base em circunstâncias de fatos irrecusáveis, colocar perante a nação, através de seus representantes, os mais recentes aspectos dessa vergonhosa situação.

Ontem à noite, recebi a visita dos senhores Adauto Lúcio Cardoso[279] e Pompeu de Sousa[280] – o primeiro, advogado do jornalista Carlos Lacerda,

---

277. Em 1953, foi instalada uma Comissão Parlamentar de Inquérito para apurar a operação da Carteira de Exportação e Importação do Banco do Brasil.

278. Referência a Juan Domingo Perón, que à época presidia a Argentina. Vargas nunca se encontrou com ele. A oposição udenista insistia em buscar algum tipo de vinculação entre os dois líderes populistas. Essa obsessão permaneceu mesmo após a morte de Vargas. Em setembro de 1955, Carlos Lacerda divulgou um documento que ficou conhecido como Carta Brandi, atribuída a um deputado argentino. Posteriormente ficou comprovado que o documento era falso.

279. Adauto Lúcio Cardoso tinha renunciado à vereança pelo Distrito Federal. Ainda em 1954, vai ser eleito deputado federal. Era filiado à UDN.

280. Pompeu de Souza era jornalista do *Diário Carioca*.

uma das vítimas do covarde atentado; e o outro, representante dos diretores de jornais acreditados, nos termos da combinação realizada, entre as autoridades militares e as autoridades civis, junto ao desenvolvimento do inquérito.

Esses dois ilustres profissionais do foro e da imprensa vieram solicitar-me que transmitisse à Câmara dos Deputados a parte que, neste momento, já pode ser divulgada, referente às aquisições ontem verificada no decorrer das investigações.

Devo advertir que eu mesmo não estou no conhecimento de todos os detalhes, cumprindo-me ajuntar que alguns dos pormenores de que sou conhecedor não os podereis transmitir, porque a tanto me obrigo por compromisso formal, compromisso a ser entendido como manifestação de cooperação para as autoridades que prosseguem nas investigações, de vez que a revelação de todos os pormenores neste momento poderia trazer empecilhos irreparáveis à elucidação dos fatos.

[...] o seu governo é, hoje, um estuário de lama e um estuário de sangue; observe que os porões do seu palácio chegaram a ser um vasculhadouro da sociedade; verifique que os desvãos de sua guarda pessoal são como subsolos de uma sociedade em podridão. Alce os olhos para o seu destino e observe as cores da bandeira, e olhe para o céu, a cruz de estrelas que nos protege e veja como é possível restaurar-se a autoridade de um governo que se irmana com criminosos, como é possível restabelecer-se a força de um Executivo caindo nos últimos desvãos da desconfiança e da condenação.

O que posso assegurar à Câmara, com absoluta certeza – o que, aliás, já é do conhecimento das altas autoridades das Forças Armadas e da polícia, compreendidas entre elas o brigadeiro Eduardo Gomes[281] e o chefe do

---

281. Brigadeiro Eduardo Gomes foi candidato – derrotado – à presidência da República em 1945 e 1950. Era vinculado à UDN. Tinha forte influência na FAB e incentivou as investigações que a própria Aeronáutica realizou sobre o atentado – episódio conhecido como República do Galeão.

Departamento Federal de Segurança Pública –, é estar inteiramente provado, de acordo com documentos que oportunamente virão a público, que antes de as forças militares que procedem à investigação terem localizado o nome do último dos criminosos envolvidos nesse assunto, já a guarda do presidente da República, pressentindo que ele seria, afinal, preso, lhe dava fuga oficialmente e tomava a iniciativa de protegê-lo com essa fuga. Isso ficou fora de dúvida. Eu aqui pretendo limitar a minha revelação e as minhas conclusões àquele campo objetivo que não possa ser posto em dúvida e inquinado de paixão, porque, na verdade, se eu estivesse disposto a abandonar-me ao desenvolvimento natural do meu raciocínio, eu poderia, com muitos bons fundamentos, chegar a responsabilizar o próprio governo pelo que está acontecendo. Na verdade, se eu tivesse a leviandade do senhor presidente da República, ao nos acusar infundadamente de mentirosos; se eu quisesse retrucar com essa leviandade incompatível com a magnitude e com a importância do seu cargo, eu teria muito mais razão do que Sua Excelência, que nos chamou de mentirosos, para responder que, dos fatos chegados ao meu conhecimento, se poderia perfeitamente concluir que as investigações não pararam mais no palácio do Catete, que as investigações transpuseram as portas do mesmo palácio, que as investigações vão além das salas públicas do palácio, alcançaram os próprios aposentos da intimidade presidencial. Mas lá não chegarei, lá não quero chegar, porque tal declaração estaria fora das imposições objetivas dos fatos conhecidos. Lá não chegarei, porque não desejo de forma nenhuma, dizer que estamos passando, por paixões, além dos limites permitidos pelo cumprimento do nosso dever. Entretanto, o que há de positivo, o que há de concreto, o que há de seguro, o que há de provado, o que há de irretorquível, é que a guarda do palácio, como órgão coletivo, a guarda do palácio, como instituição do Estado, a guarda do palácio, como aparelho do poder getuliano, sabia do crime, participava do crime, teve conhecimento dele, e tomou todas as providências para dar fuga, para proteger, para inocentar, para tornar impunes os criminosos, para fazer com que eles estivessem fora do alcance do braço vingador da justiça.

Essa é a verdade.

[...]

Senhor presidente, nós não caímos tampouco, nós da oposição nacional e muito menos nós da oposição udenista, e ainda, menos nós da oposição parlamentar udenista, nessa armadilha infantil, nessa manobra ingênua à força de ser idiota, nessa urdidura primária, tosca, que é a de tentar colocar o problema, como a partir de ontem vem-se tentando, nos termos de polêmica entre a oposição e o governo, nos termos de um debate entre a tribuna da Câmara e a secretaria do palácio do Catete, nos termos de uma controvérsia de ponto e contraponto, nos termos de uma espécie de diálogo musicado entre o orador do Legislativo e o orador do Executivo. Nós não nos prestamos a essa manobra. Nós queremos dizer face a face, frente a frente, em alto tom, com a vista diretamente dirigida aos olhos do povo brasileiro, que nós estamos agindo aqui como oposição, que eu não estou falando aqui como líder de meu partido, que eu estou falando aqui como deputado do meu povo, como representante da minha nação – que eu estou falando pela voz estrangulada dos que temem ou dos que não podem falar; que eu estou tendo o privilégio de dizer aquilo que toda gente pensa, inclusive os companheiros governistas que vêm aqui dizer que não pensam convosco; que eu estou sob qualquer ameaça, olhando de frente qualquer tentativa de intimidação, qualquer apodo, qualquer injúria, qualquer crime, cumprindo o meu

[...] lembre-se, homem, pelos pequeninos, pelos humilhados, pelos operários, pelos poetas – lembre-se dos homens e deste país e tenha a coragem de ser um desses homens, não permanecendo no governo se não for digno de exercê-lo.

dever de brasileiro, dizendo ao povo do Brasil que existe no governo deste país uma malta de criminosos e que os negócios da nossa República estão sendo conduzidos ou foram conduzidos até agora sob a guarda de egressos das penitenciárias ou pretendentes às cadeias. É o que venho dizer, é o que estou dizendo, é o que nós todos diremos. Isso que dizemos não é palavra de oposição, isso que dizemos é o clamor popular, isso que estamos dizendo não é desafio da ambição, isso que estamos dizendo é o dever da humanidade, é o cumprimento duro, é o cumprimento inflexível da nossa obrigação.

Por isso, senhor presidente, eu falo a Getúlio Vargas. Eu falo a Getúlio Vargas, como presidente e como homem. Eu falo a Getúlio Vargas, como presidente, e lhe digo: presidente, lembre-se, Vossa Excelência, das incumbências e das responsabilidades do seu mandato; lembre-se dos interesses nacionais que pesam não sobre a sua ação somente, mas sobre a sua reputação. Eu lhe digo: presidente, houve um momento em que Vossa Excelência encarnou, de fato, as esperanças do povo; houve um momento em que Vossa Excelência, de fato, se irmanou com as aspirações populares. Premido pelo povo, Vossa Excelência, que tinha sido fascista e partidário dos fascistas, foi à guerra democrática.[282] Levado nos ombros do povo, Vossa Excelência, que oprimiu o povo e que esmagou o povo, entrou, pela mão do povo, no palácio do Catete.[283] Mas eu digo a Vossa Excelência: preze o Brasil que repousa na sua autoridade; preze a sua autoridade, sob a qual repousa o Brasil. Tenha a coragem de perceber que o seu governo é, hoje, um estuário de lama e um estuário de sangue; observe que os porões do seu palácio chegaram a ser um vasculhadouro da sociedade; verifique que os desvãos de sua guarda pessoal são como subsolos de uma sociedade em podridão. Alce os olhos para o seu destino e observe as cores da bandeira, e olhe para o céu, a cruz de estrelas que nos protege e veja como é possível restaurar-se a autoridade de um governo que se irmana com criminosos, como é possível restabelecer-se a força de um Executivo caindo nos últimos desvãos da desconfiança e da condenação.

Senhor presidente Getúlio Vargas, eu lhe falo como presidente: reflita sobre a sua responsabilidade de presidente e tome, afinal, aquela deliberação, que é a última que um presidente, na sua situação, pode tomar.

E eu falo ao homem. E eu falo ao homem Getúlio Vargas e lhe digo: lembre-se da glória da sua terra e dos ímpetos do seu povo; lembre-se das arremetidas da penada solta e do tropel dos baguias pelas campinas

---

282. Referências à ditadura do Estado Novo (1937-1945) e à entrada do Brasil na Segunda Guerra Mundial (1942).

283. Em outubro de 1950, Getúlio Vargas foi eleito democraticamente para a presidência da República. Assumiu em janeiro do ano seguinte. Governou de 1930 a 1934 como chefe revolucionário. Em 1934, foi eleito indiretamente pelo Congresso e em 1937 comandou o golpe do Estado Novo. Palácio do Catete era a sede do Executivo Federal.

heroicas do Rio Grande; lembre-se do flutuar dos pombos e do relampejar dos lanças; lembre-se do entrechoque e da poeira dos combates memoráveis; lembre-se, homem, de que em seu sangue corre, como no meu, o sangue dos heróis e não se acumplicie com os crimes dos covardes e com a infâmia dos traidores.

E digo ao homem, que é pai, que tem filhos e irmãos: lembre-se das famílias; lembre-se, se tem realmente coração cordato e alma cristã a que ontem se referiu, de estar sendo olhado e surpreendido pelo povo como um Sileno[284] gordo, pálido e risonho; indiferente ao sangue derramado; lembre-se, homem, de que é preciso levantar o coração dos homens; lembre-se, homem, de que é preciso dar esperança aos homens e mulheres deste país. E eu lhe digo, homem: ponha bem alto o seu coração. E eu lhe solicito, homem, em nome do que há de mais puro e mais alto no coração do meu povo; lembre-se, homem, pela luz do céu; lembre-se, homem, pelas folhas e pelas flores que começam a brotar neste princípio de primavera; lembre-se, homem, pelas igrejas da minha terra, que ontem bateram os sinos contra a sua voz; lembre-se, pelos olhos azuis da irmã Vicência, que se curva, hoje, com os seus 80 anos, no convento de Diamantina, rezando pelo bem do Brasil; lembre-se, homem, pelos pequeninos, pelos humilhados, pelos operários, pelos poetas: lembre-se dos homens e deste país e tenha a coragem de ser um desses homens, não permanecendo no governo se não for digno de exercê-lo. (*Muito bem. Muito bem. Palmas. O orador é vivamente cumprimentado.*)[285]

---

284. Personagem da mitologia grega. Feio, gordo, bêbado, era representado cavalgando um asno.
285. In: Bonavides, Paulo e Roberto Amaral (orgs.). *Textos políticos da história do Brasil*. Volume VI. Brasília: Senado Federal, 2002, pp. 766-772.

NIKITA KRUSCHEV[286]

OS EFEITOS PREJUDICIAIS DO CULTO À PERSONALIDADE.[287]

Arquivo Nacional dos Países Baixos, Haia

O discurso de Kruschev sobre os crimes de Stálin levou a uma divisão do mundo socialista. Também muitos militantes de partidos comunistas espalhados por diversos países acabaram abandonando a militância decepcionados com as revelações. A denúncia ficou restrita ao culto da personalidade imposto por Stálin. Contudo, em momento algum, questionou-se a adoção do socialismo pela União Soviética, nem a estrutura estatal ou o partido comunista.

Camaradas:

No relatório apresentado pelo Comitê Central do Partido no XX Congresso, em inúmeros discursos pronunciados por delegados a esse

---

286. Nikita Kruschev (1894-1971). Secretário-geral do PCUS.
287. Discurso pronunciado em 25 de fevereiro de 1956 em Moscou na sessão de encerramento do XX Congresso do Partido Comunista da União Soviética.

Congresso e também durante a recente sessão plenária do CC, muito foi dito a respeito dos efeitos prejudiciais do culto à personalidade.

Depois da morte de Stálin,[288] o Comitê Central do Partido começou a estudar a maneira de explicar, de forma concisa e consistente, o fato de não ser permitido e ser inconsistente com o espírito do marxismo-leninismo exaltar alguém a ponto de transformá-lo num super-homem, dotado de características semelhantes às de um deus. A um homem dessa natureza atribui-se um conhecimento inesgotável, uma visão extraordinária, um poder de pensamento que lhe permite tudo prever e, ainda, um comportamento infalível.

Durante muitos anos, tal tipo de atitude foi assumida entre nós em relação a um homem, em especial a Stálin. O objetivo do presente relatório não é avaliar a vida e as atividades de Stálin. Os méritos dele são bem conhecidos, por meio de um sem-número de livros, panfletos e estudos escritos durante sua vida. O papel de Stálin na preparação e execução da revolução socialista, na guerra civil, na luta pela construção do socialismo em nosso país, é universalmente conhecido. Ninguém o ignora. Neste momento, interessa-nos analisar um assunto de capital importância para o partido, tanto na atualidade quanto no futuro... É nossa incumbência refletir como o culto de personalidade de Stálin cresceu gradualmente, culto esse que, em dado momento, se transformou na fonte de uma série de perversões excessivamente sérias dos princípios do partido, da democracia do partido e da legalidade revolucionária.

> *Depois da morte de Stálin, o Comitê Central do Partido começou a estudar a maneira de explicar, de forma concisa e consistente, o fato de não ser permitido e ser inconsistente com o espírito do marxismo-leninismo exaltar alguém a ponto de transformá-lo num super-homem, dotado de características semelhantes às de um deus.*

---

288. Josef Stálin morreu em 5 de março de 1953.

Em virtude de ninguém ter dado conta das consequências práticas oriundas do culto ao indivíduo, do grande dano causado pelo fato de ter sido violado o princípio da diretriz primordial do partido, concentrando um poder limitado nas mãos de uma pessoa, o CC do partido [considera] absolutamente necessário expor os detalhes desse assunto no XX Congresso do Partido Comunista da União Soviética.

Durante a vida de Lênin, o CC do partido foi a expressão real de um tipo de governo colegiado, tanto para o partido como para a nação. Por ter sido um revolucionário marxista militante que jamais deixou de acatar os princípios essenciais do partido, Lênin nunca impôs pela força seus pontos de vista a seus colaboradores.

[...]

Stálin inventou o conceito de "inimigo do povo". Tal expressão tornou automaticamente desnecessário que se comprovassem os erros ideológicos dos homens expressos numa controvérsia; tal expressão tornou possível o uso dos mais cruéis métodos de repressão, violando-se assim todas as normas da legalidade revolucionária sempre que alguém estivesse em desacordo com Stálin, sempre que se suspeitasse em alguém uma intenção hostil ou simplesmente porque alguém tinha má reputação. Por fim, esse conceito de "inimigo do povo" eliminou todas as possibilidades de que se desenvolvessem lutas ideológicas ou de que alguém pudesse dar a conhecer seus pontos de vista a respeito de qualquer problema, ainda que fossem de caráter meramente prático. De modo geral e na verdade, a única prova de culpabilidade válida era a confissão, e ela era usada contra todas as normas da legalidade, uma vez que foi possível demonstrar, a posteriori, que tais confissões eram obtidas pressionando-se o acusado por meios físicos. Isso levou a claras violações da legalidade revolucionária e ao fato de que muitas pessoas absolutamente inocentes, que antes haviam defendido a linha do partido, se transformassem em vítimas.

Devemos esclarecer, em relação a essas pessoas que em determinada época se opuseram à linha do partido, que com frequência as acusações não eram tão sérias a ponto de justificar sua destruição física. A fórmula "inimigo do povo" foi criada com o objetivo específico de destruir fisicamente tais indivíduos. É fato que muitas pessoas posteriormente destruídas como inimigos do povo haviam trabalhado com Lênin durante sua vida. Algumas dessas pessoas haviam cometido erros no tempo de Lênin; apesar disso, Lênin beneficiou-se de seu trabalho, corrigiu-as e fez todo o possível para conservá-las nas fileiras do partido, convencendo-as a que o seguissem. A sabedoria de Lênin como condutor de homens esteve sempre manifesta na maneira como ele trabalhava com os membros do partido.

Uma relação com o povo completamente diversa caracterizou Stálin. As virtudes de Lênin, paciência para trabalhar com as pessoas, persistência para educá-las, habilidade para induzi-las a segui-lo sem o emprego de métodos repressivos e sim recorrendo a influências ideológicas, eram totalmente desconhecidas por Stálin. Ele descartou o método de luta ideológica, substituindo-o pelo sistema de violência administrativa, perseguições em massa e terror. Continuou, em ritmo cada vez mais crescente, a se impor através de órgãos punitivos, muitas vezes violando assim todas as normas da moral e das leis soviéticas.

O comportamento arbitrário de uma pessoa estimulou em outras a arbitrariedade. As detenções e as deportações em massa de muitos milhares de pessoas e as execuções sem julgamento prévio e sem uma investigação normal do comportamento dos acusados engendraram condições de insegurança, temor e até de desespero. Isso, é claro, não contribuiu para reforçar a unidade do partido, ao contrário, provocou a destruição e a expulsão do partido de muitos trabalhadores leais, porém incômodos para Stálin.

[...]

Stálin era um homem esquivo, doentiamente desconfiado; nós o conhecíamos, porque trabalhamos com ele. Podia olhar para um homem e dizer: "Por que seus olhos estão tão ariscos hoje?" ou "Por que você está desviando os olhos e evitando me olhar de frente?". Suas suspeitas criavam nele uma desconfiança geral que chegava a envolver os mais destacados membros do partido, por ele conhecidos há muitos anos. Via inimigos, agentes duplos e espiões em todos os lugares. Como possuía poder ilimitado, dava rédea solta a seu temperamento voluntarioso, asfixiando moral e fisicamente as pessoas. Criou-se uma situação que tornou impossível que alguém exprimisse sua vontade. Quando Stálin dizia que era preciso prender tal ou qual pessoa, era preciso aceitar dogmaticamente que se tratava de um "inimigo do povo". Enquanto isso, a quadrilha de Beria,[289] que dirigia os órgãos de segurança do Estado, superava-se fabricando provas da culpabilidade dos presos e da veracidade dos documentos que falsificava. E que provas se ofereciam? As confissões dos detentos; e os juízes instrutores aceitavam essas confissões. E como é possível que alguém confesse ter cometido crimes que não cometeu? Apenas quando se aplicam métodos de tortura física que o reduza a um estado de inconsciência, que o priva de seu juízo normal e o despoja de sua dignidade de ser humano. Assim eram obtidas as confissões.

[...]

Recordemos também o assunto do complô dos médicos.[290] (*Animação na sala.*) Certo é que tal complô não existiu e que sua única prova se constituiu de uma declaração feita

> *Stálin inventou o conceito de "inimigo do povo". Tal expressão tornou automaticamente desnecessário que se comprovassem os erros ideológicos dos homens expressos numa controvérsia; tal expressão tornou possível o uso dos mais cruéis métodos de repressão, violando-se assim todas as normas da legalidade revolucionária sempre que alguém estivesse em desacordo com Stálin, sempre que se suspeitasse em alguém uma intenção hostil ou simplesmente porque alguém tinha má reputação.*

pela dra. Timashuk, que com certeza recebera ordens ou sugestões de alguém (afinal de contas, ela era uma colaboradora não oficial dos órgãos de segurança do Estado) para que escrevesse uma carta a Stálin, declarando que os doutores o estavam submetendo a tratamentos médicos impróprios. Para Stálin, uma carta assim bastava para que chegasse à conclusão de que os médicos da União Soviética conspiravam. Ele emitiu ordens

---

289. Laurent Beria chefiou a NKVD, polícia secreta de Stálin, e foi o responsável pela administração dos Gulags, campos de trabalho forçado.

290. Alusão à Conspiração dos médicos ou Complô dos aventais brancos. Stálin forjou, no início de 1953, pouco antes de morrer, uma suposta conspiração liderada por médicos judeus que teria como objetivo eliminar os líderes soviéticos.

de prisão contra eminentes especialistas soviéticos. Dirigiu pessoalmente as investigações e determinou o método a ser usado nos interrogatórios. Disse que era preciso acorrentar o acadêmico Vinogradov e que outros deveriam ser flagelados. Está presente neste Congresso, como delegado, o camarada Ignatiev, antes ministro da Segurança do Estado. A ele, disse Stálin, rispidamente: "Se você não obtiver confissões dos médicos, rebaixaremos sua altura em uma cabeça". (*Tumulto na sala.*)

Stálin chamou pessoalmente o juiz encarregado da investigação para lhe dar instruções quanto aos métodos que deveria empregar; a fórmula era simples: torturar, torturar! Pouco depois da detenção dos médicos, nós – os membros do Politburo – recebemos os protocolos que continham duas confissões. Depois de distribuir esses protocolos, Stálin nos disse: "Os senhores são gatinhos; o que lhes acontecerá sem mim? O país perecerá, porque os senhores não sabem reconhecer seus inimigos".

O caso se apresentava de tal forma que era impossível verificar os fatos em que se baseava a investigação. Não era possível tentar confirmar as acusações fazendo contato com os acusados que haviam confessado sua culpa. Parecia-nos, entretanto, que o caso era duvidoso. Conhecíamos algumas daquelas pessoas, porque nos havíamos consultado com elas. Depois da morte de Stálin, estudamos as acusações e descobrimos que haviam sido inventadas do princípio ao fim. Esse caso ignominioso foi gestado por Stálin; não teve ele, porém, tempo para concluí-lo como havia concebido e é esta a razão pela qual esses médicos ainda vivem. Todos foram agora reabilitados e trabalham onde sempre haviam trabalhado.

[...]

Louvou-se Stálin como estrategista. Quem o fez? O próprio Stálin, não quando agia como estrategista e sim quando atuava como autor e editor, já que é ele um dos principais criadores de sua lisonjeira biografia. E há mais um fato tirado da "Breve biografia de Stálin". Como se sabe, o "Breve curso da história do Partido Comunista Bolchevique" foi escrito por uma Comissão do CC do partido. Fato que se espelha na seguinte declaração, na cópia de prova da "Breve biografia de Stálin": "Uma Comissão do CC do Partido Comunista Bolchevique, sob direção de Stálin e com sua participação ativa, preparou um, mas tal declaração também não satisfez Stálin". A frase seguinte substituiu-a na versão final da "Breve biografia": "Em 1938, publicou-se o livro 'Breve curso da história do Partido Comunista Bolchevique', escrito pelo camarada Stálin e aprovado por uma Comissão do CC do Partido Comunista Bolchevique". Será preciso acrescentar mais alguma coisa? (*Animação na sala.*)

Como veem os senhores, uma surpreendente metamorfose transformou uma obra realizada por um grupo num livro escrito por Stálin. Não é necessário explicar como e por que ocorreu tal metamorfose. Ocorre-nos agora perguntar: "Se é Stálin o autor desse livro, por que a necessidade de fazer com que nele constem tantos elogios a Stálin e de transformar toda a história do nosso glorioso Partido Comunista da época posterior à Revolução de Outubro numa consequência circunstancial do gênio de Stálin?".

Retrata este livro de maneira correta os esforços do partido para alcançar a transformação socialista deste país, para construir o estado socialista, para realizar a industrialização e a coletivização do país, e tantos outros passos dados pelo caminho apontado por Lênin? Este livro fala, antes de tudo, de Stálin; contém seus discursos e seus relatórios. Tudo, sem qualquer exceção, está ligado ao seu nome. E, quando Stálin afirma que ele mesmo escreveu o "Breve curso da história do Partido Comunista Bolchevique", nos enchemos de assombro. É possível que um marxista-leninista escreva dessa maneira a respeito de si mesmo, alçando-se aos céus? Abordemos agora o assunto dos prêmios Stálin. (*Agitação na sala.*) Nem os tzares criaram

> *Stálin chamou pessoalmente o juiz encarregado da investigação para lhe dar instruções quanto aos métodos que deveria empregar; a fórmula era simples: torturar, torturar! Pouco depois da detenção dos médicos, nós – os membros do Politburo – recebemos os protocolos que continham duas confissões. Depois de distribuir esses protocolos, Stálin nos disse: "Os senhores são gatinhos; o que lhes acontecerá sem mim? O país perecerá, porque os senhores não sabem reconhecer seus inimigos".*

prêmios e lhes deram seus nomes! Stálin reconheceu como melhor texto para nosso hino nacional um que não contém uma única palavra sobre o Partido Comunista, mas que contém a seguinte frase: "Stálin nos criou leais ao povo, ele nos inspirou no trabalho e na ação". Nestes versos do hino nacional estão todas as tendências leninistas-marxistas atribuídas a Stálin no que concerne à educação.

Trata-se, é claro, de uma mudança de rumo da doutrina marxista-leninista, de uma depreciação consciente do papel desempenhado pelo partido. Devemos acrescentar que o Presidium do Comitê Central aprovou uma resolução, determinando que seja escrito um novo texto para o hino nacional, no qual se destacará o trabalho do povo e o trabalho do partido. (*Fortes e demorados aplausos.*)

E foi sem o conhecimento de Stálin que se deu seu nome a tantas de nossas grandes empresas e de nossas cidades? Foi sem o seu conhecimento que se erigiram tantos monumentos a Stálin em todo o país? É fato que o próprio Stálin assinou, em 2 de julho de 1951, uma resolução do Conselho de Ministros da URSS relativo à construção, no Canal Volga-Don, de um impressionante monumento a Stálin: em 4 de setembro do mesmo ano, ordenou ele que fossem entregues trinta toneladas de cobre com o objetivo de construir esse impressionante monumento.

Todos os que visitaram Stálingrado viram a imensa estátua ali colocada por ele num local que pouca gente frequenta. Somas fabulosas foram gastas para erigi-la numa região em que as pessoas viviam em casebres desde a guerra. Meditem os senhores quanto a ter Stálin razão para dizer em sua biografia que jamais se teria permitido suportar qualquer sombra de vaidade, orgulho ou autoelogio.[291] [...]

---

291. In: Khruschev, Nikita. *Informe secreto al XX Congreso del PCUS*. Sevilla: Doble, sem data, pp. 1-2; 10-11; 40-41; 63-64; 74-76.

Mao Tsé-Tung[292]

Os Estados Unidos não são mais que um tigre de papel.[293]

Como um típico líder comunista, a entrevista acabou se transformando em um discurso. Mao usa e abusa de metáforas chinesas. As alusões ao marxismo são temperadas com referências constantes à história e às tradições chinesas. Os ecos da Guerra da Coreia (1950-1953) ainda estavam presentes no ar. E o conflito do Vietnã já tinha adquirido importância, ao menos, regional.

Os Estados Unidos ostentam por toda parte a bandeira anticomunista como justificativa para perpetrar a agressão contra outros países.

Os Estados Unidos têm dívidas por toda parte, devem não só aos países da América Latina, Ásia e África, mas também aos povos da Europa

---

292. Mao Tsé-Tung (1893-1976). Presidente da República Popular da China.
293. Entrevista concedida à jornalista americana Anne Louise Strong em 14 de julho de 1956.

e da Oceania. O mundo inteiro, incluindo a Inglaterra, não gosta dos Estados Unidos. As massas do povo não gostam deles. O Japão não gosta dos Estados Unidos porque é oprimido por eles. Nenhum dos países do leste está livre da agressão norte-americana. Os Estados Unidos invadiram nossa província de Taiwan. O Japão, a Coreia, as Filipinas, o Vietnã e o Paquistão, todos sofrem a agressão dos Estados Unidos, mesmo que alguns sejam seus aliados. Os povos estão insatisfeitos, e em alguns países as autoridades também.

Todas as nações oprimidas querem a independência. Tudo está sujeito à mudança. As grandes forças decadentes darão lugar às pequenas forças recém-nascidas, que se transformarão em grandes forças porque a maioria do povo exige essa mudança. As grandes forças imperialistas dos Estados Unidos se tornarão pequenas porque o povo norte-americano também está insatisfeito com seu governo.

Ao longo de minha vida eu mesmo testemunhei tais transformações. Alguns de nós, aqui presentes, nascemos durante a dinastia Ching, e outros depois da Revolução de 1911.[294]

A dinastia Ching foi derrubada há muito tempo. Por quem? Pelo partido liderado por Sun Yat-sen,[295] junto com o povo. As forças de Sun Yat-sen eram tão pequenas que os funcionários Ching não as consideraram com seriedade. Ele liderou muitas revoltas, que falharam de modo recorrente. No fi-

[...] os grandes e fortes terminam derrotados porque estão divorciados do povo, enquanto os pequenos e fracos emergem vitoriosos porque estão ligados ao povo e trabalham por ele. Assim se deram as coisas no final.

nal, no entanto, Sun Yat-sen derrubou a dinastia Ching. O tamanho não é algo a temer. Os grandes serão derrubados pelos pequenos. Os pequenos se tornarão grandes. Depois de derrubar a dinastia Ching, Sun Yat-sen encontrou-se com a derrota, porque falhou em satisfazer aos pedidos do povo, tais como demandas de terra e oposição ao imperialismo. Nem

---

294. Referência à proclamação da República.
295. Primeiro presidente da República chinesa.

entendeu a necessidade de suprimir os contrarrevolucionários, que então se moviam livremente. Mais tarde, ele sofreu derrota nas mãos de Yuan Shih-kai, o líder dos generais do norte. As forças de Yuan Shih-kai eram superiores às de Sun Yat-sen. Aqui, outra vez, operou aquela lei: pequenas forças unidas ao povo se tornam fortes, enquanto grandes forças opostas ao povo se tornam fracas. Subsequentemente, os revolucionários democrático--burgueses de Sun Yat-sen cooperaram conosco, os comunistas, e juntos derrotamos o esquema dos generais deixado atrás por Yuan Shih-kai.

O governo de Chiang Kai-shek na China foi reconhecido pelos governos de todos os países, durou 22 anos, e suas forças eram as maiores. Nossas forças eram pequenas, cinquenta mil membros do partido no começo, mas só alguns milhares depois das supressões contrarrevolucionárias. O inimigo criou problemas por toda parte. Outra vez operou aquela lei: os grandes e fortes terminam derrotados porque estão divorciados do povo, enquanto os pequenos e fracos emergem vitoriosos porque estão ligados ao povo e trabalham por ele. Assim se deram as coisas no final.

Durante a guerra antijaponesa,[296] o Japão era muito poderoso, as forças do Kuomintang[297] foram obrigadas a ir para o interior, e as forças armadas lideradas pelo Partido Comunista só podiam praticar guerrilha nas áreas rurais, além das linhas inimigas. O Japão ocupou grandes cidades chinesas, como Pequim, Tianjin, Xangai, Nanquim, Wuhan e Cantão. Mesmo assim, como Hitler na Alemanha, os militaristas japoneses entraram em colapso em poucos anos, de acordo com a mesma lei.

Sofremos inúmeras dificuldades e fomos levados do sul ao norte, enquanto nossas forças caíram de várias centenas de milhares a algumas poucas dezenas de milhares. No final da Longa Marcha de 12.500 km, tínhamos apenas 25 mil homens conosco.

Na história de nosso partido ocorreram muitas linhas errôneas de "esquerda" e direita. As mais graves de todas foram a linha de direita de Chen Tu-hsiu e a linha de "esquerda" de Wang Ming, que se desviavam da doutrina do partido. Além disso, houve os erros de desvio de direita cometidos por Chang Kuo-tao, Kao Kang e outros.

---

296. Alusão ao conflito militar entre Japão e China entre 1937 a 1945.
297. Partido fundado por Sun Yat-sen.

Também existe o lado bom dos erros, pois eles podem educar o povo e o partido. Temos muitos professores pelo exemplo negativo, como o Japão, os Estados Unidos, Chiang Kai-shek, Chen Tu-hsiu, Li Lisan, Wang Ming, Chang Kuo-tao e Kao Kang. Pagamos um preço muito alto para aprender com esses professores pelo exemplo negativo. No passado, a Inglaterra entrou em guerra conosco muitas vezes. Inglaterra, Estados Unidos, Japão, França, Alemanha, Itália, Rússia czarista e Holanda, todos estavam interessados em nossa terra. Foram todos nossos professores, pelo exemplo negativo, e nós fomos seus alunos.

Durante a Guerra de Resistência, nossas tropas cresceram e chegaram a 900 mil homens, combatendo contra o Japão. Depois veio a Guerra de Libertação.[298] Nossas armas eram inferiores às do Kuomintang. As tropas do Kuomintang naquela época chegavam a quatro milhões de homens, mas em três anos de luta nós liquidamos ao todo 8 milhões deles. O Kuomintang, apesar de ajudado pelo imperialismo norte-americano, não pôde nos derrotar. Os grandes e fortes não podem vencer, são sempre os pequenos e fracos que terminam vencendo.

Só quando o imperialismo for eliminado pode prevalecer a paz. Dia virá em que os tigres de papel serão liquidados; eles, porém, não se extinguirão por acordo próprio, devem ser batidos pelo vento e pela chuva.

Agora o imperialismo norte-americano parece bem poderoso, mas na realidade não é. É muito fraco politicamente porque está divorciado das massas do povo e é antipatizado por todos, e até pelo povo norte-americano. Na aparência é muito poderoso, mas na realidade não há nada a temer: é um tigre de papel. Externamente tigre, é feito de papel, incapaz de resistir ao vento e à chuva. Acredito que os Estados Unidos não são mais que um tigre de papel.

A história como um todo, a história da sociedade de classes durante milhares de anos, provou este ponto: os fortes devem dar lugar aos fracos. Isso é verdade para as Américas também.

---

298. Referência aos anos 1945-1949.

Só quando o imperialismo for eliminado pode prevalecer a paz. Dia virá em que os tigres de papel serão liquidados; eles, porém, não se extinguirão por acordo próprio, devem ser batidos pelo vento e pela chuva.

Quando dizemos que o imperialismo norte-americano é um tigre de papel, estamos falando em termos de estratégia. Considerado em seu todo, devemos desprezá-lo, mas considerando cada parte, devemos tomá-lo seriamente. Ele tem presas e garras. Devemos destruí-lo gradualmente. Por exemplo, se tiver dez presas, quebre uma da primeira vez, e restarão nove; acabe com outra, e restarão oito. Quando todas as presas tiverem sido destruídas, ele ainda terá as garras. Se tratarmos disso passo a passo e com seriedade, certamente venceremos no final.

Estrategicamente, devemos desprezar por completo o imperialismo norte-americano. Taticamente, devemos levá-lo a sério. Lutando contra ele, devemos encarar cada batalha, cada encontro, com seriedade. Atualmente, os Estados Unidos são poderosos, mas quando examinados em perspectiva mais ampla, como um todo e do ponto de vista de longo prazo, eles não têm apoio popular, suas políticas não são simpáticas ao povo, que eles oprimem e exploram. Por essa razão, o tigre está condenado. Portanto, nada há a temer, e pode ser desprezado. Mas hoje os Estados Unidos ainda têm força, produzindo mais de cem milhões de toneladas de aço por ano e atacando em todas as partes. Por isso devemos continuar a lutar contra eles, lutar com toda nossa força e disputar com eles cada posição. E isso leva tempo.

Parece que os países das Américas, Ásia e África terão de continuar combatendo os Estados Unidos até o fim, até que o tigre de papel seja destruído pelo vento e pela chuva.

No passado, a Inglaterra entrou em guerra conosco muitas vezes. Inglaterra, Estados Unidos, Japão, França, Alemanha, Itália, Rússia czarista e Holanda, todos estavam interessados em nossa terra. Foram todos nossos professores, pelo exemplo negativo, e nós fomos seus alunos.

Para opor-se ao imperialismo norte-americano, as pessoas de origem europeia nos países latino-americanos devem unir-se aos indígenas nativos. Talvez os imigrantes brancos da Europa possam ser divididos em dois grupos, um composto por governantes e outro por governados. Isso deverá tornar mais fácil para o grupo de pessoas brancas oprimidas aproximar-se das pessoas nativas, pois sua posição é a mesma.

Nossos amigos na América Latina, Ásia e África estão na mesma posição que nós e fazem o mesmo tipo de trabalho, alguma coisa para o povo a fim de diminuir sua opressão pelo imperialismo. Se fizermos um bom trabalho, poderemos erradicar a opressão imperialista. Nisso somos camaradas.

Somos da mesma natureza que vocês em nossa oposição à opressão imperialista, só diferindo na posição geográfica, nacionalidade e língua. Mas somos diferentes do imperialismo por natureza, e a mera visão dele nos adoece.

Para que serve o imperialismo? O povo chinês não fará uso dele, nem o farão os povos do resto do mundo. Não existe razão para a existência do imperialismo.[299]

---

299. In: Tsé-Tung, Mao. *Sobre a prática e a contradição*. Rio de Janeiro: Jorge Zahar, 2008, pp. 134-138. Tradução: José Mauricio Gradel.

Patrice Lumumba[300]

Honrados sejam os combatentes da liberdade nacional![301]

A ênfase é a luta contra o colonialismo e seus danosos efeitos na sociedade africana. É um chamamento em defesa das independências das antigas colônias europeias. É significativa a defesa da negritude, especialmente em um país marcado por massacres cometidos pela metrópole belga. Lumumba foi assassinado no ano seguinte.

Congoleses e congolesas,
    Combatentes da independência hoje vitoriosos,
    Eu os saúdo em nome do governo congolês.[302]

---

300. Patrice Lumumba (1925-1961). Primeiro-ministro.

301. Discurso pronunciado em Kinshasa, capital da República Democrática do Congo, em 30 de junho de 1960.

302. O Movimento Nacional Congolês, liderado por Lumumba, tinha vencido a eleição de 1960 e obtido maioria parlamentar.

A todos vocês, meus amigos, que lutaram sem trégua ao nosso lado, peço que façam deste 30 de junho de 1960 uma data ilustre que vocês guardarão indelevelmente gravada em seus corações, uma data cujo significado vocês ensinarão com orgulho a seus filhos, para que eles, por sua vez, transmitam a seus filhos e netos a história gloriosa de nossa luta pela liberdade.

Pois a independência do Congo, se foi hoje proclamada no acordo com a Bélgica,[303] país amigo com o qual lidamos de igual para igual, nenhum congolês digno desse nome poderá, entretanto, se esquecer de que foi ela conquistada pela luta, uma luta de todos os dias, uma luta ardente e idealista, uma luta na qual não poupamos nem nossas forças, nem nossas privações, nem nossos sofrimentos, nem nosso sangue.

Dessa luta, que foi de lágrimas, fogo e sangue, nós nos orgulhamos profundamente, pois se tratou de uma luta nobre e justa, uma luta indispensável para pôr fim à humilhante escravidão que nos era imposta pela força. Ao que foi nosso destino em oitenta anos de regime colonialista, nossas feridas são ainda por demais recentes e dolorosas para que possamos expulsá-las de nossa memória. Conhecemos o trabalho exaustivo, exigido em troca de salários que não nos permitia comer, nem nos vestir ou morar decentemente, nem educar nossos filhos como entes queridos.

Conhecemos as ironias, os insultos, as surras que devíamos receber de manhã, ao meio-dia e à tarde, porque éramos negros. Quem se esquecerá de que a um negro os outros diziam "você", não como se faria com um amigo, mas porque o respeitoso "o senhor" era reservado exclusivamente aos brancos?

---

303. O Congo foi colônia belga desde 1908. Antes, foi possessão privada do rei Leopoldo II (1884-1908).

Conhecemos o fato de que nossas terras foram espoliadas em nome de textos pretensamente legais que só faziam reconhecer o direito do mais forte. Conhecemos que a lei nunca era a mesma, caso se tratasse de um branco ou de um negro: conciliante para uns, cruel e desumana para os outros. Conhecemos os sofrimentos atrozes dos relegados por opiniões políticas ou crenças religiosas; exilados em sua própria pátria, seu destino era realmente pior do que a própria morte.

Conhecemos o fato de haver nas cidades mansões magníficas para os brancos e as palhoças bambas para os negros, de que um negro não era admitido nos cinemas, nem nos restaurantes, nem nas lojas ditas europeias; de que um negro viajava junto ao casco das barcaças, aos pés do branco em sua cabine de luxo.

Suprimiremos com eficiência toda discriminação, seja ela qual for, e daremos a cada um o lugar justo obtido por sua dignidade humana, seu trabalho e sua dedicação ao país. Faremos reinar não a paz dos fuzis e das baionetas, e sim a paz dos corações e das boas vontades.

Quem, enfim, se esquecerá dos fuzilamentos em que pereceram tantos de nossos irmãos, das masmorras nas quais foram brutalmente jogados aqueles que não queriam mais se submeter ao regime de uma justiça de opressão e exploração?

Tudo isso, meus irmãos, nós sofremos profundamente. Mas tudo isso, também, nós, que o voto de seus representantes eleitos concordou em nomear para dirigir nosso caro país, nós que sofremos em nosso corpo e em nosso coração a opressão colonialista, nós lhes dizemos em voz alta, tudo isso está agora acabado. A República do Congo foi proclamada e nosso país está agora nas mãos de seus próprios filhos. Juntos, meus irmãos, minhas irmãs, começaremos uma nova luta, uma luta sublime que levará nosso país à paz, à prosperidade e à grandeza. Instauraremos juntos a justiça social e garantiremos que cada um de nós receba a justa remuneração por seu trabalho. Mostraremos ao mundo o que é capaz de fazer o homem negro quando trabalha em liberdade e faremos do Congo o centro de expansão de toda a África. Providenciaremos para que as terras de nossa pátria realmente beneficiem seus filhos. Reexaminaremos todas as antigas leis e criaremos novas, que serão justas e nobres.

Poremos fim à opressão do livre pensamento e cuidaremos para que todos os cidadãos usufruam com plenitude das liberdades fundamentais previstas na Declaração Universal dos Direitos Humanos.

Suprimiremos com eficiência toda discriminação, seja ela qual for, e daremos a cada um o lugar justo obtido por sua dignidade humana, seu trabalho e sua dedicação ao país. Faremos reinar não a paz dos fuzis e das baionetas, e sim a paz dos corações e das boas vontades.

E por isso, meus caros compatriotas, estejam certos de que poderemos contar não apenas com nossas enormes forças e nossas imensas riquezas, mas com a assistência de inúmeros países estrangeiros cuja colaboração aceitaremos sempre que seja leal e não busque nos impor uma política, seja qual for. Nesse campo, a Bélgica, que, compreendendo enfim o sentido da história, está disposta a nos oferecer sua amizade, e acaba de ser assinado um tratado entre nossos países, iguais e independentes. Essa cooperação, tenho certeza, beneficiará os dois países. De nossa parte, permanecendo vigilantes, saberemos respeitar os compromissos livremente acordados.

> *Conhecemos o fato de haver nas cidades mansões magníficas para os brancos e as palhoças bambas para os negros, de que um negro não era admitido nos cinemas, nem nos restaurantes, nem nas lojas ditas europeias; de que um negro viajava junto ao casco das barcaças, aos pés do branco em sua cabine de luxo.*

Assim, tanto no interior quanto no exterior, o novo Congo, nossa cara República, que será criada pelo meu governo, será um país rico, livre e próspero. Mas, para que atinjamos sem demora tal objetivo, peço a todos vocês, legisladores e cidadãos congoleses, que me ajudem com todas as suas forças. Peço que todos se esqueçam das desavenças tribais que nos esgotam e nos fazem correr o risco de sermos desprezados no exterior.

Peço à minoria parlamentar que ajude meu governo por meio de uma oposição construtiva e que se mantenha estritamente nas vias legais e democráticas. Peço a todos que não recuem diante de sacrifício algum para assegurar o sucesso de nosso grandioso empreendimento. Peço-lhes, enfim, que respeitem incondicionalmente a vida e os bens de seus concidadãos e dos estrangeiros estabelecidos em nosso país. Se a conduta de tais estrangeiros deixar a desejar, nossa justiça tomará providências para expulsá-los do território da República; se, ao contrário, sua conduta for boa, é preciso deixá-los em paz, porque também eles trabalham para a prosperidade do nosso país. A independência do Congo é um marco decisivo para a liberação de todo o continente africano.

Era isso, Sir, Excelências, Senhoras, Senhores, meus caros compatriotas, meus irmãos de raça, meus irmãos de luta, o que eu lhes queria dizer em nome do governo neste dia magnífico de nossa independência completa e soberana. Nosso governo forte, nacional, popular, será a salvação deste país.

Convido todos os cidadãos congoleses, homens, mulheres e crianças, a se dedicarem com afinco ao trabalho, com vista a criar uma economia nacional próspera que consagrará nossa independência econômica.

Honrados sejam os combatentes da liberdade nacional!

Viva a independência e a unidade africana!

Viva o Congo independente e soberano![304]

---

304. In: http://beersandpolitics.com/discursos/PATRICE-LUMUMBA/LIMDEPENDANCE-DU-CONGO/1261.

JOHN KENNEDY[305]

NOS OPOREMOS A QUALQUER INIMIGO PARA GARANTIR A SOBREVIVÊNCIA E O SUCESSO DA LIBERDADE.[306]

Biblioteca do Congresso, Washington

É um discurso da Guerra Fria. De um líder – jovem – de uma superpotência. A disputa com a União Soviética está presente em cada linha. Torna-se necessário reafirmar o ideário americano, sua história, seus valores. Sempre em contraponto ao mundo socialista. Mas o ar belicoso é temperado com acenos às negociações de paz e de limitação de armamentos com os soviéticos.

Vice-presidente Johnson, senhor presidente da Câmara dos Representantes, senhor Eisenhower, vice-presidente Nixon, presidente Truman,

---
305. John Kennedy (1917-1963). Presidente dos Estados Unidos (1961-1963).
306. Discurso pronunciado em 20 de janeiro de 1961, em Washington, D.C., no momento da posse na presidência dos Estados Unidos.

reverendo, concidadãos, vivenciamos hoje não uma vitória do partido, mas uma comemoração da liberdade, um símbolo de um fim, assim como de um início, uma renovação e também uma transformação. Pois jurei diante de vocês e de Deus Todo-Poderoso o mesmo juramento solene prescrito por nossos antepassados há quase dois séculos.

O mundo está bem diferente agora. Pois o homem tem em suas mãos mortais o poder de abolir todas as formas de pobreza humana, bem como todas as formas de vida humana. As mesmas crenças revolucionárias pelas quais nossos antepassados lutaram ainda são questões debatidas ao redor do globo – como a crença de que os direitos do homem não vêm da generosidade do Estado, mas das mãos de Deus.

Não ousamos esquecer hoje que somos os herdeiros da primeira revolução. Que as palavras partam deste momento e local, para comunicar a amigos e inimigos igualmente, que a tocha foi passada para uma nova geração de norte-americanos – nascidos neste século, amenizados pela guerra, disciplinados por uma paz dura e cruel, orgulhosos de nossa antiga herança e relutantes em testemunhar ou permitir a lenta destruição dos direitos humanos, com os quais esta nação sempre esteve comprometida, e com os quais estamos comprometidos hoje em casa e no mundo.

> *[...] não pergunte o que o seu país pode fazer por você, pergunte o que você pode fazer pelo seu país. Meus concidadãos do mundo: perguntem não o que os Estados Unidos farão por vocês, perguntem o que, em conjunto, podemos fazer pela liberdade do homem.*

Deixe que todas as nações saibam, quer nos queiram bem ou mal, que pagaremos qualquer preço, carregaremos qualquer fardo, enfrentaremos qualquer adversidade, apoiaremos qualquer amigo, nos oporemos a qualquer inimigo para garantir a sobrevivência e o sucesso da liberdade.

Prometemos isso – e ainda mais.

Aos nossos antigos aliados cuja descendência cultural e espiritual compartilhamos, prometemos a lealdade de amigos fiéis. Unidos, podemos nos aventurar em quase todos os empreendimentos cooperativos.

Divididos, não podemos quase nada – pois não ousaremos enfrentar um poderoso desafio com divergências e desunião.

Aos novos Estados que recebemos no grupo dos países livres damos nossa palavra de que o domínio colonial não deve ser extinto para ser substituído por uma tirania pior.[307] Nem sempre devemos esperar que esses novos Estados apoiem nossos pontos de vista, mas devemos sempre esperar que eles sustentem com veemência sua própria liberdade – e lembrar que, no passado, aqueles que buscaram de forma imprudente o poder, ao montar nas costas do tigre, acabaram na barriga dele.

Àqueles em cabanas e aldeias de todo o mundo que lutam para romper os laços da miséria, prometemos que nos esforçaremos ao máximo para ajudá-los, durante o período que for necessário – não porque os comunistas talvez estejam fazendo isso, não porque buscamos o voto deles, mas porque é o certo. Se uma sociedade livre não consegue ajudar os muitos que são pobres, também não pode salvar os poucos que são ricos.

Às nossas repúblicas irmãs ao sul de nossa fronteira, fazemos uma promessa especial – transformar nossas boas palavras em boas ações, em uma nova aliança pelo progresso, auxiliar homens livres e governos livres a soltar as amarras da pobreza.[308] Mas essa pacífica revolução da esperança não pode se tornar presa de poderes hostis. Que todos os nossos vizinhos saibam que nos uniremos a eles no combate à agressão ou à subversão, em qualquer parte das Américas. E deixe que todos os outros poderes saibam que este hemisfério pretende permanecer senhor de sua própria casa.[309]

À assembleia mundial dos Estados soberanos, às Nações Unidas, nossa última esperança em uma época em que os instrumentos da guerra ultrapassaram de longe os da paz, renovamos nossa promessa de apoio, para prevenir contra a sua transformação em um foro meramente de injúrias,

---

307. Alusão, especialmente, ao processo de descolonização da África e ao apoio da União Soviética aos jovens estados no contexto da Guerra Fria.

308. Referência ao programa de cooperação Aliança para o Progresso criado pela administração Kennedy em 1961 para a América Latina.

309. Alusão indireta ao governo cubano, que recebia apoio soviético.

para fortalecer a sua defesa dos novos e dos fracos, e para ampliar a área sob seu regulamento.

E, finalmente, às nações que podem se tornar nossos adversários, não fazemos uma promessa, mas um pedido: que ambos os lados comecem de novo a busca pela paz, antes dos poderes sombrios da destruição desencadeados pela ciência consumirem toda a humanidade em uma autodestruição planejada ou acidental.

Não ousemos tentá-los com fraqueza. Pois somente quando nossas armas estiverem além de qualquer dúvida poderemos ter absoluta certeza de que nunca serão empregadas.

Muito menos dois grupos de nações tão grandes e poderosas podem se conformar com o nosso rumo atual. Ambos os lados estão sobrecarregados com o custo das armas modernas, ambos estão alarmados pela constante dispersão do átomo mortal, ainda que ambos concorram para alterar a incerta balança de terror, que comanda os desígnios da guerra final da humanidade.[310]

Deixe que todas as nações saibam, quer nos queiram bem ou mal, que pagaremos qualquer preço, carregaremos qualquer fardo, enfrentaremos qualquer adversidade, apoiaremos qualquer amigo, nos oporemos a qualquer inimigo para garantir a sobrevivência e o sucesso da liberdade.

Que possamos então começar de novo – lembrando em ambos os lados que a civilidade não é um sinal de fraqueza, e a sinceridade está sempre sujeita à prova. Que nós nunca negociemos por medo. Mas que tampouco tenhamos medo de negociar.

Que ambos os lados explorem as questões que nos unem, em vez de buscar os temas que nos dividem.

Que ambos os lados, pela primeira vez, formulem propostas sérias e precisas para a inspeção e o controle de armas – e usem o poder absoluto para destruir outras nações, sob o controle absoluto de todas as nações.

---

310. Referência à corrida armamentista, principalmente ao desenvolvimento de armas nucleares, entre os Estados Unidos e a União Soviética.

Que ambos os lados busquem invocar as maravilhas da ciência, em vez de seus terrores. Em conjunto, vamos explorar as estrelas, conquistar os desertos, erradicar as doenças, pesquisar as profundidades dos oceanos e incentivar as artes e o comércio.

Que ambos os lados se unam para exaltar, em todos os cantos da Terra, a ordem de Isaías: "Desatar as cordas do jugo, mandar embora livres os oprimidos".[311]

E se uma cabeça de ponte da cooperação puder fazer a selva da suspeita recuar, que ambos os lados se unam em um novo empenho, não em uma nova balança de poder, mas em um novo mundo de direito, onde os fortes são justos, os fracos protegidos e a paz preservada.

Tudo isso não será atingido nos primeiros cem dias. Nem nos primeiros mil dias, nem durante este mandato, nem mesmo talvez enquanto estivermos neste planeta. Mas que nós possamos ao menos começar.

Nas mãos de vocês, meus caros compatriotas, mais do que nas minhas, estará o sucesso ou o fracasso final de nosso percurso. Desde que este país foi fundado, cada geração de norte-americanos tem sido intimada a declarar sua lealdade nacional. As sepulturas de jovens norte-americanos que responderam ao apelo para servir à nação estão espalhadas por todo o mundo.

Hoje, as trombetas soam novamente, não

[...] cidadãos dos Estados Unidos ou do mundo, exijam de nós os mesmos padrões de força e sacrifício que exigimos de vocês. Com nossa consciência em paz, nossa única e certa recompensa, com a história sendo o juiz final de nossos atos, vamos liderar a terra que amamos, pedindo as bênçãos e a ajuda d'Ele, mas sabendo que aqui na Terra o trabalho de Deus deve ser, na verdade, o nosso.

como um apelo para portar armas, embora precisemos delas; não como um apelo à batalha, embora estejamos preparados para o combate; mas um apelo para assumir o encargo de uma longa luta crepuscular, ano sim,

---

311. Is 58:6.

ano não, "alegres na esperança, pacientes no sofrimento";[312] uma luta contra os inimigos comuns do homem: a tirania, o poder, a doença e a própria guerra.

Poderemos construir uma grande aliança global contra esses inimigos, Norte e Sul, Leste e Oeste, algo que possa garantir uma vida mais proveitosa para toda a humanidade? Vocês participarão desse esforço histórico?

Na longa história do mundo, somente algumas gerações receberam o papel de defender a liberdade em suas horas de perigo máximo. Não me esquivo dessa responsabilidade – mas a assumo. Não acredito que nenhum de nós trocaria de lugar com qualquer outra pessoa ou geração. A energia, a fé, a devoção que injetamos nesse empenho iluminará nosso país e a todos que servem nele – e o brilho dessa chama pode realmente iluminar o mundo.

E, portanto, povo norte-americano: não pergunte o que o seu país pode fazer por você, pergunte o que você pode fazer pelo seu país.

Meus concidadãos do mundo: perguntem não o que os Estados Unidos farão por vocês, perguntem o que, em conjunto, podemos fazer pela liberdade do homem.

Por fim, se vocês são cidadãos dos Estados Unidos ou do mundo, exijam de nós os mesmos padrões de força e sacrifício que exigimos de vocês. Com nossa consciência em paz, nossa única e certa recompensa, com a história sendo o juiz final de nossos atos, vamos liderar a terra que amamos, pedindo as bênçãos e a ajuda d'Ele, mas sabendo que aqui na Terra o trabalho de Deus deve ser, na verdade, o nosso.[313]

---

312. Rm 12:12.
313. In: Dallek, Robert e Terry Golway (orgs.). *Uma visão de paz:* os melhores discursos de John F. Kennedy. Rio de Janeiro: Jorge Zahar, 2007, pp. 95-98. Tradução: Bárbara Duarte.

CARLOS LACERDA[314]

A IMPUNIDADE DOS MAUS GERA A AUDÁCIA DOS MAUS.[315]

O tema é o julgamento do criminoso de guerra nazista Adolf Eichmann, que vivia clandestinamente na Argentina. Acabou sequestrado pelo serviço de segurança israelense e levado à Israel. Seu julgamento começou em 11 de abril de 1961. Chamou a atenção do mundo. Dá o discurso de Lacerda que, discretamente, em alguns momentos, associa o nazismo ao comunismo. Vivia-se a época da Guerra Fria, o confronto entre capitalismo e socialismo, Estados Unidos contra a União Soviética. Eichmann acabou condenado à morte e foi enforcado no ano seguinte.

Mesmo na ternura e no agasalho, mesmo na segurança e na esperança onde quer que alguém se encontre, hoje, ninguém neste mundo poderá

---
314. Carlos Lacerda (1914-1977). Governador da Guanabara.
315. Discurso pronunciado em 13 de abril de 1961 no Rio de Janeiro.

dizer, em sã consciência, que o julgamento de Eichmann[316] é uma vindita. Nem muito menos aplicação anacrônica do julgamento como exemplo, ou seja, o abandono dessa conquista da humanidade que é – ainda tão precariamente aplicada – a individualização da pena.

Eichmann é um símbolo de abominação. Mas se é exemplo de execração que se exibe, quem vai cumprir a pena é o homem. E este deve pagar pelos seus crimes no julgamento feito com todas as garantias do direito. Assim, devidamente protegido contra a ira e contra o ódio, ele deve ser julgado porque é um ser responsável, um ser deliberante, dotado de razão posta a serviço de fúrias demoníacas. Mais do que o seu julgamento, a sua impunidade é que seria um exemplo – e um exemplo horrendo.

A impunidade dos maus gera a audácia dos maus. A geral complacência, menos do que isto, o tédio da perseguição ao criminoso; o temor de parecer covarde com o vencido; a ambição tão próxima da impostura, de parecer misericordioso e disposto ao perdão fácil, tudo isso suscita na consciência dos fracos a complacência; e na dos fortes, o sentimento de que só lhes falta, para imperar, uma nova oportunidade.

Há que distinguir o que teme a Deus e ama o próximo e o que desafia a Um e destrói, no outro, a Sua imagem. As lutas que se perdoam são as que se fazem em nome de uma ideia, não, em nome de um ideal, a ideia sublimada, não a ideia degradada a ponto de não distinguir onde está o fanático e onde está o monstro.

Não julgar Eichmann seria condenar suas vítimas, executadas sem julgamento, por crimes que não cometeram. Não julgá-lo seria, de certo modo, ser seu cúmplice.

Mesmo as injustiças, mesmo as violências, mesmo as demasias, a história as apaga, a caridade as acolhe no seu manto de misericórdia. Mas Deus, Ele próprio, impôs às suas criaturas a obrigação de distinguir entre o certo e o errado, o bom e o mau. Ele pode perdoar absolutamente porque só Ele julga soberanamente, definitivamente. Nós, o que chamamos julgamento é, na verdade, uma opção, a distinção que nos é dada fazer e a

---

316. Adolf Eichmann (1906-1962).

que não nos podemos recusar, nem sempre nítida, neste caso, clara, entre o bem e o mal. E quem se recusa a distinguir recusa-se a optar. Quem se recusa a optar favorece o triunfo do mal.

Isso vem a propósito dos bem-pensantes e dos vacilantes, muitos deles sinceros, honestamente em dúvida sobre se o povo de Israel tem ou não o direito de julgar Eichmann.

Não vale invocar a memória das vítimas e o horror do seu suplício. Não adianta relembrar quanto amor esse homem esmagou em suas mãos, quanta luz extinguiu com o seu sopro tenebroso. Leiam-lhe as memórias. Não, não é um degenerado. É o espécime de uma categoria para o qual o mito é mais importante do que Deus, seja o seu mito a nação, a classe, o partido ou, simplesmente, a obsessão de triunfar e o frenesi do poder.

> *Pior, porém, é que homens como Eichmann tenham existido. E pensar que eles existem, que estão aí, escondidos, uns das culpas do passado, outros a preparar as culpas do futuro!*

Não é um doente, o totalitário, ainda que o totalitarismo seja uma doença que muda de nome e de sinal, mas volta como as endemias, sobre o mundo, que facilmente as esquece.

É, antes de tudo, um homem que praticou crimes, e para julgá-los foi feita justiça. Sabemos das limitações da justiça dos homens. Mas as suas limitações são as do próprio homem e ele deve chegar até onde elas o permitam.

Se não foi feito para julgar um criminoso como Eichmann, para que foi feito o tribunal? Se não fosse para dar, em nome de todos nós, a medida da justiça humana, da melhor justiça de que o homem é capaz, para que existiriam juízes?

É duro que homens, mesmo homens como Eichmann, tenham de ser julgados. Pior, porém, é que homens como Eichmann tenham existido. E pensar que eles existem, que estão aí, escondidos, uns das culpas do passado, outros a preparar as culpas do futuro! Quantos Eichmann em estado potencial tenho topado na vida! E nem todos têm, como Eichmann, uma ocasião de se arrepender, uma oportunidade – que ainda lhe resta – de se recomendar à misericórdia de Deus pela expiação dos seus crimes.

É deplorável a sorte de Eichmann, não por ser julgado, mas por ter nascido. As suas vítimas poderiam perdoá-lo, não nós, testemunhas do martírio. Não é uma pena de Talião que reclama, mas a justiça, a aspiração de justiça de que Deus nos dotou, para que fôssemos capazes de, ao menos, procurar distinguir entre o crime que se perdoa e o crime cujo perdão só pode ser alcançado pela expiação.

Devo dizer, não creio que o julgamento de Eichmann sirva de exemplo e previna os torturadores de outras gentes, de outros tempos. Precisamente por isso é que não temo confundir o seu julgamento com uma forma bárbara de exemplo, de seguro de morte contra terceiros. Neste momento, em várias partes do mundo, há pequenos e grandes Eichmann que ululam contra Eichmann talvez, mas têm dentro de si a mesma invencível mola que o impeliu.

Por isso, ele deve ser julgado tal como é. Como Eichmann, consciente de seus crimes, capaz de enumerá-los sob a forma de "memórias"; capaz de reservar para os seus familiares o que negou ao gênero humano, capaz de se preservar, de se esconder, de não se arrepender – e de recomeçar.

Por isso é que ele deve ser julgado. Pelo que fez, pelo que é.

> **Neste momento, em várias partes do mundo, há pequenos e grandes Eichmann que ululam contra Eichmann talvez, mas têm dentro de si a mesma invencível mola que o impeliu.**

Ao terminar estas palavras, me pergunto se tenho assim tanta certeza de que estou certo. Não haverá nessa concepção alguma diferença entre o Deus do Antigo e do Novo Testamento? Não será isso o que separa a ira e a vingança do sacrifício e do perdão?

Mas não. Todo aquele que entrega a Moloch algum de seus rebentos será punido com a morte. Deixai que os seus concidadãos o lapidem (Levítico 20:27). Pois bem, o cristianismo que "se libertou da lei antiga sem renegá-la", que considerou superado o povo eleito porque se universalizou pelo sacrifício do Cristo e abraçou na mesma cruz todas as raças e todas as criaturas, não perdoa quem não se arrepende e não procura reparar o mal causado. E, na ordem natural, não dá ao ser responsável o direito de não ser julgado senão no que pertence ao plano do sobrenatural.

"Os quais, tendo conhecido a justiça de Deus, não compreenderam que os que fazem semelhantes coisas são dignos de morte; e não somente os que essas coisas fazem, senão também os que consentem aos que praticam." (Romanos I)

Não julgar Eichmann seria condenar suas vítimas, executadas sem julgamento, por crimes que não cometeram. Não julgá-lo seria, de certo modo, ser seu cúmplice.[317]

---

317. In: Porto Sobrinho, Antonio Faustino. *Antologia da eloquência universal*. Rio de Janeiro: Ediouro, 1967, pp. 431-433.

Fidel Castro[318]

Esta é a revolução socialista e democrática dos humildes, com os humildes e para os humildes.[319]

Típica eloquência de caudilho latino-americano. Neste caso associado com pitadas de marxismo soviético. Cuba socialista se consolida neste momento, assim como a aliança com a União Soviética. O fracasso da invasão da Baía dos Porcos encerra a fase democrática da revolução.

[...]
  Diferenciamo-nos dos Estados Unidos em que os Estados Unidos são um país que explora outros povos, em que os Estados Unidos são um país que se apoderou de uma grande parte dos recursos naturais do mundo e que faz trabalhar em benefício de sua casta de milionários dezenas e dezenas

---
318. Fidel Castro (1926-2016). Primeiro-ministro de Cuba.
319. Discurso pronunciado em Havana em 16 de abril de 1961.

de milhões de trabalhadores em todo o mundo. E nós não somos um país que se tenha apoderado, nem esteja lutando por apoderar-se, dos recursos naturais de outros povos. Não somos um país que esteja tratando de fazer trabalhar os operários de outros povos para nosso benefício.

Somos exatamente o contrário: um país que está lutando para que seus operários não tenham de trabalhar para a casta de milionários norte-americanos; constituímos um país que está lutando para resgatar seus recursos naturais e resgatou seus recursos naturais de mãos da casta de milionários norte-americanos.

Não somos um país em virtude de cujo sistema uma maioria do povo, uma maioria dos operários, das massas do país constituídas pelos operários e camponeses, esteja trabalhando para uma minoria exploradora e privilegiada de milionários. Não constituímos um país em virtude de cujo sistema grandes massas da população estejam discriminadas e preteridas, como estão as massas negras nos Estados Unidos. Não constituímos um país em virtude de cujo sistema uma parte minoritária do povo vive parasitariamente à custa do trabalho e do suor da massa majoritária do povo.

Nós, com nossa revolução, não só estamos erradicando a exploração de uma nação por outra nação, mas também a exploração de alguns homens por outros homens! Sim, nós decidimos, em assembleia geral histórica, condenar a exploração do homem pelo homem e erradicaremos em nossa pátria a exploração do homem pelo homem!

Diferenciamo-nos dos Estados Unidos em que lá um governo de castas privilegiadas e poderosas estabeleceu um sistema, em virtude do qual essa casta explora o homem dentro dos próprios Estados Unidos e essa casta explora o homem fora dos Estados Unidos.

Os Estados Unidos representam hoje, politicamente, o sistema de exploração de outras nações por uma nação e o sistema de exploração do homem por outros homens.

[...]

Talvez vocês tenham uma ideia do que é o imperialismo. Vocês, talvez, já se perguntaram muitas vezes o que era o imperialismo e o que significava essa palavra.

Será que os imperialistas realmente representam algo tão mau? Será que existe muita paixão em todas as acusações que se lhes fazem? Serão produto do sectarismo todas as coisas que ouvimos falar do imperialismo norte-americano? Serão certas todas as coisas que se afirmam do imperialismo norte-americano? Serão tão sem-vergonhas, como se afirma, os imperialistas norte-americanos? Serão tão canalhas e malvados quanto se afirma os imperialistas norte-americanos? Serão tão sanguinários, ruins e covardes quanto se afirma os imperialistas norte-americanos? Ou será exagero? Ou será sectarismo? Ou será excesso de paixão?

Mas será possível que os imperialistas façam as coisas que se afirma que fizeram? Será certo tudo quanto se afirmou sobre seus feitos vandálicos, suas provocações, no plano internacional? Foram eles que provocaram a Guerra da Coreia?[320]

Como era difícil saber o que acontecia no mundo, quando a nosso país só chegavam notícias

Diferenciamo-nos dos Estados Unidos em que lá um governo de castas privilegiadas e poderosas estabeleceu um sistema, em virtude do qual essa casta explora o homem dentro dos próprios Estados Unidos e essa casta explora o homem fora dos Estados Unidos. Os Estados Unidos representam hoje, politicamente, o sistema de exploração de outras nações por uma nação e o sistema de exploração do homem por outros homens.

norte-americanas! Quanto engano nos inculcariam e de quantas mentiras nos fariam vítimas! Se alguém ainda tivesse alguma dúvida, se alguém neste país, de boa-fé – e não falo da miserável *gusanera*,[321] mas de homens e mulheres capazes de pensar honradamente, ainda que não pensassem como nós –, se alguém tivesse ainda alguma dúvida, se alguém ainda acreditasse que há um mínimo de honra na política ianque, se alguém ainda acreditasse que existe um mínimo de moral na política ianque, se

---

320. Guerra da Coreia (1950-1953).
321. De gusano, verme. Forma como Fidel Castro se referia àqueles que se opuseram à Revolução Cubana.

alguém ainda acreditasse que existe um átomo de vergonha e de honradez ou de justiça na política ianque, se alguém neste país, neste afortunado país que teve a oportunidade de ver, neste país afortunado que teve a oportunidade de aprender, ainda que tenha sido uma aprendizagem sangrenta, mas uma aprendizagem de liberdade e uma aprendizagem de dignidade. Se alguém neste país, que teve o privilégio de ver se converter todo povo num povo de heróis, num povo de homens dignos e valentes. Se alguém neste país, cujo acúmulo de méritos, de heroísmo e de sacrifício cresce dia a dia, tivesse ou albergasse ainda alguma dúvida, se aqueles que não pensam como nós creem que hasteiam ou defendem uma bandeira justa e, por acreditar nisso, são pró-ianques e são defensores do governo dos Estados Unidos – se restar, alguém desses de boa-fé em nosso país –, sirvam-lhes esses fatos que vamos analisar para não lhes restar mais nenhuma dúvida.

No dia de ontem, como o mundo todo sabe, aviões de bombardeio, divididos em três grupos, às seis em ponto da manhã penetraram no território nacional, procedentes do exterior, e atacaram três pontos do território nacional. Em cada um desses pontos, os homens se defenderam heroicamente, em cada um desses pontos correu o sangue valioso dos defensores, em cada um desses pontos houve milhares ou ao menos centenas e centenas de testemunhas do que aconteceu ali.322 Era, além disso, um fato que se esperava. Era algo que todos os dias se estava esperando. Era a culminação lógica das queimas de canaviais, das centenas de violações do nosso espaço aéreo, das incursões aéreas piratas, dos ataques piratas a nossas refinarias por embarcações que se introduzem de madrugada. Era a consequência do que todo o mundo sabe. Era a consequência dos planos de agressão que vêm sendo tramados pelos Estados Unidos, em cumplicidade com governos títeres da América Central. Era a consequência das bases aéreas que todo o povo sabe e o mundo todo conhece, porque foram publicadas até pelos próprios jornais e agências de notícias norte-americanas; e as próprias agências e os próprios jornais se cansaram de

---

322. Referência aos bombardeios realizados a 15 de abril. Dois dias depois ocorreu a fracassada invasão da Baía dos Porcos efetuada por exilados cubanos com apoio do governo norte-americano. Em 20 de abril os combates estavam encerrados.

falar dos exércitos mercenários que organizam, dos campos de aviação que têm preparados, dos aviões que lhes tinha entregado o governo dos Estados Unidos, dos instrutores ianques e das bases aéreas estabelecidas em território guatemalteco.

[...]

Para que conste no registro histórico, para que nosso povo aprenda de uma vez por todas – e para que aprenda aquela parte dos povos da América, aqueles a quem possa chegar um só raio de luz da verdade que seja –, vou explicar ao povo, vou explicar como procedem os imperialistas.

Vocês acham que o mundo ia se inteirar do ataque a Cuba, vocês acham que o mundo ia se inteirar do acontecido, vocês acham ou conceberam que fosse possível tentar apagar no mundo o eco das bombas e dos rockets[323] criminosos que atiraram ontem em nossa pátria? Que isso tinha ocorrido a alguém no mundo, que alguém pudesse tratar de enganar o mundo inteiro, tratar de ocultar a verdade ao mundo inteiro, tratar de lesar o mundo inteiro? Pois bem, no dia de ontem não só atacaram nossa terra, em ataque ardiloso e criminoso preparado, e que o mundo todo sabia, e com aviões ianques, e com bombas ianques, e com armas ianques, e com mercenários pagos pela Agência Central de Inteligência ianque; não somente fizeram isso, e não somente destruíram bens nacionais, e não somente destruíram vidas de jovens, muitos dos quais não tinham ainda completado nem os 20 anos, mas, além disso, o governo dos Estados Unidos tentou no dia de ontem lesar o mundo. O governo dos Estados Unidos tentou no dia de ontem lesar o mundo da maneira mais cínica e mais desavergonhada que se possa conceber.

> *[...] o imperialismo não somente comete crimes contra o mundo, mas também lesa o mundo. Mas lesa o mundo não somente roubando-lhe o petróleo, os minerais, o fruto do trabalho dos povos, mas lesa o mundo moralmente, impingindo-lhe mentiras e as coisas mais truculentas que alguém possa imaginar.*

---

323. Foguetes.

Aqui estão as provas de como atua o imperialismo, de toda a mecânica operativa do imperialismo, de como o imperialismo não somente comete crimes contra o mundo, mas também lesa o mundo. Mas que lesa o mundo não somente roubando-lhe o petróleo, os minerais, o fruto do trabalho dos povos, mas lesa o mundo moralmente, impingindo-lhe mentiras e as coisas mais truculentas que alguém possa imaginar.

Aqui estão as provas. Diante do nosso povo vamos ler o que o imperialismo disse ao mundo. Vamos mostrar o que o mundo soube no dia de ontem, o que disseram ao mundo e o que talvez fizeram crer a dezenas e dezenas de milhões de seres humanos, o que publicaram ontem milhares e milhares de jornais, o que afirmaram ontem milhares e milhares de estações de rádio ou de televisão, sobre o que aconteceu em Cuba, o que soube o mundo, ou uma grande parte do mundo, uma parte considerável do mundo, através das agências ianques.

[...]

Eis, senhores, que quando ainda não se apagou o eco da admiração suscitada no mundo inteiro, para com a União Soviética, pela precisão, a técnica elevada e o êxito que para a humanidade significa a façanha científica[324] que acabam de realizar, quando ainda não se apagou o eco dessa admiração no mundo, paralelamente à façanha da União Soviética, o governo ianque apresenta a sua façanha: a façanha de bombardear as

> *Isso é o que não podem nos perdoar: que estejamos aqui, sob o seu nariz, e que tenhamos feito uma revolução socialista sob o próprio nariz dos Estados Unidos! Esta revolução socialista, nós a defendemos com estes fuzis; esta revolução socialista, nós a defendemos com o valor com que ontem nossa artilharia antiaérea crivou de balas os aviões agressores. E esta revolução, esta revolução, não a defendemos com mercenários. Nós a defendemos com os homens e as mulheres do povo.*

---

324. Alusão a Iuri Gagarin, astronauta soviético, que em 12 de abril de 1961 pilotou a Vostok 1 dando uma volta completa na órbita da Terra.

instalações de um país que não tem aviação, nem tem navios nem força militar com que responder ao ataque.

Isto é, comparemos e peçamos ao mundo que compare a façanha soviética à façanha imperialista. O júbilo, o alento e a esperança que significou para a humanidade a façanha soviética à vergonha, ao asco, à repugnância que significa a façanha ianque. Perante a façanha científica, que permite levar um homem ao espaço e fazê-lo regressar com total segurança, e a façanha ianque, que arma mercenários e os paga para que venham assassinar jovens de 16 e 17 anos em ataque-surpresa, ardiloso e traiçoeiro em todos os níveis, contra um país ao qual não podem perdoar a vergonha, a dignidade, o valor. Porque o que não podem nos perdoar os imperialistas é que estejamos aqui, o que não podem nos perdoar os imperialistas é a dignidade, a inteireza, o valor, a firmeza ideológica, o espírito de sacrifício e o espírito revolucionário do povo de Cuba.

Isso é o que não podem nos perdoar: que estejamos aqui, sob o seu nariz, e que tenhamos feito uma revolução socialista sob o próprio nariz dos Estados Unidos!

Esta revolução socialista, nós a defendemos com estes fuzis; esta revolução socialista, nós a defendemos com o valor com que ontem nossa artilharia antiaérea crivou de balas os aviões agressores.

E esta revolução, esta revolução, não a defendemos com mercenários. Nós a defendemos com os homens e as mulheres do povo.

Quem tem as armas? Por acaso as tem o mercenário? Por acaso as tem o milionário? Porque mercenários e milionários são a mesma coisa. Por acaso as têm os filhinhos dos ricos?

Por acaso as têm os capatazes? Quem tem as armas? Que mãos são essas que levantam as armas? São mãos de amos? São mãos de ricos? São mãos de exploradores? Que mãos são essas que levantam essas armas? Não são mãos operárias? Não são mãos camponesas? Não são mãos endurecidas pelo trabalho? Não são mãos criadoras? Não são mãos humildes do povo? E quem constitui a maioria do povo? Os milionários ou os humildes? Não têm as armas os privilegiados? Ou as têm os humildes? São minoria os privilegiados? São maioria os humildes? É democrática uma revolução em que os humildes têm as armas?

Companheiros operários e camponeses, esta é a revolução socialista e democrática dos humildes, com os humildes e para os humildes. E por esta revolução dos humildes e pelos humildes e para os humildes estamos dispostos a dar a vida.[325] [...]

---

325. In: Sader, Emir (org.). *Fidel Castro*. São Paulo: Ática, 1986, pp. 57-62.

Martin Luther King[326]

Eu tenho um sonho![327]

O combate ao racismo e a defesa de direitos iguais a todos os americanos, independentemente da etnia, são o cerne do discurso. É o grande momento da luta pelos direitos civis nos Estados Unidos. Todo movimento deveria ser realizado usando de meios legais, pelo convencimento, pela não violência.

Estou contente de me reunir hoje com vocês nesta que será conhecida como a maior demonstração pela liberdade na história de nossa nação.[328]

---

326. Martin Luther King (1929-1968). Principal líder do movimento pelos direitos civis. Prêmio Nobel da Paz (1964).
327. Discurso proferido em Washington, D.C., em 28 de agosto de 1963.
328. A marcha sobre Washington, D.C., por trabalho e liberdade.

Há dez décadas, um grande americano, sob cuja sombra simbólica nos encontramos hoje, assinou a Proclamação da Emancipação.[329] Esse magnífico decreto surgiu como um grande farol de esperança para milhões de escravos negros que arderam nas chamas da árida injustiça. Ele surgiu como uma aurora de júbilo para pôr fim à longa noite de cativeiro.

Mas cem anos depois, o negro ainda não é livre. Cem anos depois, a vida do negro ainda está tristemente debilitada pelas algemas da segregação e pelos grilhões da discriminação. Cem anos depois, o negro vive isolado numa ilha de pobreza em meio a um vasto oceano de prosperidade material. Cem anos depois, o negro ainda vive abandonado nos recantos da sociedade na América, exilado em sua própria terra. Assim, hoje viemos aqui para representar a nossa vergonhosa condição.

De certa forma, viemos à capital da nação para descontar um cheque. Quando os arquitetos da nossa República escreveram as magníficas palavras da Constituição e da Declaração da Independência[330] (*Sim.*), eles estavam assinando uma nota promissória da qual todos os americanos seriam herdeiros. A nota era uma promessa de que todos os homens, sim, negros e brancos igualmente, teriam garantidos os "direitos inalienáveis à vida, à liberdade e à busca da felicidade". É óbvio neste momento que, no que diz respeito a seus cidadãos de cor, a América não pagou essa promessa. Em vez de honrar a sagrada obrigação, a América

> *Agora é hora de concretizar as promessas da democracia. [...] Agora é hora de deixar o vale sombrio e desolado da segregação pelo caminho ensolarado da justiça racial. Agora é hora de conduzir a nossa nação da areia movediça da injustiça racial para a sólida rocha da fraternidade. Agora é hora de tornar a justiça uma realidade para todos os filhos de Deus.*

---

329. Referência a Abraham Lincoln e à Proclamação da Emancipação de 22 de setembro de 1862, que abolia a escravidão em todo o território confederado – os estados do sul que estavam em guerra contra a União – a partir de 1º de janeiro de 1863.
330. Alusão à Declaração de Independência dos Estados Unidos de 4 de julho de 1776.

entregou à população negra um cheque ruim, um cheque que voltou com o carimbo de "sem fundos".

No entanto, recusamos a acreditar que o banco da justiça esteja falido. Recusamos a acreditar que não haja fundos suficientes nos grandes cofres de oportunidade desta nação. E, assim, viemos descontar esse cheque, um cheque que nos garantirá, sob demanda, as riquezas da liberdade e a segurança da justiça.

Viemos também a este glorioso local para lembrar a América da urgência feroz do momento. Não é hora de se comprometer com o luxo do comedimento ou de tomar o tranquilizante do gradualismo. Agora é hora de concretizar as promessas da democracia. (*Sim, senhor.*) Agora é hora de deixar o vale sombrio e desolado da segregação pelo caminho ensolarado da justiça racial. Agora é hora de conduzir a nossa nação da areia movediça da injustiça racial para a sólida rocha da fraternidade. Agora é hora de tornar a justiça uma realidade para todos os filhos de Deus.

Seria fatal para a nação ignorar a urgência do momento. Este verão sufocante do legítimo descontentamento dos negros não passará até que haja um outono revigorante de liberdade e igualdade. O ano de 1963 não é um fim, mas um começo. E aqueles que agora esperam que o negro se acomode e se contente terão uma grande surpresa se a nação voltar a negociar como de costume. E não haverá descanso nem tranquilidade na América até que se conceda ao negro a sua cidadania. As tempestades da revolta continuarão a balançar os alicerces da nossa nação, até que floresça a luminosa manhã da justiça.

Mas há algo que devo dizer a meu povo, diante da entrada reconfortante do palácio da Justiça: ao longo do processo de conquista do nosso merecido lugar, não podemos nos condenar com atos criminosos. Não devemos saciar a nossa sede de liberdade bebendo da taça da amargura e do ódio. Devemos sempre conduzir a nossa luta no mais alto nível de dignidade e disciplina. Não podemos permitir que o nosso protesto degenere em violência física. Vezes sem fim, devemos nos elevar às majestosas alturas para confrontar a força física com a força da alma. A nova e maravilhosa militância que engolfou a comunidade negra não deve nos levar a desconfiar de todos os homens brancos, pois muitos de nossos irmãos brancos, como se torna evidente com a sua presença aqui hoje, compreenderam que o seu destino está ligado ao nosso. Eles compreenderam que a sua liberdade está atada à nossa, de forma inextricável.

Não podemos caminhar sozinhos. E, enquanto caminhamos, devemos prometer que sempre marcharemos adiante. Não podemos voltar. Há quem pergunte aos devotos dos direitos civis: "Quando ficarão satisfeitos?". (*Nunca.*)

Não ficaremos satisfeitos enquanto o negro for vítima dos inenarráveis horrores da brutalidade policial. Não ficaremos satisfeitos enquanto os nossos corpos, pesados pela fadiga da viagem, não obtiverem hospitalidade nos hotéis das rodovias e das cidades. Não ficaremos satisfeitos enquanto a única mobilidade social a que um negro possa aspirar seja deixar o seu gueto por um outro maior. Não ficaremos satisfeitos enquanto os nossos filhos forem despidos de sua personalidade e tiverem a sua dignidade roubada por cartazes com os dizeres "só para brancos". Não ficaremos satisfeitos enquanto o negro do Mississipi não puder votar e o negro de Nova York acreditar que não há por que votar. Não e não. Não estamos satisfeitos nem ficaremos satisfeitos até que "a justiça jorre como uma fonte, e a equidade, como uma poderosa correnteza".[331]

> *Não devemos saciar a nossa sede de liberdade bebendo da taça da amargura e do ódio. Devemos sempre conduzir a nossa luta no mais alto nível de dignidade e disciplina. Não podemos permitir que o nosso protesto degenere em violência física.*

Não ignoro que alguns de vocês enfrentaram inúmeros desafios e adversidades para chegar até aqui. (*Sim, senhor.*) Alguns de vocês recentemente abandonaram estreitas celas de prisão. Alguns de vocês vieram de regiões onde a busca por liberdade deixou-os abatidos pelas tempestades da perseguição e abalados pelos ventos da brutalidade policial. Vocês são os veteranos do sofrimento profícuo. Continuem a lutar com a fé de que o sofrimento imerecido é redentor. Voltem para o Mississipi, voltem para

---

331. Am 5:24.

o Alabama, voltem para a Carolina do Sul, voltem para a Geórgia, voltem para a Louisiana, voltem para os cortiços e para os guetos das cidades do Norte, conscientes de que, de algum modo, essa situação pode e será transformada. (*Sim.*) Não afundemos no vale do desespero.

E digo-lhes hoje, meus amigos, mesmo diante das dificuldades de hoje e de amanhã, ainda tenho um sonho, um sonho profundamente enraizado no sonho americano.

Eu tenho um sonho de que um dia esta nação se erguerá e experimentará o verdadeiro significado de sua crença: "Acreditamos que essas verdades são evidentes, que todos os homens são criados iguais". (*Sim.*)

Eu tenho um sonho de que um dia, nas encostas vermelhas da Geórgia, os filhos dos antigos escravos sentarão ao lado dos filhos dos antigos senhores, à mesa da fraternidade.

Eu tenho um sonho de que um dia até mesmo o estado do Mississipi, um estado sufocado pelo calor da injustiça, sufocado pelo calor da opressão, será um oásis de liberdade e justiça.

Eu tenho um sonho de que os meus quatro filhos pequenos viverão um dia numa nação onde não serão julgados pela cor de sua pele, mas pelo conteúdo de seu caráter. (*Sim, senhor.*) Hoje, eu tenho um sonho!

Eu tenho um sonho de que um dia, lá no Alabama, com o seu racismo vicioso, com o seu governador de cujos lábios gotejam as palavras "intervenção" e "anulação", um dia, bem

E quando acontecer, quando ressoar a liberdade, quando a liberdade ressoar em cada vila e em cada lugarejo, em cada estado e cada cidade, anteciparemos o dia em que todos os filhos de Deus, negros e brancos, judeus e gentios, protestantes e católicos, juntarão as mãos e cantarão as palavras da velha canção dos negros:
Livres afinal! Livres afinal!/Graças ao Deus Todo-Poderoso,/Estamos livres afinal!

no meio do Alabama, meninas e meninos negros darão as mãos a meninas e meninos brancos, como irmãs e irmãos. Hoje, eu tenho um sonho.

Eu tenho um sonho de que um dia todo vale será alteado (*Sim.*) e, toda colina, diminuída; que o áspero será plano e o torto, direito; "que se revelará a glória do Senhor e, juntas, todas as criaturas a apreciarão". (*Sim.*)

Essa é a nossa esperança, e essa a fé que levarei comigo ao voltar para o Sul. (*Sim.*) Com essa fé, poderemos extrair da montanha do desespero uma rocha de esperança. (*Sim.*) Com essa fé, poderemos transformar os clamores dissonantes da nossa nação em uma bela sinfonia de fraternidade. Com essa fé (*Sim, senhor.*), poderemos partilhar o trabalho, partilhar a oração, partilhar a luta, partilhar a prisão e partilhar o nosso anseio por liberdade, conscientes de que um dia seremos livres. E esse será o dia, e esse será o dia em que todos os filhos de Deus poderão cantar com um renovado sentido:

O meu país eu canto.
Doce terra da liberdade,
a ti eu canto.
Terra em que meus pais morreram,
Terra do orgulho peregrino,
Nas encostas de todas as montanhas,
que a liberdade ressoe!

E se a América estiver destinada a ser uma grande nação, isso se tornará realidade.

E, assim, que a liberdade ressoe (*Sim.*) nos picos prodigiosos de New Hampshire.

Que a liberdade ressoe nas grandiosas montanhas de Nova York.

Que a liberdade ressoe nos elevados Apalaches da Pensilvânia.

Que a liberdade ressoe nas Rochosas nevadas do Colorado.

Que a liberdade ressoe nos declives sinuosos da Califórnia. (*Sim.*)

Mas não apenas isso: que a liberdade ressoe na Montanha de Pedra da Geórgia. (*Sim.*)

Que a liberdade ressoe na Montanha Lookout do Tennessee. (*Sim.*)

Que a liberdade ressoe em toda colina do Mississipi. (*Sim.*)

Nas encostas de todas as montanhas, que a liberdade ressoe!

E quando acontecer, quando ressoar a liberdade, quando a liberdade ressoar em cada vila e em cada lugarejo, em cada estado e cada cidade, anteciparemos o dia em que todos os filhos de Deus, negros e brancos, judeus e gentios, protestantes e católicos, juntarão as mãos e cantarão as palavras da velha canção dos negros:

Livres afinal! Livres afinal!
Graças ao Deus Todo-Poderoso,
Estamos livres afinal![332]

---

332. In: Carson, Clayborne e Kris Shepard (orgs.). *Um apelo à consciência:* os melhores discursos de Martin Luther King. Rio de Janeiro: Jorge Zahar, 2006, pp. 73-75. Tradução: Sérgio Crisóstomo Lopes Lima.

Ulysses Guimarães[333]

Traidor da Constituição é traidor da pátria.[334]

Uma síntese da Constituição e dos trabalhos dos constituintes. Ulysses aproveitou a ocasião para também apresentar a sua visão da história do Brasil, especialmente do processo de redemocratização. Fez mais do que um discurso no ato da promulgação da Constituição – lançou sua candidatura à presidência da República.

Dois de fevereiro de 1987: "Ecoam nesta sala as reivindicações da ruas. A nação quer mudar, a nação deve mudar, a nação vai mudar". São palavras constantes do discurso de posse como presidente da Assembleia Nacional Constituinte.

---

333. Ulysses Guimarães (1916-1992). Presidiu a Assembleia Nacional Constituinte (1987-1988).
334. Discurso proferido em 5 de outubro de 1988, no plenário da Câmara dos Deputados.

Hoje, 5 de outubro de 1988, no que tange à Constituição, a nação mudou. A Constituição mudou na sua elaboração, mudou na definição dos poderes, mudou restaurando a Federação, mudou quando quer mudar o homem em cidadão, e só é cidadão quem ganha justo e suficiente salário, lê e escreve, mora, tem hospital e remédio, lazer quando descansa.

Num país de 30,4 milhões de analfabetos, afrontosos 25% da população, cabe advertir: a cidadania começa com o alfabeto.

Chegamos! Esperamos a Constituição como o vigia espera a aurora.

Bem-aventurados os que chegam. Não nos desencaminhamos na longa marcha, não nos desmoralizamos capitulando ante pressões aliciadoras e comprometedoras, não desertamos, não caímos no caminho.

[...]

A nação nos mandou executar um serviço. Nós o fizemos com amor, aplicação e sem medo.

A Constituição, certamente, não é perfeita. Ela própria o confessa ao admitir a reforma.

Quanto a ela, discordar, sim. Divergir, sim. Descumprir, jamais. Afrontá-la, nunca. Traidor da Constituição é traidor da pátria. Conhecemos o caminho maldito: rasgar a Constituição, trancar as portas do Parlamento, garrotear a liberdade, mandar os patriotas para a cadeia, o exílio, o cemitério.

A persistência da Constituição é a sobrevivência da democracia.

Quando, após tantos anos de lutas e sacrifícios, promulgamos o estatuto do homem, da liberdade e da democracia, bradamos por imposição de sua honra: temos ódio à ditadura. Ódio e nojo. Amaldiçoamos a tirania onde quer que ela desgrace homens e nações, principalmente na América Latina.

Assinalarei algumas marcas da Constituição que passará a comandar esta grande nação.

A primeira é a coragem. A coragem é a matéria-prima da civilização. Sem ela, o dever e as instituições perecem. Sem a coragem, as demais virtudes sucumbem na hora do perigo. Sem ela, não haveria a cruz nem os evangelhos.

A Assembleia Nacional Constituinte rompeu contra o *establishment*, investiu contra a inércia, desafiou tabus. Não ouviu o refrão saudosista do

Velho do Restelo, no genial canto de Camões.[335] Suportou a ira e a perigosa campanha mercenária dos que se atreveram na tentativa de aviltar legisladores em guardas de suas burras abarrotadas com o ouro de seus privilégios e especulações.

Foi de audácia inovadora a arquitetura da Constituinte, recusando anteprojeto forâneo ou de elaboração interna.[336]

O enorme esforço é dimensionado pelas 61.020 emendas, além de 122 emendas populares, algumas com mais de um milhão de assinaturas, que foram apresentadas, publicadas, distribuídas, relatadas e votadas no longo trajeto das subcomissões à redação final.

Quando, após tantos anos de lutas e sacrifícios, promulgamos o estatuto do homem, da liberdade e da democracia, bradamos por imposição de sua honra: temos ódio à ditadura. Ódio e nojo. Amaldiçoamos a tirania onde quer que ela desgrace homens e nações, principalmente na América Latina.

A participação foi também pela presença, pois, diariamente, cerca de dez mil postulantes franquearam, livremente, as onze entradas do enorme complexo arquitetônico do Parlamento, à procura de gabinetes, comissões, galerias e salões.

Há, portanto, representativo e oxigenado sopro de gente, de rua, de praça, favela, fábrica, trabalhadores, cozinheiros, menores carentes, índios, posseiros, empresários, estudantes, aposentados, servidores civis e militares, atestando a contemporaneidade e autenticidade social do texto que ora passa a vigorar. Como o caramujo, guardará para sempre o bramido das ondas de sofrimento, esperança e reivindicações de onde proveio.

A Constituição é caracteristicamente o estatuto do homem. É sua marca de fábrica.

---

335. Nos versos 94-104 do canto IV de *Os Lusíadas*, Camões apresenta um crítico da expansão marítima, "mas um velho, d'aspeito venerando". *Grosso modo*, representa a crítica ao novo.

336. Referência ao projeto encaminhado à Constituinte pela Comissão Provisória de Estudos Constitucionais.

O inimigo mortal do homem é a miséria. Não há pior discriminação do que a miséria. O estado de direito, consectário da igualdade, não pode conviver com estado de miséria. Mais miserável do que os miseráveis é a sociedade que não acaba com a miséria.

Tipograficamente, é hierarquizada a precedência e a preeminência do homem, colocando-o no umbral da Constituição e catalogando-lhe o número não superado: só no art. 5º, ocupam-se dele 77 incisos e 104 dispositivos.

Não lhe bastou, porém, defendê-lo contra os abusos originários do Estado e de outras procedências. Introduziu o homem no Estado, fazendo-o credor de direitos e serviços, cobrados, inclusive, com o mandado de injunção.

Tem a substância popular e cristã o título que a consagra: a Constituição Cidadã.

Vivenciados e originários dos estados e municípios, os constituintes haveriam de ser fiéis à Federação. Exemplarmente o foram.

No Brasil, desde o Império, o Estado ultraja a geografia. Espantoso despautério: o Estado contra o país, quando o país é a geografia, a base física da nação, portanto, do Estado.

É elementar: não existe Estado sem país, nem país sem geografia. Essa antinomia é fator de nosso atraso e de muitos de nossos problemas, pois somos um arquipélago social, econômico, ambiental e de costumes, não uma ilha.

A civilização e a grandeza do Brasil percorreram rotas centrífugas e não centrípetas.

Os bandeirantes não ficaram arranhando o litoral como caranguejos, na imagem pitoresca, mas exata, de frei Vicente do Salvador.[337] Cavalgaram os rios e marcharam para o Oeste e para a história, na conquista de um continente.

Foi também indômita vocação federativa que inspirou o gênio de Juscelino Kubitschek, que plantou Brasília longe do mar, no coração do sertão, como a capital da interiorização e da integração.

---

337. Na sua *História do Brasil*, frei Vicente do Salvador escreveu que os portugueses "sendo grandes conquistadores de terras, não se aproveitam delas, mas contentam-se de as andar arranhando ao longo do mar como caranguejos".

A Federação é a unidade na desigualdade, é a coesão pela autonomia das províncias. Comprimidas pelo centralismo, há o perigo de serem empurradas para a secessão.

É a irmandade entre as regiões. Para que não se rompa o elo, as mais prósperas devem colaborar com as menos desenvolvidas. Enquanto houver Norte e Nordeste fracos, não haverá na União Estado forte, pois o fraco é o Brasil.

As necessidades básicas do homem estão nos estados e nos municípios. Neles deve estar o dinheiro para atendê-las.

A Federação é a governabilidade. A governabilidade da nação passa pela governabilidade dos estados e dos municípios. O desgoverno, filho da penúria de recursos, acende a ira popular, que invade os paços municipais, arranca as grades dos palácios e acabará chegando à rampa do palácio do Planalto.

A Constituição reabilitou a Federação ao alocar recursos ponderáveis às unidades regionais e locais, bem como a arbitrar competência tributária para lastrear-lhes a independência financeira.

Democracia é a vontade da lei, que é plural e igual para todos, e não a do príncipe, que é unipessoal e desigual para os favorecimentos e os privilégios.

O inimigo mortal do homem é a miséria. Não há pior discriminação do que a miséria. O estado de direito, consectário da igualdade, não pode conviver com estado de miséria. Mais miserável do que os miseráveis é a sociedade que não acaba com a miséria.

Se a democracia é o governo da lei, não só ao elaborá-la, mas também para cumpri-la, são governo o Executivo e o Legislativo.

O Legislativo brasileiro investiu-se das competências dos parlamentos contemporâneos.

É axiomático que muitos têm maior probabilidade de acertar do que um só. O governo associativo e gregário é mais apto do que o solitário. Eis outro imperativo de governabilidade: a coparticipação e a corresponsabilidade.

Cabe a indagação: instituiu-se no Brasil o tricameralismo ou fortaleceu-se o unicameralismo, com as numerosas e fundamentais atribuições cometidas ao Congresso Nacional? A resposta virá pela boca do tempo. Faço votos para que essa regência trina prove bem.

Nós, os legisladores, ampliamos nossos deveres. Teremos de honrá-los. A nação repudia a preguiça, a negligência, a inépcia. Soma-se à nossa atividade ordinária, bastante dilatada, a edição de 56 leis complementares e 314 ordinárias. Não esqueçamos que, na ausência de lei complementar, os cidadãos poderão ter o provimento suplementar pelo mandado de injunção.

A confiabilidade do Congresso Nacional permite que repita, pois tem pertinência, o slogan: "Vamos votar, vamos votar", que integra o folclore de nossa prática constituinte, reproduzido até em horas de diversão e em programas humorísticos.

Tem significado de diagnóstico a Constituição ter alargado o exercício da democracia em participativa, além de representativa. É o clarim da soberania popular e direta, tocando no umbral da Constituição, para ordenar o avanço no campo das necessidades sociais.

O povo passou a ter a iniciativa de leis. Mais do que isso, o povo é o superlegislador, habilitado a rejeitar, pelo referendo, projetos aprovados pelo Parlamento.

A vida pública brasileira será também fiscalizada pelos cidadãos. Do presidente da República ao prefeito, do senador ao vereador.

A moral é o cerne da pátria.

A corrupção é o cupim da República. República suja pela corrupção impune tomba nas mãos de demagogos que, a pretexto de salvá-la, a tiranizam.

Não roubar, não deixar roubar, pôr na cadeia quem roube, eis o primeiro mandamento da moral pública.

Pela Constituição, os cidadãos são poderosos e vigilantes agentes da fiscalização, por meio do mandado de segurança coletivo; do direito de receber informações dos órgãos públicos; da prerrogativa de petição aos poderes públicos em defesa de direitos contra ilegalidade ou abuso de poder; da obtenção de certidões para defesa de direitos; da ação popular, que pode ser proposta por qualquer cidadão, para anular ato lesivo ao patrimônio público, ao meio ambiente e ao patrimônio histórico, isento de custas judiciais; da fiscalização das contas dos municípios por parte do contribuinte; podem peticionar, reclamar, representar ou apresentar queixas junto às comissões das Casas do Congresso Nacional; qualquer cidadão, partido político, associação ou sindicato são partes legítimas e poderão denunciar irregularidades ou ilegalidades perante o Tribunal de Contas da União, do estado ou do município. A gratuidade facilita a efetividade dessa fiscalização.

A exposição panorâmica da lei fundamental que hoje passa a reger a nação permite conceituá-la, sinoticamente, como a Constituição coragem, a Constituição cidadã, a Constituição federativa, a Constituição representativa e participativa, a Constituição do governo síntese Executivo-Legislativo, a Constituição fiscalizadora.

Não é a Constituição perfeita. Se fosse perfeita, seria irreformável. Ela própria, com humildade e realismo, admite ser emendada, até por maioria mais acessível, dentro de cinco anos.[338]

Não é a Constituição perfeita, mas será útil, pioneira, desbravadora. Será luz, ainda que de lamparina, na noite dos desgraçados. É caminhando que se abrem os caminhos. Ela vai caminhar e abri-los. Será redentor o que penetrar nos bolsões: sujos, escuros e ignorados da miséria.

A corrupção é o cupim da República. República suja pela corrupção impune tomba nas mãos de demagogos que, a pretexto de salvá-la, a tiranizam. Não roubar, não deixar roubar, pôr na cadeia quem roube, eis o primeiro mandamento da moral pública.

Recorde-se, alvissareiramente, que o Brasil é o quinto país a implantar o instituto moderno da seguridade, com a integração de ações relativas à saúde, à previdência e assistência social, assim como a universalidade dos benefícios para os que contribuam ou não, além de beneficiar onze milhões de aposentados, espoliados em seus proventos.

---

338. A revisão constitucional foi determinada expressamente no artigo 3º das Disposições Transitórias.

[...]

Adeus, meus irmãos. É despedida definitiva, sem o desejo de reencontro.

Nosso desejo é o da nação: que este plenário não abrigue outra Assembleia Nacional Constituinte. Porque, antes da Constituinte, a ditadura já teria trancado as portas desta Casa.

Autoridades, constituintes, senhoras e senhores, a sociedade sempre acaba vencendo, mesmo ante a inércia ou antagonismo do Estado.

O Estado era Tordesilhas.[339] Rebelada, a sociedade empurrou as fronteiras do Brasil, criando uma das maiores geografias do universo.

O Estado, encarnado na metrópole, resignara-se ante a invasão holandesa no Nordeste. A sociedade restaurou nossa integridade territorial com a insurreição nativa de Tabocas e Guararapes, sob a liderança de André Vidal de Negreiros, Felipe Camarão e João Fernandes Vieira, que cunhou a frase da preeminência da sociedade sobre o Estado: "Desobedecer a *El-Rei*, para servir a *El-Rei*".[340]

O Estado capitulou na entrega do Acre, a sociedade retomou-o com as foices, os machados e os punhos de Plácido de Castro e seus seringueiros.[341]

O Estado autoritário prendeu e exilou. A sociedade, com Teotônio Vilela,[342] pela anistia, libertou e repatriou.

A sociedade foi Rubens Paiva,[343] não os facínoras que o mataram.

Foi a sociedade, mobilizada nos colossais comícios das Diretas Já!, que, pela transição e pela mudança, derrotou o Estado usurpador.

---

339. O Tratado de Tordesilhas (1494) estabelecia que as terras e ilhas localizadas a 370 léguas a oeste do arquipélago de Cabo Verde pertenceriam à Espanha, e tudo o que fosse encontrado depois desse limite ficaria para Portugal.

340. Referência à guerra contra o domínio holandês de Pernambuco (1630-1653).

341. Plácido de Castro (1873-1908) liderou os seringueiros no conflito do Acre, território contestado pela Bolívia e pelo Brasil. Pelo Tratado de Petrópolis (1903), o território foi incorporado definitivamente ao Brasil.

342. Teotônio Vilela (1917-1983). Político alagoano que ficou conhecido pelas lutas em defesa da anistia, da eleição direta para presidente da República e pela redemocratização do Brasil.

343. Rubens Paiva (1929-1971). Político, deputado federal. Foi preso, sem mandado judicial, torturado e assassinado no DOI-CODI do Rio de Janeiro. Seu corpo nunca foi encontrado.

Termino com as palavras com que comecei esta fala: a nação quer mudar. A nação deve mudar. A nação vai mudar.

A Constituição pretende ser a voz, a letra, a vontade política da sociedade rumo à mudança.

Que a promulgação seja nosso grito:

— Mudar para vencer!

Muda, Brasil![344]

---

344. In: Guimarães, Ulysses. *Discursos parlamentares*. Brasília: Câmara dos Deputados, 1997, pp. 375-380.

VLÁCAV HAVEL[345]

POVO, SEU GOVERNO VOLTOU ÀS SUAS MÃOS.[346]

Havel faz um balanço devastador dos 45 anos de socialismo na Tchecoslováquia e, por tabela, do domínio soviético. Analisa as dificuldades para a construção do regime democrático após anos de ditadura. E apresenta seu programa de governo numa conjuntura ainda muito complexa. Era o fim da Guerra Fria, ainda muito recente. O muro de Berlim tinha caído um semestre antes (em novembro de 1989).

Meus caros concidadãos,

Durante quarenta anos, neste dia, vocês ouviram de meus antecessores diversas variações em torno do mesmo tema: nosso país prospera, nós produzimos tantos milhões de toneladas de aço, como estávamos todos

---
345. Václav Havel (1936-2011). Presidente da Tchecoslováquia.
346. Discurso pronunciado em 1º de junho de 1990.

felizes, como acreditávamos em nosso governo e brilhantes perspectivas se abriam à nossa frente.

Mas suponho que vocês não me indicaram para esta função para que eu também lhes minta.

O nosso país não prospera. O grande potencial criador e espiritual de nosso povo não foi empregado como deveria. Ramos inteiros da indústria produzem mercadorias sem qualquer interesse, enquanto nos falta o que é necessário. O Estado, que se diz um Estado de operários, humilha e explora os operários. Nossa economia obsoleta desperdiça o pouco de energia que temos. O país que podia outrora se orgulhar do nível cultural de seus cidadãos gasta tão pouco em instrução que ocupa hoje o 72º lugar no ranking mundial. Poluímos o solo, os rios e as florestas que nos foram legados por nossos ancestrais e temos hoje o meio ambiente mais contaminado da Europa. Os adultos, em nosso país, morrem cada vez mais cedo do que na maioria dos países europeus.

Permitam-me uma pequena observação pessoal: quando, há pouco tempo, fui de avião a Bratislava, tive oportunidade de, entre conversas, olhar pela janela. Vi o complexo industrial da fábrica de produtos químicos de Slovnaft e, logo depois, o grande conjunto habitacional de Petrzalka. Tal visão bastou para me fazer compreender que, durante décadas, nossos estadistas e líderes políticos não olharam ou não quiseram olhar pelas janelas de seus aviões. Nenhuma consulta às estatísticas de que

O pior é o fato de vivermos num ambiente moral contaminado. Nossa moral adoeceu porque nos acostumamos a dizer uma coisa e pensar outra. Aprendemos a não acreditar em coisa alguma, a ignorarmos uns aos outros, a só nos ocuparmos de nós mesmos. Conceitos como amor, amizade, piedade, humildade ou perdão perderam sua profundidade e dimensão e, para muitos entre nós, nada representam além de peculiaridades psicológicas, ou lembranças extraviadas dos velhos tempos, um pouco ridículas na era dos computadores e naves espaciais.

disponho me permitiria compreender mais depressa e com mais facilidade a situação à qual chegamos.

Mas esse não é ainda o problema principal. O pior é o fato de vivermos num ambiente moral contaminado. Nossa moral adoeceu porque nos acostumamos a dizer uma coisa e pensar outra. Aprendemos a não acreditar em coisa alguma, a ignorarmos uns aos outros, a só nos ocuparmos de nós mesmos. Conceitos como amor, amizade, piedade, humildade ou perdão perderam sua profundidade e dimensão e, para muitos entre nós, nada representam além de peculiaridades psicológicas, ou lembranças extraviadas dos velhos tempos, um pouco ridículas na era dos computadores e naves espaciais.

[...]

O regime anterior – armado com sua ideologia arrogante e intolerante – reduziu o homem a uma força de produção e a natureza a um instrumento de produção. Atacou assim sua própria essência e seu relacionamento mútuo. Reduziu pessoas talentosas e autônomas, trabalhando com destreza em seu próprio país, a porcas e parafusos de uma grande e monstruosa máquina, ruidosa e fedorenta, cujo real significado não era claro para ninguém. Máquina que não é capaz de qualquer outra coisa além de desgastar, lenta, mas inexoravelmente, tanto a si mesma quanto a todos os seus parafusos e porcas.

Quando falo em atmosfera moral depravada, não me refiro apenas aos cavalheiros que comem vegetais orgânicos e não olham pelas janelas dos aviões. Refiro-me a todos nós. Nós nos acostumamos todos ao sistema totalitário, nós o aceitamos como fato imutável e assim contribuímos para perpetuá-lo. Em outras palavras, somos todos nós – ainda que em graus evidentemente diferentes – responsáveis pelo funcionamento da máquina totalitária. Nenhum de nós é apenas vítima. Somos também partícipes de sua criação.

Por que digo isso? Seria muito imprudente considerar a triste herança dos últimos quarenta anos como algo estranho a nós mesmos, que nos foi legado por um parente distante. Ao contrário. Devemos aceitar tal herança como um pecado que cometemos contra nós mesmos. Ao aceitá-la como tal, compreenderemos que é responsabilidade nossa, e de ninguém mais, fazer algo a respeito. Não podemos pôr toda a culpa nos governantes anteriores, não apenas porque isso não corresponderia à verdade, mas também porque minimizaria o dever que cada um de nós enfrenta hoje, especificamente a obrigação de agir com independência, liberdade, sensatez e rapidez. Não nos enganemos: o melhor governo do mundo, o melhor parlamento e o melhor presidente não podem fazer muito se estiverem sozinhos. E seria também um erro esperar um remédio geral proveniente apenas deles. A liberdade e a democracia implicam a participação e consequente responsabilidade de todos nós. Se nos conscientizarmos disso, todos os horrores herdados pela nova democracia tchecoslovaca deixarão de nos parecer tão medonhos. Se nos conscientizarmos disso, a esperança renascerá em nossos corações.

Com o esforço de restaurar assuntos de interesse comum, temos algo em que nos apoiar. Os últimos tempos – e sobretudo as últimas seis semanas de nossa revolução pacífica – revelaram o enorme potencial humano, moral e espiritual e a cultura cívica que estavam adormecidos em nossa sociedade, sob a máscara imposta da apatia. Todas as vezes em que alguém afirmava de maneira categórica que éramos isso ou aquilo, sempre retruquei que a sociedade é uma criatura muito misteriosa e que não é sábio confiar apenas na face por ela apresentada. Alegra-me constatar que não me enganei. Em todo o mundo, as pessoas se perguntam onde aqueles dóceis, humilhados, céticos e aparentemente cínicos cidadãos da Tchecoslováquia encontraram forças incríveis para tirar dos ombros o jugo do sistema totalitário em algumas semanas, e fazê-lo de forma decente e pacífica. Perguntemos: de onde os jovens, que nunca conheceram outro sistema, tiraram seu desejo de verdade, seu amor pelo livre pensar, suas

> *Nós nos acostumamos todos ao sistema totalitário, nós o aceitamos como fato imutável e assim contribuímos para perpetuá-lo. Em outras palavras, somos todos nós – ainda que em graus evidentemente diferentes – responsáveis pelo funcionamento da máquina totalitária. Nenhum de nós é apenas vítima. Somos também partícipes de sua criação.*

ideias políticas, sua coragem e sua prudência cívicas. Como seus pais – aquela geração considerada perdida – se uniram a eles? Como é possível que tanta gente soubesse de imediato o que fazer e que ninguém tivesse tido necessidade de conselhos ou instruções?

[...]

Tivemos, porém, que pagar pela nossa atual liberdade. Muitos de nossos concidadãos pereceram em prisões na década de 1950, muitos foram executados, milhares de vidas humanas foram destruídas, centenas de milhares de homens talentosos foram expulsos do país. Todos os que defenderam a honra de nossas nações durante a Segunda Guerra Mundial, os que se rebelaram contra o governo totalitário e os que simplesmente conseguiram ser eles mesmos e pensar de forma livre, todos foram perseguidos. Não deveríamos nos esquecer de nenhum daqueles que pagaram, de uma maneira ou de outra, pela nossa atual liberdade. Tribunais independentes deveriam avaliar com imparcialidade a possível culpa dos que foram responsáveis pelas perseguições, para que seja de todo revelada a verdade do nosso passado recente.

Precisamos ter também em mente que outras nações pagaram um preço ainda mais alto pela liberdade atual e que, indiretamente, também pagaram por nós. Os rios de sangue que correram na Hungria, na Polônia, na Alemanha e, há pouco tempo, de maneira tão horrenda na Romênia, bem como o mar de sangue derramado pelas nações da União Soviética, não podem ser esquecidos. Porque, antes de tudo, todo sofrimento humano diz respeito a todos os seres humanos. Mas, mais do que isso, também não devem ser esquecidos porque esses grandes sacrifícios constituem o trágico pano de fundo da liberdade atual ou da gradual emancipação das nações do Bloco Soviético, portanto o pano de fundo da nossa própria liberdade recém-conquistada. Sem as mudanças efetuadas na União Soviética, na Polônia, na Hungria e na República Democrática Alemã, o que houve em nosso país não teria acontecido, ou pelo menos não de modo tão pacífico.

[...]

Masaryk[347] baseou sua política na moralidade. Tentemos, num novo tempo e de uma nova maneira, restaurar esse conceito de política.

---

347. Tomás Masaryk (1850-1937). Primeiro presidente da Tchecoslováquia.

Ensinemos, a nós mesmos e aos demais, que a política deveria ser a expressão da vontade de contribuir para a felicidade da comunidade e não a necessidade de enganá-la ou espoliá-la. Ensinemos, a nós mesmos e aos demais, que a política não pode ser apenas a arte do possível, sobretudo se isso implica a arte da especulação, do cálculo, da intriga, dos acordos secretos e manobras pragmáticas, mas pode também ser a arte do impossível, a arte de melhorarmos a nós mesmos e o mundo.

Somos um pequeno país, mas já fomos a interseção espiritual da Europa. Há alguma razão pela qual não possamos voltar a sê-lo? Não seria esse um outro trunfo com o qual retribuir a ajuda dos outros, de que precisaremos?

Nossa máfia local, aqueles que não olham pelas janelas dos aviões e que comem porcos especialmente alimentados, pode ainda estar viva e às vezes turvar as águas, mas não é mais nosso principal inimigo. O mesmo vale para qualquer máfia internacional. Nosso principal inimigo são hoje nossos próprios defeitos: indiferença em relação às coisas comuns, vaidade, ambição pessoal, egoísmo e rivalidades. É nesse campo que devemos travar nosso maior combate.

Não permitamos que, sob o nobre desejo de servir à causa comum, volte a prosperar o desejo de servir a si mesmo. O que de fato importa agora não é qual partido, clube ou grupo prevalecerá nas eleições. O importante é que os vencedores sejam os melhores entre nós, no sentido moral, cívico, político e profissional, seja qual for sua afiliação política.

Estamos às vésperas de eleições livres e da campanha eleitoral. Não permitamos que essa luta manche a imagem até aqui limpa de nossa pacífica revolução. Não permitamos que as simpatias do mundo, que tão depressa ganhamos, sejam perdidas com a mesma rapidez enredando-nos na selva das tramoias pelo poder. Não permitamos que, sob o nobre desejo de servir à causa comum, volte a prosperar o desejo de servir a si mesmo. O que de fato importa agora não é qual partido, clube ou grupo prevalecerá nas eleições. O importante é que os vencedores sejam os melhores entre nós, no sentido moral, cívico, político e profissional, seja qual for sua afiliação política. A futura política e o prestígio de nosso Estado dependerão das personalidades que escolhermos e a seguir elejamos para nossos organismos representativos.

[...]

Para concluir, eu gostaria de dizer que desejo ser um presidente que fale menos e trabalhe mais. Ser um presidente que não apenas olhe com cuidado pela janela de seu avião, mas que, acima de tudo, esteja sempre presente entre seus concidadãos e os escute com atenção.

Vocês talvez se perguntem qual é a República dos meus sonhos. Deixem-me responder: sonho com uma República independente, livre e democrática, com uma República economicamente próspera e ainda assim socialmente justa; enfim, com uma República humana a serviço do indivíduo e que, assim, abrigue a esperança de que o indivíduo, por sua vez, a servirá. Uma República de um povo harmônico, porque sem tal povo é impossível solucionar qualquer dos nossos problemas – humanos, econômicos, ecológicos, sociais ou políticos.

Meu antecessor mais importante abriu seu primeiro discurso com uma citação do grande educador tcheco Komensky.[348] Permitam-me concluir com minha própria paráfrase da mesma afirmação:

Povo, seu governo voltou às suas mãos.[349]

---

348. Jan Amos Komensky (1592-1670), mais conhecido como Comênio.
349. In: http://beersandpolitics.com/discursos/VLACAV-HAVEL/WE-LIVE-IN-A--CONTAMINATED-MORAL-ENVIRONMENT/843.

MIKHAIL GORBACHEV[350]

VIVEMOS NUM MUNDO NOVO.[351]

O socialismo fracassou. As tentativas de dar nova vida ao regime não obtiveram êxito. A crise se aprofundou. O que parecia impossível uma década antes, aconteceu: a União Soviética se desintegrou. O colapso do regime levou consigo todo o aparato de Estado construído em pouco mais de sete décadas.

Caros compatriotas, concidadãos,

Como resultado da situação recém-constituída com a criação da Comunidade dos Estados Independentes,[352] encerro minhas atividades no

---

350. Presidente da União das Repúblicas Socialistas Soviéticas (URSS), entre 1990 e 1991.
351. Discurso pronunciado em 24 de dezembro de 1991, em Moscou.
352. A Comunidade dos Estados Independentes formada por onze países foi fundada em 8 de dezembro de 1991.

cargo de presidente da URSS. Tomo tal decisão devido a considerações baseadas em princípios. Defendi com firmeza a independência e a autonomia das nações, pela soberania das repúblicas, mas ao mesmo tempo pela preservação da união do Estado, pela unidade do país.

Os acontecimentos tomaram outro curso. A política que prevaleceu foi a de desmembrar este país e desunir o Estado, com o que não posso concordar. E, depois do encontro de Alma-Ata e das decisões lá tomadas, minha posição relativa a este assunto permaneceu inalterada. Ademais, estou convencido de que decisões dessa envergadura deveriam ser tomadas com base numa consulta da vontade popular.

Ainda assim, continuarei a fazer tudo o que estiver ao meu alcance para que os acordos lá firmados levem a uma real concordância da sociedade e facilitarei a saída da crise e o processo de reforma. Ao me dirigir a vocês pela última vez na qualidade de presidente da URSS, considero necessário expressar minha avaliação do caminho percorrido desde 1985,[353] sobretudo por haver, em relação a essa questão, uma série de julgamentos contraditórios, superficiais e subjetivos.

Quis o destino que, quando eu me encontrava no comando do Estado, já ficasse claro que nem tudo ia bem no país. Nele, há muito de tudo: terra, petróleo, gás e outras riquezas naturais; e Deus nos deu muita inteligência e talento, mas ainda assim vivíamos muito pior do que os países desenvolvidos e continuávamos, cada vez mais, a retroceder diante deles.

O processo de renovação do país e as profundas mudanças no mundo demonstraram ser muito mais complicados do que se poderia esperar. Contudo, é preciso dar a devida importância a tudo o que se conseguiu. Esta sociedade obteve sua liberdade, libertou-se política e espiritualmente, e essa foi nossa mais importante conquista, que ainda não compreendemos de todo porque não aprendemos a usar a liberdade.

---

353. Ano em que assumiu a Secretaria-Geral do Partido Comunista da União Soviética.

A razão já era visível: a sociedade estava asfixiada na prensa do sistema burocrático, condenado a servir à ideologia e a suportar a terrível carga da corrida armamentista. Ela chegara ao limite de suas possibilidades. Todas as tentativas de reformas parciais, e houve muitas, sofreram sucessivas derrotas. O país perdia perspectiva. Não poderíamos continuar vivendo daquela maneira. Tudo precisava mudar radicalmente.

O processo de renovação do país e as profundas mudanças no mundo demonstraram ser muito mais complicados do que se poderia esperar. Contudo, é preciso dar a devida importância a tudo o que se conseguiu. Esta sociedade obteve sua liberdade, libertou-se política e espiritualmente, e essa foi nossa mais importante conquista, que ainda não compreendemos de todo porque não aprendemos a usar a liberdade.

Ainda assim, levou-se a cabo um trabalho de relevância histórica. O sistema totalitário, que privava o país da oportunidade de ser bem-sucedido e próspero, foi há muito tempo eliminado. Um grande avanço foi logrado no caminho das mudanças democráticas. Eleições livres, liberdade de imprensa, liberdades religiosas, organismos representativos do poder, um sistema pluripartidário: tudo isso se tornou realidade; os direitos humanos são reconhecidos como princípio supremo.

A Guerra Fria chegou ao fim, a corrida armamentista foi interrompida, assim como a militarização insana que mutilou nossa economia, a psique e a moral públicas. Foi removida a ameaça de uma guerra mundial. Uma vez mais quero assinalar que, no que me diz respeito, tudo foi feito durante o período de transição para preservar um controle confiável das armas nucleares.

O movimento em direção a uma nova economia já teve início, a igualdade de todas as formas de propriedade começa a ser estabelecida, o povo que trabalha a terra volta à vida no âmbito da reforma agrária, surgiram os agricultores, milhões de acres de terra estão sendo entregues às pessoas que vivem no campo e nas cidades.

A liberdade econômica do produtor foi legalizada e o espírito empreendedor, a participação e a privatização ganham impulso. Ao voltar a economia na direção de um mercado, é importante lembrar que tudo isso se faz em prol do indivíduo. Nesses tempos difíceis, tudo deve ser feito em nome de sua proteção social, sobretudo dos idosos e das crianças.

Vivemos num mundo novo. A Guerra Fria chegou ao fim, a corrida armamentista foi interrompida, assim como a militarização insana que mutilou nossa economia, a psique e a moral públicas. Foi removida a ameaça de uma guerra mundial. Uma vez mais quero assinalar que, no que me diz respeito, tudo foi feito durante o período de transição para preservar um controle confiável das armas nucleares.

Abrimo-nos para o mundo, deixamos de interferir nos assuntos de outros povos e de utilizar nossas tropas além das fronteiras do nosso país; a resposta veio sob a forma de confiança, solidariedade e respeito.

As nações e as pessoas [deste país] obtiveram a verdadeira liberdade para escolher o caminho de sua autodeterminação. A busca de uma reforma democrática do Estado multinacional nos trouxe ao limiar da conclusão de um novo Tratado da União. Todas essas mudanças provocaram enorme tensão. Foram realizadas graças a uma intensa luta, com crescente resistência das forças antigas e obsoletas.

A razão já era visível: a sociedade estava asfixiada na prensa do sistema burocrático, condenado a servir à ideologia e a suportar a terrível carga da corrida armamentista. Ela chegara ao limite de suas possibilidades. Todas as tentativas de reformas parciais, e houve muitas, sofreram sucessivas derrotas. O país perdia perspectiva. Não poderíamos continuar vivendo daquela maneira. Tudo precisava mudar radicalmente.

O velho sistema colapsou antes que o novo tivesse tempo de começar a funcionar e a crise social tornou-se ainda mais aguda. O golpe de agosto[354] levou a crise geral ao limite máximo. O maior prejuízo dessa crise é a

---

354. Alusão ao fracasso do golpe de Estado ocorrido entre 19 e 21 de agosto de 1991.

desintegração da estrutura do Estado. E hoje me preocupa que nosso povo perca a cidadania de um grande país. As consequências podem vir a ser muito duras para todos.

Deixo meu posto com apreensão, mas também com esperança, com fé em vocês, em sua sabedoria e força de espírito. Somos os herdeiros de uma grande civilização e seu renascimento para uma nova vida, moderna e digna, depende agora de todos e de cada um de nós.

Alguns erros poderiam com certeza ter sido evitados, muitas coisas poderiam ter sido melhoradas, mas estou convencido de que, cedo ou tarde, nossos esforços comuns darão frutos e nossas nações viverão numa sociedade próspera e democrática.

Desejo a todos vocês o melhor.[355]

---

355. In: http://beersandpolitics.com/discursos/MIKHAIL-GORBACHEV/DISSOLVING-THE-SOVIET-UNION-USSR/309.

BIBLIOGRAFIA

Livros

Barbosa, Rui. *Pensamento e ação de Rui Barbosa*. Brasília: Senado Federal, 1999.

Belloto, Manoel Lelo e Anna Maria Martinez Correa (orgs.). *Bolívar*. São Paulo: Ática, 1983.

Bonavides, Paulo e Roberto Amaral (orgs.). *Textos políticos da história do Brasil*. Volume VI. Brasília: Senado Federal, 2002, pp. 766-772.

Bruna, Jaime. *Eloquência grega e latina*. Rio de Janeiro: Ediouro, sem data.

Cabral de Mello, Evaldo (org.). *Frei Joaquim do Amor Divino Caneca*. São Paulo: Editora 34, 2001.

Campos, Francisco. *O Estado nacional*. Brasília: Senado Federal, 2001.

Carson, Clayborne e Kris Shepard (orgs.). *Um apelo à consciência:* os melhores discursos de Martin Luther King. Rio de Janeiro: Zahar, 2006.

Cicerón, Marco Túlio. Discursos contra Marco Antonio o filípicas. Madrid: Catédra, 2001.

Churchill, Winston. *Jamais ceder!* Os melhores discursos de Winston Churchill. Rio de Janeiro: Zahar, 2005.

Dallek, Robert e Terry Golway (orgs.). *Uma visão de paz:* os melhores discursos de John F. Kennedy. Rio de Janeiro: Zahar, 2007.

Fernandes, Florestan (org.). V. I. *Lênin:* política. São Paulo: Ática, 1978.

Flores Magón, Ricardo. *Los pobres son la fuerza*. Buenos Aires: Ediciones Godot, 2014.

Folch Gomes, C. *Antologia dos santos padres*. São Paulo: Paulinas, 1979.
Goodwin, Doris Kearns. *Lincoln*. Rio de Janeiro: Record, 2015.
Guimarães, Ulysses. *Discursos parlamentares*. Brasília: Câmara dos Deputados, 1997.
Hugo, Victor. *Oeuvres Complètes*. Politique. Paris: Robert Laffont, 1985.
Jardim, Antônio da Silva. *Propaganda republicana (1888-1889)*. Rio de Janeiro: Casa de Rui Barbosa-MEC, 1978.
Jefferson, Thomas. *Escritos políticos*. São Paulo: Ibrasa, 1964.
Khruschev, Nikita. *Informe secreto al XX Congreso del PCUS*. Sevilla: Doble, sem data.
León-Portilla, Miguel. *A conquista da América vista pelos índios*: relatos astecas, maias e incas. Petrópolis: Vozes, 1984.
Liacho, Lázaro (org.). *Titãs da oratória*. Rio de Janeiro: El Ateneo do Brasil, sem data, pp. 432-433; 437-440.
Mann, Thomas. *Ouvintes alemães!* Discursos contra Hitler (1940-1945). Rio de Janeiro: Zahar, 2009.
Maquiavel, Nicolau. *História de Florença*. São Paulo: Musa, 1994.
Marx, Karl e Friedrich Engels. *Textos*. Volume 2. São Paulo: Edições Sociais, 1976.
Nabuco, Joaquim. *Campanha abolicionista no Recife*. Brasília: Senado Federal, 2010.
Platão. *Defesa de Sócrates*. São Paulo: Abril, 1972.
Porto Sobrinho, Antonio Faustino. *Antologia da eloquência universal*. Rio de Janeiro: Ediouro, 1967.
Quental, Antero de. *Causas da decadência dos povos peninsulares*. Lisboa: Ulmeiro, 1996.
Robespierre, Maximilien. *Virtude e terror*. Rio de Janeiro: Jorge Zahar, 2008.
Romero, Sílvio. *O Brasil social e outros estudos sociológicos*. Brasília: Senado Federal, 2001.
Sader, Emir (org.). *Fidel Castro*. São Paulo: Ática, 1986.
Shakespeare, William. *Antonio e Cleópatra; Júlio César (tragédias)*. Rio de Janeiro: Ediouro, sem data.
Tocqueville, Alexis de. *Lembranças de 1848:* as jornadas revolucionárias em Paris. São Paulo: Companhia das Letras, 2011.

Tsé-Tung, Mao. *Sobre a prática e a contradição*. Rio de Janeiro: Jorge Zahar, 2008.
Tucídides. *História da Guerra do Peloponeso*. Brasília: Editora Universidade de Brasília, 1982.
Vargas, Getúlio. *A nova política do Brasil*. Volume I. Rio de Janeiro: José Olympio, 1938.

Internet

http://beersandpolitics.com/discursos
http://www.dominiopublico.gov.br
http://enfantsdelhistoire.com
http://www.presidency.ucsb.edu

Arquivo pessoal

Sobre o Autor

Marco Antonio Villa é historiador, com mestrado e doutorado pela Universidade de São Paulo. Foi professor universitário por trinta anos. É considerado um dos maiores conhecedores da História Política do Brasil, tendo publicado mais de 30 livros. É comentarista do Jornal da Manhã da *Radio Jovem Pan*, do Jornal da Cultura, da *TV Cultura*, e é colunista dos jornais *O Globo*, *Estado de Minas*, *Correio Braziliense* e da revista *Isto é*. Está presente nas redes sociais com o *Blog do Villa*, com mais de 800 mil seguidores.

**Acreditamos
nos livros**

Este livro foi composto em Adobe Garamond Pro
e Bliss Pro e impresso pela RRD para a Editora
Planeta do Brasil em fevereiro de 2019.

SÍLVIO ROMERO
RICARDO FLORES MAGÓN
ULYSSES GUIMARÃES
VLÁCAV HAVEL
ORTEGA Y GASSET
MIKHAIL GORBACHEV
RUI BARBOSA
PÉRICLES
VLADIMIR ILICH LENIN
BENITO MUSSOLINI
SÓCRATES
MARCO ANTÔNIO
GETÚLIO VARGAS
FRANKLIN ROOSEVELT
FRANCISCO FRANCO
FRANCISCO CAMPOS
CÍCERO
SANTO AGOSTINHO
WINSTON CHURCHILL
SÃO JOÃO CRISÓSTOMO
CHARLES DE GAULLE
LOURENÇO DE MÉDICI
UM ANTIGO SÁBIO ASTECA
ADOLF HITLER
PADRE ANTÔNIO VIEIRA
MAXIMILIEN ROBESPIERRE
MAHATMA GANDHI
JUAN DOMINGO PERÓN
FREI CANECA
THOMAS JEFFERSON
SIMÓN BOLÍVAR
THOMAS MANN
LORD BYRON
HO CHI MINH
ALEXIS DE TOCQUEVILLE
VICTOR HUGO
AFONSO ARINOS
NIKITA KRUSCHEV
ABRAHAM LINCOLN
TALANTERO DE QUINTA
FRIEDRICH ENGELS
MAO TSÉ-TSUNG
PATRICE LUMUMBA
JOAQUIM NABUCO
JOHN KENNEDY
CARLOS LACERDA
SILVA JARDIM
FIDEL CASTRO
WILLIAM JENNINGS BRYAN
MARTIN LUTHER KING

A princesa e o goblin

A princesa e o goblin

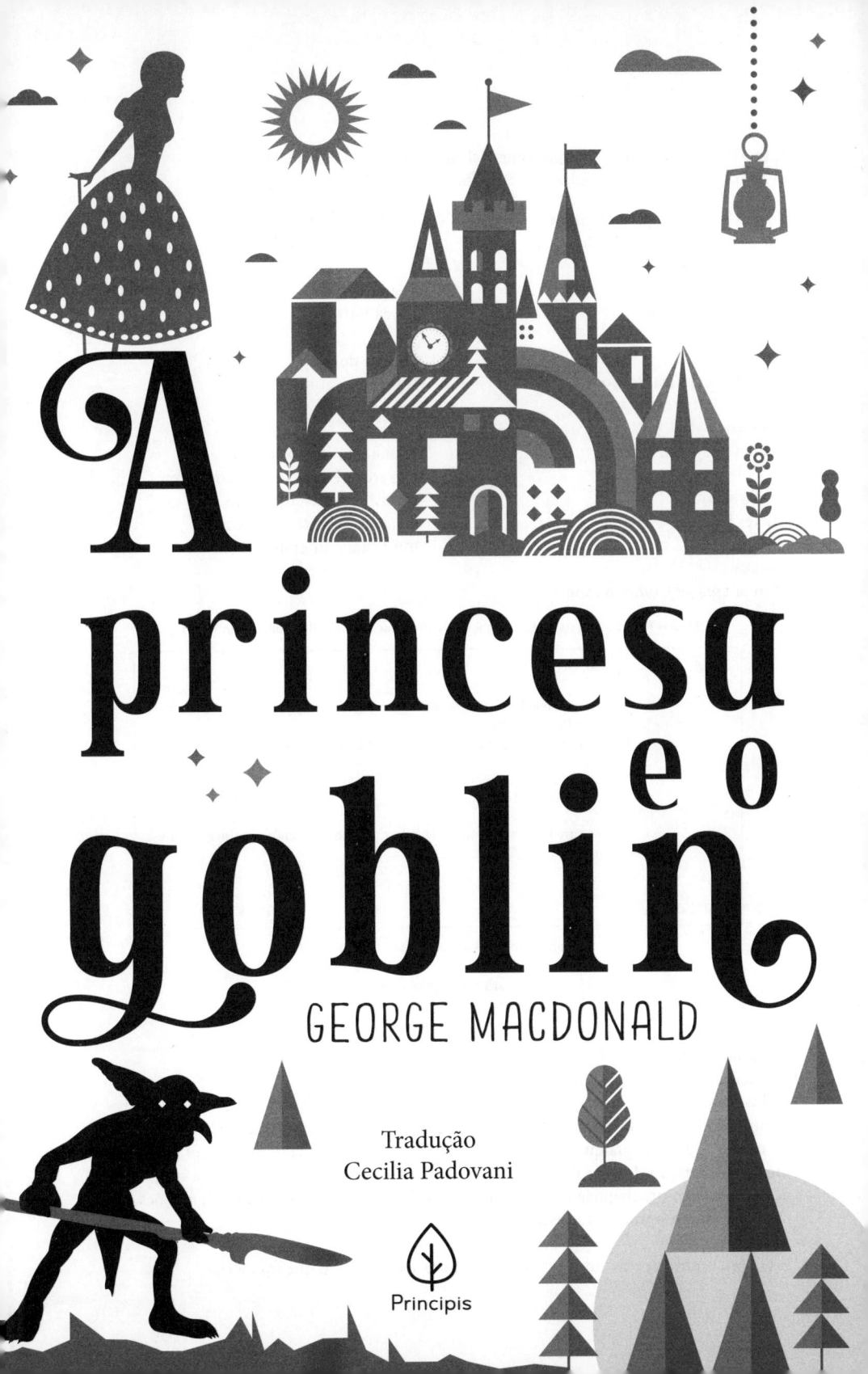

GEORGE MACDONALD

Tradução
Cecilia Padovani

Principis

Esta é uma publicação Principis, selo exclusivo da Ciranda Cultural
© 2021 Ciranda Cultural Editora e Distribuidora Ltda.

Traduzido do original em inglês *The Princess and the Goblin*	Produção editorial Ciranda Cultural
Texto George MacDonald	Diagramação Linea Editora
Editora Michele de Souza Barbosa	Design de capa Imaginare Studio
Tradução Cecilia Padovani	Imagens Kasija/shutterstock.com Kozyreva Elena/shutterstock.com
Preparação Mirtes Ugeda Coscodai	Marish/shutterstock.com klyaksun/shutterstock.com miniaria/shutterstock.com
Revisão Marcia Duarte Companhone	

Dados Internacionais de Catalogação na Publicação (CIP) de acordo com ISpBD

M135 MacDonald, George

   A princesa e o goblin / George MacDonald; traduzido por Cecilia Padovani. - Jandira, SP : Principis, 2021.
   192 p. ; 15,50cm x 22,60cm. (Clássicos da literatura mundial).

   Título original: The princess and the Goblin
   ISBN: 978-65-5552-671-4

   1. Literatura inglesa. 2. Contos de fada vitoriano. 3. Aventura. 4. Imaginação. I. Padovani, Cecilia. II. Título.

2021-0223

CDD 823.91
CDU 821.111-3

Elaborado por Lucio Feitosa - CRB-8/8803

Índice para catálogo sistemático:
1. Literatura inglesa : 823.91
2. Literatura inglesa : 821.111-3

1ª edição em 2021
www.cirandacultural.com.br
Todos os direitos reservados.
Nenhuma parte desta publicação pode ser reproduzida, arquivada em sistema de busca ou transmitida por qualquer meio, seja ele eletrônico, fotocópia, gravação ou outros, sem prévia autorização do detentor dos direitos, e não pode circular encadernada ou encapada de maneira distinta daquela em que foi publicada, ou sem que as mesmas condições sejam impostas aos compradores subsequentes.

Esta obra reproduz costumes e comportamentos da época em que foi escrita.

Sumário

Por que há uma história sobre a princesa 9

A princesa se perde 12

A princesa e... nós veremos quem..................15

O que a babá pensou disso tudo...................22

A princesa fica bem sozinha 27

O pequeno mineiro..................30

Os mineradores..................42

Os goblins..................46

O salão do palácio dos goblins 54

O rei papai da princesa..................63

O quarto da velha senhora..................68

Um pequeno capítulo sobre Curdie..................76

As criaturas dos goblins..................78

Uma noite interminável..................83

Tecido e fiado..................88

O anel..................98

Primavera 101

A pista de Curdie..................104

O conselho de goblins..................113

A pista de Irene..................120

A fuga..................125

A velha senhora e Curdie 136
Curdie e sua mãe 143
Irene se comporta como uma princesa 152
A dor de Curdie 155
Os goblins mineradores 160
Os goblins na casa do rei 163
O guia de Curdie 170
Alvenaria 175
O rei e o beijo 178
As águas subterrâneas 182
O último capítulo 188

Sobre o autor e suas obras 191

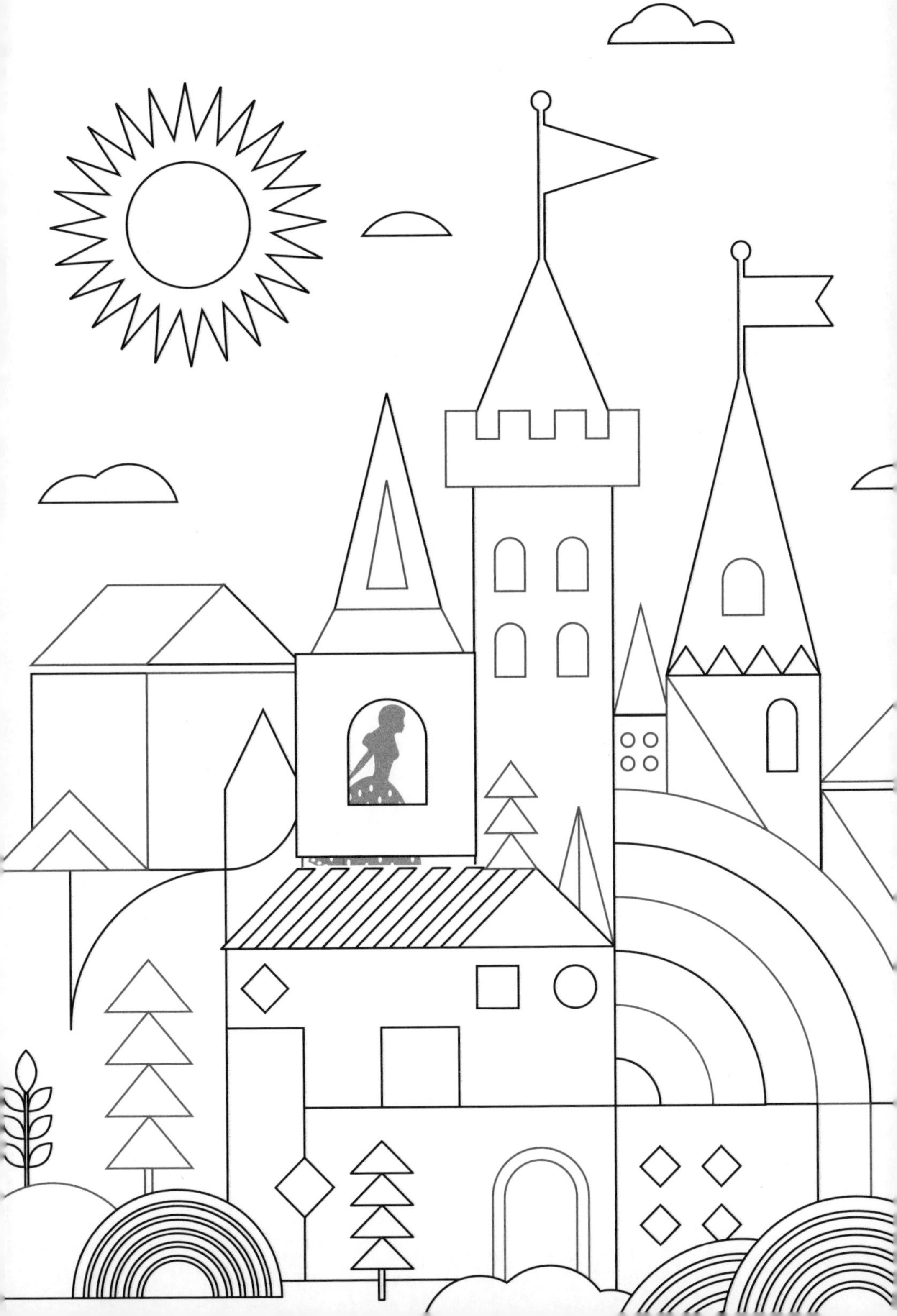

Por que há uma história sobre a princesa

Era uma vez uma princesinha cujo pai era o rei de um grande país cheio de cordilheiras e vales. Seu palácio fora construído sobre uma das montanhas e era muito grandioso e belo.

A princesa Irene tinha nascido ali, mas como sua mãe não era muito forte, ela fora enviada para outro local logo após o nascimento para ser criada por pessoas do campo. Morava em uma grande residência, um misto de castelo com casa de fazenda situada na lateral de outra montanha, na metade do caminho entre a base e o topo.

A princesa era uma criaturinha doce, e na época em que minha história começou tinha cerca de oito anos, acho eu, mas ela cresceu bem rapidamente. Seu rosto era bonito, com olhos como dois pedaços de céu noturno, cada um com uma estrela dissolvida no azul, que deviam saber de onde vieram, tantas foram as vezes em que miraram na direção do infinito.

O teto de seu quarto era pintado de azul e decorado com estrelas, parecendo realmente com o céu de verdade, mas duvido que ela alguma vez tenha visto o céu com estrelas, por uma razão que eu deveria ter mencionado de imediato.

As montanhas estavam cheias de espaços ocos; enormes cavernas e caminhos sinuosos, alguns com água corrente e outros brilhantes com todas as cores do arco-íris quando uma luz era capturada. Pouco se saberia sobre elas se não houvesse minas por lá, grandes fossos profundos com longas galerias e passagens que foram escavadas para a obtenção do minério do qual estavam repletas.

Durante as escavações, os mineiros se depararam com muitas dessas grutas; algumas tinham longas aberturas na lateral de um monte ou davam para uma ravina. Nessas cavernas subterrâneas vivia uma estranha raça de seres, chamados por alguns de gnomos, por outros de anões ou goblins. Segundo uma lenda corrente no país, houve um tempo em que viviam sobre a terra e eram muito parecidos com as pessoas.

Mas, por uma razão ou outra, a respeito da qual existem diferentes teorias lendárias, o rei havia imposto sobre eles algo que julgavam ser muito tirano, ou exigido a observância de alguma coisa de que não gostavam, ou começara a tratá-los com mais severidade e a impor leis mais rigorosas; e a consequência foi que todos eles haviam desaparecido da face da terra.

De acordo com a história, porém, em vez de irem para algum outro país, todos se refugiaram nas cavernas subterrâneas, de onde somente saíam à noite. Era raro se mostrarem em grandes grupos e jamais para muitas pessoas ao mesmo tempo. Era apenas nas áreas menos frequentadas e mais remotas das montanhas que eles se reuniam, mesmo à noite e ao ar livre.

Aqueles que avistaram alguns desses goblins notaram grandes alterações em sua aparência no decorrer de gerações, e não é de se admirar, pois viviam longe do sol, em lugares frios, úmidos e escuros. Agora eles estavam não apenas feios, mas absolutamente hediondos, ou ridiculamente grotescos, tanto no rosto quanto na forma. Não havia nenhuma invenção da imaginação mais criativa expressa por caneta ou lápis que pudesse superar a extravagância de sua aparência.

Mas desconfio de que as pessoas que fizeram tais comentários tenham confundido alguns de seus companheiros animais com os goblins. Os próprios gnomos não estavam tão distantes assim da aparência humana como essa descrição implicava. E conforme cresciam deformados no corpo, tinham também se aprimorado em conhecimento e esperteza, e já eram capazes de fazer coisas que nenhum mortal imaginaria ser possível. Ficaram mais astutos e também mais maliciosos, e o seu grande deleite era, em todos os sentidos, irritar as pessoas que viviam a céu aberto acima deles.

Os goblins nutriam afeto suficiente uns pelos outros para que não fossem absolutamente cruéis com aqueles que se colocavam em seu caminho. Ainda assim, guardavam com grande estima o rancor ancestral contra aqueles que ocupavam suas antigas terras, especialmente em relação aos descendentes do rei que os havia expulsado. Por isso, procuravam todas as oportunidades de atormentá-los de maneiras muito estranhas e, embora fossem anões e deformados, eles tinham força igual à astúcia.

Com o passar do tempo, haviam constituído um governo próprio e nomearam um rei, cujo principal negócio, além de seus próprios assuntos, era o de criar problemas para seus vizinhos. Agora ficará bastante evidente o motivo pelo qual a princesinha nunca havia visto o céu à noite. Todos tinham muito medo dos goblins para deixá-la sair de casa depois que escurecia, mesmo com tantos acompanhantes; e tinham uma boa razão, como veremos mais adiante.

A princesa se perde

 Eu mencionei que a princesa Irene tinha cerca de oito anos de idade quando minha história começou. E ela se inicia em um dia muito úmido, a montanha estava coberta por uma névoa que se unia às gotas de chuva para se derramar sobre os telhados da grande e antiga casa, e essa chuva caudalosa caía pelo beiral que circundava a casa. A princesa não podia, obviamente, sair. Estava muito entediada, tão cansada que até mesmo seus brinquedos não conseguiam mais diverti-la.

 Você tentaria imaginar a cena se eu tivesse tempo de descrever a metade dos brinquedos que a menina possuía, mas então você não teria os brinquedos em si, e isso faz toda a diferença: não é possível se cansar do que não se vê.

 Era uma imagem, no entanto, que valeria a pena contemplar. A princesa no quarto com o teto pintado de céu sobre sua cabeça, sentada a uma grande mesa coberta com seus brinquedos. Se um artista almejasse desenhar esse quadro, eu deveria aconselhá-lo a não se intrometer com os passatempos. Tenho medo de tentar descrevê-los, e acho melhor que ele não se atreva a desenhá-los. É melhor que nem tente. Ele pode fazer mil coisas que eu não ousaria, mas acho que não conseguiria esboçar bem os traços daqueles passatempos.

A princesa tinha as costas curvadas na parte de trás da cadeira, a cabeça pendurada e as mãos no colo; sentia-se muito entristecida, como ela mesma diria, sem sequer saber o que gostaria de fazer. Ou melhor, queria sair, ficar completamente molhada, pegar um resfriado particularmente agradável, ter de ir para a cama e só comer mingau.

Após vê-la sentada ali, tão quieta, sua babá resolveu sair do quarto. A princesa se agitou um pouco e olhou para a mulher, então deslizou de sua cadeira e saiu correndo do quarto, mas não cruzara a mesma porta por onde a babá saíra ao chegar ao corredor, e sim outra que se abria aos pés de uma curiosa escada velha de carvalho, comido por minhocas, que parecia nunca ter sido pisada por ninguém.

Bem, ela já havia galgado seis degraus antes, e isso fora motivo bastante, em tal dia, para convencê-la a pensar em descobrir o que haveria no topo de tal escada. Por isso subiu, subiu... subiu tanto que lhe pareceu suficiente para alcançar o terceiro piso, e então descobriu que o patamar era o fim de uma longa passagem. Uma vez ali, decidiu correr.

O lugar estava cheio de portas, de ambos os lados. Havia tantas que não se preocupou em abrir nenhuma, e disparou até o final do corredor. Só que o término se transformou em outra passagem, também cheia de portas. Quando ela havia virado mais duas vezes e ainda avistava apenas portas diante de si, começou a ficar assustada.

Tudo estava tão silencioso, e todas aquelas portas deviam esconder quartos vazios... Que horror! A chuva fez um grande barulho de pisoteio no telhado. Ela então se virou e começou a voltar a toda velocidade, seus pequenos passos ecoando através dos sons da tempestade; sabia que precisava voltar para a escadaria e para seu quarto seguro. Mas já havia se perdido fazia muito tempo.

Correu por alguma distância, virou várias vezes, e depois o medo a abraçou. Muito cedo teve certeza de que havia perdido o caminho de volta. Quartos por toda parte e nenhuma escada! Seu pequeno coração batia tão rapidamente quanto seus pezinhos corriam, e um punhado de lágrimas travava sua garganta; estava muito ansiosa e talvez assustada demais para chorar.

Finalmente sua esperança falhou. Nada além de passagens e fechaduras por toda parte! Ela se jogou no chão e chorou copiosamente, o corpo sacudido por soluços, mas não lamentou por muito tempo, e foi tão corajosa quanto se podia esperar de um membro da realeza de sua idade.

Depois de muitas lágrimas, levantou-se e espanou o pó do vestido. Oh, que pó antigo era aquele! Então limpou os olhos com as mãos; pois as princesas nem sempre têm seus lenços nos bolsos, assim como algumas meninas que eu conheço.

Em seguida, como uma verdadeira dama, resolveu retornar sabiamente ao trabalho de encontrar o caminho de volta para seu quarto: andaria pelos corredores e olharia em todas as direções para achar a escada. Isto ela fez, mas sem sucesso. Sem saber, percorreu o mesmo trajeto mais de uma vez, pois as passagens e as portas eram todas iguais.

Finalmente, em um canto, através de uma porta semiaberta, viu uma escada, mas, infelizmente, ela dava para o caminho errado: em vez de descer, subia. Estava muito assustada, no entanto, estava ainda mais curiosa e quis ver para onde a nova opção a levaria. O caminho era tão estreito e íngreme que ela precisou seguir agachada, como uma criatura de quatro patas, apoiada sobre as mãos e os pés.

A princesa e... nós veremos quem

Quando alcançou o topo, a menina se viu em um pequeno ambiente quadrado com três portas: sendo duas opostas uma à outra e a terceira à frente, diante da escada. Ficou estática por um momento, sem ideia do que fazer em seguida e, enquanto estava ali parada, começou a ouvir um zumbido curioso.

Poderia ser a chuva? Não! Era muito mais suave e até mais monótono do que o som da chuva, que agora mal se ouvia.

O som baixo e doce prosseguia, às vezes parando por um tempo e, logo depois, recomeçando. Era algo como o zumbido de uma abelha muito feliz que havia encontrado uma rica fonte de mel em alguma flor. De onde poderia vir?

Ela aproximou-se de uma das portas e encostou a orelha para verificar se o som vinha de lá, depois tentou ouvir na porta seguinte. Quando encostou a orelha contra a terceira, não teve dúvidas... o som vinha dali! Havia alguma coisa naquela sala. O que seria?

A pequena princesa estava com muito medo, mas a vontade de descobrir era um sentimento mais forte, e ela abriu a porta muito gentilmente e espreitou dentro. O que você acha que ela viu?

Ali estava uma senhora muito idosa sentada junto a uma roda de fiar.

Talvez você se pergunte como a princesa pôde saber que a senhora era idosa. Vou lhe contar que era uma mulher bonita, e sua pele era lisa e branca, e lhe direi mais: os cabelos estavam penteados para trás, presos por toda a extensão das costas. Isso não é muito parecido com uma velha senhora, não é mesmo? Ah, mas os cabelos eram brancos quase como a neve, e embora seu rosto fosse liso, os olhos pareciam tão sábios que você também concluiria que ela devia ser idosa.

A princesa, embora não pudesse afirmar o motivo, julgava-a com aproximadamente cinquenta anos de idade, mas ela era um pouco mais velha do que isso, como você saberá.

Enquanto a menina a fitava desorientada, olhando-a da porta, apenas com a cabeça dentro da sala, a velha mulher se levantou e então lhe disse, com uma voz doce e bastante trêmula, que se misturava muito agradavelmente com o zumbido contínuo da roda de fiar:

– Entre, minha querida, entre. Estou feliz em vê-la.

Você poderá ver agora muito claramente que a princesa era uma verdadeira representante da realeza, pois ela não se agarrava ao puxador da porta, revelando seu medo, mas agia com altivez e olhava para a velha senhora sem se mexer. Então ela fez o que lhe foi dito, entrou de imediato e fechou gentilmente a porta atrás de si.

– Venha até mim, minha querida – disse a senhora.

E novamente Irene fez o que lhe foi mandado. Aproximou-se lenta e cuidadosamente da senhora, mas não parou até que ficou a seu lado e olhou-a com seus olhos azuis e as duas estrelas neles derretidas.

– O que você fez com seus olhos, criança? – perguntou a mulher.

– Estive chorando – respondeu.

– Por quê, menina?

– Porque não consegui encontrar o caminho de volta para baixo.

– Mas você conseguiu achar o caminho para cima.

– Não a princípio, não durante muito tempo.

– Seu rosto está sujo como a pele de uma zebra. Você não tinha um lenço para enxugar os olhos?

– Não.

– Então por que não veio para que eu os enxugasse para você?

– Perdão, eu não sabia que estava aqui. Eu virei da próxima vez.

– Boa garota – a senhora falou.

Então parou a roda e, saindo da sala, voltou com uma pequena bacia prateada e uma toalha branca macia, com a qual lavou e limpou o pequeno rosto radiante. A princesa achou suas mãos muito suaves e agradáveis.

Quando a mulher se retirou para levar a bacia e a toalha, a princesinha se surpreendeu ao notar como ela era alta e ereta, pois apesar de tão velha, não se arqueava nem um pouco. Estava vestida de veludo preto com rendas brancas, grossas e pesadas. Os cabelos brilhavam como prata sobre o tecido escuro.

Sem tapetes no chão, nenhuma mesa, nada a não ser a roda de fiar e a cadeira ao lado, quase não havia mais móveis no ambiente além daqueles que uma mulher idosa e pobre poderia ter para fazer seu pão e cuidar de sua fiação. Quando retornou, ela se sentou e, sem nem uma palavra, recomeçou o trabalho, enquanto Irene, que nunca tinha visto tal engrenagem, ficou observando.

A mulher perguntou à princesa, mas sem olhar em sua direção:

– Você sabe meu nome, criança?

– Não, eu não sei – a menina respondeu.

– Meu nome é Irene.

– Esse é meu nome! – a princesa exclamou.

– Eu sei disso. Eu a deixei ficar com o meu nome. Eu não recebi seu nome, você é quem recebeu o meu.

– Como pode ser? – perguntou a princesa, confusa. – Eu sempre tive esse nome.

– Seu papai, o rei, perguntou-me se eu tinha alguma objeção a que você o tivesse; e, é claro, eu não tinha. Concordei com prazer.

– Foi muito gentil de sua parte permitir que eu tivesse seu nome, é um nome muito bonito – disse a garota.

– Oh, não foi gentileza! – explicou a mulher grisalha. – Um nome é uma daquelas coisas que se pode dar e manter tudo igual. Há um bom número de coisas assim. Você gostaria de saber quem eu sou, criança?

– Sim, muito...

– Eu sou sua trisavó – disse a senhora.

– O que é isso? – perguntou Irene.

– Sou a mãe do pai do seu pai.

– Oh! Eu não consigo entender isso – disse a menina.

– Ouso dizer que não, eu não esperava que entendesse, mas não há razão para que eu deixe de mencionar.

– Oh, não... – respondeu a princesa.

– Eu lhe explicarei tudo isso quando você for mais velha – a senhora continuou. – Mas agora você poderá entender uma questão: eu vim aqui para cuidar de você.

– Já faz muito tempo que você veio? Foi ontem? Ou foi hoje? Estava tudo tão molhado que eu não consegui sair...

– Eu estou aqui desde que você chegou.

– Há quanto tempo? – perguntou a princesa. – Não me lembro de nada.

– Não, suponho que não.

– Mas eu nunca a vi antes.

– Não. Mas você me verá novamente.

– Você vive sempre nesta sala?

– Sento-me aqui durante a maior parte do dia, mas eu não durmo aqui.

– Acho que eu não gostaria disso. Com certeza eu não iria gostar, meu quarto é muito mais bonito. Você também deve ser uma rainha, pois é uma espécie de avó minha.

– Sim, sou uma rainha.

– Onde está sua coroa, então?

– No meu quarto.

– Eu gostaria de vê-la.

– Você a verá algum dia, mas não hoje.

– Por que a babá nunca me falou nada sobre você?

– Ela não sabe, nunca me viu.

– Alguém sabe que você está na casa?

– Não, ninguém.

– Como você consegue seu jantar, então?

– Eu tenho algumas aves.

– Onde você as guarda?

– Eu lhe mostrarei.

– E quem faz o caldo de galinha para você?

– Eu nunca mato nenhuma das minhas aves.

– Então não consigo entender.

– O que você comeu no café da manhã de hoje? – a senhora perguntou.

– Oh, eu comi pão, leite e um ovo. Acho então que você come os ovos delas...

– Sim, é isso mesmo. Eu como os ovos.

– É isso que torna seus cabelos tão brancos?

– Não, minha querida. É a velhice. Eu sou muito velha.

– Eu achava mesmo. Você tem cinquenta anos?

– Sim, mais do que isso.

– Você tem cem?

– Sim... mais do que isso. Estou velha demais para você adivinhar. Venha e veja minhas aves.

Novamente ela parou de fiar. Ergueu-se, pegou a princesa pela mão e a levou para fora da sala, abrindo a porta defronte à escada. A princesa esperava ver muitas e muitas galinhas, mas, em vez disso, vislumbrou primeiro o céu azul e depois os telhados do galinheiro, com uma multidão dos pombos mais lindos, na maioria brancos, mas de todas as cores, andando, fazendo arcos uns para os outros e falando em uma linguagem que ela não conseguia entender. A menina bateu palmas com alegria, e as aves levantaram as asas de tal forma que ela, por sua vez, se amedrontou.

– Você assustou minhas aves – disse a senhora, sorrindo.

– Eu fiquei com medo delas... – disse a princesa, rindo. – Que aves lindas! Os ovos são bonitos?

– Sim, muito bonitos.

– Que colher de ovo pequenininha você deve ter! Não seria melhor manter galinhas e conseguir ovos maiores?

– Sim, mas como eu as alimentaria?

– Entendo – disse a princesa. – Os pombos se alimentam sozinhos. Eles têm asas.

– Isso mesmo. Se não pudessem voar, eu não teria como obter seus ovos.

– Mas como você pega os ovos? Onde estão os ninhos?

A senhora pegou um pequeno laço de corda na parede ao lado da porta e, levantando uma persiana, mostrou muitos ninhos de pombos, alguns com filhotes e outros com ovos. As aves entravam pelo outro lado, e ela tirava os ovos por este lado. Ela fechou a persiana rapidamente, para que os filhotes não ficassem assustados.

– Que maneira agradável! – gritou a princesa. – Você me dará um ovo para comer? Estou com muita fome.

– Algum dia eu darei, mas agora você deve voltar, ou a babá ficará muito triste. Atrevo-me a dizer que a moça está procurando por você em todos os lugares.

– Exceto aqui! – complementou a menina. – Oh, que surpresa ela ficará quando eu lhe contar sobre minha trisavó!

– Sim, certamente! – concordou a senhora com um sorriso enigmático. – Não se esqueça de lhe contar tudo em detalhes.

– Farei isso. Por favor, você pode me levar de volta?

– Não posso ir até o fim, mas vou conduzi-la ao topo da escada e então você deve descer bem rápido até seu próprio quarto.

A princesinha pegou a mão da velha mulher que, olhando para os dois lados, levou-a ao topo da primeira escadaria e dali para a segunda. Não a deixou até que a viu a meio caminho descendo a terceira.

Quando ouviu o grito de contentamento da babá em encontrar a menina, a mulher se virou e subiu as escadas novamente, muito rápido para uma avó de seu tamanho. Sentou-se e recomeçou a girar a roda com um estranho sorriso em seu doce e velho rosto.

Sobre esta sua fiação, vou lhe contar mais em outra ocasião.

Tente adivinhar o que ela estava fiando.

O que a babá pensou disso tudo...

– Por onde você esteve, princesa? – perguntou a babá, tomando-a em seus braços. – É muito indelicado de sua parte esconder-se por tanto tempo. Comecei a ficar com medo... – disse, respirando profundamente.

– Teve medo de quê? – perguntou a princesa.

– Não importa – respondeu. – Talvez eu lhe conte mais em um outro dia. Agora me diga onde esteve.

– Fui para muito longe para encontrar minha grande, enorme e velha avó – disse a princesa.

– O que você quer dizer com isso? – perguntou a babá, que achava que a menininha estava fazendo graça.

– Quero dizer que subi muitas e muitas escadas e então encontrei minha GRANDE avó. Ah, você não sabe que bela mãe de avós eu tenho lá em cima. Ela é uma senhora tão velha, com cabelos brancos tão lindos como o meu copo de prata. Agora, quando penso nisso, acho que os cabelos dela devem ser prateados.

– Que bobagem você está falando, princesa! – censurou a babá.

– Não estou falando bobagem – devolveu Irene, bastante ofendida. – Vou lhe contar tudo sobre ela. É bem mais alta que você e muito mais bonita.

– Ah, que bom saber disso! – a babá ironizou.

– E ela come ovos de pombos.

– Muito provavelmente – complementou.

– E ela se senta em uma sala vazia, girando o dia inteiro.

– Não há dúvidas disso – rebateu a cuidadora.

– E mantém a coroa em seu quarto – disse a princesa, convencida.

– É claro, o lugar apropriado para manter a coroa. E ela a usa quando está na cama, amarrada.

– Ela não disse isso, e eu acho que ela não faz isso. Não seria confortável, seria? Acho que meu pai não usa sua coroa durante a noite. Ele usa, babá?

– Eu nunca lhe perguntei. Atrevo-me a dizer que sim.

– E ela está lá desde que eu vim para cá... há tantos anos!

– Qualquer um poderia ter dito isso – disse a moça, que não acreditava em uma palavra do que Irene dizia.

– Por que você não me disse, então?

– Não havia necessidade. Você poderia imaginar tudo isso sozinha.

– Então não acredita em mim! – exclamou Irene, espantada e zangada, como ela bem poderia estar.

– Esperava que eu acreditasse em você, princesa? – perguntou friamente. – Eu sei que as princesas têm o hábito de falar de faz de conta, mas você é a primeira a esperar que alguém acredite nisso – acrescentou, vendo que a criança parecia estranhamente sincera.

A garotinha irrompeu em lágrimas.

– Bem, devo dizer – comentou a moça, agora completamente irritada – que não há nada de mais em se tornar uma princesa que conta histórias e esperar que as pessoas acreditem apenas porque se é uma princesa.

– Mas é a pura verdade, eu lhe garanto – confirmou a princesa.

– Você sonhou, então, criança.

– Não, eu não sonhei. Subi as escadas e me perdi. Se não tivesse encontrado a bela dama, você nunca mais teria me achado.

– Oh, não diga isso!

– Então venha comigo e veja se eu não estou dizendo a verdade.

– De fato, tenho outro trabalho a fazer. É sua hora de jantar, e eu não tenho mais tempo para essas tolices...

Irene limpou os olhos, e seu rosto estava tão quente que logo as lágrimas secaram. Ela se sentou para o jantar, mas pouco comeu. Não se pode dizer que sua atitude estivesse em desacordo com a das princesas, pois uma verdadeira dama da realeza não podia falar mentiras, e durante toda a tarde ela não disse nada. Somente quando a babá lhe dirigiu a palavra ela lhe respondeu, pois uma princesa de verdade nunca é mal-educada, mesmo quando se sente ofendida.

É claro que a cuidadora não se sentia à vontade em seu íntimo. Não que ela acreditasse na história de Irene, mas amava muito a menina e estava aborrecida consigo mesma por estarem em conflito; achava que sua imprudência por não saber onde a menina tinha ido era a causa da infelicidade da princesa. Não tinha ideia de que ela na verdade estava profundamente ferida porque sua história não merecia crédito.

Conforme as horas passavam, o desconforto da moça somente aumentava. Era evidente, em cada movimento e olhar, que, embora Irene tentasse se divertir com seus brinquedos, seu coração estava muito impaciente e perturbado para apreciá-los.

Quando chegou a hora de dormir, a babá a vestiu e a deitou, mas a criança, em vez de se aproximar para ser beijada, afastou-se e ficou quieta. Então o coração da moça cedeu completamente, e ela começou a chorar.

Ao som de seu primeiro soluço, a princesa se virou novamente e segurou seu rosto para beijá-la como de costume, mas ela tinha o lenço nos olhos e não viu o movimento.

– Por que você não acredita em mim? – perguntou a princesa.

– Porque não consigo – justificou, tornando-se enraivecida novamente.

– Ah! Então, você não pode evitar – disse Irene –, e eu não ficarei mais aborrecida com você. Eu lhe darei um beijo e irei dormir.

– Você é um anjinho! – elogiou a moça. Pegou-a da cama e andou pelo quarto com a menina nos braços, dando-lhe beijos e abraços.

– Você vai me deixar levá-la para ver minha querida trisavó, não vai? – perguntou a criança, enquanto ela a deitava novamente.

– E você não vai dizer que eu sou feia, não é verdade, princesa?

– Eu nunca disse que você era feia. Por que está falando isso? – indagou a menina.

– Bem, se você não disse...

– Eu nunca disse.

– Você disse que eu não era tão bonita...

– Como minha bela avó. Sim, eu disse isso e repito porque é verdade, porém...

– Eu acho que você está sendo grosseira – disse a babá, enxugando os olhos com o lenço novamente.

– Querida, nem todos podem ser tão belos. Você é muito bonita, mas não tanto quanto minha avó...

– Ora, sua avó! – exclamou.

– Isso é muito rude. Você não está em condições de conversar até que possa se comportar melhor.

A princesa virou as costas mais uma vez, e a babá voltou a sentir vergonha de si mesma.

– Peço desculpas – murmurou, embora ainda em tom ofendido.

Mas a princesa deixou o tom passar e se atentou apenas às palavras.

– Você não voltará a dizer isso, tenho certeza – respondeu, voltando-se mais uma vez para a babá. – Eu só ia dizer que se você fosse ainda mais bonita do que já é, um rei ou outro teria casado com você e então o que teria sido de mim?

– Você é um anjo! – a moça exclamou, abraçando-a novamente.

– Agora – insistiu Irene –, você irá conhecer minha avó, não é mesmo?

– Eu irei para onde você quiser, meu querubim – respondeu ela.

Em dois minutos, a pequena Irene, exausta, adormeceu.

A princesa fica bem sozinha

Quando Irene acordou na manhã seguinte, o som da chuva que ainda caía invadiu seus ouvidos. Na verdade, o novo dia estava tão parecido com o anterior que teria sido difícil dizer qual era a sua utilidade; mas não foi a chuva que ocupou seus pensamentos, e sim a lembrança da velha senhora da torre. Ela se perguntou se não deveria pedir à babá para cumprir sua promessa naquela mesma manhã e ir com ela procurar sua avó assim que tivesse tomado o café da manhã, mas chegou à conclusão de que talvez a senhora não ficasse satisfeita se levasse alguém para vê-la sem antes pedir licença; especialmente porque era bastante evidente, vendo que ela vivia de ovos de pombos e os cozinhava ela mesma, que não queria que a família soubesse que estava ali.

Assim, a princesa resolveu aproveitar a primeira oportunidade para correr sozinha até ela e lhe perguntar se poderia levar sua babá. Ela acreditava que o fato de não ser capaz de convencê-la de que estava dizendo a verdade teria muito peso com a avó.

A princesa e a babá eram melhores amigas, e a menina tomou um café da manhã caprichado e conversou animadamente.

– Eu me pergunto, Lootie, qual será o sabor do ovo de pombo? – falou enquanto comia seu ovo, que não era do tipo comum, pois sempre escolhiam os pequeninos para ela.

– Nós lhe daremos um ovo de pombo, e você julgará por si mesma – sugeriu a babá.

– Não, não! – recusou Irene, refletindo repentinamente que, para obter o ovo, poderiam perturbar a senhora idosa e, mesmo que ela não se incomodasse, teria um a menos.

– Que criatura estranha você é – disse a moça. – Primeiro quer uma coisa e depois a recusa!

Mas não o disse de forma exagerada, e a princesa não se importou com nenhum comentário que não fosse notadamente antipático.

– Bem, veja, Lootie, tenho minhas razões – ela retorquiu e não disse mais nada, pois não queria trazer à tona o assunto da discussão da noite anterior, para que a babá não se oferecesse para acompanhá-la antes que tivesse a permissão da avó.

Claro que poderia se recusar a levá-la, mas então ela acreditaria menos em sua história do que antes. A babá, como ela mesma disse depois, não podia permanecer o tempo todo no quarto, e, como a princesa nunca lhe dera o menor motivo para ansiedade, não fazia parte de sua rotina observá-la tão de perto. Então, logo que teve uma chance, Irene saiu escondida do quarto e subiu as escadas novamente.

A aventura desse dia, no entanto, não acabou como a do dia anterior. De fato, o dia presente é tão raro como o de ontem e o de amanhã, pois, se as pessoas notarem as diferenças, nunca há dias iguais, mesmo quando chove.

A princesa corria passagem após passagem e não conseguia encontrar a escada da torre. Minha própria suspeita é que ela não tinha subido suficientemente alto e estava procurando no segundo, em vez do terceiro andar. Quando ela se virou para voltar ao quarto, falhou igualmente em sua busca pela escada. Estava perdida outra vez!

Sentiu-se muito sozinha, e não era de admirar que entrasse em pânico novamente. De repente lhe ocorreu que foi depois de ter chorado que ela encontrara a escada de sua avó. Levantou-se imediatamente, limpou os olhos e começou uma nova busca.

Dessa vez, embora não tenha encontrado o que buscava, achou que era melhor seguir: não se viu diante de uma escada que subia, mas de uma que descia. Evidentemente não era a escada que ela havia percorrido no dia anterior, mas muito melhor encontrar uma escada do que nenhuma; então ela desceu e já se achava cantando alegremente antes mesmo de chegar ao final.

Para sua surpresa, viu-se na cozinha. Embora não lhe fosse permitido ir para lá sozinha, sua babá a havia levado com frequência, e a criança era uma grande favorita entre os criados. Então, houve uma pressa geral assim que a viram, pois cada um queria vê-la mais de perto, e a notícia de onde estava logo chegou aos ouvidos de Lootie. Ela veio imediatamente buscá--la, nunca suspeitou de como a menina havia chegado até lá, e a princesa manteve segredo.

Sua incapacidade em conseguir rever a senhora idosa não só a decepcionou, como a deixou muito pensativa. Às vezes ela chegava quase à conclusão da babá de que havia sonhado com sua trisavó, mas essa fantasia nunca durava muito tempo. Ela se perguntava com frequência se a veria novamente e ficava muito triste por não ter conseguido reencontrá-la, especialmente porque tanto o desejava. Resolveu não dizer mais nada a Lootie sobre o assunto, porque não tinha meios de comprovar suas palavras.

O pequeno mineiro

No dia seguinte, a grande nuvem ainda pairava sobre a montanha, e a chuva caía como água de uma esponja cheia. A princesa gostava muito de estar fora de casa e quase chorou quando viu que o tempo não estava melhor. Mas a neblina não era de um cinza-escuro e sujo; havia luz dentro dela. Conforme as horas passavam, ela ficava cada vez mais luminosa, até se tornar brilhante demais para ser vista. Ao final da tarde o sol irrompeu tão gloriosamente que Irene bateu palmas:

– Veja, veja, Lootie! O sol teve o rosto lavado. Veja como está brilhante! Pegue meu chapéu e vamos sair para dar uma volta. Oh, querida! Oh, querida! Como estou feliz!

Lootie ficou muito contente com a oportunidade de agradar à princesa. Pegou seu chapéu e sua capa, e partiram juntas para um passeio pela montanha, pois a estrada era tão dura e íngreme que a água não se depositava sobre ela, estando sempre seca o suficiente para se caminhar mesmo pouco depois de a chuva ter cessado.

As nuvens se mostravam em tufos menores, como ovelhas grandes, demasiado lustrosas, cuja lã o sol tinha clareado até ficar quase branca demais para os olhos suportarem. Por entre elas, via-se o céu exuberante, com um azul-claro e puro, por causa da chuva.

As árvores à beira da estrada estavam com gotas penduradas que brilhavam ao sol como joias, e tudo ali ao redor parecia brilhar, com exceção dos riachos que corriam pela montanha, cujas águas agora tinham um tom de marrom lamacento. Mas o que perderam em cor, ganharam em som, ou pelo menos em ruído, pois um riacho quando está cheio não é tão suavemente musical como antes.

Irene estava em êxtase com os grandes riachos marrons caindo por toda parte, e Lootie compartilhava de seu deleite, pois também tinha estado confinada em casa por três dias.

Ela observou que o sol estava ficando baixo e declarou que era hora de voltar. Fez a observação repetidas vezes, mas a cada instante a princesa lhe implorava para ir um pouco mais adiante e um tantinho além, lembrando-a de que era muito mais fácil a descida e dizendo que, quando quisessem retornar, estariam em casa num instante. E assim seguiam um pouco mais para olhar um grupo de samambaias, colher uma pedra brilhante de uma rocha à beira do caminho ou observar o voo de um pássaro.

Então a sombra de um grande pico de montanha surgiu e caiu na frente delas. Quando a babá a viu começou a tremer e, pegando a mão da princesa, virou-se e começou a correr colina abaixo.

– Por que toda essa pressa, Lootie? – Irene perguntou, acompanhando-a.

– Não devemos ficar fora de casa nem mais um minuto.

– Mas precisaremos de mais algum tempo até chegarmos.

Era verdade. A babá quase chorou de desespero. Estavam muito distantes da casa de campo do rei, a mais de um quilômetro de altura na montanha! E havia ordens expressas que proibiam a princesa de sair depois de o sol se pôr. Se Sua Majestade, o pai de Irene, soubesse disso, Lootie certamente seria dispensada, e deixar a princesa partiria seu coração.

Não era de admirar que ela corresse tanto, mas Irene não estava nem um pouco assustada, pois não via motivos para se amedrontar, e continuava conversando sem parar.

– Lootie! Lootie! Por que você corre tão rápido? Eu não consigo correr e falar ao mesmo tempo...

– Então não fale – ordenou a babá.

Mas a princesa continuava fascinada com seu passeio, admirando tudo ao redor.

– Olhe, olhe, Lootie!

Mas a babá não prestava mais atenção a nada; apenas corria.

– Veja, ali, Lootie! Você não vê aquele homem engraçado espreitando sobre a rocha?

Lootie correu ainda mais rápido. Elas tiveram de passar pela rocha e, quando chegaram mais perto, a princesa viu que era apenas um pedaço da própria pedra que ela havia achado ser um homem.

– Olhe, olhe, Lootie! Há uma criatura tão esquisita aos pés daquela árvore velha. Veja só! Está fazendo caretas para nós, eu acho.

Lootie deu um grito abafado e correu mais rápido ainda, tanto que as perninhas de Irene não conseguiram acompanhar, e a menina caiu com um estrondo. Era uma estrada de descida difícil, ela tinha disparado, por isso não era de admirar que a criança começasse a chorar. A babá ficou transtornada, mas tudo o que ela podia fazer no momento era se voltar, ajudar a princesa a se levantar e manter o ritmo de corrida.

– Quem está rindo de mim? – indagou a menina, tentando conter os soluços e correndo muito rápido para quem estava com os joelhos esfolados.

– Ninguém, criança – disse a babá, um tanto aborrecida.

Mas naquele instante veio uma explosão de palavras grosseiras de algum lugar próximo e uma voz rouca e indistinta que parecia dizer:

– Mentiras! Mentiras! Mentiras! Mentiras!

A babá deu um suspiro que foi quase um grito e disparou mais rapidamente que nunca.

– Lootie, eu não consigo correr mais, vamos andar um pouco.

– O que devo fazer? Venha, eu a carregarei. – Pegou-a no colo, mas era muito pesada para que pudesse correr e teve de colocá-la no chão novamente. Então olhou ao redor, deu um grito alto e disse: – Pegamos a curva errada em algum lugar, e não sei onde estamos. Estamos perdidas, perdidas!

O terror em que ela se encontrava a havia desnorteado bastante, e de fato tinham errado o caminho. Haviam tomado a direção de um pequeno vale no qual não se avistava nenhuma casa.

Irene não sabia que havia uma boa razão para o terror da babá, pois os criados tinham ordens estritas de nunca lhe mencionar nada sobre os goblins. Era muito desconcertante ver sua cuidadora com tanto medo e, em segundos, sentiu-se tão completamente alarmada como ela, porque ouviu assobios que a paralisaram. Então viu um menino subindo a estrada do vale em sua direção. Ele era o assobiador; e antes que se encontrassem, o assobio se transformou em canção. A melodia era mais ou menos assim:

Toque! Aperte! Puxe!
Ouça o martelo, toc-toc!
Bata e não se suje
Encha, esvazie e foque!
Nós achamos muito minério
Forçamos o bloqueio dos goblins
Veja o minério como acende!
Tente entender tanto mistério
Um, dois, três
Brilhante como o ouro é
Quatro, cinco, seis
Pás, picaretas! E fé!
Sete, oito, nove
Acenda a lamparina na minha

Dez, onze, doze
Segure no cabo ou na linha
Sou o garoto mineiro, faço os goblins ficarem quietos!

– Gostaria que "você" ficasse quieto – disse Lootie com aspereza, pois a própria palavra "goblin" naquele momento e lugar a fazia estremecer. "Isso atrairia os goblins", pensou ela, "ao desafiá-los daquela maneira".

Mas, quer o menino a ouvisse ou não, ele não parava de cantar.

Treze, catorze, quinze
Isso vale o dezesseis
Dezesseis, dezessete, dezoito
Ou há jogo ou não há biscoito
Dezenove e já o vinte
Digo goblins a todo ouvinte!

– Fique quieto! – a babá implorou em um sussurro.

Mas o garoto, que já estava ao alcance de sua mão, prosseguiu:

Cale! Escute! Corra!
Lá vai você apressado!
Devore! Duvide! Goblin!
Lá vai você atrapalhado;
Manco, manco, mancando;
Pedra! Pedra! Apedrejando!
Ho-ho-goblins!
Huuuuuh!

– Pronto! – exclamou o rapaz, parado diante delas. – Está feito! Isso servirá para afastá-los. Eles não suportam músicas e não aguentam essa canção em particular. Não conseguem cantar sozinhos, pois não têm mais voz do que um corvo e não gostam que outras pessoas cantem.

O menino estava vestido com um traje de mineiro e um gorro esquisito. Tinha cerca de doze anos de idade. Era muito bonito, com olhos tão escuros como as minas em que trabalhava e brilhantes como os cristais em suas rochas. Seu rosto era quase pálido demais para a beleza, que vinha de sua vida tão pouco ao ar livre e distante da luz do sol, pois até mesmo os vegetais cultivados no escuro são brancos. Mas parecia feliz, alegre mesmo, talvez pela ideia de ter enganado os goblins, e sua postura nada tinha de cômica nem severa.

– Eu os vi – continuou ele – quando subi e estou muito feliz por isso. Eu sabia que estavam atrás de alguém, mas não conseguia ver de quem. Não tocarão em vocês enquanto eu estiver a seu lado.

– Quem é você? – a babá perguntou, ofendida com a liberdade com a qual lhes falava.

– Eu sou o filho de Peter.

– E quem é Peter?

– Peter, o mineiro.

– Eu não o conheço.

– Sou filho dele, no entanto.

– E por que os goblins deveriam se preocupar com você?

– Porque eu não me importo com eles. Eu estou acostumado.

– Que diferença isso faz?

– Se você não os teme, eles têm medo de você. Eu não tenho medo. Isso é tudo. Mas é diferente lá embaixo, eles nem sempre se importarão com essa canção nas cavernas, e, alguém a canta, ficam sorrindo terrivelmente. Se a pessoa se assusta e se perde ou diz uma palavra errada, eles... oh! Não farei isso!

– O que acontece? – perguntou Irene, com voz trêmula.

– Não vá assustar a princesa – a babá o advertiu.

– A princesa... – repetiu o pequeno mineiro, tirando seu curioso boné.
– Peço desculpas, mas você não deveria sair tão tarde. Todo mundo sabe que isso é contra a lei.
– Sim, de fato é! – concordou Lootie, começando a chorar novamente. – E eu terei de sofrer por isso.
– O que isso importa? – censurou o garoto. – É sua culpa, mas é a princesa que vai sofrer por isso. Espero que eles não a tenham ouvido chamá-la de princesa. Se ouviram, com certeza a reconhecerão depois: são terrivelmente perspicazes.
– Lootie! Lootie! – gritou a menina. – Leve-me para casa.
– Não continue falando desse jeito – disse a babá para o garoto, quase ferozmente. – Como eu poderei ajudá-la? Eu perdi o rumo.
– Você não devia ter saído tão tarde, e não teria perdido seu caminho se não tivesse se assustado! – ponderou. – Venha comigo. Em breve eu o acharei. Devo carregar sua pequena Alteza?
"Que impertinência!", pensou a cuidadora, mas não o disse em voz alta, pois achou que, se o irritasse, ele poderia se vingar contando a alguém pertencente à casa e então com certeza o caso chegaria aos ouvidos do rei.
– Não, obrigada – disse Irene. – Eu posso andar muito bem, embora não consiga correr tão rápido como Lootie. Se você me der a mão, ela me dará outra e então ficarei bem.
Eles logo a tiveram entre os dois, segurando uma mão cada um.
– Agora vamos correr – disse a babá.
– Não, não! – gritou o pequeno minerador. – Isso é a pior coisa que se pode fazer. Se você não tivesse corrido antes, não teria se perdido. E, se você fugir agora, eles estarão atrás de você em um minuto.
– Eu não quero correr – disse Irene.
– Você não pensa em mim – a babá se queixou.
– Sim, eu penso, Lootie. O menino diz que eles não nos tocarão se não fugirmos.

– Sim, mas se eles souberem na casa que eu a mantive fora até tão tarde, serei demitida e isso me partirá o coração.

– Fique tranquila, Lootie! Quem a mandaria embora?

– Seu papai, criança.

– Mas eu lhe direi que foi tudo culpa minha. E você sabe que foi, Lootie.

– Ele não se importará com isso. Tenho certeza de que não se importará.

– Então eu chorarei, eu me ajoelharei diante dele e lhe implorarei para não tirar de mim minha querida Lootie.

A babá ficou reconfortada em ouvir isto e não disse mais nada. Eles continuaram andando bem rápido, mas tomando cuidado para não darem um passo sequer de corrida.

– Eu gostaria de falar uma coisa – disse Irene ao pequeno mineiro –, mas é tão embaraçoso! É que não sei seu nome.

– Meu nome é Curdie, pequena princesa.

– Que nome engraçado! Curdie! O que mais?

– Curdie Peterson. Qual é seu nome, por favor?

– Irene.

– O que mais?

– Não sei mais o que mais. Qual mais é o meu nome, Lootie?

– As princesas não têm mais de um nome. Elas não o querem.

– Oh, então, Curdie, você deve me chamar apenas Irene e nada mais.

– Não, de fato – disse a babá, indignada. – Ele não fará tal coisa.

– Como ele deve me chamar, então, Lootie?

– Vossa Alteza Real.

– Vossa Alteza Real!? O que é isso? Não, não, Lootie, não vou ser chamada assim, eu não gosto. Você mesma me disse uma vez que só as crianças rudes se chamam por nomes estranhos; e tenho certeza de que Curdie não seria indelicado. Curdie, meu nome é Irene.

– Bem, Irene – disse Curdie, com um olhar sobre a babá que mostrou que gostava de provocá-la –, é muito gentil de sua parte permitir que a chame de Irene, eu gosto muito do seu nome.

O garoto esperava que a cuidadora interferisse novamente, mas logo viu que ela estava muito assustada para falar. Olhava para algo a poucos metros de distância, no meio do trajeto, o qual se estreitava entre as rochas para que apenas um de cada vez pudesse passar.

– É muito delicado de sua parte desviar de seu caminho para nos levar para casa – disse Irene.

– Eu ainda não saí do meu caminho – retrucou Curdie. – Eu desviarei apenas do outro lado daquelas rochas para seguir para a casa de meu pai.

– Você não pensa em nos deixar até estarmos seguras em casa, certamente – a babá falou, ofegante.

– Claro que não – disse Curdie.

– Você é querido, bom e gentil, Curdie! Eu lhe darei um beijo quando chegarmos à casa – disse a princesa.

A babá lhe deu um grande puxão pela mão. Naquele mesmo instante o objeto no meio do caminho, que tinha parecido um grande pedaço de terra derrubado pela chuva, começou a se mover. Uma após outra, disparou quatro coisas longas, como dois braços e duas pernas, mas estava muito escuro para dizer o que eram. A babá começou a tremer da cabeça aos pés. Irene apertou a mão de Curdie ainda mais forte, e o menino começou a cantar novamente:

Um, dois,
Fura e corta!
Três, quatro,
Explosão da porta!
Cinco, seis,
Há uma solução!
Sete, oito,
Segure o facão!
Nove, dez,

Bata novamente!
Depressa, corra!
Fure e ajeite!
Há um sapo
No meio da estrada!
Pise!
Esmague!
Frite!
Seque!
Vocês são loucos!
Vejo fumaça!
Agora chega de arruaça!
Huuuuuh!

Ao pronunciar as últimas palavras, Curdie soltou a mão de sua companheira e correu para a coisa na estrada como se fosse amassá-la com os pés. Deu um grande salto e correu diretamente para uma das rochas como uma enorme aranha. Ele então voltou rindo e pegou a mão de Irene novamente. A menina agarrou sua mão com muita força, mas não disse nada até passarem pelas rochas; mais alguns metros adiante ela se viu em uma parte da estrada que conhecia e foi capaz de falar novamente.

– Você sabe, Curdie, eu não gosto muito de sua canção: parece-me um pouco rude – comentou.

– Bem, talvez seja – respondeu Curdie. – Eu nunca pensei nisso; é uma maneira de agir que nós temos. Nós a cantamos porque eles não gostam.

– Quem não gosta?

– Os sabugos, como nós os chamamos.

– Não! – gritou a babá.

– Por que não? – Curdie indagou.

– Imploro que não fale disso, por favor.

– Oh! Se você me pede, claro que não o farei; embora eu não saiba o motivo. Olhe! Ali estão as luzes de sua grande casa lá embaixo. Você estará ali em cinco minutos.

Nada mais aconteceu, e elas chegaram em segurança. Ninguém tinha sentido falta delas, nem mesmo percebido que tinham saído. As duas alcançaram a porta pertencente à parte da casa que habitavam sem que fossem notadas.

A babá já entrava apressada dando apenas boa-noite sem muita alegria para Curdie quando se deteve. A princesa estava jogando os braços ao redor do pescoço do garoto, quando Lootie a arrastou para longe.

– Lootie! Lootie! Eu prometi um beijo – gritou Irene.

– Uma princesa não deve dar beijos, não é nada apropriado.

– Mas eu prometi – disse a princesa.

– Não é conveniente; ele é apenas um garoto mineiro.

– Ele é um bom menino, é muito corajoso e foi gentil conosco. Lootie! Eu prometi.

– Então você não devia ter prometido.

– Lootie, eu lhe prometi um beijo.

– Sua Alteza Real – disse Lootie, de repente muito respeitosa –, entre imediatamente.

– Uma princesa não deve jamais quebrar sua palavra – disse Irene, recompondo-se.

Lootie não sabia o que o rei poderia considerar pior: deixar a princesa sair depois do pôr do sol ou permitir que ela beijasse um garoto mineiro. Ignorava que, sendo um cavalheiro como muitos reis eram, não teria considerado nenhum desses casos como um mal. Por mais que ele não gostasse que a filha beijasse um garoto mineiro, não a teria feito quebrar sua palavra, por todos os goblins da criação. Mas, como eu digo, a babá não era esperta o suficiente para compreender isso, e assim ela estava em uma grande dificuldade pois, se insistisse, alguém poderia ouvir a princesa chorar e ela teria de se explicar. Então Curdie veio novamente em seu socorro.

– Não importa, princesa Irene – disse ele. – Você não deve me beijar hoje à noite, mas também não deve quebrar sua palavra. Eu virei em outra ocasião. Você pode ter certeza de que virei.

– Oh, obrigada, Curdie! – falou a princesa e parou de chorar.

– Boa noite, Irene; boa noite, Lootie – despediu-se Curdie.

Virou-se e em instantes já estava fora de vista.

– Eu gostaria de vê-lo outra vez! – murmurou a babá, enquanto levava a princesa até o quarto.

– Você vai vê-lo – disse Irene. – Você pode ter certeza de que Curdie cumprirá sua palavra. Ele certamente voltará.

– Gostaria de vê-lo – a babá repetiu, e não disse mais nada.

Não quis começar uma nova causa de conflito com a princesa, explicando mais claramente o que quis dizer. Ainda bem que ela tinha conseguido chegar à casa sem ser vista e impedir que a princesa beijasse o garoto mineiro.

Resolveu observá-la melhor no futuro. Seu descuido já havia duplicado o perigo em que ela se encontrava. Antes os goblins eram seu único medo; agora tinha de defender sua protegida de Curdie também.

Os mineradores

Curdie foi para casa assobiando e resolveu não dizer nada sobre a princesa por medo de colocar a babá em apuros. Por mais que gostasse de provocá-la por causa de seu jeito estranho, era cuidadoso no sentido de não lhe causar nenhum mal. Não viu mais os goblins e logo adormeceu em sua cama.

Acordou no meio da noite e pensou ter ouvido ruídos curiosos lá fora. Sentou-se e apurou os ouvidos; depois se levantou, abrindo a porta em silêncio, e saiu. Quando espreitou pela esquina viu, debaixo de sua própria janela, um grupo de criaturas trôpegas, que imediatamente reconheceu pela sua forma. Mal tinha, entretanto, começado seu "Um, dois, três!" quando eles se separaram, apressaram-se e se perderam de vista. Ele voltou rindo, deitou-se na cama de novo e rapidamente, em poucos minutos, estava dormindo.

Refletindo um pouco sobre o assunto pela manhã, ele chegou à conclusão de que os goblins deviam estar aborrecidos com ele por sua interferência protegendo a princesa, pois nada parecido havia acontecido antes.

Quando já estava vestido, porém, pensava em algo bem diferente, pois não valorizava minimamente a inimizade dos goblins. Assim que ele e seu pai tomaram o café da manhã, partiram para a mina.

Entraram na montanha por uma abertura natural sob uma enorme rocha, onde um pequeno riacho corria para fora. Seguiram seu curso por alguns metros, até quando a passagem faz uma curva e se inclina acentuadamente para o coração da colina. Com muitos ângulos, serpentinas e ramificações, às vezes com degraus em que se viam abismos naturais, o caminho os levava às profundezas da montanha antes mesmo de chegarem ao local onde estavam escavando o minério precioso. Este era de vários tipos, pois a região era muito rica nos melhores tipos de metais.

Com pedra, ferro e caixa de ferramentas, acenderam suas lamparinas, fixaram-nas sobre as cabeças e foram logo trabalhar duro com suas picaretas, pás e martelos. Pai e filho estavam atuando perto um do outro, mas não na mesma equipe. As passagens de onde os minérios eram extraídos eram chamadas de grupos, e quando o filão, ou veia de minério, era pequeno, um mineiro tinha de cavar sozinho em uma passagem não maior do que a que lhe dava espaço para trabalhar, às vezes em posições desconfortáveis e apertadas.

Se parassem por um momento, poderiam ouvir por toda parte, ao redor, os sons dos companheiros, que escavavam em todas as direções no interior da grande montanha alguns buracos de perfuração na rocha para explodir com pólvora; outros empurravam o minério quebrado para dentro de cestas que eram levadas até a boca da mina; outros batiam com suas picaretas.

Às vezes, se o mineiro estivesse em uma parte muito solitária, ele ouvia apenas uma batida, não mais alta que a de um pica-pau, pois o som vinha de uma grande distância através da rocha sólida.

O trabalho era duro na melhor das hipóteses, pois é muito quente no subsolo; mas não era particularmente desagradável, e alguns dos mineiros, quando queriam ganhar um pouco mais de dinheiro para um determinado propósito, trabalhavam a noite toda. Mas não se podia distinguir a noite do dia lá embaixo, exceto pelo cansaço e pelo sono, pois nenhuma luz do sol chegava àquelas regiões sombrias.

Alguns que tinham assim ficado para trabalhar durante a noite, embora certos de que não havia nenhum de seus companheiros no trabalho, declarariam na manhã seguinte que ouviam, cada vez que paravam por um momento para respirar, um sapateado sobre eles, como se a montanha estivesse então mais cheia de mineiros do que durante o dia.

Alguns, em consequência, nunca passariam a noite ali, pois todos sabiam que aquele era o som dos goblins. A noite dos mineiros era o dia dos goblins, porque estes somente trabalhavam no período noturno. De fato, a maior parte dos mineiros tinha medo desses seres peculiares, pois havia histórias estranhas bem conhecidas entre eles sobre o tratamento que alguns haviam recebido quando os goblins os surpreenderam em seu trabalho noturno solitário.

Os mais corajosos, porém, Peter Peterson e Curdie, que nisso saíra igual ao pai, tinham ficado na mina a noite toda mais de uma vez e, embora tivessem encontrado várias vezes alguns goblins perdidos, nunca tinham falhado em afastá-los.

Como já indiquei, a principal defesa contra os goblins eram os versos, porque eram odiados, e havia alguns tipos de rima que eles não podiam suportar de forma alguma. Suspeito que não tinham capacidade de elaborar um verso só sequer.

Em todo caso, as pessoas que mais os temiam eram aquelas que não conseguiam compor poesias sozinhas, nem se lembrar dos versos aprendidos quando eram crianças. As que nunca se afligiram eram aquelas com alguma potencialidade criativa, pois, embora houvesse velhas rimas muito eficazes, era bem sabido que uma rima nova era ainda mais desagradável para eles e, portanto, mais eficaz em afugentá-los.

Talvez meus leitores possam estar se perguntando qual seria o propósito dos goblins, trabalhando a noite toda, vendo que eles nunca carregavam o minério e nem o vendiam. Mas quando eu informá-los sobre o que Curdie aprendeu na noite seguinte, vocês serão capazes de entender.

Curdie tinha decidido, se seu pai permitisse, que permaneceria sozinho na mina aquela noite. Primeiro, ele queria receber um salário extra para poder comprar uma saia vermelha muito quente para sua mãe, que havia começado a reclamar do ar frio da montanha mais cedo do que de costume naquele outono. Segundo, tinha apenas uma tênue esperança de descobrir o que queriam os goblins que bisbilhotaram debaixo de sua janela na madrugada anterior.

Quando contou ao pai, ele não fez objeção, pois tinha muita confiança na coragem e nos dons do filho.

– Lamento não poder ficar com você – disse Peter –, mas quero visitar o pastor esta noite. Além disso, tive uma pequena dor de cabeça durante todo o dia.

– Sinto muito por isso, pai – disse Curdie.

– Oh, não é nada demais. Você certamente saberá cuidar muito bem de si mesmo, não é?

– Sim, pai, eu vou ficar atento, prometo.

Curdie foi o único a permanecer na mina. Por volta das seis horas o restante do grupo partiu, todos lhe deram boa-noite e o aconselharam a tomar cuidado, pois ele era muito querido pelo grupo.

– Não se esqueça de suas rimas – disse um dos mineiros.

– Não esquecerei – respondeu Curdie.

– Não importa muito se ele esquecer – alguém completou –, pois só terá de compor rimas novas.

– Sim, mas ele poderá não ser capaz de fazer isso rápido o suficiente – ponderou outro mineiro. – E enquanto pensa a respeito, os goblins poderão ter uma vantagem e se atirar sobre o rapaz.

– Farei meu melhor – Curdie falou. – Não estou com medo.

– Nós sabemos disso – eles responderam e o deixaram.

Os goblins

Durante algum tempo Curdie trabalhou com afinco, jogando para trás de si todo o minério que havia desprendido, deixando-o pronto para ser carregado para fora da mina pela manhã.

Ouviu muitos passos de goblins, mas tudo parecia muito distante e por isso prestou pouca atenção. Por volta da meia-noite, começou a sentir bastante fome; deixou de lado a picareta, tirou um pedaço de pão que deixara de manhã em um buraco úmido na rocha, sentou-se em um monte de minério e comeu seu jantar.

Então se inclinou para trás, apoiando a cabeça contra a rocha e pensou em descansar cinco minutos antes de recomeçar o trabalho. Mal havia se acomodado quando ouviu algo que o fez ficar alerta.

Parecia uma voz vinda de dentro da pedra. Depois de um tempo, ouviu--a novamente. Era de goblins, não tinha dúvida, e desta vez foi capaz de distinguir as palavras.

– Não é melhor nos mexermos? – perguntou um dos goblins.

Um timbre mais duro e profundo retorquiu:

– Não há pressa. Aquele pequeno miserável não passará desta noite se trabalhar tanto assim. Ele não está de forma alguma no lugar mais confortável do mundo.

– Mas você ainda acha que o vento entrará em nossa casa? – perguntou a primeira voz.

– Entrará sim, mas ainda levará mais um dia de trabalho dos mineiros. Se o garoto tivesse forçado mais desse lado aqui... – disse o goblin, batendo na própria pedra em que Curdie tinha a cabeça apoiada –, ele teria passado, mas ainda está a alguns metros de distância. Se seguir o filão, em uma semana estará aqui dentro. Se você observar lá atrás, parecerá um longo caminho. Ainda assim, pode haver um acidente, por isso acho melhor resolver o problema logo. Helfer, você deve pegar o baú grande. Isso é assunto seu, você sabe.

– Sim, pai – disse uma terceira voz. – Mas você tem de me ajudar a colocá-lo nas costas. É muito pesado.

– Bem, não é apenas um saco de fumaça, eu admito, mas você é tão forte quanto uma montanha, Helfer.

– Se você o diz, pai. Acho que eu estou bem, mas poderia carregar dez vezes mais se não fossem meus pés.

– Esse é o seu ponto fraco, confesso, meu filho.

– Não é o seu também, pai?

– Bem, para ser honesto, é uma fraqueza dos goblins.

– Por que eles são tão suaves, eu não faço ideia. Especialmente quando a cabeça é tão dura, pai.

– Sim, meu filho. A glória do goblin é sua cabeça, para pensar em como os companheiros lá em cima têm de colocar capacetes quando vão à luta! Há! há! há!

– Mas por que não usamos sapatos como eles, pai? Eu gostaria, especialmente quando tenho um baú como esse na cabeça para carregar.

– Bem, veja, não é a moda. O rei nunca usa sapatos.

– A rainha usa.

– Sim, mas isso é para distinção. A primeira rainha, veja, quero dizer, a primeira esposa do rei usava sapatos; é claro, porque ela veio de lá de cima. Assim, quando ela morreu, a esposa seguinte não quis ser inferior a ela, como a própria rainha disse, e por isso também usa sapatos. Tudo questão de orgulho. Ela é a mais dura em os proibir ao restante das mulheres.

– Tenho certeza de que eu não os usaria. Não! – exclamou a primeira voz, que era evidentemente a da mãe da família. – Não consigo pensar por que uma mulher deveria usá-los.

– Já lhe disse que a primeira esposa era do andar de cima – repetiu o outro. – Essa foi a única coisa tola de que Sua Majestade já sentiu culpa, que eu saiba. Por que ele deveria se casar com uma mulher estranha como aquela e um de nossos inimigos naturais também?

– Suponho que tenha se apaixonado. Ele está igualmente feliz agora com uma de seu próprio povo.

– Ela morreu logo? Provocaram-na até a morte, não?

– Oh, querido, não! O rei venerava até suas pegadas.

– O que a matou, então? Será que o ar não lhe fez bem?

– Ela morreu quando o jovem príncipe nasceu.

– Que tolice a dela! Nós nunca fazemos isso. Deve ter sido porque ela usava sapatos.

– Eu não sei.

– Por que eles usam sapatos lá em cima?

– Ah, agora essa é uma pergunta sensata e eu vou responder. Mas para fazer isso, preciso primeiro lhes contar um segredo. Uma vez eu vi os pés da rainha.

– Sem os sapatos dela?

– Sim, sem seus sapatos.

– Não! Você os viu? Como foi isso?

– Não importa como foi. Ela não sabia que eu os tinha visto. E o que vocês acham disso? Havia dedos nos pés!

– Dedos nos pés! Mas o que é isso?

–Eu nunca saberia se não tivesse visto os pés da rainha. Imagine só! As extremidades dos pés dela estavam divididas em cinco ou seis pedaços finos!

– Oh, que horrível! Como poderia o rei ter se apaixonado por ela?

– Você esquece que ela usava sapatos. É por isso mesmo que os usava, é por isso que todos os homens e as mulheres também, lá em cima, usam sapatos. Eles não podem suportar a visão dos próprios pés descalços.

– Ah, agora eu entendo. Se alguma vez você desejar sapatos novamente, Helfer, eu baterei em seus pés.

– Não, mãe; reze para que não.

– Então não os use.

– Mas com uma caixa tão grande na minha cabeça…

Seguiu-se um grito horrível, que Curdie interpretou como resposta a um golpe da mãe sobre os pés de seu goblin mais velho.

– Bem, eu nunca soube de tantas coisas assim antes! – observou uma quarta voz.

– Seu conhecimento ainda não é universal – disse o pai. – Você tinha apenas cinquenta anos no mês passado. Cuidado com a cama e a roupa de cama. Assim que terminarmos o jantar, estaremos a caminho da nova casa. Há! há! há! há!

– De que você está rindo, marido?

– Estou rindo de pensar na confusão que os mineiros vão encontrar um dia.

– Por quê? O que você quer dizer?

– Oh, nada.

– Oh, sim, você quer dizer algo. Você sempre quer dizer alguma coisa.

– É mais do que você faz, então, esposa.

– Isso pode ser, mas não é mais do que eu descubro, marido.

– Há! há! Você é afiada. Que mãe você tem, Helfer!

– Sim, pai – responde Helfer, o pequeno goblin.

– Bem, suponho que devo lhe dizer. Eles estão todos no palácio, conversando sobre esse assunto esta noite. Assim que sairmos deste lugar estreito, irei lá para ouvir em que noite será... Eu gostaria de ver aquele jovem lá do outro lado, lutando nas agonias de...

Ele deixou sua voz tão baixa que Curdie só conseguia ouvir um rosnado. O som continuou quase inaudível por um bom tempo, tão inarticulado como se a língua do goblin estivesse enrolada. Somente quando a esposa falou novamente, ele subiu ao tom anterior.

– Mas o que devemos fazer enquanto você estiver no palácio? – perguntou ela.

– Eu os verei a salvo na nova casa que estive cavando nos últimos dois meses. Podge, você se encarregará da mesa e cadeiras, deixo-as aos seus cuidados. A mesa tem sete pernas, cada cadeira tem três, você precisará das duas mãos.

Depois disso surgiu uma conversa confusa sobre os vários bens domésticos e seu transporte, e Curdie não ouviu mais nada que fosse de alguma importância.

Agora ele sabia pelo menos de uma das razões para o som constante dos martelos e picaretas dos goblins à noite. Eles estavam fazendo novas casas para si mesmos, para as quais poderiam se mudar quando os mineiros ameaçassem invadir suas moradias.

Mas havia aprendido duas coisas de importância muito maior. A primeira era que alguma calamidade se aproximava e estava quase pronta para cair sobre a cabeça dos mineiros. A segunda era o único ponto fraco do corpo de um goblin: os pés. Não sabia que eram tão delicados como agora tinha motivos para suspeitar.

Curdie ouvira dizer que não possuíam dedos nos pés, mas nunca tivera a oportunidade de observá-los suficientemente de perto, no crepúsculo em que sempre apareciam, para se certificar se era uma informação correta, embora isso fosse comumente dito como verdade.

Um dos mineiros, que era provido de mais escolaridade que os demais, estava acostumado a argumentar que essa devia ter sido a condição primordial para o desenvolvimento da humanidade, e que a educação e o artesanato desenvolveram tanto os dedos dos pés quanto os das mãos. Proposta à qual Curdie certa vez ouvira o pai concordar sarcasticamente, alegando a probabilidade de as luvas dos bebês assim como o uso de meias em todas as idades serem um tradicional remanescente do velho estado das coisas.

Mas o que possuía, de fato, relevância era a delicadeza dos pés dos goblins, que ele presumia que poderia ser útil a todos os mineiros. O que Curdie tinha de fazer era tentar descobrir o maligno plano que os goblins tinham em mente.

Embora conhecesse todas as galerias naturais com as quais os goblins se comunicavam na parte minada da montanha, Curdie não tinha a menor ideia de onde estava o palácio do rei deles, caso contrário teria se lançado imediatamente ao empreendimento de descobrir detalhes de seus intentos.

Imaginou, e com razão, que o rei das criaturinhas deveria estar em uma parte mais distante da montanha que ainda não possuía comunicação com a mina. No entanto, devia haver um trajeto quase completo, pois poderia ser apenas uma divisória fina que agora os separava.

Se ao menos ele conseguisse avançar a tempo de acompanhar os goblins enquanto se retiravam! Alguns golpes seriam, sem dúvida, suficientes para abrir a separação, exatamente onde sua orelha agora estava, mas se tentasse atacar com sua picareta, apenas apressaria a partida da família, os colocaria em guarda e talvez o fizesse perder sua pista.

Começou então a apalpar a parede e logo descobriu que algumas das pedras estavam suficientemente soltas para serem retiradas com pouco de esforço. Então, segurando uma grande pedra com as duas mãos, ele a arrancou e a deixou cair com suavidade.

– Que barulho foi esse? – perguntou o pai dos goblins.

Curdie apagou sua lamparina.

– Deve ter sido aquele mineiro que ficou para trabalhar durante a noite – disse a mãe.

– Não, ele já deve ter se retirado faz um bom tempo. Não ouço um golpe há mais de uma hora, e, além disso, foi um barulho muito diferente...

– Então suponho que deve ter sido uma pedra levada para dentro do riacho.

– Talvez.

Curdie ficou bem quieto. Depois de algum tempo, ouvindo apenas os sons dos preparativos dos goblins para a partida, misturados com uma ocasional palavra de direção, e ansioso por saber se a remoção da pedra havia feito uma abertura para a casa deles, colocou a mão pelo buraco. Delicadamente, logo entrou em contato com algo macio. Teve apenas um momento para sentir, pois rapidamente retirou a mão: era um dos pés do goblin inútil. Seu dono deu um grito de susto.

– Qual é o problema, Helfer? – perguntou a mãe.

– Uma fera saiu da parede e lambeu meu pé.

– Bobagem! Não existem animais selvagens em nosso país – disse o pai.

– Mas foi, pai. Eu o senti.

– Disparate, digo eu. Você vai tornar malignos seus reinos nativos e reduzi-los ao nível do país lá em cima?

– Mas eu senti, pai.

– Eu lhe digo para segurar a língua. Onde está seu patriotismo?

Curdie conteve o riso e ficou parado como um rato, mas não mais quieto, pois continuou beliscando com os dedos as bordas do buraco. Estava pouco a pouco tornando-o maior, pois ali a rocha havia sido bastante estilhaçada com o explosivo.

Parecia haver muitos na família, a julgar pela conversa confusa que de vez em quando se ouvia através do buraco. Quando todos falavam juntos, era difícil entender direito o que diziam, mas ouviu mais de uma vez a voz do pai goblin, que se sobressaía às demais.

– Agora ponham seus fardos nas costas. Helfer, eu o ajudarei a levantar o baú.

– Gostaria que fosse o meu baú, pai.

– Sua vez chegará a tempo! Apresse-se. Devo ir à reunião no palácio esta noite e, quando terminar, eu voltarei e poderemos retirar as últimas coisas antes que nossos inimigos voltem pela manhã. Agora acendam suas tochas e venham comigo. Que distinção é termos nossa própria luz, em vez de depender de um artifício muito desagradável, pendurado no ar, sem dúvida destinado a nos cegar quando nos aventuramos sob sua maléfica influência! Bastante gritante e vulgar, eu o chamo, embora sem dúvida útil às pobres criaturas que não têm a astúcia de criarem sua própria luz.

Curdie quis espiar para verificar se eles haviam feito uma fogueira para acender suas tochas, mas um momento de reflexão lhe mostrou que seus olhos teriam dito que sim, porque eles roçaram duas pedras e o fogo apareceu.

O salão do palácio dos goblins

Seguiu-se um som de muitos pés macios, mas logo cessou. Então Curdie voou para o buraco como um tigre e bateu nas laterais com fúria. Os lados cederam e logo o buraco ficou grande o suficiente para que ele rastejasse adiante. Não se trairia reacendendo sua lamparina, mas as tochas dos goblins que partiam, que ele detectou andando em linha reta por uma longa avenida da saída de sua gruta, lançaram luz para trás o suficiente para lhe dar uma boa visão ao redor da casa deserta dos goblins.

Para sua surpresa, ele não conseguiu descobrir nada que a distinguisse de uma caverna natural comum na rocha, sobre a qual ele tinha vindo com o resto dos mineiros no progresso de suas escavações. Os goblins haviam falado em voltar para buscar o restante do equipamento doméstico, mas ele não via nada que o fizesse suspeitar de que uma família tivesse se refugiado ali por uma única noite.

O chão era áspero e pedregoso; as paredes, cheias de cantos salientes; o telhado em um lugar tinha vinte metros de altura, em outro lado era tão baixo que ele podia bater a testa. Pela face da rocha corria um riacho não mais espesso do que uma agulha, é verdade, mas ainda assim suficiente para espalhar uma ampla umidade sobre a parede.

A tropa à sua frente estava labutando com cargas pesadas. Ele podia distinguir Helfer de vez em quando, no oscilar de luz e sombra, com seu pesado baú sobre os ombros arqueados. O segundo irmão, por outro lado, estava quase enterrado no que parecia ser um grande colchão de penas.

"Onde eles conseguem as penas?", perguntou-se Curdie. No momento seguinte, a tropa desapareceu em uma curva do caminho, e agora era seguro e necessário que ele os seguisse, para que não sumissem na próxima curva, senão poderia perdê-los completamente.

Atreveu-se a rastreá-los como um caçador. Quando chegou à esquina e olhou cautelosamente em volta, viu-os novamente a alguma distância, descendo por outra longa passagem. Nenhuma das galerias que vira naquela noite tinha sinais de trabalho de homem ou de goblin. Havia estalactites muito mais velhas do que as minas, penduradas em seus telhados; os pisos eram ásperos, com rochas e grandes pedras redondas, mostrando que ali a água devia ter corrido uma vez.

Aguardou novamente naquela esquina até que houvessem desaparecido na próxima e assim os seguiu por um longo caminho através de uma passagem após outra. As travessias ficavam mais elevadas e se mostravam cada vez mais cobertas por estalactites brilhantes.

Foi uma procissão bastante estranha que ele seguiu, mas a parte mais curiosa foi a dos animais domésticos que se amontoavam entre os pés dos goblins. Era verdade que não existiam animais selvagens, pelo menos ele não conhecia nenhum, mas havia um número incrível de domesticados. Contudo, devo reservar qualquer contribuição para a história natural desses animais um pouco mais adiante.

Curdie, depois de um tempo, virou uma esquina demasiado abruptamente e quase se precipitou para o meio da família dos goblins, pois lá eles já tinham colocado todos os seus fardos no chão de uma caverna consideravelmente maior do que aquela que tinham deixado. Ainda estavam sem fôlego para falar, caso contrário ele teria sido alertado pela proximidade do som. Pensou em voltar antes que alguém o visse e, por isso, retirou-se com cuidado e ficou de pé em um canto, observando até que o pai saísse para ir ao palácio.

Em pouco tempo, tanto ele quanto o filho Helfer reapareceram e continuaram na mesma direção de antes, enquanto Curdie os seguia novamente com precauções redobradas. Por muito tempo não ouviu nenhum som, exceto algo como o deslizar de um rio dentro da rocha. Porém, ao longo do tempo, aquilo que parecia o barulho distante de um grande grito chegou aos seus ouvidos, e logo depois cessou.

Depois de ter avançado um bom caminho, pensou ter ouvido uma única voz. O som era cada vez mais claro à medida que prosseguia, até que ele finalmente quase conseguia distinguir as palavras. Em um momento ou dois, mantendo-se depois dos goblins em outra esquina, começou mais uma vez a avançar, maravilhado.

Curdie estava na entrada de uma magnífica caverna, de forma oval, outrora provavelmente um enorme reservatório natural de água, agora o grande salão palaciano dos goblins. A altura do palácio era impressionante e havia por ali uma enormidade de materiais muito cintilantes. As tochas carregadas pela multidão dos goblins, que lotavam o chão, iluminavam o lugar de forma tão plena que Curdie podia ver até o topo bastante bem.

Mas não tinha ideia do quão imenso era o lugar até que seus olhos se acostumaram a ele, o que não havia conseguido por muitos minutos. As projeções ásperas nas paredes, e as sombras lançadas para cima a partir delas pelas tochas, faziam os lados da câmara parecerem como se estivessem lotados de estátuas sobre colchetes e pedestais, alcançando em camadas irregulares do chão ao teto.

As paredes em si eram, em muitas partes, de substâncias gloriosamente brilhantes, algumas delas, além disso, coloridas, o que contrastava poderosamente com as sombras. Curdie não podia deixar de se perguntar se suas rimas seriam de alguma utilidade contra aquela multidão de goblins que lotava o chão do salão e, de fato, sentiu-se consideravelmente tentado a começar seu grito de "Um, dois, três", mas, como não havia motivo para empregá-lo e razão de sobra para ficar ali e descobrir seus planos, manteve-se perfeitamente quieto, espreitando na borda da porta, escutando com suas duas orelhas aguçadas.

Na outra extremidade do salão, bem acima das cabeças do aglomerado de goblins, havia uma saliência em forma de terraço, de altura considerável, causada pelo recuo da parte superior da parede da caverna. Sobre aquele lugar estavam o rei e sua corte: o rei sobre um trono escavado em um enorme bloco de minério de cobre verde, e sua corte nos assentos inferiores ao seu redor. O líder tinha feito um discurso, e os aplausos que se seguiram foram os que Curdie havia ouvido. Um dos assessores reais estava agora se dirigindo ao povo para um novo pronunciamento.

– Por isso, parece que dois planos têm estado juntos há algum tempo trabalhando forte na cabeça de Sua Majestade para a libertação de seu povo. Independentemente do fato de sermos os primeiros possuidores das regiões que eles agora habitam, de termos abandonado aquela região pelos motivos impostos, também o fato evidente de que nós os superamos até agora na capacidade mental como nos superam em estatura, eles olham para nós como uma raça degradada e zombam de todos os nossos melhores sentimentos. Mas o dia está quase chegando, quando, graças à genialidade inventiva de Sua Majestade, estará em nosso poder promover uma vingança completa sobre eles de uma vez por todas, no que diz respeito ao seu comportamento ofensivo.

– Queira permitir, Vossa Majestade... – gritou uma voz ao lado da porta, que Curdie reconheceu como a do goblin que havia seguido.

– Quem é aquele que interrompe o chanceler? – gritou outro de perto do trono.

– Glump – responderam várias vozes.

– Ele é nosso sujeito de confiança – disse o próprio rei, em voz lenta e imponente –, deixe-o se aproximar e falar.

Um corredor foi aberto entre a multidão, e Glump, tendo subido à plataforma, curvou-se diante do rei e falou da seguinte maneira:

– Senhor, eu teria me calado se não soubesse o quão próximo está o momento ao qual o chanceler acabou de se referir. Com toda probabilidade, antes que outro dia se passasse, o inimigo teria invadido minha casa. A divisória entre ela e a mina não tinha mais do que um pé de espessura.

"Não tanto assim", pensou Curdie.

– Nessa mesma noite tive de retirar meus pertences domésticos, portanto, quanto mais cedo estivermos prontos para realizar o plano, para o qual Vossa Majestade tem feito preparações tão magníficas, melhor. Posso apenas acrescentar que, nos últimos dias, percebi um pequeno inconveniente em minha sala de jantar que, combinado com observações sobre o curso do rio escapando por onde os homens maus entram, me convenceu de que perto do local há um profundo abismo. Essa descoberta, espero, acrescentará informação valiosa às forças que estão à disposição de Vossa Majestade.

Ele se calou, e o rei agradeceu-lhe pelo seu discurso com uma inclinação de cabeça.

Após uma reverência à Sua Majestade, Glump deslizou para baixo entre a multidão indistinta. Então o chanceler se levantou e retomou o comando.

— As informações que o digno Glump nos deu – disse ele – podem ser de considerável importância para aquele outro projeto já mencionado, que naturalmente é prioritário. Sua Majestade, não querendo prosseguir com medidas extremas e bem ciente de que tais ações, mais cedo ou mais tarde, resultariam em reações violentas, impulsionou uma estratégia mais fundamental e abrangente, da qual eu não preciso dizer mais nada. Se Sua Majestade terá sucesso, quem ousa duvidar? Então será reestabelecida a paz, tudo em benefício do reino dos goblins, pelo menos por uma geração. Sua Alteza Real, o príncipe, fará uma promessa e a manterá como compromisso para o bom comportamento de todos. Se Sua Majestade falhar... e quem ousará imaginar isso em seus pensamentos mais secretos? Então será o momento de realizar com rigor o projeto a que Glump se referiu, e para o qual nossos preparativos estão quase concluídos. O fracasso do primeiro tornará o segundo imperativo.

Curdie, percebendo que a assembleia estava chegando ao seu final e que havia poucas chances de obter mais detalhes de qualquer um dos planos, achou prudente sair antes que os goblins começassem a se dispersar e escapou silenciosamente.

Não havia muito perigo de encontrar as criaturinhas, pois quase todas tinham ficado no palácio. Mas ele corria um risco considerável de se enganar no caminho, pois agora não havia luz e, portanto, tinha de depender de sua memória e de suas mãos. Depois de ter sido abandonado pelo brilho que saía da porta da nova morada de Glump, ficou completamente sem guia, tal era a escuridão que o cercava.

Estava muito ansioso para regressar pelo buraco antes que os gnomos voltassem para buscar o restante de seus pertences. Não que tivesse medo, mas como era muito importante descobrir a fundo quais eram os planos que os goblins estavam acalentando, não queria provocar a menor suspeita de que estavam sendo vigiados por um mineiro.

Apressou-se, apalpando as paredes de rocha. Se não fosse muito corajoso, provavelmente estaria nervoso, porque, caso perdesse o rumo, dificilmente reencontraria o caminho de volta. A manhã não traria nenhuma luz àquelas regiões e, para agravar, Curdie era conhecido como um rimador especial e perseguidor das pequenas criaturas, tornando-se alguém que jamais poderia esperar alguma simpatia dos goblins.

Bem, talvez pudesse ter trazido sua lamparina e a caixinha de ferramentas, o que ele nem pensara quando rastejou tão avidamente atrás dos gnomos! Desejou tê-las nas mãos ainda mais quando, após um tempo, encontrou seu caminho bloqueado e não pode seguir mais longe.

Não adiantava retroceder, pois não tinha a menor ideia de onde havia começado a errar o caminho. Mecanicamente, porém, continuava a passar as mãos nas paredes que o cercavam e encontrou um lugar onde uma pequena corrente de água corria pela face da rocha. "Que estúpido!", pensou. "Na verdade, estou no final da minha viagem! E lá estão os goblins voltando para buscar suas coisas", acrescentou, enquanto o brilho vermelho das tochas aparecia no final da longa avenida que conduzia à caverna.

Em um momento, jogou-se no chão e se moveu para trás através do buraco. O piso do outro lado era alguns metros mais baixo, o que facilitava a volta. Esforçou-se para levantar a maior pedra que havia tirado do buraco e, por fim, conseguiu colocá-la novamente. Sentou-se sobre a pilha de minério e pensou em tudo o que ouvira naquela noite.

Estava bastante convicto de que o último plano dos goblins era inundar a mina, abrindo escoadouros para a água acumulada nos reservatórios naturais da montanha, bem como fazê-la correr através de todas as outras áreas ao redor.

Enquanto o trecho escavado pelos mineiros permanecia isolado daquele habitado pelos goblins, eles não haviam tido oportunidade de feri-los assim. Mas agora que uma passagem fora rompida e a área dos goblins provava ser a mais alta da montanha, ficava evidente para Curdie que a mina poderia ser destruída em pouco mais de uma hora.

A água era sempre o principal perigo ao qual os mineiros estavam expostos. Houve situações em que se encontraram um pouco sufocados com a umidade, mas nunca com o fogo explosivo tão comum em minas de carvão. Por isso, eram sempre cuidadosos com a possibilidade de qualquer ameaça com água.

Como resultado de suas reflexões, enquanto os goblins estavam ocupados em sua velha casa, pareceu a Curdie que seria melhor reforçar todo aquele trecho, enchendo-o com pedra e argila, de modo que não haveria o menor canal para a água entrar. Não existia, entretanto, nenhum perigo imediato, pois a execução do plano dos gnomos estava condicionada ao fracasso daquele projeto desconhecido que devia prevalecer. Estava mais ansioso por manter a porta de comunicação aberta, para que pudesse, se possível, descobrir qual era o primeiro plano a ser posto em ação.

Ao mesmo tempo, sabia que seria muito perigoso se os goblins resolvessem retomar seus trabalhos intermitentes para causar a inundação. Isso porque a única saída existente poderia, em uma única noite, tornar-se impenetrável diante do peso da água, alagando o trecho totalmente, ficando o aterro apoiado nas encostas da própria montanha.

Assim que percebeu que os goblins haviam se retirado novamente, acendeu sua lamparina e começou a preencher o buraco que havia feito com pedras e que poderia retirar quando quisesse. Então pensou melhor e resolveu ir para casa e dormir um pouco. Teria a oportunidade de ficar acordado muitas noites depois disso.

Como estava agradável o ar noturno no exterior da montanha depois do enorme tempo que havia passado lá dentro! Subiu a colina sem encontrar um único goblin no caminho, chamou e bateu na janela até acordar seu pai, que logo se levantou e lhe abriu a porta para entrar.

George MacDonald

Curdie contou-lhe a história toda. Como já esperava, ele achou melhor não trabalharem mais naquele trecho da mina, mas ao mesmo tempo fingirem ainda estar por lá para que os goblins não desconfiassem de nada. Tanto pai quanto filho foram então para a cama e dormiram profundamente até a manhã seguinte.

O rei papai da princesa

O tempo continuou agradável durante as semanas seguintes, e a princesinha saía diariamente. Há muito não se tinha um período de bom tempo longo assim naquela montanha. O único desconforto era que sua babá estava tão nervosa e exigente sobre o retorno antes do pôr do sol que, muitas vezes, ela dizia para retornarem quando apenas uma nuvem de lã atravessava o sol e atirava uma sombra sobre a encosta.

Em diversas ocasiões elas estavam em casa uma hora inteira antes que a luz do sol houvesse minguado nos estábulos. Se não fosse por esse comportamento estranho, Irene já teria quase se esquecido dos goblins. Ela nunca deixou de pensar em Curdie, entretanto. De fato, teria se lembrado dele nem que fosse só porque uma princesa nunca se esquece de suas dívidas até que sejam devidamente pagas.

Em um esplêndido dia de sol, cerca de uma hora depois do meio-dia, Irene brincava em um gramado no jardim quando ouviu o sopro distante do toque do clarim. Ela pulou com um grito de alegria pois sabia, por aquele som em particular, que seu pai estava a caminho para vê-la. Aquela parte do jardim ficava na encosta da colina e permitia uma visão completa do cenário abaixo.

Então ela sombreou os olhos com a mão e olhou para longe, para captar o primeiro vislumbre de uma armadura brilhante. Em poucos momentos, uma pequena tropa pode ser avistada. Lanças e capacetes cintilavam e resplandeciam, faixas voavam, cavalos galopavam e novamente veio o sopro do clarim que era para ela como a voz de seu pai avisando à distância: "Irene, estou chegando".

E assim foi até que ela conseguiu distinguir claramente o rei. Ele montava um cavalo branco e era mais alto que qualquer um dos seus homens. Usava um círculo estreito de ouro ornado com joias ao redor de seu capacete e, quando se aproximou ainda mais, Irene pôde discernir o clarão das pedras ao sol.

Fazia muito tempo que não o via, e seu pequeno coração batia cada vez mais rápido conforme a tropa brilhante se aproximava, pois ela amava muito seu rei papai e não ficava em nenhum lugar tão feliz como em seus braços. Quando chegaram a um determinado ponto, depois do qual não podia mais vê-los do jardim, ela correu para o portão e lá ficou até que eles se tornaram bem visíveis.

Àquela altura as pessoas da casa já estavam todas reunidas ao portão, com Irene à frente. Quando os cavaleiros pararam, ela correu para o lado do cavalo branco e levantou os braços. O rei pegou suas mãos e, em um instante, a menina estava na sela e se apertava nos braços fortes.

Eu gostaria de descrever o rei para que você pudesse vê-lo em sua mente. Ele tinha olhos suaves e azuis, mas um nariz que o fazia parecer uma águia. Uma longa barba escura, mesclada com fios prateados, fluía do queixo quase até a cintura. Irene sentou-se na sela e escondeu o rosto alegre sobre o peito do pai, e os cabelos dourados que sua mãe lhe havia dado douravam ao sol. Depois de segurá-la junto ao coração por um minuto, ele falou com seu cavalo branco.

A grande e bela criatura, que havia galopado tão orgulhosamente um pouco antes, caminhou com suavidade como uma dama, pois sabia que tinha uma pequena senhorita nas costas, pelo portão e até a porta da casa. Então o rei colocou a filha no chão e, desmontando, pegou sua mão e caminhou com ela para o grande salão, que quase nunca era usado, exceto quando ele vinha para ver sua princesinha.

Lá ele se sentou, com dois de seus conselheiros que o haviam acompanhado, para tomar um refresco, e Irene ficou à sua direita e bebeu seu leite de uma tigela de madeira curiosamente esculpida.

Depois que o rei comeu e bebeu, ele se voltou para a princesa e perguntou, acariciando seus cabelos:

— E então, minha filha, o que vamos fazer agora?

Aquela era a pergunta que ele sempre lhe fazia após a refeição. Irene estava esperando por aquilo com alguma impaciência, pois precisava resolver uma questão que a deixava constantemente confusa.

— Gostaria que você me levasse para ver minha trisavó.

O rei ficou sério e perguntou:

— O que isso significa, minha filhinha?

— Refiro-me à rainha Irene que vive na torre, uma senhora muito idosa, sabe, que tem os cabelos compridos de prata.

O rei fitava sua princesinha com uma maneira de olhar que ela não conseguia entender.

— Ela tem uma coroa em seu quarto — continuou ela —, mas eu ainda não estive lá dentro. Você sabe que ela está lá, não sabe?

— Não — disse o rei, muito calmamente.

— Então tudo deve ter sido um sonho — disse Irene. — Eu achava que era um sonho, mas queria ter certeza. Agora eu sei. Além disso, não consegui encontrá-la na vez seguinte que subi.

Naquele momento, um pombo branco entrou por uma janela aberta e pousou sobre a cabeça de Irene. Ela deu uma risada alegre, encolheu-se um pouco e colocou as mãos na cabeça, dizendo:

– Querida pombinha, não me belisque. Você vai arrancar meus cabelos com suas longas garras se não tomar cuidado.

O rei estendeu a mão para pegar o pombo, mas ele abriu as asas e voou novamente pela janela aberta, quando sua brancura fez um clarão ao sol e desapareceu. O rei pousou a mão sobre a cabeça de sua princesa, segurou-a um pouco para trás, olhou para seu rosto, sorriu levemente e suspirou.

– Venha, minha filha, juntos daremos um passeio pelo jardim.

– Você não vai subir e ver minha enorme, grande e bela avó, então, rei papai?

– Desta vez não – disse o rei muito gentilmente. – Ela não me convidou, e você sabe que grandes velhinhas como ela não gostam de ser visitadas sem licença prévia.

O jardim era um lugar muito bonito. Estando em cima de uma montanha, tinha partes rochosas sobre as quais tudo permanecia bastante selvagem. Tufos de urze cresciam juntamente com outras plantas e flores robustas, enquanto perto deles havia rosas e lírios adoráveis e muitas flores de todas as cores para alegrar o jardim. Essa mistura da montanha selvagem com o jardim civilizado era muito peculiar e ficava impossível para qualquer jardineiro fazer tal jardim parecer formal e rígido.

Contra uma dessas rochas estava um assento de jardim, sombreado do sol da tarde pela saliência da própria pedra. Havia um pequeno caminho sinuoso até o topo, mas eles se sentaram no coberto porque o sol estava quente. Ali conversaram sobre muitas coisas.

– Você ficou fora de casa até tarde uma noite, Irene.

– Sim, papai. A culpa foi minha, e Lootie lamentou muito.

– Preciso falar com Lootie sobre isso – disse o rei.

– Não ralhe com ela, por favor, papai – pediu Irene. – Ela tem tido tanto medo de chegar atrasada desde então! De fato, foi apenas um erro. Uma só vez.

– Uma vez pode ser muito – murmurou o rei para si, enquanto acariciava a cabeça da filha.

Não posso lhe dizer como ele soube. Tenho certeza de que Curdie não lhe contou. Alguém do palácio deve tê-las visto, afinal de contas.

O rei ficou sentado por um bom tempo, pensativo. Não havia som algum, exceto o de um pequeno riacho que corria alegremente para fora de uma abertura na rocha onde eles se sentavam, descendo a colina através do jardim. Então ele se levantou e, deixando Irene onde estava, entrou na casa e mandou chamar Lootie, com quem teve uma conversa que a fez chorar.

Quando a noite chegou, ele cavalgou sobre seu grande cavalo branco, deixou seis de seus acompanhantes atrás de si, com ordens para que três deles observassem do lado de fora da casa, andando ao redor desde o nascer até o pôr do sol. Ficou claro que estava preocupado com a segurança da princesa.

O quarto da velha senhora

Durante algum tempo, nada mais aconteceu que valesse a pena ser contado. O outono chegou e se foi. Não havia mais flores no jardim. O vento soprou forte e uivou por entre as rochas. A chuva veio, encharcando as poucas folhas amarelas e vermelhas que haviam restado nos galhos.

De vez em quando surgia uma manhã gloriosa seguida de uma tarde com chuva torrencial. Houve vezes, em uma mesma semana, em que havia chuva, nada além de chuva o dia todo e depois a mais adorável noite sem nuvens, com o céu todo coalhado de estrelas em pleno voo, todas presentes. A princesa não conseguia apreciar toda essa beleza, pois ia para a cama cedo.

O inverno se prolongou, e ela achava o cenário cada vez mais sombrio. Quando era muito tempestuoso para sair e Irene se cansava de seus brinquedos, Lootie a levava pela casa, às vezes para o quarto da governanta que era uma boa e gentil mulher de idade e se esforçava ao máximo para agradar a menina, às vezes indo para o salão dos criados ou para a cozinha, onde a criança não era apenas princesa, mas rainha absoluta, sendo sempre muito mimada.

Não raro ela fugia para o quarto onde estavam os soldados que o rei havia ordenado que ficassem por ali, e os homens lhe mostravam seus acessórios e faziam o que podiam para entretê-la. Ainda assim, a menina muitas vezes desejava que sua trisavó não tivesse sido um sonho.

Certa manhã, a babá a deixou com a governanta por um tempo. Para diverti-la, a mulher colocou sobre a mesa o conteúdo de um antigo armário, e a princesinha ali encontrou tesouros, antigos ornamentos diversos e muitas coisas cujo uso nem podia imaginar. Eram muito mais interessantes que seus próprios brinquedos, e permaneceu distraída com tantas novidades por duas horas ou mais.

Mas, ao manejar um curioso broche antiquado, correu o pino para o polegar e deu um pequeno grito com a agudeza da dor. O desconforto aumentou e seu polegar começou a inchar, fato que alarmou muito a governanta. A babá foi chamada, assim como o médico, que cuidou e enfaixou a mão da menina, e então ela foi colocada na cama muito antes de seu horário habitual. Mas o desconforto continuava e, embora tivesse adormecido e sonhado, a dor finalmente a despertou.

A lua brilhava intensamente dentro do quarto. O curativo havia caído da mão, que estava muito quente. Imaginava se poderia segurá-la ao luar, para que esfriasse; então saiu da cama sem acordar a babá, que estava na outra extremidade do quarto, e foi para a janela.

Quando olhou para fora, viu um dos homens armados andando no jardim, com a luz da lua refletida em sua armadura. Bastava Irene bater no vidro e chamá-lo, pois queria lhe relatar o ocorrido, mas isso poderia acordar Lootie, que a colocaria novamente na cama. Então resolveu ir até a janela de outro quarto e chamá-lo de lá; seria muito mais agradável ter alguém com quem conversar do que ficar acordada na cama com a dor ardente na mão. Abriu a porta do quarto muito gentilmente para sair, mas, quando chegou ao pé da velha escadaria, a lua brilhava através de alguma janela no alto e fazia o carvalho comido por minhocas parecer muito estranho, delicado e adorável.

Sem pensar, Irene colocou os pequenos pés, um após o outro, no caminho enluarado que iluminava a escada, olhando para trás enquanto subia para ver a sombra que eles faziam no caminho prateado. Algumas garotinhas temeriam estar assim sozinhas no meio da noite, mas Irene era uma princesa.

Ao subir lentamente a escada, ainda em dúvida quanto a estar ou não sonhando, foi acometida por um grande desejo em seu coração de tentar rever a velha senhora de cabelos cor de neve. "Se ela é um sonho", disse a si mesma, "então é mais provável que eu a encontre se estiver sonhando".

Então subiu, uma escada após outra, até chegar aos muitos quartos, tudo exatamente como antes. Acelerou suavemente pelas inúmeras passagens, reconfortada em saber que, caso se perdesse, bastaria acordar e estaria em sua própria cama, com Lootie por perto.

Como conhecia cada passo do trajeto, caminhou diretamente para a porta ao pé da escada estreita que levava à torre.

"E se eu realmente encontrar minha bela avó lá em cima?", pensou enquanto subia os degraus íngremes. Quando alcançou o topo, ficou por um momento apurando a escuta na mais absoluta escuridão, pois lá não havia luz do luar. Sim! Era o zumbido da roda de fiar! Que avó dedicada para trabalhar tanto de dia como de noite! Bateu gentilmente à porta.

– Entre, Irene – disse aquela voz doce.

A princesa abriu a porta e entrou. Lá estava o luar fluindo pela janela, envolvendo a velha senhora em seu vestido preto com renda branca, os cabelos prateados misturados com o brilho da lua, de modo que não se podia dizer qual era qual.

– Entre, Irene – ela repetiu. – Você pode me dizer o que estou fiando?

"Ela conversa", pensou Irene, "como se tivesse me visto há cinco minutos ou ontem, no mais tardar." Então respondeu:

– Não sei o que está fiando. Eu achava que era um sonho... Por que não pude encontrá-la antes, trisavó?

– Você não tem idade suficiente para entender. Mas teria me encontrado mais cedo se não tivesse achado que eu era um sonho. Vou lhe dar um motivo: eu não queria que você me encontrasse.

– Por que não? Diga-me, por favor!

– Porque eu não gostaria que Lootie soubesse que estou aqui.

– Mas você me disse para contar a Lootie.

– Sim, mas eu sabia que a babá não acreditaria em você. Se ela me visse aqui sentada fiando, também não acharia que era verdade.

– Por quê? – perguntou a princesa, confusa.

– Porque ela não poderia. Esfregaria os olhos e iria embora, diria que se sentia estranha e se esqueceria da metade do que viu. Depois, falaria que tudo tinha sido um sonho.

– Assim como eu – afirmou Irene, sentindo muita vergonha de si mesma.

– Sim, mas não exatamente como você, pois você veio novamente, o que Lootie não faria. Ela teria dito: "Eu já vi tolices suficientes".

– Então seria uma impertinência de Lootie?

– Seria de sua parte, Irene. Eu nunca fiz nada por Lootie.

– Mas você lavou meu rosto e minhas mãos – disse a menina, começando a chorar.

A velha senhora sorriu docemente e falou:

– Não estou irritada com você, nem com Lootie. Mas eu não quero que diga mais nada a ela a meu respeito. Se lhe perguntar, apenas fique em silêncio. Mas eu acho que ela não lhe perguntará nada. – Durante toda a conversa a senhora idosa continuava a fiar. – Você ainda não me disse o que eu estou fiando – insistiu.

– Porque eu não sei, mas posso ver que é uma peça muito bonita.

Era mesmo algo belo. Havia um bom novelo no tear ligado à roda de fiar. Ao luar brilhava como... como devo dizer? Não era branco o suficiente para ser prateado... Sim, era como prata, mas brilhava em tom acinzentado em vez de branco e cintilava apenas um pouco. E o fio que a velha senhora tirava dele era tão fino que Irene mal podia vê-lo.

– Estou fiando isto para você, minha filha.

– Para mim? O que devo fazer com ele?

– Eu lhe direi, mas primeiro eu lhe explicarei o que é. É uma teia de aranha de um tipo particular. Meus pombos me trazem de além do grande mar e existe apenas uma floresta onde vivem as aranhas que fazem esta variedade específica, a mais fina e mais forte de todas. Eu já quase terminei meu trabalho atual. O que está sobre a rocha agora será suficiente, mas ainda tenho uma semana de trabalho – acrescentou.

– Você trabalha dia e noite também, trisavó? – indagou a princesa, pensando que estivesse sendo muito educada ao usar o termo correto.

– Não é necessário usar essa palavra – respondeu ela, sorrindo quase alegremente. – Se você me chamar de avó, servirá. Não, eu não trabalho todas as noites, apenas quando a luz da lua brilha sobre minha roda. E não trabalharei muito mais esta noite.

– E o que fará a seguir, vovó? Vai para a cama?

– Você gostaria de ver meu quarto?

– Sim, adoraria.

– Então eu acho que não trabalharei mais esta noite, pois sei que terminarei tudo a tempo.

A senhora se levantou e deixou sua roda como estava. Você vê que não havia necessidade de guardá-la, pois onde não havia móveis não existia o perigo da desarrumação.

Então ela pegou Irene pela mão, mas era a mão machucada e a menina gritou de dor.

– Minha filha! Qual é o problema?

Irene segurou a mão ao luar para que a velha senhora pudesse vê-la e contou-lhe tudo sobre o ocorrido, com ar de muita gravidade. Mas a avó apenas disse:

– Dê-me sua outra mão.

Conduziu-a pelo pequeno corredor escuro e abriu a porta do lado oposto. Tremenda foi a surpresa de Irene em contemplar o quarto mais lindo que vira em toda a sua vida! Era grande e alto, em forma de cúpula. Ao centro estava pendurada uma luz tão redonda como uma bola, brilhando como se fosse a mais clara luz da lua, o que tornava tudo visível na sala, embora não tão claramente a ponto de a princesa poder afirmar o que muitas das coisas eram.

Uma grande cama oval estava no centro do quarto, com uma cabeceira rosada. Cortinas de veludo de um lindo azul-pálido escondiam as janelas, e as paredes também eram azuladas, com detalhes que pareciam ser estrelas de prata.

A senhora se afastou e caminhou até um armário de aparência estranha, abriu-o e dali retirou um interessante estojo de prata. Sentou-se em uma cadeira baixa e, chamando Irene, fez com que ela se ajoelhasse diante dela enquanto olhava sua mão. Depois de examiná-la, retirou do estojo um pouco de pomada: o odor adocicado de perfume de rosas e lírios encheu a sala, enquanto ela esfregava suavemente a pomada em toda a mão quente e inchada. O toque era tão agradável e fresco que parecia afastar a dor e o calor.

– Oh, vovó! É tão agradável! – exclamou Irene. – Obrigada!

Então a senhora foi até uma cômoda de onde tirou um grande lenço de fina cambraia de algodão e amarrou em volta da mãozinha.

– Não posso deixá-la ir embora hoje à noite – disse ela. – Você gostaria de dormir comigo?

– Oh, sim, querida avó – disse Irene, que teria batido palmas se pudesse.

– Você não terá medo, então, de ir para a cama com uma mulher tão velha?

– Não. Você é tão bonita, vovó.

– Mas eu sou muito velha.

– E suponho que eu seja muito jovem. Você não se importará de dormir com uma mulher tão jovem, avó?

– Sua danadinha – riu a senhora e puxou-a delicadamente para ela, beijando-a na testa e na bochecha.

Então pegou uma grande bacia prateada, derramou um pouco de água dentro, fez Irene sentar-se na cadeira e lavou seus pés. Feito isto, a menina estava pronta para dormir.

E, oh, que cama deliciosa era aquela em que sua avó a deitava! Nem parecia que estava acomodada sobre qualquer móvel: nada sentia além da suavidade.

A velha senhora, após ter se trocado, deitou-se a seu lado.

– Por que você não apaga sua lua? – perguntou a princesa.

– Isso nunca muda, nem de noite, nem de dia – respondeu ela. – Na noite mais escura, se algum de meus pombos está fora em uma mensagem, sempre consegue avistar minha lua e sabe para onde voar.

– Mas se alguém além dos pombos a notar, uma pessoa da casa, quero dizer, poderia aparecer para verificar e a encontraria aqui.

– Melhor para ela, então – respondeu a avó. – Mas não acontece mais de cinco vezes em cem anos. A maior parte daqueles que percebem a luz pensam se tratar de um meteoro, piscam os olhos e a esquecem. Além disso, ninguém consegue encontrar a sala, a menos que eu deseje. E vou lhe contar um segredo: se aquela luz se apagasse, você se imaginaria deitada em um sótão vazio, sobre um monte de palha velha e não veria essas coisas bonitas a seu redor o tempo todo.

– Então quero que nunca se apague – disse a princesa.

– Espero que não. Mas é hora de nós duas dormirmos. Devo tomá-la em meus braços?

A princesinha se aninhou perto da velha senhora, que a tomou nos braços e a segurou perto do peito.

– Oh, querida! Tudo é tão bonito! – exclamou a princesa. – Eu não sabia que algo no mundo poderia ser tão confortável. Eu gostaria de ficar aqui deitada para sempre.

– Você pode, se quiser – disse a senhora idosa. – Mas devo colocá-la à prova, um teste não muito difícil, espero. Esta semana à noite você deve voltar para mim; se não o fizer, não sei quando poderá me reencontrar, e logo desejará muito.

– Oh! Por favor, não me deixe esquecer!

– Você deve se lembrar. A única questão é se você acreditará que estou em algum lugar, se terá fé de que sou tudo menos um sonho. Você pode ter certeza de que farei o que puder para ajudá-la a vir, mas, no final das contas, a decisão caberá a você. Na noite da próxima sexta-feira, você deverá vir até mim. Preste atenção.

– Vou tentar – disse a princesa.

– Então boa noite – disse a avó e a beijou na testa.

Após um breve momento, a princesinha já estava dormindo em meio aos sonhos mais belos, de mares, luares, primaveras musgosas, grandes árvores murmurando e canteiros de flores silvestres com cheiros desconhecidos. Nenhum sonho poderia ser mais belo do que aquele.

Pela manhã, encontrava-se em sua própria cama. Não havia nenhum lenço ou qualquer outra coisa na mão ferida, apenas um odor doce permanecia ali. O inchaço diminuíra, e a picada do broche tinha desaparecido. Na verdade, sua mão estava perfeitamente bem.

Um pequeno capítulo sobre Curdie

"Qual era o grande plano número um?"

Não podia ser nada referente à inundação, porque ela havia sido considerada uma segunda opção justamente por conta dessa outra prioridade.

"Então o que era o plano número um?"

Ele espreitava e observava, de vez em quando com grande risco de ser descoberto, mas sem conseguir novas informações. Precisou recuar repetidas vezes às pressas, um procedimento difícil por sempre precisar enrolar sua corda de segurança quando retrocedia.

Queria evitar que os goblins percebessem que eram vigiados, porque isso poderia impedir a descoberta do plano que tinham em mente. Às vezes sua correria era tanta que não dava tempo de organizar a corda enquanto "se esquivava dos sabugos". E então, quando chegava à casa pela manhã, estava um emaranhado sem esperança.

Mas depois de um bom sono, embora curto, sua mãe a tinha acertado novamente. Lá estava, enrolada em uma bola muito respeitável, pronta para ser usada quando fosse necessário.

– Não consigo pensar em como a senhora faz isso, mãe – dizia.

– Eu sigo o fio – ela respondia –, exatamente como você faz na mina.

Nunca explicou além disso, mas, quanto menos fluente ela era com as palavras, mais esperta se mostrava com as mãos. E quanto menos sua mãe falava, mais Curdie acreditava que ela precisava se expressar mais.

A grande verdade era que, apesar de seus esforços, ele ainda não fizera nenhuma nova descoberta sobre as intenções dos mineiros goblins.

As criaturas dos goblins

Nessa época, os senhores que o rei deixara para cuidar da princesa já tinham tido oportunidades de duvidar do testemunho de seus próprios olhos. Os objetos que eles testemunharam eram mais do que estranhos. Criaturas tão grotescas e deformadas que se assemelhavam mais aos desenhos de uma criança do que a qualquer coisa natural.

Apareciam apenas à noite, enquanto os homens estavam de guarda ao redor da casa. O testemunho do primeiro vigia que relatou ter visto um desses seres estranhos foi mais ou menos assim: caminhava lentamente ao redor da residência, quando avistou nas sombras um ser de pé sobre as pernas traseiras, com os membros anteriores apoiados em uma janela, olhando fixamente para dentro da casa.

O corpo poderia ser o de um cão ou um lobo, pensou, mas declarou em sua honra que a cabeça tinha o dobro do tamanho que seria proporcional ao corpo e era tão redonda quanto uma bola. O rosto, que se virou para ele no momento da fuga, parecia ter sido esculpido por um menino sobre o nabo dentro do qual ele pretendia colocar uma vela, assim foi sua melhor descrição.

O indivíduo, na sequência, correu para o jardim. O guarda atirou uma flecha atrás dele e acreditou tê-lo golpeado, pois escutou um uivo extraterrestre, mas depois não conseguiu encontrar nem a flecha e tampouco a besta, embora as tenha procurado por tudo ao redor do lugar de onde desapareceram.

Riram tanto dele que o segurança resolveu dar o assunto por encerrado por terem dito que ele devia ter levado tempo demais para puxar o jarro da cerveja, tamanha foi a embriaguez.

Porém, antes que duas noites se passassem, já tinha outro guarda para defendê-lo, pois também havia testemunhado algo esquisito, só que bem diferente do anteriormente relatado. A descrição que o segundo homem deu da criatura avistada era ainda mais grotesca e improvável.

Ambos foram ridicularizados pelos demais. Entretanto, noite após noite, mais e mais homens avistavam as estranhas criaturas, até que finalmente só restava um para rir de todos os seus companheiros.

Duas noites mais se passaram desde a última aparição, e o solitário descrente não viu nada de anormal. Contudo, na terceira noite algo o fez disparar correndo do jardim na direção dos outros dois que estavam na parte dianteira da casa. O homem estava em uma agitação tão grande que declararam, pois agora era a vez de eles zombarem, que a faixa de seu capacete estava rachando debaixo do queixo com o impacto das batidas dos dentes.

Correram com ele para aquela parte do jardim que já descrevi e viram uma porção de criaturas, às quais não podiam dar uma definição. Nenhuma delas se parecia, mas eram todas medonhas e desgrenhadas, cambaleando no gramado ao luar. A fealdade sobrenatural, o comprimento das pernas e pescoço de alguns e a aparente ausência de ambos ou de um deles em outros, fez com que os espectadores ainda duvidassem, como já disse, da evidência de seus próprios olhos e ouvidos também.

Sim, pois os ruídos que faziam, embora não fossem barulhentos, eram tão incisivos e variados quanto suas formas, e não podiam ser descritos como grunhidos, rangidos, rugidos, uivos, latidos, gritos, guinchos, silvos, buzinas, chiados, coaxares, sibilos e berros, mas apenas como tudo isso misturado em uma horrível dissonância.

Mantendo-se na sombra, os observadores tiveram alguns momentos para se recuperar antes que a hedionda assembleia suspeitasse de sua presença, e todos, de uma só vez, como se de comum acordo, fugiram na direção de uma grande rocha e desapareceram, antes que os homens tivessem se acalmado o suficiente para pensar em segui-los.

Meus leitores suspeitarão do que se tratava, mas agora lhes darei informações completas a respeito. Eles eram, naturalmente, animais domésticos pertencentes aos goblins, cujos antepassados haviam levado seus ancestrais, muitos séculos antes, das regiões superiores de luz para as regiões inferiores das trevas.

Os exemplares originais dessas criaturas horripilantes eram muito parecidos com os animais agora vistos em fazendas e lares no país, com exceção de alguns que tinham sido criaturas selvagens, como raposas, lobos e pequenos ursos. E os goblins, a partir de sua propensão para a criação animal, haviam-nos capturado quando filhotes e os domesticado.

No entanto, com o passar do tempo, todos experimentaram mudanças ainda maiores do que as que ocorreram com seus donos. Sofreram alterações, isto é, seus descendentes tinham se transformado em criaturas como as que tentei descrever apenas de maneira vaga. As várias partes de seus corpos assumiram, de maneira aparentemente arbitrária e obstinada, os desenvolvimentos mais anormais possíveis. Na verdade, tão pouco predominou do ser original em alguns dos intrigantes resultados, que você teria muita dificuldade em imaginar qual animal conhecido teria sido seu parente longínquo.

Além disso, o que aumentou muito a estranheza de tais seres foi que, a partir de uma constante associação doméstica, ou melhor, familiar com os goblins, seu semblante cresceu em grotesca semelhança com o humano.

Mas as condições da vida subterrânea, sendo igualmente não naturais para ambos, ao passo que para goblins eram piores, fez com que as criaturas não melhorassem com a aproximação entre eles, e seu resultado bizarro não seria capaz de confortar nem mesmo o adorador mais caloroso da natureza animal.

Explicarei agora como foi que justamente nessa época esses animais começaram a aparecer perto da casa de campo do rei.

Os goblins, como Curdie havia descoberto, estavam minerando dia e noite em grupos. No decorrer da escavação do túnel, eles haviam invadido o canal de um pequeno riacho, mas, estando o rompimento em seu topo, nenhuma água havia escapado para interferir no trabalho.

Algumas das criaturas animais, rodeando seus líderes, tinham encontrado o buraco e, com a curiosidade crescente devido às restrições de suas circunstâncias não naturais, tinham prosseguido para explorar o canal. O córrego era o mesmo que corria para fora da rocha, em cujo banco Irene e o pai haviam sentado quando estiveram no jardim, como eu havia dito.

Os animais dos goblins acharam muito divertido sair para uma brincadeira em um gramado amplo como nunca haviam visto em toda a sua pobre vida miserável. Mas, apesar de terem convivido o suficiente com a natureza de seus patrões para apreciarem incomodar e alarmar qualquer uma das pessoas que encontrassem na montanha, eles eram, é claro, incapazes de realizar seus próprios projetos ou de promover intencionalmente os de seus mestres.

Durante várias noites, depois que todos os guardas estavam convencidos da presença daquelas criaturas horríveis, fossem corporais ou espectrais, já que não sabiam ao certo definir, eles observavam com atenção especial aquela parte do jardim onde os haviam visto pela última vez.

Talvez, de fato, eles tenham dado pouca atenção à casa em consequência disso. Porém, as criaturas eram muito astutas para serem facilmente pegas, e os vigias não eram suficientemente rápidos para perceber os olhos penetrantes que os observavam a partir da abertura de onde o córrego existia, prontos para relatar a situação com clareza no momento em que deixassem o gramado.

Uma noite interminável

Durante toda a semana, Irene pensara a todo momento em sua promessa à senhora idosa, embora não pudesse ter certeza absoluta de que não estivera sonhando.

Será que podia ser real uma vovó que vivia no topo da casa, com pombos, uma roda de fiar e uma lâmpada que nunca se apagava? No entanto, estava decidida a subir os três lances de escada na sexta-feira seguinte, caminhar pelas passagens com as muitas portas e tentar encontrar a torre na qual ela havia visto ou sonhado com a avó.

Sua babá se perguntava o que havia ocorrido à criança, que estava tão pensativa e silenciosa, e, mesmo durante um jogo com ela, caía de repente em um clima de sonho. Irene se preocupou em nada revelar, quaisquer que fossem os esforços que Lootie pudesse fazer para chegar aos seus pensamentos. Até que a babá disse a si mesma: "Que criança estranha ela é!", e desistiu de tentar descobrir em que a menina pensava.

A tão esperada sexta-feira chegou e, para que Lootie não desconfiasse de nada, a princesa se esforçou em ficar o mais quieta possível. À tarde, ela pediu a casa de bonecas e continuou a organizar e reorganizar os vários cômodos e suas habitantes por uma hora inteira. Então, deu um suspiro e se jogou de volta na cadeira.

Uma das bonecas não se sentava, outra não ficava de pé, e todas eram muito cansativas. Na verdade, nem mesmo se deitavam, o que era lamentável. Estava entardecendo e, quanto mais escuro ficava, mais agitada se tornava Irene e mais ela sentia a necessidade de se controlar.

– Vejo que você quer seu chá, princesa – disse a ama. – Vou buscá-lo. A sala parece abafada, vou abrir um pouco a janela. A noite está amena e não vai lhe fazer mal.

– Não há nenhum perigo, Lootie – Irene respondeu, desejando ter adiado o chá até que estivesse mais escuro, quando ela poderia ter feito sua tentativa de fugir com todas as vantagens.

Eu imagino que Lootie tenha demorado mais tempo para voltar do que pretendia, pois quando Irene, que estava perdida em pensamentos, olhou para cima, percebeu que estava quase escuro e, ao mesmo tempo, viu um par de olhos brilhando com uma luz verde, olhando para ela através da janela aberta.

No instante seguinte, algo saltou para dentro da sala. Era como um gato, com pernas tão longas quanto as de um cavalo, Irene diria, mas seu corpo não era maior e suas pernas não eram mais grossas que as de um gato. Estava muito assustada para gritar, mas não demais para pular de sua cadeira e correr do quarto.

É bastante claro para todos os meus leitores o que ela deveria ter feito. De fato, Irene pensou nisso também, mas quando chegou ao pé da velha escada, logo depois da porta do quarto, imaginou a criatura correndo por aquelas longas subidas atrás dela, perseguindo-a através das passagens escuras e, finalmente, atacando-a antes de chegar à torre!

Esse pensamento foi aterrorizante. Seu coração disparou e, afastando-se da escada, ela correu para o corredor onde, encontrando a porta da frente aberta, ela ousou entrar na sala de audiências, certa de que ainda estava sendo perseguida pela criatura.

Ninguém a viu em sua corrida, tão incapaz estava de pensar por causa do medo, pronta para correr para qualquer lugar a fim de escapar da horrível criatura com as pernas de pau. Não ousando olhar para trás, correu diretamente para fora do portão e subiu a montanha.

Foi uma tolice afastar-se mais e mais longe de todos os que poderiam ajudá-la, como se estivesse procurando um lugar adequado para a criatura goblin comê-la em seu lazer. Porém é assim que o medo nos serve: ele sempre está do lado daquilo que tememos.

A princesa logo ficou sem fôlego com a disparada morro acima, mas continuou correndo, pois fantasiava que a criatura horrível estava logo ali atrás dela. Esqueceu-se de que, se fosse verdade, aquelas pernas tão longas a teriam alcançado havia muito tempo. Finalmente já não podia mais correr e caiu, incapaz até mesmo de gritar, à beira da estrada, onde ficou durante algum tempo, quase morta de terror.

Entretanto, passados alguns momentos, nada a agarrou, e sua respiração começou a voltar ao ritmo normal. Ela então, com coragem, se levantou e olhou ansiosamente ao redor. Agora estava tão escuro que não conseguia ver nada, nem uma única estrela aparecia. Não conseguia saber em que direção a casa estava e, entre ela e a casa, imaginava a horrível criatura deitada, pronta para atacar.

Via agora que deveria ter subido as escadas de uma só vez. Foi bom não ter gritado, pois embora poucos goblins tivessem aparecido em semanas, um ou dois talvez estivessem por ali. Sentou-se sobre uma pedra e somente alguém que tivesse feito algo errado poderia se sentir mais deprimido; a princesa havia se esquecido completamente de sua promessa de visitar a avó.

Uma gota de chuva caiu em seu rosto. Ela olhou para cima e, por um momento, seu terror se perdeu no espanto. No início pensou que a lua nascente havia deixado seu lugar, aproximando-se para ver o que poderia estar acontecendo com aquela menininha, sentada sozinha, sem chapéu ou capa, na montanha escura e nua, mas logo viu que estava enganada, pois não havia luz no chão a seus pés e nenhuma sombra em lugar algum. Um grande globo de prata estava pendurado no ar e, enquanto ela olhava para o objeto encantador, sua coragem se reanimava.

Se Irene estivesse novamente dentro de casa, não temeria nada, nem mesmo a terrível criatura de pernas longas! Mas como encontraria seu caminho de volta? O que poderia ser aquela luz? Seria...? Não, não poderia. Mas e se fosse... sim... devia ser a lâmpada da tataravó, que guiava seus pombos para casa durante a noite mais escura! Ela saltou e pensou... só precisava manter aquela luz à vista e acharia sua casa. Seu coração se fortaleceu, e rapidamente, mas com suavidade, ela desceu a montanha na esperança de passar pela criatura sem ser vista. Por mais escuro que fosse, havia pouco perigo agora de escolher o caminho errado.

E, o que era mais estranho, a luz da lâmpada que enchia seus olhos, em vez de cegá-los, permitia que enxergasse bem. Após olhar a lâmpada, ela podia ver a estrada por um ou dois metros à sua frente, e isso a salvou de várias quedas, pois o trajeto era muito áspero e irregular.

Mas de repente, para sua consternação, a luz desapareceu e o terror da besta, que já havia deixado de sentir quando começou a voltar, tomava novamente seu coração. No mesmo instante, no entanto, ela percebeu a luz das janelas e sabia exatamente onde estava. A escuridão a impedia de correr, mas ela caminhou como pôde e chegou ao portão em segurança.

A princesa encontrou a porta da casa ainda aberta, avançou através do corredor e, sem sequer olhar para dentro do seu quarto, correu diretamente para a velha escada, depois para a próxima e a seguinte. Depois, virando à direita, correu pela longa avenida dos quartos silenciosos e encontrou o caminho de imediato para a porta ao pé da escada da torre.

Quando a babá sentiu falta de Irene, imaginou que a menina estivesse lhe pregando uma peça e por algum tempo não se incomodou. Entretanto, finalmente preocupada, começou a procurar e, quando a princesa entrou, toda a casa estava à sua procura. Alguns segundos depois que ela alcançou a escada da torre, todos tinham começado a vasculhar até nos quartos negligenciados, onde nunca teriam pensado em olhar se já não tivessem revistado, em vão, todos os outros lugares em que esperavam encontrar a menina. Mas a essa altura a princesa já estava batendo à porta da velha senhora.

Tecido e fiado

– Entre, Irene – disse a voz agradável de sua avó.

A princesa abriu a porta e espiou dentro, todavia a sala estava bastante escura e não havia som da roda de fiar. Ficou alarmada mais uma vez, pensando que, embora o quarto estivesse ali, a velha senhora poderia ser um sonho, afinal de contas. Toda garotinha sabe como é assustador encontrar um quarto vazio onde ela pensava que havia alguém.

Mas a garota lembrou-se, no entanto, que à noite a senhora fiava apenas à luz da lua e concluiu que devia ser por isso que não havia nenhum zumbido doce, parecido com o de uma abelha: a velha senhora poderia estar em algum lugar na escuridão. Antes que tivesse tempo para mais reflexões, ouviu novamente sua voz, dizendo como antes:

– Entre, Irene.

Pela baixa altura do som, entendeu imediatamente que a avó não estava na sala ao lado, e que talvez estivesse em seu quarto. Ela se virou na passagem, apalpando o caminho para a outra porta. Quando sua mão caiu sobre a fechadura, novamente a senhora falou:

– Feche a outra porta atrás de você, Irene. Eu sempre fecho a porta do meu ateliê de trabalho quando vou para o meu quarto.

A princesinha se admirava em ouvir a voz tão claramente através da porta. Tendo fechado a outra, ela a abriu e entrou. Oh, que belo refúgio para alcançar, depois da escuridão e do medo pelo qual havia passado!

A luz delicada a fez sentir como se estivesse entrando no coração da pérola mais leitosa, enquanto as paredes azuis e suas estrelas prateadas, por um instante, deixaram-na perplexa com a fantasia de que, na realidade, era o céu que ela havia deixado do lado de fora havia um minuto, coberto de nuvens de chuva.

– Eu acendi um fogo, Irene, porque você está fria e molhada – disse sua avó.

Então a pequena princesa olhou novamente e percebeu que o que ela havia considerado ser um enorme ramo de rosas vermelhas em um suporte baixo contra a parede era, de fato, um fogo que ardia na forma das rosas mais belas e vermelhas, brilhando maravilhosamente entre as cabeças e as asas de dois anjos de prata reluzente. Quando ela se aproximou, descobriu que o perfume das flores que enchia a sala vinha das rosas de fogo na lareira.

Sua avó estava vestida com o mais belo veludo azul-pálido, sobre o qual seus cabelos, não mais brancos, mas de uma rica cor dourada, corriam como uma catarata, aqui caindo em montões monótonos, ali correndo em quedas suaves e brilhantes. E, sempre que ela olhava, os cabelos pareciam escorrer da cabeça e desaparecer em uma névoa dourada, antes de chegar ao chão.

As mechas fluíam sob um círculo de prata brilhante, cravejado de pérolas e opalas. Em seu vestido não havia nenhum ornamento, nem um anel em sua mão, nem um colar ou um lenço no pescoço. Porém, seus sapatos brilhavam com a luz da Via Láctea, pois estavam cobertos com pérolas e opalas em uma só moldura. O rosto dela era o de uma mulher de vinte e três anos de idade.

Irene estava tão desorientada, com assombro e admiração, que mal podia lhe agradecer pelo calor do fogo. Aproximou-se com timidez, sentindo-se suja e desconfortável. A senhora estava sentada em uma cadeira baixa ao lado do fogo, com as mãos estendidas para recebê-la, mas a princesa manteve-se ali com um sorriso perturbado.

– Por que está aí, qual é o problema? – perguntou a avó. – Você não tem feito nada de errado, posso ver isso em seu rosto, embora esteja um tanto triste. Qual é o problema, minha querida? – E ela ainda estendia os braços.

– Querida avó – disse Irene –, não tenho tanta certeza de que não tenha feito nada de errado. Eu deveria ter corrido imediatamente até você quando o gato de patas longas entrou pela janela, em vez de fugir para a montanha e me assustar tanto.

– Você foi pega de surpresa, minha filha. É pouco provável que repita. É quando as pessoas fazem coisas erradas de propósito que elas estão mais propensas a fazê-las novamente. Venha. – E mais uma vez ela estendeu seus braços.

– Mas, avó, você está tão bonita e grandiosa com sua coroa. Eu estou tão suja de lama e chuva! Eu estragaria seu lindo vestido azul.

Com um risinho alegre a senhora saltou da cadeira, mais levemente do que a própria Irene poderia, pegou a criança em seu peito e, beijando o rosto manchado de lágrimas repetidamente, sentou-se com ela no colo.

– Oh, avó! Você vai fazer uma grande bagunça! – gritou Irene, agarrando-se a ela.

– Querida, você acha que me importo mais com meu vestido do que com minha filhinha? Além disso, olhe aqui...

Enquanto falava, abaixou a criança, que viu, para sua consternação, que o lindo vestido estava coberto com a lama de sua queda na estrada da montanha. No entanto, a mulher se inclinou para perto do fogo e tirou dele, pela haste em seus dedos, uma das rosas em chamas, passando-a uma, duas e uma terceira vez pelo tecido de sua vestimenta. Quando Irene olhou, não havia sujeira alguma no vestido da avó.

– Pronto! – exclamou a avó. – Você não se importará de vir até mim agora?

Irene estava imóvel, olhando a rosa flamejante que a senhora segurava na mão.

– Você está com medo da rosa? – perguntou à princesa, prestes a jogá-la na lareira novamente.

– Oh! Não! – gritou Irene. – Você não vai passá-la no meu vestido, nas minhas mãos e no meu rosto? E acho que meus pés e meus joelhos também querem...

– Não – respondeu a avó, sorrindo um pouco tristemente, enquanto ela jogava a rosa na lareira. – Ainda está muito quente para você, e deixaria seu vestido em chamas. Além disso, creio que não deva se limpar hoje à noite. Quero que sua babá e o resto do povo vejam como você está, pois terá de lhes contar que fugiu por medo do gato de pernas longas. Eu gostaria de lavá-la, mas eles não acreditariam em você. Está vendo aquele banheiro ali atrás?

A princesa olhou e viu uma grande banheira oval de prata, brilhando intensamente na luz da maravilhosa lâmpada.

– Vá e olhe para dentro – disse a senhora.

Irene foi e voltou muito silenciosa, com os olhos radiantes.

– O que você viu? – perguntou a avó.

– O céu, a lua e as estrelas – respondeu. – Parecia que não havia fundo.

A senhora sorriu satisfeita e ficou em silêncio também por alguns momentos. Então falou:

– Sempre que quiser um banho, venha até mim. Eu sei que você toma banho todas as manhãs, mas às vezes você também quer um à noite.

– Obrigada, vovó! De fato, eu virei – respondeu Irene e ficou de novo em silêncio por alguns momentos, pensativa. Então ela perguntou: – Como foi, vovó, que vi sua bela lâmpada, a grande bola redonda e prateada, pendurada sozinha ao ar livre, bem no alto? Era a sua lâmpada que eu vi, não era?

– Sim, minha criança, era minha lâmpada.

– Mas como? Não vejo uma janela!

– Quando me agrada, posso fazer a lâmpada brilhar através das paredes. Tão forte que ilumina a escuridão e se mostra como você a viu. Porém, como eu lhe disse, nem todos podem vê-la.

– Por que eu posso vê-la, então? Não consigo entender...

– É um dom que nasce com você. E um dia espero que todos o tenham.

– Mas como a faz brilhar através das paredes?

– Ah, você não entenderia. Se eu tentasse fazer você... ainda não, ainda não. Mas – a senhora acrescentou ao se levantar – você deve se sentar em minha cadeira enquanto eu lhe trago o presente que venho preparando para lhe dar. Eu lhe disse que estava fiando algo para você. Está terminada agora e vou buscá-la. Tenho-a mantido quente sob um dos meus pombos reprodutores.

Irene sentou-se na cadeira baixa, e sua avó a deixou, fechando a porta atrás de si. A criança ficou olhando para o fogo das rosas, as paredes estreladas e a luz prateada, e uma grande quietude cresceu em seu coração. Se todos os gatos de patas longas do mundo tivessem vindo correndo em sua direção nesse momento, não teria tido medo de nenhum deles. Ela ignorava como isso era possível, apenas sabia que não sentia mais medo. Tudo estava tão certo e seguro que gato algum conseguiria entrar.

Após alguns minutos olhando fixamente para a linda lâmpada, ela se virou e descobriu que a parede havia desaparecido, pois agora ela via a noite escura e nublada, e, apesar de também ouvir o vento soprar, nem o frio nem o vento a atingiam. Em um momento mais, as nuvens se separaram, ou melhor, desapareceram como a parede, e ela olhou diretamente para o aglomerado de estrelas, piscando gloriosamente no azul-escuro.

Foi apenas por um instante. Logo as nuvens se reuniram novamente e ocultaram as estrelas. A parede voltou ao seu local de origem e lá estava a senhora, ao seu lado, com o mais belo sorriso no rosto e uma bola cintilante na mão, do tamanho de um ovo de pombo.

– Pronto, Irene. Aqui está meu trabalho para você! – exclamou ela, oferecendo a bola para a princesa, que a tomou na mão e a observou detalhadamente. Ela cintilou um pouco e irradiou aqui e ali, mas não muito. Era uma espécie de branco-cinzento, algo como vidro fiado.

– Isto é tudo sua fiação, avó?

– Tudo desde que você chegou à casa.

– Como é bonito! O que devo fazer com isto?

– Isso vou lhe explicar agora – respondeu a senhora, virando-se e indo até o seu armário, de onde voltou com um pequeno anel. Então, pegou a bola de Irene e fez algo com o anel que a garota desconhecia.

– Dê-me sua mão.

Irene ergueu a mão direita.

– Sim, essa é a mão que eu quero – disse a senhora, colocando o anel em seu dedo indicador.

– Que lindo anel! – exclamou Irene. – Como se chama a pedra?

– É um anel de fogo.

– Devo ficar com ele?

– Sempre.

– Oh, obrigada, avó! A pedra é mais bonita do que qualquer outra que eu já vi, exceto aquela de todas as cores. Essa é sua coroa?

– Sim, é a minha coroa. A pedra em seu anel é do mesmo tipo, apenas não é tão colorida. Ela só tem vermelho, enquanto a minha tem todas as cores, como você vê.

– Vou cuidar muito bem dela! Mas... – acrescentou, hesitante.

– Mas o quê? – perguntou a avó.

– O que devo dizer quando Lootie me perguntar onde consegui o anel?

– Você vai perguntar a ela onde você o conseguiu – acrescentou a senhora, sorrindo.

– Não vejo como posso fazer isso.

– Você vai, no entanto.

– Claro que sim, se me diz. Entretanto, você sabe, não posso fingir que não sei.

– É obvio que não, mas não se preocupe com isso. Você saberá quando chegar a hora. – Dizendo isso, a senhora se virou e jogou a bolinha no fogo das rosas.

– Oh, vovó! – exclamou Irene. – Eu pensei que você havia fiado para mim.

– E foi, minha filha, eu a dei para você.

– Não, está queimado no fogo!

A senhora colocou a mão no fogo, retirou a bola, vislumbrando-a como antes, e a segurou na sua direção. Irene estendeu a mão para pegá-la, mas a mulher se virou e, indo até seu armário, abriu uma gaveta e colocou a bola dentro dela.

– Fiz alguma coisa para irritá-la, avó? – perguntou Irene em tom de lamentação.

– Não, minha querida. Contudo, deve entender que ninguém nunca dá nada a alguém sem que seja de maneira adequada. Essa bola é sua.

– Oh! Não devo levá-la comigo? Você vai guardá-la para mim!

– Você deve levá-la com você. Fixei a ponta dela ao anel que está em seu dedo.

Irene olhou para o anel.

– Não consigo vê-la aqui, avó – disse ela.

– Sinta. Um pouco longe do anel em direção ao armário... – disse a senhora.

– Oh! Eu sinto! – exclamou a princesa. – Mas eu não consigo ver – acrescentou ela, olhando de perto para sua mão estendida.

– Não. O fio está muito fino para que você o veja, você só pode senti-lo. Agora você pode imaginar o quanto tive de fiar, embora pareça uma bola tão pequena.

– No entanto, que uso posso fazer dele se estiver em seu armário?

– Isso é o que eu lhe explicarei. Não teria nenhuma utilidade para você, não seria seu se não estivesse em meu armário. Agora escute com atenção. Se alguma vez você se encontrar em perigo como, por exemplo, aconteceu nesta mesma noite, você deve tirar o anel e colocá-lo debaixo do travesseiro de sua cama. Então, deve colocar o dedo, o mesmo em que usou o anel, sobre o fio, e segui-lo por onde quer que ele o leve.

– Oh, entendi! Ele me levará até você, vovó, eu sei!

– Sim. Todavia, lembre-se, pode lhe parecer um caminho muito esquisito, mas você não deve duvidar do fio. De uma coisa pode ter certeza: enquanto você o segurar, eu o segurarei também.

– É maravilhoso – disse Irene pensativa. Então, de repente, ao tomar consciência, ela saltou: – Oh, vovó! Aqui estive eu sentada todo esse tempo em sua cadeira, e a senhora de pé! Peço desculpas.

A mulher colocou a mão sobre o pequenino ombro e disse:

– Sente-se de novo, Irene. Nada me agrada mais do que ver alguém sentado na minha cadeira.

– Que gentileza a sua – disse a princesa, acomodando-se novamente.

– Isso me faz feliz – disse a senhora.

– Mas – perguntou a criança, ainda intrigada – será que o fio não vai se enroscar no caminho de alguém e se romper, se uma ponta é presa ao meu anel e a outra colocada em seu armário?

– Você descobrirá que tudo se resolverá bem. Receio que esteja na hora de você ir.

– Não posso ficar e dormir com você esta noite, avó?

– Não, não esta noite. Se eu pretendesse que você ficasse esta noite, deveria ter lhe dado um banho. Contudo você sabe que todos em casa estão muito preocupados e seria cruel mantê-los assim a noite toda. Você deve ir para baixo.

– Estou tão feliz, avó. Você não disse: "Vá para casa, pois esta é a minha casa". Posso chamar aqui de minha casa também?

– Claro que pode, minha filha. E confio que sempre pensará que esta é a sua casa. Agora venha, pois devo levá-la de volta sem que ninguém a veja.

– Por favor, quero lhe fazer mais uma pergunta – disse Irene. – É por conta de sua coroa que você parece tão jovem?

– Não, querida – respondeu a avó. – É porque me senti tão jovem esta noite que coloquei minha coroa. E pensei que você gostaria de ver sua velha avó em sua melhor aparência.

– Você não é velha, avó.

– Eu sou muito velha, de fato. É uma bobagem... não me refiro a você, pois é muito pequena e não poderia saber mais. No entanto, é uma tolice típica das pessoas imaginar que a velhice significa vergonha, secura, debilidade, fraqueza, manias, óculos, reumatismo e esquecimento! É tão bobo! Ter uma idade avançada não tem nada a ver com tudo isso. A velhice correta significa força, beleza, alegria, coragem, olhos vivos, membros fortes e indolores. Eu sou mais velha do que você é capaz de pensar, e...

– E olhe para você, vovó! – gritou Irene, pulando e atirando-se ao seu pescoço. – Não voltarei a ser tão tola, prometo-lhe. Pelo menos... tenho bastante medo de prometer, mas se for tola novamente, prometo me arrepender disso, juro. Gostaria de ser tão velha quanto você, avó, acho que você nunca tem medo de nada.

– Não por muito tempo, pelo menos, minha filha. Talvez quando tiver dois mil anos de idade, eu nunca tenha medo de nada. Mas confesso que, às vezes, tenho tido medo por meus filhos, por você.

– Oh, lamento muito, vovó! Hoje à noite, suponho, você quer dizer.

– Sim, um pouco esta noite, e também quando você quase se convenceu de que eu era um sonho e não uma verdadeira trisavó. Não que eu esteja culpando você por isso, e suponho que não pôde evitar.

– Eu não sei, avó – disse a princesa, começando a chorar. – Nem sempre posso fazer o que gostaria, e nem sempre tento. Lamento muito, de qualquer maneira.

A senhora se inclinou, levantou-a nos braços e sentou-se com a menina no colo, segurando-a perto do peito. Em poucos minutos a princesa havia chorado até adormecer.

Quanto tempo ela dormiu, não sei, mas quando acordou estava sentada na própria cadeira alta, junto à mesa do seu quarto, com a casa de bonecas diante dela.

O anel

No mesmo momento a babá entrou no quarto, soluçando. Quando a viu ali sentada, soltou um forte grito de espanto e alegria. Então correu, pegou-a nos braços e a cobriu com beijos.

– Minha querida princesa! Onde você esteve? O que aconteceu? Todos nós estivemos chorando e procurando por você pela casa, em todos os lugares.

"Não exatamente em todos os lugares, pois não foram ao andar superior", pensou Irene consigo mesma.

– Oh, Lootie, tive uma aventura tão terrível! – respondeu, contando-lhe tudo sobre o gato com as pernas longas, como ela correra para o alto da montanha e como conseguira voltar, mas não disse nada sobre sua avó ou a lâmpada.

– E lá estávamos nós, procurando você por toda a casa durante mais de uma hora e meia! – exclamou a babá. – Mas isso não importa, agora nós a temos! Só que, princesa, devo dizer – acrescentou, com seu humor alterado – que você deveria ter chamado por mim para vir ajudá-la em vez de correr para fora de casa e subir a montanha de uma maneira tão desastrada e, devo dizer, tola.

– Bem, Lootie – disse Irene calmamente –, se houvesse um gato grande, com pernas enormes, correndo em sua direção, talvez você não soubesse exatamente qual era a coisa mais sábia a fazer no momento.

– Eu não correria para cima da montanha, de qualquer forma – insistiu Lootie.

– Não se você tivesse tempo para pensar sobre isso. Mas quando aquelas criaturas vieram até você naquela noite, na montanha, você se assustou tanto que perdeu o caminho de volta para casa.

Isto pôs um fim às reprovações de Lootie. Ela estava a ponto de dizer que o gato de pernas longas devia ter sido uma fantasia da princesa, entretanto, a memória dos horrores daquela noite e do sermão que o rei lhe havia dado em consequência impediram-na de dizer que, afinal, ela não acreditava.

Tinha uma forte suspeita de que o gato era um goblin, pois não sabia nada sobre a diferença entre os goblins e suas criaturas: considerava-os apenas goblins. Sem mais uma palavra, foi buscar chá fresco, pão e manteiga para a princesa. Antes de sua volta, toda a casa, chefiada pela governanta, irrompeu dentro do quarto para ver sua querida.

Os cavaleiros armados também foram visitá-la e estavam prontos para acreditar em tudo o que ela lhes contara sobre o gato de pernas longas. De fato, apesar de sábios o suficiente para não dizerem nada a respeito, lembraram-se, com horror, de uma criatura assim entre aqueles que os haviam surpreendido no gramado da princesa.

Em seus próprios corações eles se culparam por não terem vigiado melhor. Seu capitão deu ordens para que, a partir daquela noite, a porta da frente e todas as janelas do andar térreo fossem trancadas imediatamente ao pôr do sol e abertas somente ao amanhecer, sem maiores explicações. Os homens redobraram a vigilância e por algum tempo não houve mais motivos para alarme.

Quando a princesa acordou na manhã seguinte, sua babá se curvava sobre ela:

– Princesa, seu anel brilha como uma rosa ardente esta manhã!

– Será? – perguntou Irene. – Quem me deu o anel, Lootie? Eu sei que o tenho há muito tempo, mas onde o consegui? Não me lembro.

– Acho que sua mãe o deu a você, princesa. Mas na verdade, você o usa há tanto tempo que eu também não me lembro disso – respondeu a ama.

– Vou perguntar ao meu rei na próxima vez que ele vier – disse Irene.

Primavera

A primavera, tão desejada por todos os seres, jovens e velhos, finalmente chegou. Nos últimos dias do inverno, o rei cavalgou através dos vales nascentes para ver sua filhinha. Ele tinha estado em uma parte distante de seus domínios durante todo o inverno, pois não tinha o hábito de permanecer nas cidades maiores ou de apenas visitar suas casas de campo favoritas, mas mudava-se de lugar em lugar, para que todo o seu povo o conhecesse.

Durante as viagens, mantinha um olhar constante em busca dos melhores e mais abençoados homens a serem colocados nos cargos, caso se enganasse e aqueles que havia nomeado fossem incapazes ou injustos, ele os afastava imediatamente. Por isso, o cuidado com seu povo muitas vezes o impedia de visitar sua princesa com a frequência que desejava. Você pode se perguntar por que não a levava consigo, mas havia várias razões, e suspeito que sua trisavó tenha exercido um papel relevante nesse impedimento.

Mais uma vez Irene ouviu o clarim e rapidamente ela estava ao portão para encontrar seu pai montado no grande cavalo branco. Depois de estarem sozinhos por algum tempo, ela pensou no que tinha resolvido lhe perguntar.

– Por favor, rei papai, poderia me dizer onde eu consegui este lindo anel? Não consigo me lembrar.

O rei olhou para o anel, e um estranho e belo sorriso se espalhou como um sol sobre seu rosto. Sorriu também ao perceber o ar de interrogação no rosto da filha.

– Era de sua rainha-mãe – respondeu.

– E por que não é dela agora? – perguntou Irene.

– Ela não o quer – disse o rei, com um ar grave.

– Por que não o quer agora?

– Porque ela foi para onde todos os anéis são feitos.

– E quando vou vê-la? – perguntou a princesa.

– Vai demorar – respondeu o rei, e lágrimas lhe vieram aos olhos.

Irene não se lembrava da mãe e não entendia por que o pai se entristecera assim, muito menos qual era o motivo das lágrimas. No entanto, abraçou-o e beijou-o, sem fazer mais perguntas.

O rei ficou muito perturbado ao ouvir o relato dos soldados de armas sobre as criaturas que tinham visto. E presumo que teria levado Irene consigo naquele mesmo dia, não fosse a presença do anel no dedo da filha a lhe dar segurança.

Cerca de uma hora antes da saída do rei, Irene o viu subir a velha escada e somente desceu quando todos estavam prontos para partir. Ela pensou consigo mesma que o pai havia subido para ver a velha senhora. Quando o rei foi embora, deixou outros seis cavaleiros atrás dele, para que houvesse seis soldados sempre de guarda, em cada turno.

E agora, nos lindos dias da primavera, Irene passava a maior parte do dia na montanha. Nos cantinhos mais quentes havia lindas prímulas, mas não tantas a ponto de fazê-la alguma vez se cansar delas. Todas as vezes em que via o despertar de um novo botão, a menina batia palmas com alegria e, ao contrário de algumas crianças que conheço, em vez de arrancá-las da terra, tocava-as com ternura, como se fosse um bebê novo. Tendo-as conhecido, deixava-as, tão feliz quanto as encontrou.

Tratava as plantas como ninhos de pássaros; cada flor fresca era como um passarinho novo. Fazia visitas aos ninhos de flores que conhecia, lembrando-se de cada um. Ela se ajoelhava ao lado de um e dizia:

– Bom dia! Vocês estão cheirando muito bem esta manhã! Adeus! – E então ia para outro ninho e dizia o mesmo; era sua diversão favorita. Havia muitas flores pela montanha e a princesa as amava, mas as prímulas eram suas favoritas.

– Essas flores não são muito discretas nem exuberantes demais – dizia a Lootie.

Havia também cabras sobre a montanha, e quando os pequenos animais chegaram, Irene ficou tão satisfeita com eles quanto com as flores. As cabras pertenciam principalmente aos mineiros, umas poucas à mãe de Curdie, mas havia muitas cabras selvagens que não pertenciam a ninguém. Estas os goblins contavam como sendo suas e era a partir disso que viviam, em parte. Armavam laços e cavavam fossos para elas, e não se preocupavam em tomar conta das pertencentes aos donos do campo, que as deixavam soltas, nem tentavam roubá-las, porque tinham medo dos cães que as pessoas da colina mantinham para cuidar delas, pois os cachorros sempre tentavam morder seus pés.

Os goblins tinham uma espécie de ovelhas de suas próprias criaturas muito estranhas, que deixavam soltas para se alimentarem à noite, e os outros animais goblins eram suficientemente espertos para vigiá-las.

A pista de Curdie

Curdie estava atento, como sempre, mas quase se cansando de sua falta de sucesso. A cada duas noites, ele seguia os goblins, que continuavam cavando, e se sentia entediado; chegava tão perto quanto podia, observava-os por detrás de pedras e rochas, mas ainda não conseguira descobrir o que tinham em mente.

Como no início, ele sempre segurava a ponta de sua corda, enquanto a picareta, deixada logo à porta do buraco pelo qual entrara no país dos goblins a partir da mina, continuava a servir de âncora e a segurar a outra ponta. Os gnomos, não ouvindo mais barulho naquele quadrante, tinham deixado de temer por uma invasão imediata e não mantinham vigilância.

Uma noite, depois de se esquivar e ouvir as conversas até quase adormecer de cansaço, passou a enrolar a corda por ter resolvido ir para casa dormir. Não demorou muito, porém, para começar a se sentir desnorteado. Uma após outra, ele foi passando por casas de goblins, ou seja, pequenas cavernas ocupadas por famílias de goblins, e tinha certeza de que eram muito mais numerosas do que havia visto no trajeto de ida.

Teve de ser muito cauteloso para continuar despercebido... afinal, eles estavam muito próximos. Será que sua corda poderia tê-lo levado a errar? Ainda a seguia, torcendo o fio e percorrendo bairros mais densamente povoados até que ficou bastante inquieto e realmente apreensivo. Embora não tivesse medo dos sabugos, como chamava os goblins, tinha receio de não encontrar a saída.

Mas o que poderia fazer? Não adiantava sentar-se e esperar pela manhã, pois ali a luz do sol não chegava. Estava escuro e sempre escuro estaria. Além disso, se a corda falhara, ele estava desamparado. Poderia até chegar dentro de um quintal da mina e nunca saber. Vendo que não poderia fazer nada melhor, pelo menos descobriria onde estava o final da corda e, se possível, como tinha chegado a lhe pregar tal cilada.

Sabia, pelo tamanho da bola que fizera enrolando a corda, que estava bem perto do final, quando começou a sentir um puxão e mais outro. O que significava isso? Ao virar uma esquina, pensou ter ouvido sons estranhos, que cresciam enquanto ele continuava, um ranger e rosnar e ranger. O barulho aumentava, até que, virando uma segunda esquina fechada, ele se viu arrastado, chafurdando naquilo que ele sabia que era uma armadilha e um nó das criaturas das montanhas.

Antes que pudesse se recuperar e ficar de pé, já havia ganhado alguns grandes arranhões no rosto e várias mordidas severas nas pernas e nos braços. Mas, ao se levantar, alcançou sua picareta e, para impedir que os animais horríveis pudessem lhe causar qualquer dano grave, já a arremessava para a direita e para a esquerda no escuro.

Os gritos horrendos que se seguiram lhe deram a satisfação de saber que havia punido alguns deles de forma bastante inteligente por sua rudeza. Uivos e passos em retirada o deixaram estático por um tempo, segurando seu instrumento de batalha na mão como se fosse o pedaço de metal mais precioso. E, na verdade, nenhum ouro poderia ter sido tão valioso naquela hora como tal ferramenta comum.

Então, desatou a ponta do fio, colocou a bola de corda no bolso e, de pronto, percebeu que as criaturas tinham encontrado seu machado e o levado com eles.

Não sabia o que fazer nesse momento, até que repentinamente se deu conta de um lampejo de luz à distância. Sem um momento de hesitação, partiu em sua direção, com a agilidade que o caminho desconhecido e acidentado lhe permitia. Mais uma vez, virando uma esquina, guiado pela luz fraca, viu algo bastante novo em sua experiência das regiões subterrâneas: uma pequena forma irregular de um objeto que brilhava. Subindo até ele, descobriu que era um pedaço de pedra mica. A luz tremulava como se fizesse parte de um fogareiro. Depois de tentar em vão descobrir uma entrada para o lugar onde estava a pedra que cintilava, Curdie chegou a uma pequena câmara na qual uma abertura, no alto da parede, revelava um brilho. Conseguiu escalar e espiar, e foi quando teve uma visão estranha.

Curdie viu um pequeno grupo de goblins ao redor de uma fogueira, cuja fumaça desaparecia na escuridão bem distante, ao alto. Os lados da caverna estavam cheios de minerais brilhantes como os do salão do palácio. O grupo era evidentemente de uma ordem superior, pois cada um usava na cabeça, braços ou cintura, adornos de pedras com cores brilhantes e belas à luz do fogo.

Ele não precisou olhar muito para reconhecer o próprio rei e descobrir que havia entrado na residência da família real. Ali estava a melhor chance de ouvir e descobrir algo novo, por isso rastejou pelo buraco o mais suavemente possível, desceu a parede em direção a eles, sem chamar a atenção, e depois se sentou e ouviu. O rei, evidentemente a rainha, provavelmente o príncipe herdeiro e o primeiro-ministro estavam conversando. Ele reconhecera a rainha pelo uso dos sapatos, pois ao aquecer seus pés no fogo, ele os vira muito claramente.

– Isso será divertido – disse aquele que Curdie acreditava ser o príncipe herdeiro.

– Não vejo por que você acha que é um caso tão grandioso – disse sua madrasta, jogando a cabeça para trás, em um gesto afetado.

– Você deve se lembrar, minha esposa – interpôs Sua Majestade, como se estivesse dando desculpas para o filho –, de que ele tem o mesmo sangue dentro dele. Sua mãe...

– Não me fale da mãe dele! Você encoraja positivamente as fantasias do rapaz. O que quer que pertença a essa mãe deve ser extinguido dele.

– Você se esquece de si mesma, minha querida! – exclamou o rei.

– Eu não – afirmou a rainha –, nem você tampouco. Se espera que eu aprove tais gostos grosseiros, está muito enganado. Eu não uso sapatos à toa.

– No entanto, você deve reconhecer – disse o rei, com um pequeno gemido, – que não se trata apenas de um capricho de Harelip, mas uma questão de política de Estado. Você está bem ciente de que sua gratificação vem puramente do prazer de se sacrificar ao bem público. Não é, Harelip?

– Sim, pai! É claro que sim. Só que será bom fazê-la chorar. Vou tirar a pele entre os dedos dos pés dela e amarrá-los até crescerem juntos. Então seus pés serão como os de outras pessoas e não haverá motivos para ela usar sapatos.

– Você quer insinuar que eu tenho dedos dos pés, seu maldito desnaturado? – gritou a rainha, que se moveu furiosamente em direção a Harelip.

O conselheiro, no entanto, que estava entre os dois, inclinou-se para a frente a fim de evitar que ela o tocasse, mas agiu como se unicamente quisesse se dirigir ao príncipe.

– Vossa Alteza Real – disse ele –, talvez seja preciso lembrá-lo de que você tem três dedos dos pés... um em um pé, dois no outro.

– Há! Há! Há! Há! – gritou a rainha em triunfo.

O conselheiro, encorajado, prosseguiu:

– Parece-me, Vossa Alteza Real, que encantaria bastante seu futuro povo, provando-lhes que não é menor porque teve o infortúnio de nascer de uma mãe-sol, se comandasse a operação que tão sabiamente planeja, ainda que de forma muito demorada, em relação a sua futura princesa.

– Há! Há! Há! Há! – Riu a rainha mais alto do que antes, e o rei e o ministro se uniram ao riso.

Harelip rosnou e por alguns momentos os outros continuaram a expressar prazer com seu descontentamento.

A rainha era a única que Curdie podia ver com alguma distinção. Estava sentada de lado para ele, e a luz do fogo brilhava sobre seu rosto. Não podia considerá-la bonita, seu nariz era certamente mais largo na extremidade do que seu comprimento, e seus olhos, em vez de serem horizontais, foram colocados como dois ovos perpendiculares. Sua boca não era maior do que uma pequena botoeira até que ela riu, quando então se esticou de orelha a orelha, as quais estavam muito próximas do meio das bochechas.

Ansioso por ouvir tudo o que pudessem dizer, o garoto aventurou-se a deslizar por uma parte lisa da rocha para uma projeção abaixo, sobre a qual pensou em descansar. Mas ou não foi cuidadoso o suficiente ou a projeção cedeu, porque ele desceu com pressa ao chão da caverna, levando consigo uma grande chuva de pedras.

Os goblins saltaram de seus assentos com mais raiva do que consternação, pois ainda não tinham visto nada ameaçar o palácio. Porém, quando viram Curdie com sua picareta na mão, a fúria se misturou com medo, pois o tomaram como o primeiro passo de uma invasão dos mineiros.

O rei, apesar de ter se elevado até sua altura máxima de um metro e vinte e dois centímetros, espalhou-se até sua largura total de mais de um metro, pois ele era o mais bonito e o mais quadrado de todos os goblins. Então o monarca se postou feito um pavão diante de Curdie, plantado com os pés estendidos, e perguntou com dignidade:

– Com que direito você entrou em meu palácio?

– Desculpe, Vossa Majestade – respondeu. – Perdi o rumo e não sabia para onde estava vagando.

– Como você entrou?

– Por um buraco na montanha.

– Mas você é um mineiro! Olhe para sua picareta!

Curdie olhou para ela e respondeu:

– Encontrei-a no chão, um pouco longe daqui. Eu tropecei em alguns animais selvagens que estavam brincando com ela. Veja, Vossa Majestade.

– E Curdie mostrou-lhe como estava arranhado e mordido.

O rei ficou contente ao vê-lo se comportar de forma mais educada do que esperava, frente ao que seu povo lhe havia dito sobre os mineiros, mas atribuiu isso ao poder de sua própria presença, entretanto não agiu de maneira amigável com o intruso.

– Ordeno que saia imediatamente de meus domínios – disse ele.

– Com prazer, se Vossa Majestade me der um guia – pediu Curdie.

– Eu lhe darei mil – disse o rei com um ar de zombaria de magnífica liberalidade.

– Um será bastante suficiente – disse Curdie.

O rei lançou um grito estranho, meio gutural, meio rugido e, em segundos, surgiram goblins apressados, até a caverna ficar repleta deles. Ele disse algo ao primeiro, inaudível para Curdie; a informação foi transmitida de um para o outro, até toda a multidão ter recebido e compreendido a mensagem. Subitamente, começaram a falar de uma forma que ele não gostou e o deixaram acuado em direção à parede, pressionando-o.

– Afastem-se – gritou o jovem rapaz, agarrando sua picareta com mais força e firmeza.

Eles apenas sorriram e avançaram. Curdie se empenhou ainda mais e começou a recitar suas rimas:

Dez, vinte, trinta,
Vocês todos são imundos!
Vinte, trinta, quarenta,
Vocês são uns vagabundos!
Trinta, quarenta, cinquenta
Vocês não são de nada!
Quarenta, cinquenta, sessenta,
Besta e homem, que misturada!
Cinquenta, sessenta, setenta,
Mexe, remexe e patina!
Sessenta, setenta, oitenta,
Têm bochechas de gelatina!
Setenta, oitenta, noventa,
Suas mãos são estranhas!
Oitenta, noventa, cem,
Que vantagem elas têm?

Os goblins recuaram um pouco quando ele começou a cantar e fizeram caretas bizarras durante toda a rima, como se estivessem comendo algo tão desagradável que lhes deixava arrepiados e com os dentes em pedaços.

Infelizmente não se sabe ao certo se as palavras da rima, em sua maioria, não fizeram sentido ou se Curdie não conseguiu elaborar no impulso do momento outra rima mais eficaz... Talvez tenha sido a presença do rei e da rainha que lhes deu coragem, não posso dizer...

O fato foi que, quando a rima acabou, os goblins se amontoaram novamente sobre ele e dispararam uma centena de braços longos, com dedos grossos sem unhas, para agarrá-lo. Então o menino pegou o machado que estava preso à cintura e, sendo tão corajoso quanto gentil, pois não queria matar ninguém, desceu um grande golpe na cabeça do goblin mais próximo.

Mesmo sabendo que as cabeças dos goblins eram duras como pedras, ele acreditou que pudessem sentir algum desconforto.

E assim o fez, sem hesitar, mas a criatura apenas soltou um grito horrível e saltou para sua garganta. O menino, porém, justamente naquele momento crítico, se lembrou da parte vulnerável do corpo do goblin. Fez uma súbita correria para o rei e golpeou com todas as suas forças os pés de Sua Majestade. O monarca deu um uivo muito desagradável e quase caiu no fogo.

Curdie, em seguida, correu para a multidão, disferindo à direita e à esquerda seus golpes. Os goblins apareciam de todos os lados quando ele se aproximava, e a sala estava tão lotada que poucos dos que ele atacara puderam escapar de seu rastro. Os gritos e rugidos que enchiam a caverna teriam aterrorizado o rapaz, não fosse a boa esperança que isso lhe dava.

Os estranhos seres cambaleavam uns sobre os outros, amontoados, em sua ânsia de sair correndo da caverna, quando uma nova criatura, de repente, o enfrentou. A rainha, com olhos flamejantes, narinas expandidas e cabelos erguidos pela metade da cabeça, correu em sua direção: ela confiava em seus sapatos: eram de granito, como tamancos franceses.

Curdie teria suportado muito para evitar ferir uma mulher, mesmo sendo um goblin, mas era caso de vida ou morte, e então golpeou um de seus pés. A rainha imediatamente devolveu a agressão com um efeito muito diferente, causando-lhe uma dor assustadora e quase o incapacitando.

Sua única chance com ela teria sido atacar os sapatos de granito com sua picareta, porém, antes que pudesse pensar, ela o havia pegado pelos braços, correra com ele através da caverna e o jogara em um buraco na parede com uma força que quase o atordoou. Curdie não podia se mover, e dali onde estava pôde ouvir o grande grito da rainha e observar a correria de multidões de pés macios, seguida pelos sons de algo pesado contra a rocha. Depois disso, uma quantidade abundante de pedras caiu perto dele, e a última ainda não havia sido atirada quando ele se sentiu muito fraco, pois sua cabeça havia sido ferida, e finalmente caiu, inconsciente.

Quando acordou, havia um silêncio absoluto e uma escuridão total, exceto por um vislumbre brilhante em um pequeno lugar. Rastejou até lá e descobriu que os goblins tinham encostado uma laje na abertura do buraco, do qual um pobre brilho encontrou seu caminho a partir do fogo. Não conseguia sair dali, porque tinham empilhado um grande monte de pedras contra o buraco da saída.

Voltou para onde estivera deitado, na tênue esperança de encontrar sua picareta, mas, depois de uma busca vã, finalmente foi obrigado a reconhecer que estava em uma situação terrível. Sentou-se e tentou pensar, fato que o fez adormecer rapidamente.

O conselho de goblins

Curdie deve ter dormido por muito tempo, pois quando acordou sentia-se maravilhosamente restaurado, na verdade quase bem, e com muita fome. Ouviu vozes vindas de fora da caverna.

Mais uma vez era noite, pois os goblins dormiam durante o dia e se ocupavam de seus assuntos à noite. Na escuridão universal e constante de sua morada, não havia motivos para preferir um horário ao outro, no entanto, por conta da aversão ao sol, escolheram estar ocupados quando havia menos chance de serem encontrados pelos mineiros abaixo, pois estavam enterrados trabalhando, ou até mesmo pelo povo da montanha acima, no momento em que estavam alimentando suas ovelhas ou pastoreando suas cabras.

E, de fato, foi somente quando o sol estava longe que o exterior da montanha era suficientemente parecido com suas próprias regiões sombrias para ser suportável aos seus olhos de toupeira, de tal forma que não estavam acostumados a qualquer luz além da de seus próprios fogos e tochas.

Curdie ouviu a conversa e logo soube que falavam a seu respeito.

– Quanto tempo vai demorar? – perguntou Harelip.

– Não muitos dias, eu acho – respondeu o rei. – Eles são pobres criaturas frágeis, precisam ficar ao sol e estão sempre comendo. Podemos passar uma semana sem comer e ficarmos melhores com isso, entretanto fui informado de que eles comem duas ou três vezes ao dia! Você acredita nisso? Eles devem ser bem ocos por dentro, não como nós, dos quais nove décimos são de carne e osso sólidos. Sim, eu julgo que uma semana de fome será suficiente para ele.

– Se me permitem uma palavra – interpôs a rainha –, acho que deveria ter alguma voz no assunto...

– O prisioneiro está inteiramente à sua disposição, minha esposa – falou o rei. – Ele é sua propriedade, você mesma o pegou. Nunca o teríamos feito.

A rainha riu. Parecia estar de mais bom humor do que na noite anterior.

– Eu estava prestes a dizer – resumiu ela – que parece uma pena desperdiçar tanta carne fresca.

– Em que você está pensando, meu amor? – perguntou o rei. – A própria noção de matá-lo de fome implica que não vamos lhe dar nenhuma carne, nem salgada e nem fresca.

– Não sou tão estúpida a ponto de fazer isso – retornou Sua Majestade. – O que quero dizer é que quando ele estiver faminto dificilmente haverá carne para comer em seus ossos.

O rei deu uma grande gargalhada.

– Bem, minha esposa, você pode comê-lo quando quiser – disse ele. – Eu não quero nem um pedaço, tenho certeza de que é duro para comer.

– Isso seria para honrar, em vez de punir sua insolência – devolveu a rainha. – Mas por que nossas pobres criaturas deveriam ser privadas de tanto alimento? Nossos pequenos cães, gatos, porcos e ursos gostariam muito dele.

— Você é a melhor das governantas, minha adorável rainha — disse o marido. — Que assim seja, por todos os meios. Deixem que o povo entre, tire-o de lá e mate-o imediatamente. Ele o merece. A maldade que poderia ter causado sobre nós, agora que penetrou até a nossa cidadela mais reservada, é incalculável. Ou melhor, vamos amarrá-lo pelas mãos e pelos pés para que tenhamos o prazer de vê-lo ser despedaçado, sob a luz da tocha, no grande salão.

— Melhor e melhor! — gritaram a rainha e o príncipe juntos, ambos batendo palmas.

O príncipe fez um barulho feio com os lábios, como se tivesse a intenção de fazer parte da festa.

— Mas — acrescentou a rainha, pensando nela mesma — ele é tão incômodo! Há algo nessas pessoas do sol que é muito incômodo... Não posso imaginar por que permitimos que sequer existam, pois temos força, habilidade e compreensão superiores às deles. Por que não os destruímos completamente e usamos o gado e as terras de pasto deles a nosso bel-prazer? É claro que não queremos viver em seu país horrível, é demasiado gritante para os nossos gostos silenciosos e refinados, no entanto, podemos usá-los como uma espécie de dependência. Até mesmo os olhos de nossas criaturas podem se acostumar e, se elas ficassem cegas, isso não teria nenhuma consequência, desde que engordassem também. Poderíamos manter suas grandes vacas e outras criaturas e então teríamos alguns luxos, tais como creme e queijo, que atualmente só provamos ocasionalmente, quando nossos bravos homens conseguem transportar alguns de suas fazendas.

— Vale a pena pensar a respeito — disse o rei —, e não sei por que você foi a primeira a sugerir isso... Deve ser porque tem um gênio positivo para a conquista. Ainda assim, como você diz, há algo muito problemático neles; seria melhor, como eu entendo que você sugere, que o deixemos passar fome por um dia ou dois para que ele possa estar um pouco menos nervoso quando o tirarmos de lá.

> *Era uma vez um goblin*
> *Morando em um buraco;*
> *Ocupado, costurando*
> *Um resistente sapato.*

> *Perguntou um passarinho:*
> *Ei, goblin, o que é isso?*
> *Superfície bem brilhante,*
> *Puro couro, amiguinho.*

> *Sapatos de granito*
> *Rainha, são bonitos*
> *Para guardar seis dedos*
> *Seus pés me metem medo*

> *Para goblins ficarem altos,*
> *Faremos mais de mil sapatos:*
> *Para a rainha, alguns de salto,*
> *Para o rei, uns bem quadrados.*

– Que barulho horrível é esse? – gritou a rainha, estremecendo da cabeça de metal aos sapatos de granito.

– Acredito – disse o rei com indignação solene – que vem da criatura do sol, no buraco!

– Pare com esse barulho nojento! – gritou valentemente o príncipe herdeiro, levantando-se e ficando em frente ao monte de pedras, com o rosto voltado para a prisão de Curdie. – Cale-se agora, ou vou quebrar sua cabeça.

– Separem-se – gritou Curdie, começando a cantar novamente:

Era uma vez um goblin,
Morando em um buraco...

– Eu não consigo suportar isso – disse a rainha. – Se eu conseguisse chegar a seus horrendos dedos dos pés com meus sapatos...

– Acho melhor irmos para a cama – disse o rei.

– Não é hora de ir para a cama – rebateu a rainha.

– Eu iria se fosse você – disse Curdie.

– Impertinente miserável! – a rainha exclamou, com escárnio na voz.

– Você nunca seria nobre – disse Sua Majestade com dignidade.

– Muito bem – devolveu Curdie, tornando a cantar:

Vá para cama,
Goblin, repousar
Ajude a rainha
A seus sapatos retirar.
Se o fizer, poderá ver
Seus lindos dedos dos pés a crescer!

– Que mentira! – rugiu a rainha em fúria.

– A propósito, isso me lembra – disse o rei – que desde que estamos casados, eu nunca vi seus pés, rainha. Acho que você pode tirar seus sapatos quando for para a cama! Esses sapatos de granito me machucam de maneira significativa às vezes.

– Farei o que eu quiser – retorquiu a rainha, amuada.

– Você deve fazer como seu próprio marido lhe pede – disse o rei.

– Eu não farei – disse a rainha.

– Então eu insisto nisso – disse o rei.

Aparentemente Sua Majestade se aproximou da rainha com o propósito de seguir o conselho dado por Curdie, pois este último ouviu uma briga e depois um grande rugido do rei.

– Então, você vai ficar quieto? – perguntou a rainha com perversidade.

– Sim, sim, rainha. Eu só queria persuadi-la.

– Tire as mãos de mim! – gritou a soberana, triunfantemente. – Eu vou para a cama. Você pode vir quando quiser, mas enquanto eu for rainha, vou dormir no meu lugar, é o meu privilégio real. Harelip, vá para a cama.

– Eu vou – disse Harelip sonolentamente.

– Eu também vou – disse o rei.

– Venha, então – disse a rainha. – E cuide-se, ou eu...

– Oh, não, não, não! – gritou o rei no mais suplicante dos tons.

Curdie ouviu apenas uma resposta murmurada à distância e então a caverna ficou bastante quieta.

Eles tinham deixado o fogo aceso, e a luz passou pela pequena abertura mais brilhante do que antes. Curdie tentou mais uma vez averiguar se algo poderia ser feito, mas descobriu que não conseguia passar nem um dedo pela fenda entre a laje e a rocha. Fez uma grande pressão com o ombro contra a laje, mas ela não cedeu nem um pouco. Tudo o que podia fazer era se sentar e pensar em alguma saída.

Resolveu fingir que estava morrendo, na esperança de que o tirassem antes que suas forças se esgotassem demais para deixá-lo ter uma chance. Então, se ele pudesse apenas encontrar seu machado novamente, não teria medo das horrendas criaturas. E, se não fossem os sapatos horríveis da rainha, não teria medo algum.

Entretanto, até que voltassem à noite, não havia nada a fazer exceto pensar em novas rimas, agora suas únicas armas. Não tinha intenção de usá-las no momento, é claro, porém era bom ter algo preparado na memória, pois poderia precisar para sobreviver, e sua elaboração ajudaria a passar o tempo.

A pista de Irene

Naquela mesma manhã, bem cedinho, a princesa acordou com um susto terrível. Havia um barulho arrepiante em seu quarto; criaturas roncavam, assobiavam e se agitavam como se estivessem brigando. No momento em que voltou a si, lembrou-se de algo em que nunca mais havia pensado: na orientação de sua avó a respeito de como agir quando estivesse assustada.

Imediatamente tirou seu anel e o colocou debaixo do travesseiro. Ao fazer isso, sentiu dois dedos retirando-o suavemente de debaixo da palma de sua mão.

"Deve ser minha avó", pensou e se levantou, sentindo tanta coragem que parou para calçar os chinelos delicados antes de fugir do quarto. Nesse momento, viu um longo manto azul-celeste jogado sobre uma cadeira ao lado da cama. Nunca o vira antes, mas estava evidentemente à sua espera. Ela o vestiu e então, tateando com o dedo indicador de sua mão direita, logo encontrou o fio de sua avó, que seguiu imediatamente, esperando que a levasse diretamente para cima da velha escada.

Quando chegou à porta, deu-se conta de que o fio descia e seguia pelo chão, de modo que quase teve de rastejar para segurá-lo. Então, para sua surpresa e consternação, descobriu que, em vez de levá-la para a escada, ele se virava para o rumo oposto. Levou-a por certas passagens estreitas até a cozinha, virando para outro lado antes que ali chegasse, guiando-a até uma porta que se comunicava com um pequeno quintal.

Algumas das empregadas já estavam de pé e a tal porta estava aberta. Do outro lado do pátio, o fio ainda corria ao longo do chão, até chegar a uma passagem na parede que se abria na encosta da montanha. Quando ela passou, a linha se elevou até cerca da metade da altura de Irene, de modo que foi possível segurá-lo com facilidade enquanto caminhava. Agora ele a levava diretamente para o alto da montanha.

A causa de seu alarme foi menos assustadora do que ela supôs. O grande gato preto da cozinheira, perseguido pelo *terrier* da governanta, saltara contra a porta de seu quarto, que não tinha sido devidamente travada, e os dois animais tinham invadido o recinto juntos e iniciado uma batalha crucial. Como a babá permanecera adormecida foi um mistério, mas suspeito de que a senhora idosa teve algo a ver com isso.

Estava uma manhã claramente quente, o vento soprava deliciosamente sobre a montanha. Aqui e ali, Irene viu algumas *primroses* tardias, mas não parou para apreciá-las. O céu estava manchado de nuvens pequeninas e belas, o sol ainda não se levantara, mas algumas de suas bordas havia absorvido luz, espelhando franjas alaranjadas e douradas no ar. O orvalho pingava em gotas redondas sobre as folhas e pendia como pequenos brincos de diamante nas lâminas de grama sobre seu caminho.

"Como é adorável aquele arbusto com *gossamers*[1]!" pensou a princesa, olhando para uma longa linha ondulada que brilhava a uma certa distância,

---

[1] *Gossamer* normalmente se refere a flores muito delicadas, com pétalas leves como teias de aranha ou a tecidos muito finos. (N.T.)

subindo a colina. Mas não era época de *gossamers,* e Irene logo descobriu que era seu próprio fio que ela via brilhando à luz da manhã.

Ele a levava para uma região desconhecida. Além disso, nunca em sua vida havia saído antes do nascer do sol, e tudo nesse momento lhe parecia fresco, animado e cheio de vida! Sentia-se feliz demais para ter medo.

Depois de guiá-la por uma boa distância, o fio fez uma curva para a esquerda e tomou o caminho no qual ela e Lootie haviam encontrado Curdie. Mas Irene nem pensava nisso, naquele momento, à luz da manhã, com a visão distante da paisagem, achando que nenhum percurso poderia ser mais amplo, arejado e promissor.

A menina podia ver o caminho até quase o horizonte, ao longo do qual avistara com tanta frequência o pai e sua tropa surgirem brilhantes, com o toque do clarim cortando o ar. Aquele som era como um bom companheiro para ela.

A trilha descia cada vez mais, depois ascendia para novamente ir para baixo. Passou para uma sequência interminável de subidas e descidas, ficando mais robusta e resistente conforme avançava. O fio prateado persistia ao longo do trajeto e sobre ele o pequeno dedo indicador rosado de Irene mantinha-se firme.

Finalmente chegaram a um pequeno riacho que tagarelava e se deitava colina abaixo, e, ao longo dele, esgueiravam-se para o alto tanto a trilha quanto a linha. A jornada a partir dali se transformava, ficando bem mais áspera e íngreme.

A montanha, cada vez mais selvagem, fez Irene começar a pensar que estava se afastando demais de casa. Quando se virou para olhar, viu que o país tinha desaparecido e a montanha nua se fechara em torno dela.

Ainda assim o fio avançava e, portanto, a princesa continuou. Tudo a seu redor ficava mais brilhante conforme o sol se aproximava, até que os primeiros raios de uma só vez surgiram no topo de uma rocha, como uma criatura dourada e fresca vinda do céu.

Então a menininha viu que o pequeno riacho saía de um buraco naquela rocha e que o fio a levava diretamente para lá. Um arrepio correu da cabeça aos pés da princesa. A água saía balbuciando alegremente, mas ela tinha de entrar.

Não hesitou, mesmo após entrar no buraco alto o suficiente para permitir que andasse sem se curvar. Por um breve espaço de tempo houve um vislumbre de sombras, mas após a primeira tudo ficou mais escuro e, antes que tivesse dado muitos passos, estava na escuridão total.

Começou a ficar assustada. A cada momento, Irene continuava a sentir o fio, para a frente e para trás e, conforme avançava mais na escuridão da grande montanha oca, continuava pensando em sua avó, em suas palavras e gentileza.

Lembrava-se também de seu quarto adorável, do fogo das rosas e da grande lâmpada que enviava a luz através das paredes de pedra. A garota tornava-se cada vez mais consciente de que o fio não poderia agir sozinho e que sua avó o controlava, mas sentiu-se muito insegura quando o caminho desceu de forma abrupta e especialmente quando chegou a lugares onde precisou escalar paredes ásperas. O fio a levava por consecutivas passagens estreitas, sobre pedaços de rocha, areia e argila até fazê-la chegar a um pequeno buraco pelo qual teve até de se arrastar.

Não encontrando nada do outro lado, perguntou-se algumas vezes se deveria voltar, pois se sentia dez vezes mais apavorada e como se estivesse vagando no enredo de um sonho. De tempos em tempos ouvia o barulho da água, um murmúrio entorpecido dentro da rocha; por vezes escutava sons de golpes que se aproximavam cada vez mais, para depois se tornarem mais embotados e quase desaparecerem.

Em cem direções Irene virou, obediente à linha condutora; finalmente observou um brilho vermelho fraco, subiu até uma janela de mica e espiou. À direita, em uma caverna, brilhavam as brasas vermelhas de uma fogueira. Bem ali o fio começou a subir, levantando-se tão alto quanto sua cabeça e depois ainda mais.

O que ela deveria fazer se perdesse o controle? Irene o puxava para baixo e poderia quebrá-lo! Conseguia vê-lo muito acima, brilhando tão vermelho quanto o fogo na luz das brasas.

Naquele instante avistou um enorme monte de pedras, empilhadas em uma ladeira contra a parede da caverna. Ali subiu e logo recuperou o nível do fio apenas para descobrir, no momento seguinte, que ele desaparecia através do amontoado de pedras e a deixava de pé, com o rosto voltado para a rocha sólida.

Por um momento terrível sentiu como se sua avó a tivesse abandonado. A linha que as aranhas haviam produzido tão longe, para além dos mares, que sua avó havia sentado ao luar e fiado para ela e depois temperado no fogo da rosa para amarrar ao anel de opala a deixara só… em um lugar onde já não podia mais rastreá-lo. Levara-a para uma caverna horrível e lá a deixara! Ela havia sido abandonada!

"Quando vou acordar?", a princesa murmurou em agonia, porém no mesmo instante soube que não era um sonho. Atirou-se sobre a pilha de pedras e começou a chorar. Era bom que não soubesse qual o tipo de criatura dormia na caverna seguinte. No entanto, ela também ignorava quem estava do outro lado da laje.

Ocorreu-lhe que ao menos lhe restava a opção de seguir o fio para retroceder, sair da montanha e voltar para casa. Levantou-se imediatamente e encontrou a linha, mas, no instante em que tentou senti-lo, ele desapareceu ao seu toque. Em seguida a puxou para a frente, levando sua mão para a pilha de pedras que parecia não chegar a lugar algum. Ela nem conseguia vê-lo como antes, à luz do fogo. Com um grito de lamento, Irene novamente se jogou sobre as pedras.

A fuga

A princesa encontrava-se deitada e soluçando, continuando a sentir mecanicamente o fio, seguindo-o com o dedo até as rochas, quando então ele desaparecia. Começou a espetar os dedos por entre as pedras o mais longe que podia. De repente lhe ocorreu que poderia retirar algumas das pedras e verificar para onde o fio seguia. Quase rindo de si mesma por não ter pensado nessa hipótese antes, Irene saltou de pé. Seu medo desapareceu e, novamente, estava certa de que a linha de sua avó não poderia tê-la levado para aquele lugar em vão.

Começou a jogar para longe as pedras do topo freneticamente, às vezes pegava duas ou três com apenas uma única mão ou usava as duas para levantar uma pedra maior. Depois de afastá-las um pouco, Irene viu a linha girar e ir direto para baixo. Dedicou-se então a retirar dali uma grande quantidade de pequenas pedras para prosseguir. Mas isto não foi tudo, pois logo descobriu que, após uma leve descida, ela virava primeiro de lado em uma direção, depois em outra e assim ia em vários ângulos, aqui e ali dentro da rocha, de modo que ela começou a ter medo de que, para acompanhar o fio, tivesse de afastar muitas pedras de seu caminho. Ficou consternada com a própria ideia, contudo, sem perder tempo, começou a trabalhar com vontade. Com dores nas costas, mãos e dedos sangrando, labutou sustentada pelo prazer de ver a pilha diminuir lentamente e começar a mostrar um pouco da caverna no lado oposto ao fogo.

Outro aspecto que ajudava a manter sua coragem era o fio em si. Sempre que era redescoberto, em vez de ficar solto sobre a pedra, ele se esticava, como se alguém o segurasse na outra extremidade, e isto a fazia ter certeza de que a avó estava em algum lugar no final de sua busca.

Irene tinha descido cerca de meio caminho quando parou e quase caiu de susto. Perto de suas orelhas, uma voz irrompeu, cantando:

Pule, caia, apanhe!
Você cairá em um estalo.
Pule, caia, apanhe,
Assuste e prepare seu desmaio.
Pule, caia, apanhe!

Aqui Curdie se calou, ou porque não conseguiu encontrar uma rima para tagarelar mais ou porque se lembrou de algo muito importante quando o som do trabalho da princesa o despertou. Havia se esquecido de que seu plano era fazer com que os goblins pensassem que ele estava ficando fraco, mas já havia falado o suficiente para que Irene soubesse quem ele era...

– É você, Curdie? – ela perguntou alegremente.

– Silêncio! Silêncio! – veio a voz dele de algum lugar perto dali. – Fale baixo.

– Ora, você estava cantando alto!

– Sim. Eles sabem que estou aqui, mas não sabem que você está. Quem é você?

– Eu sou Irene – respondeu a princesa. – Eu sei quem você é muito bem. Você é o Curdie!

– Como você veio até aqui, Irene?

– Minha tataravó me enviou e acho que descobri por quê. Você não pode sair?

– Não, eu não posso. O que você está fazendo?

– Afastando um monte enorme de pedras.

– Esta é uma princesa de verdade! – exclamou Curdie, em tom de deleite, ainda falando em pouco mais do que um sussurro. – Mas não consigo pensar em como chegou até aqui.

– Minha avó me mandou seguir seu fio.

– Eu não sei o que você quer dizer – disse Curdie –, porém está aqui, e isso é o que importa.

– Eu nunca estaria aqui se não fosse por ela.

– Você pode me contar tudo sobre isso quando sairmos daqui, então. Não há tempo a perder.

E Irene reiniciou seu trabalho, tão descansada como quando começou.

– Há tantas pedras – ela murmurou. – Levará muito tempo até eu afastar todas.

– Acho que você não terá de mover a metade inferior... Você vê uma laje encostada à parede?

Irene olhou e sentiu com as mãos, logo percebendo os contornos da laje.

– Sim, eu a encontrei – ela respondeu.

– Se você conseguir desobstruir a laje até a metade, ou um pouco mais, eu serei capaz de empurrá-la para cima.

– Devo seguir meu fio – Irene afirmou. – Não importa o que eu faça.

– Como assim?

– Você verá quando sair – respondeu a princesa e continuou mais determinada do que nunca.

Logo ficou convencida de que a vontade de Curdie e a do fio eram a mesma. Observou que, seguindo as voltas da linha também limpava a face da laje. Após pouco tempo de trabalho o fio atravessou a fenda entre a laje e a parede até o local onde Curdie estava confinado, de modo que ela não podia segui-lo mais longe até que a laje estivesse fora de seu caminho.

Assim que isso ocorreu, Irene falou em um sussurro alegre:

– Agora, Curdie, acho que se você der um grande empurrão, a pedra tombará.

– Então se afaste e me avise quando estiver pronta.

Irene desceu da pilha de pedras e caminhou para longe.

– Agora! – gritou.

Curdie deu um grande impulso com o ombro contra a laje. Saiu e rastejou por cima dela.

– Você salvou minha vida, Irene! – sussurrou.

– Curdie! Estou tão feliz! Vamos sair deste lugar horrível o mais rápido possível.

– É mais fácil dizer do que fazer – retornou ele.

– Oh, não, é muito fácil – disse Irene. – Só temos de seguir meu fio condutor, tenho certeza de que nos levará para fora sem engano.

Ela já tinha começado a buscar sua direção sobre a laje caída enquanto Curdie procurava sua picareta no chão da caverna.

– Aqui está! – exclamou ele. – Não, não é... – acrescentou, em tom de decepção. – O que pode ser, então? Isto é uma tocha. Que divertido! Parece melhor do que a minha picareta – continuou, enquanto acendia a tocha, soprando as últimas brasas do fogo que expirava.

Quando olhou para cima, com a tocha acesa lançando um clarão na grande escuridão da enorme caverna, avistou Irene desaparecendo no buraco de onde ele tinha acabado de sair.

– Para onde você está indo? – ele indagou. – Essa não é a saída, foi aí que fiquei preso.

– Eu sei disso – sussurrou Irene. – Mas este é o meu fio condutor e devo segui-lo.

"Quanta bobagem essa menina fala", disse Curdie a si mesmo. "Entretanto, tenho de acompanhá-la e fazer com que não se machuque. Ela logo descobrirá que não pode sair por ali e então virá comigo."

Dito isso, ele rastejou mais uma vez sobre a laje com a tocha na mão. Quando olhou, não pôde ver Irene em nenhum lugar! Agora descobria que, embora o buraco fosse estreito, era muito mais longo do que supunha, pois em uma direção o teto descia muito baixo, e a caverna seguia em uma passagem estreita, da qual ele não conseguia ver o fim. A princesa deveria ter rastejado por ali. Ajoelhou-se, segurando a tocha, e seguiu para achar a menina.

O trajeto virou para lá e para cá, sendo algumas partes tão baixas que ele mal conseguia passar, enquanto outras eram tão altas que não se podia ver o teto. Todos os lugares eram estreitos demais até mesmo para que um goblin pudesse passar e, por isso, presumo que nunca pensaram que Curdie conseguisse. Estava começando a se sentir muito incomodado por pensar que algo poderia ter acontecido à princesa, quando ouviu sua voz bem próxima de sua orelha, sussurrando:

– Você não vem, Curdie?

E quando virou a próxima curva ali estava ela à sua espera.

– Eu sabia que você não poderia errar naquele buraco estreito, mas agora deve ficar ao meu lado, pois aqui é um lugar grande e largo – ela acrescentou.

– Eu não consigo entender... – disse Curdie, metade para si mesmo, metade para Irene.

– Não importa – ela respondeu. – Espere até sairmos.

Curdie, totalmente surpreso por ela já ter chegado tão longe, e por um caminho que ele desconhecia, achou melhor deixá-la fazer o que queria. "Em todo caso", pensou novamente, "eu não sei nada sobre o caminho, mineiro que sou. A princesa parece pensar que sabe alguma coisa sobre isso, mas é tão provável que ela encontre o caminho quanto eu e, como insiste em assumir a liderança, eu devo segui-la. Não podemos ficar mais perdidos do que já estamos, de qualquer forma."

Raciocinando assim, ele a seguiu alguns passos até outra grande caverna, na qual Irene caminhou em linha reta, tão confiante como se soubesse cada trecho do caminho. Curdie continuou atrás dela, segurando a tocha e tentando ver algo do que havia à sua volta.

De repente, ele recuou um pouco quando a luz iluminou algo próximo de onde Irene estava passando. Era uma plataforma de pedra erguida a alguns metros do chão e coberta com peles de carneiro, sobre a qual havia duas figuras horríveis adormecidas, que Curdie facilmente reconheceu como o rei e rainha dos goblins.

Ele abaixou a tocha com rapidez, para que a luz não os despertasse. Enquanto o fazia, a luz da tocha refletiu em sua picareta, deitada ao lado da rainha, cuja mão estava perto do cabo.

– Pare um momento – sussurrou ele. – Segure a tocha e não deixe a luz atingir o rosto dos goblins.

Irene estremeceu quando viu as criaturas assustadoras, que ela havia passado sem observar, mas obedeceu e, virando de costas, segurou a tocha para baixo, na frente do corpo.

Curdie afastou cuidadosamente a picareta e, enquanto o fazia, espiava um dos pés da rainha, projetando-se de debaixo das peles. O grande e desajeitado sapato de granito, exposto assim à sua mão, era uma tentação à qual era incapaz de resistir. Ele o segurou e, com cautela, arrancou-o. No momento em que conseguiu, viu com espanto que o que havia cantado na ignorância para irritar a rainha era realmente verdade: ela tinha seis horrorosos dedos no pé.

Radiante com seu sucesso e vendo, pelo enorme volume no cobertor de pele de ovelhas, onde estava o outro pé, procedeu a levantá-lo suavemente, pois, se conseguisse carregar o outro sapato também, ele não teria mais medo dos goblins. Mas, ao puxar o segundo sapato, a rainha deu um rosnado e se sentou na cama. No mesmo instante, o rei também acordou e se sentou a seu lado.

– Corra, Irene! – gritou Curdie, pois embora não estivesse agora com o mínimo de medo por si mesmo, temia pela segurança da princesa.

Irene olhou uma vez ao redor, viu as criaturas assustadoras acordadas e, como sábia princesa que era, apagou a tocha no chão e a extinguiu, gritando:

– Aqui, Curdie, pegue minha mão.

O garoto saltou para o lado dela, não se esquecendo nem do sapato da rainha nem de sua picareta, e pegou em sua mão, enquanto Irene corria destemidamente para onde seu fio a guiava. Ouviram a rainha gritar muito, contudo tiveram uma boa vantagem, pois levaria algum tempo até que conseguissem acender tochas para persegui-los.

Assim, quando pensaram ter visto um brilho atrás deles, a linha já os levava a uma abertura muito estreita, através da qual Irene se arrastava com leveza e Curdie com dificuldade.

– Agora – disse Curdie – acho que estaremos seguros.

– Claro que sim – concordou Irene.

– Por que você se sente tão segura? – perguntou Curdie.

– Porque minha avó está cuidando de nós.

– Isso é bobagem – Curdie criticou. – Eu não entendo o que você fala.

– Então se você não entende não tem o direito de chamar de bobagem – a princesa rebateu, um pouco ofendida.

– Peço desculpas, Irene – disse Curdie. – Eu não queria irritá-la.

– Sei que não. Mas por que você acha que agora estamos seguros?

– Porque o rei e a rainha são demasiadamente robustos para passarem por aquele buraco.

– Talvez eles conheçam outras saídas – disse a princesa.

– Não podemos ter certeza, por isso precisamos nos afastar – reconheceu Curdie.

– Mas por que você os chamou de "rei e rainha"? – perguntou a princesa.

– Nunca deveria chamar tais criaturas horrendas com títulos tão nobres.

– Mas é assim que o povo deles os chama – respondeu Curdie.

A princesa fez mais perguntas enquanto caminhavam sem pressa e recebeu um relato completo não só do caráter e dos hábitos dos goblins, até onde ele os conhecia, mas de suas próprias aventuras com aquelas criaturas, a partir da mesma noite em que ele a conheceu e a Lootie na montanha. Quando terminou, implorou a Irene que lhe dissesse como foi que ela viera em seu socorro.

A menina então também contou uma longa história, o que fez de uma maneira bastante demorada, pois era sempre interrompida por muitas perguntas sobre coisas que ela não havia explicado em detalhes. O relato da princesa, do qual Curdie não acreditava em mais da metade, deixou-o bastante perplexo quanto ao que devia pensar da princesa. Não podia acreditar que estivesse mentindo deliberadamente, e a única conclusão a que podia chegar era que Lootie estava pregando peças na criança, inventando histórias sem fim para assustá-la, visando a seus próprios interesses.

– Mas como Lootie pôde deixá-la ir sozinha para as montanhas?

– Lootie não sabe de nada. Eu a deixei dormindo profundamente... pelo menos eu acho que sim. Espero que minha avó não a deixe entrar em apuros, pois não foi culpa dela, como minha avó muito bem sabe.

– Como você encontrou o caminho até mim? – insistiu Curdie.

– Eu já lhe disse – respondeu Irene –, mantendo meu dedo sobre o fio que minha avó fiou, como eu estou fazendo agora.

– Você não quer dizer que o fio está aí, não é?

– Claro que sim, eu já lhe disse isso dez vezes. Dificilmente poderia manter o dedo enquanto estava removendo as pedras, então o retirei algumas vezes. Mas aqui está – acrescentou, guiando a mão de Curdie para o fio –, você mesmo o sente, certo?

– Eu não sinto nada – respondeu Curdie.

– Qual o problema com seu dedo? Eu o sinto perfeitamente. Ele é muito fino, e à luz do sol se parece com o fio de uma aranha, embora haja muitos deles torcidos juntos. Não consigo entender por que você não consegue senti-lo tão bem quanto eu.

Curdie era educado demais para dizer que não acreditava que houvesse algum fio ali, e limitou-se a dizer:

– Bem, eu não consigo sentir nada disso.

– Mas eu consigo, e você deve ficar contente com isso, porque será útil para nós dois.

– Nós ainda não saímos – respondeu Curdie.

– Em breve conseguiremos – retornou Irene com confiança.

Agora a linha ia para baixo, levando a mão da menina a um buraco no chão da caverna de onde vinha um som de água corrente que eles já escutavam havia algum tempo.

– Agora vamos para o chão, Curdie – disse ela, parando.

Ele estava ouvindo outro som, que sua audição aguçada havia capturado havia muito tempo e que também ficava cada vez mais audível. Era o barulho que os goblins mineradores faziam em seu trabalho, e pareciam não estar a uma grande distância agora. Irene o ouviu no momento em que deixaram de caminhar.

– Que barulho é esse? – perguntou ela. – Você sabe, Curdie?

– Sim. São os goblins escavando – respondeu.

– E você sabe por que o fazem?

– Não, não tenho a menor ideia. Você gostaria de vê-los? – perguntou, desejando ter outra chance de desvendar o mistério.

– Se meu fio condutor me levar até lá, eu não me importarei muito, mas não quero vê-los e não posso deixar minha linha de maneira nenhuma. Ela me leva para baixo no buraco e é melhor irmos imediatamente.

– Muito bem. Quer que eu entre primeiro? – perguntou Curdie.

– Não, melhor não, você não pode sentir o fio… – respondeu a princesa, descendo por uma estreita vala no chão da caverna. Ela gritou: – Oh! Estou na água. Está correndo forte, mas não é profunda e só há espaço para andar. Apresse-se, Curdie.

Ele tentou, mas o buraco era muito pequeno para que pudesse entrar.

– Vá um pouco mais longe – ele pediu, preparando a picareta. Em poucos instantes Curdie havia ampliado a abertura e a seguia. Continuaram descendo com a água corrente, Curdie cada vez mais temeroso de que aquilo os levasse a algum abismo terrível no coração da montanha. Em um ou dois lugares teve de quebrar a rocha para abrir espaço antes mesmo que Irene conseguisse passar, pelo menos sem se machucar, entretanto em um minuto mais quase ficaram cegos pela luz solar que brilhava em todo o seu esplendor.

Passou pouco tempo até que a princesa pudesse se adaptar à claridade o suficiente para descobrir que estava em seu próprio jardim, perto do assento em que ela e o pai haviam se sentado naquela tarde. Tinham saído pelo canal do pequeno riacho. Ela dançou e bateu palmas com deleite.

– Agora, Curdie – ela gritou –, você acredita no que eu lhe disse sobre minha avó e seu fio? – Ela havia sentido o tempo todo que Curdie não acreditara no que lhe explicara. – Aí está! Você não vê esse brilho maravilhoso diante de nós? – acrescentou triunfante a menina.

– Eu não vejo nada – insistiu Curdie.

– Então você deve acreditar sem ver – disse a princesa –, pois você não pode negar que ela nos tirou da montanha.

– Não posso negar que estamos fora da montanha, e eu seria muito ingrato em negar que você me tirou de lá.

– Eu não poderia ter feito nada sem o fio – insistiu Irene.

– Essa é a parte que eu não entendo.

– Bem, venha, e Lootie lhe dará algo para comer. Tenho certeza de que você deve estar com fome.

– De fato, estou, mas meu pai e minha mãe devem estar tão ansiosos por mim que devo me apressar, primeiro subindo a montanha para contar à minha mãe e depois descer na mina novamente para avisar meu pai.

– Muito bem, Curdie, contudo só poderá sair se vier por aqui. Eu o levarei pela casa, pois é a saída mais próxima.

A propósito, não encontraram ninguém pois, como antes, as pessoas estavam aqui e ali e em todos os lugares procurando a princesa. Quando entraram, Irene descobriu que o fio, como ela esperava, subia a velha escadaria e um novo pensamento a atingiu.

Virou-se para Curdie e disse:

– Minha avó quer me ver. Suba comigo, veja-a e então você saberá que eu tenho lhe falado a verdade. Venha, para me agradar, Curdie. Não posso suportar que pense que eu não digo a verdade.

– Eu nunca duvidei do que disse – explicou Curdie. – Eu só acho que você talvez misture realidade e fantasia em sua cabeça.

– Mas venha, querido Curdie.

O pequeno mineiro não podia resistir a este apelo e, embora se sentisse tímido diante de uma grande casa, cedeu e a seguiu.

A velha senhora e Curdie

Escadaria acima foram eles, além e além, passando por fileiras intermináveis de quartos vazios e, por fim, galgando os degraus da pequena torre. Irene ficava cada vez mais feliz conforme progrediam. Não houve resposta quando bateu insistentemente à porta da sala de trabalho e nem pôde ouvir qualquer som da roda de fiar.

Seu coração se entristeceu dentro dela, mas apenas por um momento, pois quando ela se virou e bateu à outra porta, ouviu:

– Entre – respondeu a doce voz de sua avó.

Irene abriu a porta e entrou, seguida por Curdie.

A senhora, que estava sentada perto do fogo de rosas vermelhas e brancas, exclamou:

– Querida, estava esperando por você! Fiquei um pouco ansiosa e começava a pensar se não seria melhor eu mesma ir buscá-la. – Enquanto falava, pegou a princesinha nos braços e a colocou no colo. Agora a mulher estava vestida de branco, mais bonita do que nunca.

– Eu trouxe Curdie, avó. Ele não quis acreditar no que eu lhe disse e por isso eu o trouxe.

— Sim, eu o vejo. Ele é um bom garoto, e muito corajoso. Você não está feliz por tê-lo tirado de lá?

— Sim, avó. Mas não foi muito bom da parte dele não acreditar em mim quando eu estava dizendo a verdade.

— As pessoas devem acreditar no que podem. Aqueles que acreditam mais não devem ser duros com os que acreditam menos. Duvido que você mesma tivesse julgado tudo isso verdadeiro se não tivesse visto tantas coisas.

— Ah! Sim, avó, pode ser, tem razão, mas agora ele acreditará.

— Eu não sei... — respondeu a avó.

— Agora você acredita, Curdie? — Irene perguntou, olhando para ele.

O menino estava em pé no meio do quarto, olhando fixamente e com um ar estranhamente desconcertado. Irene achou que estava surpreso com a beleza da senhora.

— Cumprimente a minha avó, Curdie — Irene pediu.

— Eu não vejo nenhuma senhora — respondeu com um ar um tanto áspero.

— Não vê minha avó quando estou sentada em seu colo? — perguntou incrédula.

— Não, eu não vejo — reiterou Curdie, em tom ofendido.

— Você não vê o lindo fogo das rosas brancas? — perguntou Irene, quase tão desnorteada quanto ele.

— Não, eu não vejo — respondeu, quase amuado.

— Nem a cama azul? Nem a colcha cor-de-rosa? E a bela luz, como a lua, pendurada no teto?

— Você está brincando comigo, Alteza? Depois do que passamos juntos hoje? Não acho que seja simpático de sua parte — disse o garoto, sentindo-se muito magoado.

— Então o que você vê? — perguntou Irene, que percebeu imediatamente que não acreditar nele era tão ruim quanto Curdie não acreditar nela.

– Eu vejo um quarto de vestuário grande, sem nada, como um na casa de minha mãe, grande o suficiente para caber a própria casa de meus pais e deixar uma boa margem de folga – respondeu Curdie.

– E o que mais você vê?

– Vejo uma banheira, um monte de palha mofada, uma maçã murcha e um raio de sol vindo através de um buraco no meio do telhado que brilha sobre sua cabeça, fazendo com que todo o lugar ganhe uma cor marrom escura. Acho melhor você deixar isso de lado, princesa, e ir para seu quarto, como uma boa menina.

– Mas você não escuta minha avó falando comigo? – ela perguntou, incrédula.

– Não, eu ouço o arrulhar de muitos pombos. Se você não descer, eu irei sozinho, acho que isso será melhor de qualquer forma, pois tenho certeza de que ninguém acreditaria em uma palavra que lhes disséssemos, e pensariam que nós inventamos tudo isso. Eu não espero que ninguém, além de meu próprio pai e minha mãe, acreditem em mim. Eles sabem que eu não mentiria.

– E ainda assim você não acredita em mim, Curdie? – expôs a pequena garota, agora chorando bastante com vexação e tristeza por causa do abismo criado entre os dois.

– Não consigo, não posso evitar – disse Curdie, virando-se para deixar o quarto.

– O que devo fazer, vovó? – soluçou a princesa, virando o rosto no seio da senhora e tremendo com soluços reprimidos.

– Você deve lhe dar tempo – aconselhou a senhora – e se contentar com o fato de ele não acreditar por enquanto. É muito difícil, mas eu tive de lidar com isso e suportarei essa realidade muitas vezes ainda. Eu cuidarei do que Curdie pensa de você no final. Deixe-o ir agora.

– Você não vem? – perguntou Curdie.

– Não, Curdie. Minha avó diz que devo deixá-lo ir. Vire à direita quando chegar ao final de todas as escadas, isso o levará ao salão onde está a grande porta.

– Oh! Não duvido que possa encontrar meu caminho sem você, princesa, ou sem o fio de sua velha avó também – disse Curdie com certa rudeza.

– Oh, Curdie!

– Eu gostaria de ter ido para casa imediatamente. Estou muito agradecido a você, Irene, por ter me tirado daquele buraco, mas gostaria que não me tivesse feito de bobo depois.

Ele disse isso quando abriu a porta, a qual deixou aberta. Sem outra palavra, desceu a escada. A princesa escutou com consternação os passos de sua partida. Em seguida, voltou-se novamente para a senhora:

– O que tudo isso significa, vovó? – começou a chorar de novo.

– Significa, meu amor, que eu não tinha intenção de me mostrar. Curdie ainda não é capaz de acreditar em algumas coisas. Ver não é acreditar, é só ver. Você se lembra que eu lhe disse que se Lootie me visse, ela esfregaria os olhos, se esqueceria da metade do que viu e chamaria a outra metade de bobagem?

– Sim, mas era Curdie.

– Você está certa. Curdie pode ser muito mais esperto do que Lootie, e você verá o que acontecerá com ele. Porém, enquanto isso, deve se conformar em ser mal-interpretada. Estamos todos muito ansiosos para sermos compreendidos e é muito difícil aceitar quando somos incompreendidos, no entanto, no momento há uma coisa muito mais necessária...

– O que é, avó?

– Entender as outras pessoas.

– Sim, avó, devo ser justa. Se não sou justa com as outras pessoas não mereço ser compreendida, então, como Curdie não consegue entender, não vou me irritar com ele, mas simplesmente esperar.

– Isso mesmo, minha querida filha – disse sua avó, abraçando-a com mais força.

– Por que você não estava em sua sala de trabalho quando subimos, avó? – perguntou Irene, após alguns momentos de silêncio.

– Se eu estivesse ali, Curdie teria me visto bem o suficiente. E por que eu deveria estar lá em vez de neste belo quarto?

– Eu pensei que você estaria fiando.

– Não tenho ninguém para quem fiar no momento. Nunca giro a roda sem saber para quem estou fiando.

– Isso me faz lembrar de uma coisa que me intriga – disse a princesa. – Como vai tirar o fio da montanha de novo? Certamente não terá de fazer outro para mim? Isso seria um grande problema!

A senhora a pôs no chão, levantou-se e caminhou até o fogo. Pondo a mão nas chamas, ergueu uma bola brilhante entre o dedo e o polegar.

– Já a tenho agora – disse, voltando-se para a princesa –, pronta para você quando quiser e precisar.

Indo até seu armário, ela a colocou na mesma gaveta que antes.

– E aqui está seu anel – acrescentou a senhora, tirando-o do dedo mindinho da mão esquerda e colocando-o no dedo indicador da mão direita de Irene.

– Obrigada, avó. Sinto-me tão segura agora!

– Você está muito cansada, minha filha. Suas mãos estão machucadas por conta das pedras, e eu contei nove contusões. Basta olhar.

A mulher ergueu um pequeno espelho que havia trazido do armário, fazendo com que a princesa desse uma alegre gargalhada com a visão.

Irene fora arrastada pelo riacho e estava suja por ter rastejado por lugares estreitos. Se tivesse visto seu reflexo sem saber quem era, teria pensado estar diante de uma criança que tomava banho apenas uma vez por mês.

A senhora também riu e, levantando-a novamente sobre os joelhos, tirou seu manto e a camisa de dormir. Então, carregou-a para o outro lado do quarto.

Irene se perguntava o que a avó ia fazer, mas nada falou. Sentiu-se um pouco assustada quando descobriu que seria deitada na grande banheira de prata, pois, quando olhava para dentro, não enxergava o fundo, só via as estrelas brilhando, parecendo estarem a quilômetros de distância, como em um grande abismo azul.

Suas mãos se fecharam involuntariamente sobre os belos braços que a seguravam. A senhora a pressionou mais uma vez junto ao peito, dizendo:

– Não tenha medo, minha filha.

– Não, vovó – respondeu a princesa, com um leve arfar.

E, no instante seguinte, afundou na água fria e clara. Quando abriu os olhos, não viu nada além de um estranho e belo azul que estava em tudo ao redor; a senhora e o belo quarto tinham desaparecido de sua vista, fazendo-a se sentir completamente sozinha. Contudo, em vez de ter medo, estava perfeitamente feliz.

De algum lugar a voz da velha senhora surgiu, entoando uma estranha e doce melodia, da qual Irene podia distinguir cada palavra, mas da sensação ela tinha apenas sentimentos, nenhuma real compreensão. Também não conseguiria se lembrar de uma única frase depois; tudo desapareceu como a poesia em um sonho, tão rápido quanto veio. No entanto, anos mais tarde, ela às vezes imaginava que os trechos de uma melodia que subitamente lhe vinham à mente deviam ser pequenas frases e fragmentos daquela canção, e a própria fantasia a deixava mais feliz para cumprir sua missão.

Ignorou por quanto tempo ficou na água, pareceu-lhe longo, mas não lhe causara cansaço, e sim prazer. Finalmente sentiu as belas mãos amparando-a e, através da água que borbulhava, foi carregada para o quarto adorável. A senhora a levou para perto do fogo, sentou-se com ela no colo e a secou ternamente com uma toalha muito macia. Era tão diferente da secagem de Lootie. Quando a avó terminou, abaixou-se até a fogueira e pegou sua camisola, branca como a neve.

— Que delícia! — exclamou a princesa. — Cheira a todas as rosas do mundo!

Quando se levantou, sentia-se refeita. Todas as contusões e o cansaço tinham desaparecido, e suas mãos estavam macias e inteiras, como sempre foram.

— Agora vou colocá-la na cama para dormir — disse sua avó.

— Mas o que Lootie estaria pensando? E o que devo dizer a ela quando me perguntar onde estive?

— Não se preocupe com isso, você verá que tudo vai dar certo — disse sua avó, colocando-a na cama azul, debaixo da colcha cor-de-rosa.

— Há apenas mais uma coisa — disse Irene. — Estou um pouco ansiosa em relação a Curdie. Quando o trouxe, eu deveria tê-lo visto a salvo no caminho de sua casa.

— Eu cuidei de tudo isso — respondeu a senhora. — Eu lhe disse para deixá-lo ir e, por isso, estava obrigada a cuidar dele. Ninguém o viu e agora Curdie está jantando no chalé de sua mãe, na montanha.

— Então vou descansar — disse Irene, e em poucos minutos adormeceu.

Curdie e sua mãe

Curdie subiu a montanha sem assobiar ou cantar, pois estava irritado com Irene por tê-lo levado para dentro da sua casa. Também estava aborrecido consigo mesmo por ter falado com ela com tanta indignação.

Sua mãe deu um grito de alegria quando o viu. Imediatamente se pôs a lhe preparar algo para comer, fazendo perguntas o tempo todo, às quais ele não respondeu tão alegremente quanto de costume. Quando sua refeição estava pronta, ela o deixou sozinho para comer e correu até a mina para avisar o marido que o garoto estava seguro. Ao retornar, encontrou-o dormindo na cama, somente acordando quando seu pai voltou para casa à noite.

– Agora, Curdie – disse a mãe, enquanto estavam sentados para jantar – conte-nos toda a história, do começo ao fim, tal como tudo aconteceu.

Curdie obedeceu e relatou tudo até o ponto em que eles saíram para o gramado no jardim da casa do rei.

– E o que aconteceu depois disso? – perguntou sua mãe. – Não parece ter nos falado tudo, você deveria estar muito feliz por ter escapado daqueles demônios e, em vez disso, nunca o vi tão sombrio. Deve haver algo mais.

Além disso, não fala daquela adorável criança como eu gostaria. Ela salvou sua vida pondo a dela em risco, e você parece não pensar muito nesse fato.

– Ela falou tanta bobagem – respondeu Curdie – e me disse uma porção de coisas que não eram nem um pouco verdadeiras. Não estou conseguindo superar isso.

– Conte-nos – o pai sugeriu. – Talvez sua mãe seja capaz de lançar alguma luz sobre esse assunto.

Então, Curdie lhes contou tudo.

Ficaram em silêncio por algum tempo, refletindo sobre a estranha história. Por fim, a mãe falou:

– Você diz, meu filho, que há algo sobre toda essa história que você não entendeu?

– Sim, é claro, mãe – respondeu ele. – Não consigo compreender como uma criança que não conhece nada da montanha e ignorava que eu estivesse preso ali pôde ter ido até lá sozinha, diretamente para onde eu estava. E, depois de me tirar do buraco, levar-me para fora da caverna também, onde eu não saberia um passo do caminho se estivesse sozinho.

– Então você não tem o direito de dizer que ela não falou a verdade; a menina o tirou de lá e deve ter obtido ajuda para guiá-la, como um fio, assim como você usa sua corda, ou qualquer outra coisa. Há algo que você não pode esclarecer, então a explicação dela pode ser verdade.

– Eu não consigo acreditar nisso.

– Pode ser apenas porque você não achou um jeito de explicar o que aconteceu. Se enxergasse os fatos, provavelmente descobriria que estava diante de uma explicação e acreditaria completamente nela. Não o culpo por não ser capaz de acreditar, mas sim por imaginar que uma criança assim tentaria enganá-lo. Por que ela o faria? Confie nisso, ela lhe disse tudo o que sabia. Até que você ache uma melhor forma de interpretar o que ocorreu, poderia ao menos ter sido mais moderado em seu julgamento.

– Algo dentro de mim tem dito isso o tempo todo – disse Curdie, baixando a cabeça. – Mas o que você acha da história? É isso que não consigo esquecer. A menina me conduziu até um velho sótão e tentou me convencer, contra a visão de meus próprios olhos, de que era uma bela sala, com paredes azuis e estrelas prateadas, quando não havia nada além de uma velha banheira e uma maçã murcha, juntamente com um monte de palha e raios de sol! Era uma pena! Poderia haver uma velhinha lá, pelo menos para se passar por sua preciosa avó!

– A menina falou como se ela mesma estivesse vendo essas outras coisas, Curdie?

– Sim, isso é o que me incomoda. Ela realmente quis dizer e acreditou que viu cada uma das coisas de que falou. E nenhuma delas estava lá! Lamentável, eu diria.

– Talvez algumas pessoas possam ver coisas que outras não conseguem, Curdie – disse sua mãe com muita seriedade. – Vou lhe dizer algo que eu mesma vi apenas uma vez e talvez você também não acredite em mim.

– Oh, mãe! – gritou Curdie, explodindo em lágrimas. – Eu não mereço isso, com certeza!

– O que vou lhe dizer é muito estranho – persistiu sua mãe. – Se depois de ouvir, você disser que eu estava sonhando, não sei se terei o direito de me irritar com você, embora eu saiba que não estava dormindo.

– Diga-me, mãe, talvez isso me ajude a refletir melhor.

– É por isso que estou tentada a lhe contar – respondeu a mulher. – Antes devo mencionar que, segundo velhos rumores, há algo incomum na família real. O rei e a rainha possuíam o mesmo sangue, pois eram primos em algum grau, e havia histórias estranhas contadas a respeito deles, todas positivas, contudo muito estranhas e curiosas. Lembro-me dos rostos de minha avó e de minha mãe enquanto conversavam sobre eles. – Fez uma pausa para tomar fôlego antes de prosseguir. – Havia admiração e deslumbramento em seus olhos, não medo. Elas sussurravam, nunca falavam em voz alta, mas o que eu mesma vi foi o que vou lhe contar agora – continuou a mãe. – Certa noite, seu pai foi trabalhar na mina e eu tinha descido com o jantar. Foi logo após nosso casamento e não muito tempo antes de você nascer. Fomos juntos até a boca da mina, e seu pai me deixou voltar para casa sozinha, pois eu conhecia o caminho quase tão bem quanto o chão de nossa própria casa. Estava anoitecendo e alguns trechos da estrada estavam quase que completamente escuros. No entanto, dei-me perfeitamente bem, nunca pensando em ter medo, até chegar a um lugar que você conhece bastante bem, onde o caminho faz uma curva brusca para contornar uma grande rocha.

Curdie fez sinal afirmativo com a cabeça. Sua mãe sorriu.

– Quando cheguei lá, fiquei de repente cercada por cerca de meia dúzia de goblins, foi a primeira vez que os vi, embora já tivesse ouvido falar deles com bastante frequência. Um deles bloqueou o caminho, e todos começaram a me atormentar e provocar de uma maneira que me faz estremecer só de pensar, mesmo agora.

– Ah se eu estivesse com você! – gritaram pai e filho em uníssono.

A mãe deu um sorrisinho engraçado e continuou.

– Eles estavam com algumas de suas horríveis criaturas ao lado, e devo confessar que fiquei apavorada, porque já tinham rasgado muito minhas roupas e achei que fossem me despedaçar. Inesperadamente, uma grande luz branca e suave brilhou sobre mim. Olhei para cima e um raio largo, como uma estrela brilhante, desceu de um grande globo de luz prateada, não estava muito alto e, por isso, não poderia ter sido uma nova estrela, outra lua ou qualquer coisa do gênero. Os sabugos deixaram de me atormentar e pareceram atordoados. Pensei que fossem fugir, mas logo recomeçaram a tortura.

Pai e filho a fitavam atentamente. A mulher tinha o olhar fixo no vazio.

– No mesmo momento, pelo caminho do globo de luz, veio um pássaro brilhando como prata. A ave deu algumas voltas rápidas por ali e depois, com suas asas retas, disparou, deslizando pela encosta da luz. Parecia-me apenas um pombo branco, porém assustou muito os goblins que, quando o viram descendo diretamente sobre eles, fugiram e espalharam-se pela montanha, deixando-me a salvo, embora ainda muito assustada. Assim que os mandou embora, a ave voltou a deslizar pela luz e, no momento que alcançou o globo, desapareceu, como se uma persiana tivesse sido fechada sobre uma janela. Nunca mais tive problemas com os goblins naquela noite ou em qualquer outra.

– Que estranho! – exclamou Curdie.

– Sim, foi esquisito mesmo, todavia não posso deixar de acreditar que recebi ajuda de alguém, quer você entenda ou não – disse a mãe.

– É exatamente como sua mãe me contou, logo na manhã seguinte – reforçou seu pai.

– Você acha que estou duvidando de minha própria mãe? – perguntou Curdie.

– Há outras pessoas no mundo em que vale a pena acreditar tanto quanto em sua própria mãe – ela respondeu. – Não sei se ela é tão apta a ter crédito quanto sua mãe, senhor Curdie. Há mães muito mais propensas a contar mentiras do que a menina que vi falando com as prímulas há algumas semanas. Se ela estiver mentindo, eu deveria começar a duvidar de minhas próprias palavras.

– Mas princesas podem mentir, assim como outras pessoas – disse Curdie.

– Sim, contudo não princesas como aquela criança. É uma boa garota, tenho certeza, e isso é mais do que ser uma princesa. Você terá de se desculpar por ter se comportado assim com ela, Curdie. Deveria ao menos evitar criticá-la tão severamente.

– Sinto muito – respondeu o menino.

– Você deveria ir lhe dizer isso.

– Não vejo como eu poderia. Eles não deixariam um garoto mineiro como eu ter uma palavra a sós com a princesa. Duvido que eu consiga falar com ela sem antes conversar com a babá, que faria perguntas que talvez sejam inconvenientes à princesinha. Ela me disse que Lootie não sabia de nada sobre sua ida para me tirar da montanha, tenho certeza de que ela a teria impedido de alguma forma caso soubesse. Mas talvez eu tenha uma chance em breve e devo tentar fazer algo por ela. Acho, pai, que finalmente consegui achar a tal pista.

— É mesmo, meu filho? — perguntou Peter, animado. — Tenho certeza de que você merece algum sucesso, pois trabalhou muito para isso. O que você descobriu?

— É difícil dentro da montanha, especialmente no escuro, saber os caminhos que segui para descrever exatamente onde estive.

— Impossível sem um mapa ou uma bússola, meu filho — concordou seu pai.

— Bem, acho que quase descobri em que direção os goblins estão cavando. Se eu estiver certo, sei de outra coisa que posso mencionar e então um e um somará três!

— Eles cavam com muita frequência, Curdie, como nós mineiros devemos estar muito bem cientes. Agora, diga-nos, meu rapaz, quais são as duas coisas e veremos se podemos adivinhar a terceira com você.

— Eu não vejo o que isso tem a ver com a princesa — interpôs a mãe.

— Em breve eu a deixarei concluir isso, mãe. Talvez possa me achar tolo, mas até que eu tenha certeza de que não há nada em minha fantasia atual, estou mais determinado do que nunca a continuar com minhas observações — disse Curdie, convencido. — Assim que chegamos ao canal pelo qual saímos, ouvi os goblins trabalhando em algum lugar próximo, penso que abaixo de nós. Desde que comecei a observá-los, vi que extraíram meia milha em linha reta. Até onde sei, não estão trabalhando em nenhuma outra parte da montanha, apesar disso nunca pude dizer em que direção estavam indo. Quando saímos no jardim real, porém, pensei imediatamente se seria possível que estivessem trabalhando rumo à casa do rei, e o que eu quero fazer esta noite é ter certeza se estão ou não. Levarei uma luz comigo...

— Oh, Curdie — gritou sua mãe —, mas assim eles o verão.

— Não tenho mais medo deles — explicou Curdie —, pelo menos não agora que tenho este precioso sapato. Eles não podem fazer outro assim com pressa, e um pé descalço servirá para o meu propósito. Ainda assim, terei cuidado com minha luz, pois não quero que me vejam. Não vou mais usá-la no chapéu.

— Vá em frente então, e nos diga o que pretende fazer.

— Quero levar um pedaço de papel comigo, um lápis e entrar na caverna pela boca do riacho pela qual saímos. Vou marcar no papel o ângulo de cada curva que fizer até encontrar os sabugos no trabalho e, assim, ter uma boa ideia da direção que estão tomando. Se for quase paralela ao riacho, saberei que estão indo para casa do rei.

— E se você estiver certo? Quanto mais sábio você será então?

— Espere um minuto, querida mãe. Eu lhe disse que quando eu encontrei a família real na caverna, estavam falando do plano de seu príncipe Harelip se casar com uma mulher-sol, ou seja, uma de nós, humanos. Agora, no discurso que um deles fez naquela noite, na grande reunião da qual ouvi apenas uma parte, ele disse que a paz seria assegurada por uma geração, pelo menos conforme o juramento que o príncipe manteria pelo bom comportamento de seus parentes. Dessa forma, acho que queria dizer que o descendente do trono asseguraria que a mulher-sol com quem se casaria teria boas ações perante os goblins também. Tenho certeza de que o rei é muito orgulhoso para desejar que seu filho se case com qualquer outra que não seja uma princesa. Também é consciente demais para imaginar que ter uma mulher camponesa como esposa não seria de grande vantagem para eles.

— Entendi o seu raciocínio agora — disse a mãe.

— Mas — disse o pai — nosso rei cavaria a montanha até a planície antes de ter sua princesa como esposa de um sabugo, mesmo se ele fosse um príncipe.

– Sim, no entanto os goblins sempre pensam apenas em si mesmos – disse a mãe. – As criaturas pequeninas são sempre assim. O menor galo que possuo é o mais prepotente do meu quintal.

– E eu imagino – disse Curdie – que se pegassem a pequena Irene diriam ao rei que a matariam, a menos que concordasse com o casamento.

– Poderiam até dizer isso – disse o pai –, mas não a matariam. Eles a manteriam viva pelo poder que lhes daria sobre nosso rei. O que quer que nosso soberano lhes fizesse, ameaçariam realmente matar a princesa.

– E são maus o suficiente para atormentá-la apenas para sua própria diversão. Sei muito bem disso – disse a mãe.

– De qualquer forma, continuarei a ver o que estão fazendo – disse Curdie. – É horrível demais pensar nisso, nem me atrevo. Eles não a terão, pelo menos se eu puder evitar. Então, mãe querida, minha pista é boa. Se você me der um pouco de papel e um lápis, além de um pedaço de pudim de ervilhas, partirei imediatamente. Eu vi um lugar onde posso escalar o muro do jardim muito facilmente.

– Você deve ficar fora do caminho dos homens de vigia – disse a mãe.

– Assim eu farei. Não quero que eles saibam de nada sobre isso, pois estragariam meus planos. Se os sabugos descobrirem que estamos vigiando-os, tentarão outros planos, pois são criaturas muito obstinadas! Vou tomar muito cuidado, mãe. Eles também não vão me matar e me comer se vierem sobre mim. Portanto, não precisa se preocupar.

A mãe lhe deu o que ele havia pedido, e Curdie partiu. Perto da porta pela qual a princesa deixara o jardim para a montanha havia uma grande rocha e, escalando-a, Curdie passou por cima do muro. Amarrou a ponta da corda a uma pedra dentro do canal do riacho e levou sua picareta. Pouco avançara quando encontrou uma criatura desconjuntada que vinha em direção à caverna.

O local era muito estreito para dois de qualquer tamanho ou forma e, além do mais, Curdie não tinha vontade de deixar aquela criatura passar.

Não podendo usar a picareta, porém, por estar atada à corda, partiu para uma grande luta e foi somente após receber muitas mordidas, algumas delas bem profundas, que conseguiu matá-lo com seu canivete. Depois de arrastá-lo para fora, apressou-se a entrar novamente antes que outro obstruísse seu caminho.

Não preciso segui-lo mais longe nas aventuras dessa noite. Ele voltou para o café da manhã, satisfeito em notar que os goblins estavam cavando rumo à casa de campo do rei, deduzindo que tinham a intenção de se infiltrar na casa por debaixo das paredes da residência real e, então, lá dentro, pôr as mãos na princesinha e levá-la para se tornar esposa de seu horrível Harelip.

Irene se comporta como uma princesa

Quando a princesa acordou do sono mais doce de todos, encontrou a babá curvada sobre ela. A governanta olhava por cima de seu ombro e a lavadeira por sobre a cabeça da governanta. O quarto estava apinhado de mulheres da casa. Os soldados encarregados da vigília, com uma longa coluna de servos atrás, também espreitavam, ou assim tentavam, à porta do quarto.

– Aquelas criaturas horríveis desapareceram? – perguntou a princesa, lembrando primeiro do que a havia aterrorizado pela manhã.

– Você é uma princesinha malandra e muito travessa! – gritou Lootie.

Seu rosto estava muito pálido, com raias vermelhas e parecia prestes a sacudir a menina, mas Irene nada falou. Apenas aguardou o que viria em seguida.

– Como você pôde ficar deitada assim e nos fazer imaginar que estava perdida? E continuar desse jeito o dia todo também? Você é a criança mais rebelde que conheço! Não é nada divertido para nós, eu posso lhe garantir!

Era a única maneira que a babá tinha para explicar seu desaparecimento.

– Eu não fiz isso, Lootie – disse Irene, muito discretamente.

– Não invente histórias – gritou rudemente a babá.

– Não vou falar nada então – disse Irene.

– Isso é igualmente ruim.

– Tão ruim quanto não dizer nada a respeito é inventar histórias? – indignou-se a princesa. – Vou perguntar ao meu pai sobre isso. Ele não vai concordar. E acho que não vai gostar que você diga isso.

– Fale diretamente o que você quer dizer com isso! – gritou a babá de forma selvagem pela raiva que sentia e assustada, na mesma proporção, com as possíveis consequências.

– Quando lhe digo a verdade você me diz para não inventar histórias! Não entendo. Parece então que devo mentir para que você acredite em mim.

– Você é muito indelicada, princesa – disse a cuidadora.

– Você é tão rude, Lootie, que não voltarei a falar com você até que se arrependa. Por que eu deveria lhe contar o que aconteceu quando sei que não acreditará em mim? – perguntou a princesa, pois ela sabia perfeitamente bem que se contasse a Lootie o que tinha acontecido, menos crédito teria.

– Você é a criança mais provocadora que já conheci! – esbravejou a moça. – Você merece ser bem castigada por seu comportamento perverso.

– Por favor, senhora governanta – disse a princesa –, você me levaria ao seu quarto e me manteria ali até que meu rei papai chegue? Pedirei a ele que venha assim que puder.

Todos a olharam fixamente diante destas palavras. Até aquele momento, todos a consideravam pouco mais que um bebê.

A governanta tinha medo da babá e procurou acalmar a situação, dizendo:

– Tenho certeza, princesa, de que a babá não quis ser mal-educada com você.

– Não creio que meu pai desejasse que eu tivesse uma babá que falasse comigo como Lootie faz. Se ela acha que conto mentiras, é melhor dizer isso ao meu papai ou ir embora. *Sir* Walter, o senhor vai tomar conta de mim?

– Com o maior prazer, princesa – respondeu o capitão dos cavaleiros de armas, caminhando com seu grande passo para dentro da sala.

A multidão de criados abriu caminho, e ele se curvou diante da cama da princesinha, dizendo:

– Enviarei imediatamente meu criado, no cavalo mais rápido do estábulo, para dizer a seu pai que Vossa Alteza Real deseja sua presença. Quando você tiver escolhido uma nova cuidadora, ordenarei que o quarto seja liberado.

– Muito obrigada, *sir* Walter – disse a princesa, e seu olhar pousou em uma menina de rosto rosado que recentemente tinha vindo para a casa como copeira. Entretanto, quando Lootie viu os olhos de sua querida princesa indo em busca de outra em seu lugar, caiu de joelhos à beira da cama e explodiu em um grande grito de angústia.

– Eu penso, *sir* Walter – disse a princesa –, que ficarei com Lootie e me coloco sob os cuidados do senhor. Não precisa incomodar meu rei papai até que eu volte a falar com o senhor. Será que todos poderiam sair agora? Estou bastante segura e bem, não me escondi nem para me divertir e muito menos para perturbar meu povo. Lootie, você poderia me vestir, por favor?

A dor de Curdie

Durante algum tempo, tudo ficou quieto acima do solo. O rei ainda estava longe, em uma parte distante de seus domínios. Os seguranças continuavam vigiando a casa, tinham ficado consideravelmente surpresos ao encontrar, aos pés da rocha no jardim, o corpo horrível da criatura goblin morta por Curdie e chegaram à conclusão de que tinha sido morta nas minas e rastejado até lá fora para morrer. E exceto por um vislumbre ocasional de um goblin passeando por ali, não viram nada que causasse alarme.

Curdie continuou observando na montanha, e os goblins continuavam a escavar mais fundo na terra. Enquanto eles se aprofundavam ali, o garoto julgava que não havia perigo imediato.

Para Irene, o verão estava tão prazeroso como sempre fora, e, embora pensasse frequentemente na avó durante o dia e sonhasse com ela à noite, não a via. As crianças e as flores eram o seu deleite; fez amizade com vários filhos dos mineiros que conheceu na montanha, tantos quantos Lootie permitia. Contudo, a babá tinha noções muito tolas a respeito da dignidade de uma princesa, sem compreender que a mais verdadeira é aquela que ama seus irmãos e irmãs, sendo humilde com todos.

Lootie havia melhorado consideravelmente seu comportamento com a menina; não podia ignorar que era uma criança mais sábia do que as outras de sua idade. Continuava, entretanto, sussurrando insensatamente aos criados que a princesa não estava bem da cabeça e espalhando comentários maldosos.

Durante todo esse tempo, Curdie se arrependeu, sem chance de confessar, por ter se comportado tão mal com a princesa, e isso talvez o tenha tornado mais diligente em seus esforços para servi-la. Sua mãe e ele falavam frequentemente sobre o assunto, e ela o confortava, dizendo-lhe que estava certa de que um dia ele teria a oportunidade que tanto desejava.

Aqui gostaria de fazer uma observação em nome dos príncipes e princesas. É uma atitude pequena e desprezível recusar-se a confessar uma falha. Se um verdadeiro membro da realeza cometer um erro, estará sempre inquieto até ter a oportunidade de jogar o mal para longe, dizendo: "Eu o fiz, gostaria de não o ter feito e lamento por isso". Então, é de sua percepção que há algum motivo para supor que Curdie não era apenas um mineiro, mas também um príncipe. Muitos casos como esse foram conhecidos na história do mundo.

Após alguns dias, Curdie percebeu sinais de mudança nos procedimentos dos goblins escavadores. Não iam mais para o fundo, mas começavam a cavar horizontalmente. Portanto, era necessário observá-los mais de perto do que nunca.

Certa noite, chegando a uma encosta de rocha muito dura, começaram a subir ao longo do plano inclinado de sua superfície. Ao alcançar seu topo, voltaram a subir em um nível por uma ou duas noites, depois do que começaram a subir mais uma vez e continuaram em um ângulo bastante íngreme.

Curdie, consequentemente, julgou necessário transferir sua observação para outro local e, na noite seguinte, não foi à mina. Deixou a picareta e as pistas em casa, levando apenas os pedacinhos de pão e pudim de ervilhas habituais, com o intuito de descer a montanha até a casa do rei.

Escalou o muro real e permaneceu no jardim a noite toda, rastejando de um lugar para o outro, deitado com a orelha no chão, ouvindo. Mas não escutou nada, exceto o rastro dos homens enquanto marchavam, que teve pouca dificuldade em evitar por se tratar de uma noite nublada. Continuou a visitar o jardim e tentar escutar, sem sucesso, durante as muitas madrugadas seguintes.

Por fim, no início de uma de suas vigílias, seja por ter descuidado de sua própria segurança ou pela lua crescente ter se tornado forte o suficiente para iluminá-lo, sua busca por respostas chegou a um final súbito.

Ele rastejava por detrás da rocha onde o riacho corria, pois estava buscando ouvir tudo ao redor na esperança de que pudesse encontrar alguma indicação do paradeiro dos mineiros goblins. Surpreendentemente, no momento em que entrou no gramado, um zumbido em sua orelha e um golpe em sua perna o assustaram.

Agachou-se instantaneamente na esperança de fugir de novos golpes e, quando ouviu o som de pés correndo, pulou para aproveitar a chance de escapar. Caiu de dor, porém, ante um agudo disparo de uma arma que havia ferido sua perna. O sangue agora jorrava dela. Foi instantaneamente segurado por dois ou três dos homens armados. Era inútil lutar e então se submeteu em silêncio.

– É um menino! – gritaram vários deles juntos, em tom de espanto. – Eu pensava que fosse um dos demônios. O que está fazendo aqui?

– Vim dar um passeio ao ar livre – disse Curdie, rindo, enquanto os homens o sacudiam.

– A impertinência não lhe servirá de nada. Você não tem nada a fazer aqui nos terrenos do rei e, se não der um relato verdadeiro, será julgado como ladrão.

– Por quê? O que mais ele poderia estar fazendo aqui? – perguntou um.

– Ele talvez estivesse atrás de uma criança perdida – sugeriu outro.

– Não vejo nenhum bem em tentar desculpá-lo. Ele não tem nada a fazer aqui, de qualquer forma.

– Deixe-me ir embora então – disse Curdie.

– Não, a não ser que você dê um bom testemunho de suas ações.

– Não tenho certeza se posso confiar em vocês – disse Curdie.

– Somos os próprios homens do rei – disse o capitão com cortesia, pois gostou da aparência e coragem de Curdie.

– Bem, eu lhe contarei tudo se você prometer me ouvir e não agir de forma precipitada.

– Eu chamo isso de ilegal – disse um dos homens, rindo. – Ele nos dirá que maldade fez se nós prometermos fazer o que lhe agradar.

– Eu não estou brincando – disse Curdie.

No entanto, antes que pudesse dizer algo mais, desmaiou e caiu sem sentido sobre a grama. Então, os seguranças reais descobriram que o projétil que atiraram, achando que o garoto fosse uma das criaturas, tinha-o ferido.

Eles o carregaram para dentro da casa e o deitaram no corredor. O ocorrido se espalhou; diziam agora que os soldados haviam pegado um assaltante e os criados se aglomeraram para ver o vilão. Entre o grupo estava a babá.

No instante em que o viu, exclamou com indignação:

– Digo que é o mesmo jovem mineiro, malandro, que foi rude comigo e com a princesa na montanha. Ele queria beijá-la! Eu cuidei muito bem da situação... Desgraçado! O rapaz andava rondando a casa, não é mesmo? Que imprudência!

Como a princesa estava dormindo, a babá podia falar o que quisesse.

Quando ouviu isso, o capitão, embora tivesse dúvidas consideráveis sobre a verdade, resolveu manter Curdie prisioneiro até que pudessem investigar o caso apropriadamente. Assim, depois que cuidaram de sua ferida, que era um pouco grave, colocaram-no, ainda exausto pela perda de sangue, sobre um colchão em um quarto fora de uso, trancaram a porta e o deixaram.

Curdie passou uma noite agitada e, de manhã, encontraram-no falando desvairadamente. À noite voltou a si, mas sentia-se muito fraco, e sua perna estava excessivamente dolorida. Perguntava-se onde estava e, vendo um dos homens armados na sala, começou a questioná-lo, logo se lembrando dos acontecimentos da noite anterior.

Como não podia mais aguardar, contou ao soldado tudo o que sabia sobre os goblins e implorou para que relatasse aos seus companheiros, disse também que reforçassem fortemente a vigilância. Contudo, o homem concluiu que Curdie estava delirando e tentou convencê-lo a ficar quieto. Isso, é claro, irritou terrivelmente o garoto, que agora se revoltava por não acreditarem nele. Como consequência, sua febre retornou e, quando, em suas persistentes súplicas, o capitão foi chamado, não tiveram dúvidas de que ele estava delirando.

Fizeram por Curdie o que puderam e lhe prometeram tudo o que queria, mas sem a intenção de cumprir. Finalmente, ele foi dormir e, quando seu sono se tornou profundo e pacífico, os guardas o deixaram, trancaram a porta novamente e se retiraram, com a intenção de visitá-lo novamente na manhã seguinte.

Os goblins mineradores

Naquela mesma noite, vários dos criados estavam conversando antes de irem para a cama.

– O que pode ser esse barulho? – perguntou uma das empregadas, que escutava com atenção especial por um momento ou dois.

– Eu ouvi isso nas duas últimas noites – comentou a cozinheira. – Eu diria que são ratos, mas meu Tom os mantém longe daqui.

– Mas eu soube – foi a vez de a copeira falar – que às vezes os ratos se movimentam em grandes grupos. Pode haver um exército deles nos invadindo, escutei os barulhos ontem e hoje também.

– Vai ser muito divertido, então, para o Tom e o Bob da governanta – disse a cozinheira. – Eles serão amigos por uma vez na vida e lutarão do mesmo lado. Eu vou engajá-los, colocando-os ao encalço de todos os ratos.

– Parece-me – disse a babá – que os ruídos são muito altos para isso. Eu os ouvi o dia todo, e a princesa me perguntou várias vezes o que poderiam ser. Às vezes soam como trovões distantes, e outras como os sons que se ouvem na montanha, feitos por aqueles mineiros horríveis.

– Eu não deveria nem me perguntar – disse a cozinheira – se afinal são os mineiros... Eles podem estar em algum buraco na montanha através do qual os ruídos chegam até nós. Estão sempre quebrando...

Enquanto falava, um grande estrondo de algo rolando debaixo do solo fez a casa tremer. Todos se assustaram e, correndo para o salão, encontraram os senhores armados também em sobressalto.

Mandaram acordar o capitão, que opinou dizendo que provavelmente fora um terremoto, uma ocorrência muito rara naquele país, uma a cada século. E, então, todos voltaram para a cama e adormeceram rapidamente, sem pensar em Curdie e na associação entre os ruídos que tinham ouvido e seu relato.

Não tinham acreditado no garoto. Se tivessem, algumas precauções seriam providenciadas, mas como nada mais escutaram, concluíram que *sir* Walter estava certo e que o perigo havia acabado talvez por mais cem anos.

O fato, como descoberto depois, foi que os goblins tinham, ao trabalhar em uma segunda face inclinada de pedra, chegado a um enorme bloco que ficava sob as adegas da casa, dentro da linha das fundações.

Era tão redondo que quando conseguiram, depois de muito trabalho, desalojá-lo sem explodir, ele rolou trovejando pela encosta com um ruído saltitante e estridente, que sacudiu os alicerces da casa.

Os goblins ficaram consternados com o barulho, pois sabiam, através de espionagem e medições cuidadosas, que agora deviam estar muito próximos, se não sob a casa do rei, e temiam dar um alarme. Portanto os sabugos permaneceram em silêncio por um tempo e, quando recomeçaram o trabalho, sem dúvida se acharam muito afortunados por encontrarem uma veia de areia que preenchia uma fenda sinuosa na rocha sobre a qual a casa fora construída. Ao retirar a areia dessa fenda, adentraram a adega do rei.

Logo que descobriram onde estavam, voltaram correndo como ratos para seus buracos e foram a toda velocidade para o palácio dos goblins anunciar seu sucesso ao rei e à rainha, com gritos de triunfo.

Em um momento, a família real dos goblins e todo seu povo estavam a caminho da casa do rei, cada um ansioso para ter uma parte na glória de levar a princesa Irene naquela mesma noite.

A rainha foi se arrastando em um sapato de pedra e um de pele, fato que não poderia ser nem um pouco confortável. Meus leitores podem se perguntar por que, com trabalhadores tão habilidosos a seu redor, ela ainda não substituíra o sapato roubado por Curdie. Como o rei, entretanto, tinha mais de um motivo de objeção a seus sapatos de pedra, sem dúvida ele aproveitou a descoberta de seus dedos dos pés para ameaçar expor sua deformidade caso ela tivesse outro sapato. Presumo que insistiu que se contentasse com os sapatos de pele e permitiu que usasse o de granito restante na ocasião atual apenas porque estava saindo para a guerra.

Os goblins logo chegaram à adega do rei-sol e, independentemente de seus enormes jarros, dos quais desconheciam a utilidade, começaram de pronto, o mais silenciosamente possível, a forçar a porta que levava para os andares superiores.

Os goblins na casa do rei

Quando Curdie adormeceu, começou logo a sonhar. Pensava que subia a lateral da entrada da mina, assobiando e cantando "Um, dois, três!" quando encontrou uma mulher e uma criança que haviam perdido o rumo.

A partir daí, continuou sonhando com tudo o que lhe havia acontecido desde que conhecera a princesa e Lootie. A investigação da estratégia dos goblins, como havia sido levado por eles e, finalmente, seu resgate pela princesa. Tudo, de fato, até ser ferido, capturado e aprisionado pelos vigias.

E agora lamentava que estivesse deitado ali, embora bem desperto, onde o haviam colocado, quando, de repente, ouviu um grande estrondo.

– Os goblins estão chegando – disse ele. – Não acreditaram em uma única palavra do que eu lhes disse! Os sabugos carregarão a princesa debaixo de seus estúpidos narizes! Mas não conseguirão porque eu não deixarei!

Pulou da cama e começou a se vestir. Porém, para seu desespero, descobriu que ainda estava deitado na cama!

– Agora, então, eu vou! – gritou ele, com ânimo renovado. – Aqui vai! Estou de pé agora!

Contudo, mais uma vez, ele se viu aconchegado na cama. Vinte vezes tentou e vinte vezes falhou, pois não estava acordado, e sim apenas sonhando.

Uma longa agonia tomou conta de Curdie, que imaginava os goblins por toda a casa, fato que o fez gritar bem alto. Depois do auge de seu desespero, ele imaginou alguém com a mão sobre a fechadura da porta, que se abriu. Olhou para cima e viu uma senhora de cabelos brancos entrar no quarto carregando uma caixa prateada. Ela se aproximou dele, acariciou sua cabeça e seu rosto com mãos frias e macias, tirou o curativo de sua perna, esfregou-o com algo que cheirava a rosas e depois acenou com as mãos sobre seu corpo três vezes.

Após o último movimento das mãos da velha senhora, tudo desapareceu, e ele se sentiu afundando no mais profundo sono, não se lembrando de mais nada até acordar.

A lua lançava uma luz fraca através do porão, e a casa estava cheia de alvoroço. Havia um murmúrio carregado, muito pesado; um choque e um tilintar de armas, as vozes dos homens e os gritos das mulheres misturados com mugidos horríveis, que soavam vitoriosos. Os goblins estavam dentro da casa!

O menino saltou da cama, apressou-se a vestir algumas de suas roupas, sem esquecer dos sapatos armados com pregos. Depois, espiou uma velha faca de caça pendurada na parede e a pegou. Começou a correr pelas escadas, guiado pelos sons da luta que se intensificavam cada vez mais.

Quando chegou ao andar térreo, encontrou o lugar todo invadido por uma espécie de cardume. Todos os goblins da montanha pareciam reunidos ali! Correu entre eles, gritando:

Um, dois,
Bate e puxa!
Três, quatro,
Estica e amassa!

A cada rima ele desferia um grande golpe sobre cada pé, cortando, ao mesmo tempo seus rostos, na mais selvagem das danças. Assim espalhou os sabugos em todas as direções: escalava armários, escadas, chaminés, vigas e até mesmo descia às adegas.

Curdie continuou pisando, cortando e cantando, e não viu as pessoas da casa até chegar ao grande salão. No momento em que o adentrou ouviu um grande grito de goblin. O último dos homens armados, o próprio capitão, estava no chão enterrado sob uma multidão confusa de goblins. Enquanto cada cavaleiro estava ocupado se defendendo com facadas nos grossos corpos dos goblins, a rainha havia atacado as pernas e os pés de *sir* Walter com seu horrível sapato de granito, e ele logo caíra ao chão, mas o capitão havia colocado suas costas contra a parede e conseguia resistir por mais tempo.

Os goblins teriam despedaçado todos os empregados reais, mas seu rei havia dado ordens para levá-los vivos, e sobre cada um deles, em doze grupos, estava um amontoado de goblins, enquanto todos os que podiam encontrar espaço estavam sentados sobre seus corpos prostrados.

Curdie irrompeu em uma dança, girando, golpeando e cantando, como um pequeno redemoinho encarnado.

Se só há problemas, senhor,
Nunca tropece em dilemas:
Como sapatos sem sola,
Ou goblins sem alma.

Mas ela está de pé, senhor,
Rainha de um sapato só:
Sapato de granito? Eu grito,
Sim, senhor, granito é mito...

A rainha deu um uivo de raiva e desgosto, porém, antes que pudesse recuperar sua presença de espírito, Curdie já havia conseguido reunir onze dos cavaleiros do rei e deixá-los de pé novamente.

– Golpeiem os pés dos goblins! – ele gritava para os homens que se levantavam e, em poucos minutos, o salão estava quase vazio.

Os goblins correram dali o mais rápido que puderam, uivando, gritando, coxeando e acovardando-se. De vez em quando paravam para acariciar os pés feridos com as mãos duras e para protegê-los dos assustadores golpes dos homens armados.

Curdie agora se aproximava do grupo que, ao confiar na rainha e em seu sapato, mantinha guarda sobre o capitão prostrado.

O rei encontrava-se sentado sobre a cabeça do capitão. Já a rainha estava à frente, como uma gata enfurecida, com seus olhos esverdeados brilhando e cabelos em pé na metade da horrível cabeça. Seu coração tremia, no entanto, e ela continuava se movendo em torno de seu pé de pelúcia com nervosa apreensão.

Quando o garoto estava a poucos passos, ela correu em sua direção para lhe aplicar uma tremenda pisada no pé, que felizmente ele retirou a tempo. A enfurecida rainha o pegou pela cintura para arrastá-lo no chão de mármore, mas assim que o agarrou, Curdie desceu com todo o peso de seu sapato de ferro sobre o pé de pele da soberana que, com um uivo horrível, deixou-o cair agachado ao chão.

Enquanto isso, os outros homens se apressaram sobre o rei goblin e seu guarda-costas, dando-lhes uma surra e levantando, por fim, o capitão que estava quase morto sob tamanha pressão. Passaram-se alguns momentos até que ele conseguisse recuperar a respiração e a consciência.

– Onde está a princesa? – gritou Curdie diversas vezes.

Ninguém sabia, e todos correram em busca da menina.

Por todos os cômodos da casa procuraram, mas em vão. Não a encontraram! Também nenhum dos criados foi avistado. Curdie, que tinha ficado na parte inferior da casa, agora suficientemente quieta, começou a ouvir um som confuso, um burburinho distante, e partiu para descobrir de onde vinha.

O barulho crescia conforme sua audição aguçada o guiava para uma escada e em seguida para a adega. Estava cheia de goblins, a quem o mordomo fornecia vinho o mais rapidamente possível.

Enquanto a rainha e seu marido haviam encontrado os homens armados, Harelip com outra turma de sabugos tinham saído para revistar a casa. Eles capturaram todos que encontraram e, quando não puderam achar mais ninguém, apressaram-se em levá-los para as cavernas no subsolo.

O mordomo, que estava entre eles, descobriu que o caminho passava pela adega e se empenhou em convencê-los a provar os vinhos. Como esperava, eles não demoraram a degustar mais do que queriam, ou deveriam.

Os goblins redirecionados para a entrada da caverna se juntaram ao grupo e, quando Curdie entrou, estavam todos embriagados. Recipientes de todos os tipos, desde caçarolas até copos de prata, eram pressionados ao redor do mordomo, que se sentava à torneira de um enorme barril, servindo vinho incessantemente.

Curdie lançou um olhar ao redor antes de iniciar o ataque e viu, ao canto mais distante, um grupo aterrorizado de empregados domésticos inexperientes, que se acovardavam sem coragem para tentar uma fuga. Entre eles estava o rosto apavorado de Lootie. No entanto, em nenhum lugar viu a princesa.

Assustado com a horrível convicção de que Harelip já a havia transportado, ele se apressou a passar, incapaz de cantar, porém pisoteando os goblins mais furiosamente que nunca.

– Pisem nos pés deles, pisem com força! – gritou e, em um momento, os goblins estavam desaparecendo pelo buraco no chão como ratos.

Eles não puderam sumir tão rapidamente assim, no entanto, por isso muitos goblins mancavam pelos caminhos subterrâneos da montanha no dia seguinte.

No momento, porém, a luta continuava e os goblins receberam reforços de seu rei e da rainha temível à sua frente. Encontrando Curdie novamente, dessa vez ocupado entre seus infelizes súditos, a rainha correu para se vingar com a fúria do desespero e lhe causou um grave machucado no pé. Então uma briga se travou entre os dois: Curdie com a ponta de sua faca de caça a impedia de apertá-lo com os poderosos braços, enquanto esperava uma chance de conseguir dar mais uma boa pisada em seu pé. Contudo, a rainha estava mais cautelosa e mais ágil do que nunca.

Os goblins remanescentes, entretanto, vendo seu adversário ocupado com a rainha, voltaram-se para o grupo de mulheres que tremia a um canto. Como que determinado a imitar o pai e ter uma mulher-sol para compartilhar seu futuro trono, Harelip foi até elas, pegou Lootie e correu rumo ao buraco.

A moça gritou e Curdie a ouviu, vendo a situação em que se encontrava. Reunindo todas as suas forças, com a faca fez um corte repentino no rosto da rainha, pisou como todo o peso do corpo em seu pé mais frágil e saltou para o resgate de Lootie.

O príncipe tinha os dois pés indefesos, e o garoto pisou em ambos quando chegou ao buraco. Harelip deixou cair sua carga e rolou gritando para a terra. Curdie deu-lhe uma facada e se voltou para Lootie, que já estava sem sentidos. Tendo-a arrastado de volta para o canto, preparou-se mais uma vez para encontrar a rainha.

O rosto da governante jorrava sangue e seus olhos furiosos brilhavam novamente com uma luz verde. Aproximou-se com a boca aberta e os dentes à mostra como os de um tigre, seguida pelo rei e o principal guarda-costas dos sabugos. Mas, no mesmo momento, chegaram correndo o capitão e seus homens, atacando-os furiosamente. Os goblins não ousaram enfrentá-los e fugiram apressados, com a rainha à frente.

O correto teria sido levar os monarcas como prisioneiros e mantê-los como reféns para o bem da princesa, no entanto estavam tão ansiosos para encontrar a menina que ninguém pensou em detê-los até que fosse tarde demais.

Tendo assim resgatado os criados, começaram a revistar a casa mais uma vez, mas ninguém pôde dar a mínima informação a respeito da princesa. Lootie era um poço de terror e, embora dificilmente conseguisse andar, não saía do lado de Curdie nem por um momento.

Novamente ele insistiu que os outros revistassem o restante da casa onde, exceto por um goblin desolado que espreitava aqui e ali, não encontraram ninguém.

O garoto pediu então a Lootie que o levasse ao quarto da princesa. A moça estava tão submissa e obediente a ele quanto ao rei. Encontraram os lençóis espalhados pelo chão; as roupas de Irene estavam jogadas por todo o quarto, que se encontrava na maior confusão. Era evidente que os goblins tinham estado ali, e Curdie não tinha dúvidas de que ela havia sido transportada logo no início da viagem.

Com uma pontada de desespero, viu como tinham errado em não prender o rei, a rainha e o príncipe, entretanto estava determinado a encontrar e resgatar a menina, como ela o havia achado e salvado, ou até mesmo enfrentar o pior destino ao qual os goblins o poderiam condenar.

O guia de Curdie

O consolo da sua resolução o fez pensar em voltar para a adega, para seguir os goblins pelo buraco cavado. Naquele momento, algo tocou sua mão; foi um toque sutil e, quando olhou, não percebeu nada. Sentindo e espreitando no escuro do amanhecer, seus dedos se depararam com um fio tenso.

Olhou novamente de forma rigorosa e ainda assim não conseguiu avistar nada nem ninguém, e passou-lhe à mente que aquele devia ser o fio da princesa.

Sem dizer uma palavra, pois sabia que ninguém acreditaria nele, seguiu a linha com o dedo, conseguindo escapar de Lootie. Logo saiu da casa e, na encosta do monte, foi surpreendido pelo pensamento de que se o fio fosse realmente o mensageiro da avó, deveria ter conduzido a princesa para a montanha, como ele supunha, onde a senhora teria certeza de que encontraria os goblins voltando furiosos de sua derrota.

Dessa forma, apressou-se na esperança de ultrapassá-los. Quando chegou ao lugar onde o caminho se desviava para a mina, no entanto, descobriu que o fio não o acompanhava, mas sim subia diretamente a cordilheira. Será que a linha o estava levando para casa de sua mãe? Poderia a princesa estar ali?

Escalou a montanha como um de seus próprios bodes e, antes de o sol nascer, o fio o levou de fato até a porta da casa de sua mãe. Lá o fio desapareceu de seus dedos e ele não conseguiu mais encontrá-lo, por mais que procurasse.

A porta estava destrancada, e ele entrou. Sua mãe estava sentada junto ao fogo, e em seus braços acomodava-se a princesa, dormindo profundamente.

– Silêncio, Curdie! – pediu a mãe. – Não a acorde. Estou tão feliz que você tenha vindo! Pensei que os sabugos o tivessem pego outra vez!

Com o coração cheio de alegria, o jovem mineiro sentou-se a um canto da lareira, em um banco em frente à cadeira da mãe e olhou para a princesa, que dormia tão pacificamente como se estivesse em sua própria cama. Repentinamente a menina abriu os olhos e fixou-os nele.

– Oh, Curdie! Você veio – disse calmamente. – Achei que viria!

O garoto se levantou e ficou diante dela com os olhos abatidos.

– Irene – disse ele –, lamento muito por não ter acreditado em você.

– Oh, não importa! – respondeu a princesa. – Você não tinha como saber que eu dizia a verdade. Acredita em mim agora, não é mesmo?

– Não posso evitar... eu deveria ter ajudado antes.

– Por que você não pode ajudar agora?

– Porque, quando eu estava indo para a montanha à sua procura, eu peguei seu fio, que me trouxe até aqui.

– Então você veio da minha casa, não é?

– Sim, eu vim.

– Não sabia que você estava lá.

– Estive lá por dois ou três dias, creio eu.

– E eu nunca soube! Então talvez possa me dizer por que minha avó me trouxe aqui? Eu não consigo pensar em algum motivo; algo me despertou e eu não sabia ao certo o que era, mas estava assustada e chamei pelo fio que logo apareceu lá! Fiquei ainda mais apavorada quando ele me trouxe para fora da montanha, pois pensei que me levaria novamente para dentro da caverna. Achei que você estava de novo em apuros e eu tinha de tirá-lo de lá, contudo ele me trouxe até aqui... E, oh, Curdie, sua mãe tem sido tão gentil comigo, parece minha própria avó!

A mãe de Curdie abraçou a menina, que sorriu com doçura e a beijou.

– Então você não viu os sabugos? – Curdie perguntou.

– Não, eu não estive na montanha, como lhe contei.

– Os goblins entraram em sua casa, espalharam-se por todos os andares, entraram até em seu quarto!

– O que eles queriam lá? Foi muito grosseiro da parte deles.

– Queriam que você fosse levada para a montanha para ser esposa do príncipe deles, chamado Harelip.

– Oh, que horror – gritou a princesa, estremecendo.

– Não precisa ter medo, pois sua avó cuida de você.

– Ah! Você acredita na minha avó, então? Estou tão feliz! Ela me fez pensar que um dia você acreditaria.

Imediatamente o menino se lembrou de seu sonho e ficou em silêncio, pensando.

– Mas como você ficou em minha casa sem eu saber? – perguntou a princesa.

Então o garoto teve de explicar tudo: como havia sido ferido no jardim da casa dela, como ficara isolado de todos em um quarto, e, ali, no silêncio, como ouvira o barulho dos goblins abaixo da terra, cada vez mais próximo, até a chegada da bela senhora idosa, e tudo o mais que se seguiu.

– Pobre Curdie! Deitado ali, machucado e doente, sem eu nunca ter sabido! – exclamou Irene, acariciando sua mão áspera. – Eu teria cuidado de você se eles me tivessem dito.

– Eu não percebi que você estava mancando – disse sua mãe.

– Estou, mãe? Ah sim, suponho que eu devo estar! Eu nem pensei mais nisso desde que me levantei para me atirar entre os sabugos!

– Deixe-me ver a ferida – disse a mulher.

Ele puxou para baixo a meia, quando eis que, exceto por uma grande cicatriz, sua perna estava perfeitamente sã! Curdie e a mãe olhavam nos olhos um do outro, cheios de admiração, mas Irene gritou:

– Foi o que pensei! Tinha certeza de que não era um sonho e que minha avó realmente tinha ido vê-lo. Você não sentiu o cheiro das rosas? Foi minha avó que curou sua perna e o mandou para me ajudar.

– Não, princesa Irene – disse Curdie –, eu não era suficientemente bom para poder ajudá-la... não acreditei em você. Sua avó cuidou muito bem de você sem mim.

– Ela o enviou para ajudar meu povo, de qualquer forma. Gostaria que meu rei papai viesse. Quero lhe contar como você tem sido bom!

– Mas – disse a mãe – estamos esquecendo o quanto seu povo deve estar assustado. Você deve levar a princesa para casa imediatamente, Curdie, ou pelo menos ir e lhes dizer onde ela está e que está bem e segura.

– Sim, mãe. Só que estou com uma fome terrível, então me deixe tomar o café da manhã primeiro. Eles deveriam ter me escutado e não teriam sido pegos de surpresa como foram...

– Isso é verdade, mas você não deve culpá-los por isso. Você se lembra?

– Sim, mãe, eu me lembro. Somente preciso comer alguma coisa e irei até a casa do rei.

– Você deve, meu filho. Vou preparar seu lanche o mais rápido que puder – disse a mãe, levantando-se e colocando a princesa na cadeira.

Mas antes que o café da manhã estivesse pronto, Curdie saltou tão repentinamente que assustou a ambas.

– Mãe, mãe! – ele gritou. – Você mesma deve levar a princesa para casa. Devo acordar meu pai.

Sem uma palavra de explicação, correu para o lugar onde o pai estava dormindo. Tendo-o despertado completamente com o que lhe disse, saíram apressados da casa.

Alvenaria

Curdie havia repentinamente se lembrado da resolução dos goblins de realizar seu segundo plano em caso de fracasso do primeiro. Sem dúvida já se ocupavam disso, e a mina estava, portanto, em grande perigo de ser inundada e se tornar inútil, sem falar do grande risco à vida dos mineiros.

Quando chegou à entrada do garimpo, depois de despertar todos os homens ao seu alcance, encontrou também o pai, que reunira um bom número de outros mineiros que acabavam de chegar. Todos correram para o trecho onde ele havia encontrado um caminho para a terra dos goblins.

Ali alguns mineiros já avisados por Peter haviam separado muitos blocos de pedra, com cimento pronto para reforçar o lugar enfraquecido pelas escavações dos goblins.

Embora não houvesse espaço para mais de dois homens construírem ao mesmo tempo, conseguiram, colocando todo o restante dos mineiros para trabalhar na preparação dos materiais necessários, terminar no decorrer do dia uma enorme fortaleza, enchendo toda a parede, apoiada pela rocha viva. Antes mesmo da hora em que normalmente deixavam o trabalho, a mina estava bastante segura.

Eles tinham ouvido martelos e picaretas de goblins ocupados o tempo todo e imaginavam sons de água que nunca tinham escutado antes. Mas isso não foi levado em conta quando deixaram a mina, pois, ao saírem, depararam-se com uma tremenda tempestade que se espalhava por toda a montanha.

O trovão rugia e os relâmpagos saíam de uma enorme nuvem negra que pendurava suas bordas de névoa espessa sobre a paisagem. Pelo estado dos riachos, agora inchados em torrentes furiosas, era evidente que a tempestade duraria todo o dia.

O vento soprava fortemente, ameaçando lançá-lo montanha abaixo. Temeroso por sua mãe e pela princesa, Curdie arriscou-se a atravessar o temporal. Mesmo que elas não tivessem partido antes da tempestade, não as considerava seguras, pois sob aquela tormenta, sua pobre casinha era bastante frágil.

De fato, logo descobriu que, não fosse pela rocha enorme contra a qual fora construída e que a protegia tanto das explosões quanto das águas, ela teria sido varrida ou derrubada. A rocha separou em duas torrentes a correnteza da água, que voltou a se unir novamente em frente à cabana, formando dois riachos perigosos que a mãe e a princesa não poderiam atravessar. Foi com grande dificuldade que forçou caminho através de um deles até a porta da casa.

No momento em que tocou no trinco, em meio a toda agitação dos ventos e das águas, veio o grito alegre da princesa:

– Lá está o Curdie! Curdie! Curdie!

Ela estava sentada envolta em cobertores sobre a cama, e sua mãe tentava pela centésima vez acender o fogo que havia sido afogado pela chuva que descia pela chaminé. O chão de barro era uma massa de lama, e todo o lugar parecia miserável.

Mas o rosto da mãe e da princesa brilhavam como se seus problemas só as tornassem mais alegres. Curdie desatou a rir ao vê-las.

– Eu nunca me diverti tanto – disse a princesa com seus olhos cintilantes e seus lindos dentes brilhantes. – Como deve ser bom viver em uma cabana na montanha!

– Tudo depende do tipo de lar que ela é – disse a mãe.

– Eu sei o que você quer dizer – falou Irene. – Minha avó sempre diz isso...

Quando Peter voltou, a tormentosa chuva estava quase terminando. Os riachos estavam tão ferozes e repletos que estava fora de questão a princesa descer a montanha, e também para Peter ou Curdie fazer a tentativa de conduzi-la para casa na escuridão.

– Eles devem estar apavorados com sua ausência – disse Peter à princesa –, no entanto, não podemos fazer nada. Devemos esperar até amanhã para levá-la para casa.

Com a ajuda de Curdie, o fogo foi finalmente aceso, e a mãe começou a preparar o jantar. Depois da refeição, todos contaram a Irene histórias até que ela ficasse com sono, então a mãe de Curdie a deitou na cama do garoto, e ele se acomodou em um minúsculo quarto de vestir.

Assim que estava acomodada para dormir, através de uma pequena janela baixa no telhado, a menina avistou a lâmpada da avó brilhando bem longe. Ficou contemplando o belo globo prateado até adormecer.

O rei e o beijo

Na manhã seguinte, o sol se levantou tão claro que a princesa disse que a chuva o tinha lavado para deixar sua luz mais brilhante. As enxurradas ainda rugiam pela lateral da montanha, mas eram muito menores e sem perigo.

Depois do café da manhã, Peter foi ao trabalho. Curdie e a mãe partiram para levar Irene para casa. Tiveram dificuldade em mantê-la seca através dos córregos, e Curdie teve de carregá-la vez e outra.

Entretanto, finalmente estavam seguros na parte mais alta e ampla da estrada e caminharam suavemente até a casa real. O que avistaram quando viraram a última esquina foi a tropa do rei adentrando o portão!

– Oh, Curdie! – exclamou Irene, batendo palmas com alegria –, meu rei papai está chegando.

No momento em que o garoto ouviu isso, pegou-a nos braços e partiu a toda velocidade, chorando:

– Vamos lá, querida mãe! O rei ficará com o coração partido antes que saiba que ela está segura.

A princesa agarrou-se em volta de seu pescoço, e ele correu com a menina nos braços. Quando passou pelo portão da corte, lá estava o rei em seu cavalo, com todas as pessoas da casa ao seu redor, lamentando muito pelo sumiço da amada filha.

O monarca não estava chorando, mas seu rosto era branco como o de um homem morto, parecendo que a vida tinha se esvaído dele. Os homens armados que o acompanhavam estavam horrorizados, os olhos faiscando de raiva, esperando apenas a palavra do rei para fazer algo, não sabendo exatamente o quê. Ninguém sabia como agir.

No dia anterior, os soldados pertencentes à casa, assim que ficaram convencidos de que a princesa havia sido levada, correram atrás dos goblins para o buraco. Infelizmente descobriram que os sabugos já o tinham habilmente bloqueado, não muitos metros abaixo do porão. Sem mineiros e suas ferramentas, não podiam fazer nada.

Nenhum deles tinha conhecimento de onde a boca da mina estava, e alguns dos que tinham se prontificado a encontrá-la tinham sido surpreendidos pela tempestade e ainda não haviam retornado.

O pobre *sir* Walter estava especialmente cheio de vergonha e até esperava que o rei ordenasse que sua cabeça fosse cortada, pois pensar naquele doce rosto da princesa entre os goblins era insuportável.

Quando Curdie correu para o portão com a princesa nos braços, estavam todos tão absorvidos em sua própria tristeza e admirados pela presença e desolação do rei que ninguém observou sua chegada.

Ele se aproximou rapidamente do monarca, que permanecia sentado em seu cavalo.

– Papai! Papai! – Irene gritou, estendendo os braços. – Aqui estou!

O rei arregalou os olhos e deu um grito inarticulado, e a cor voltou para seu rosto. Curdie ergueu a menina e o governante se inclinou para pegá-la nos braços. Enquanto a apertava contra o peito, lágrimas grandes caíam em profusão por seu rosto e sua barba. Todos os espectadores e até os cavalos gritaram em uníssono, assustados e agitados, fazendo com que as rochas da montanha ecoassem de volta os ruídos.

A princesa cumprimentou a todos enquanto se aninhava no peito do pai, que não a soltou até que ela lhe relatasse toda a história, mas tinha mais a falar sobre Curdie do que a respeito de si mesma. Além disso, o que ela explicou de sua própria história ninguém conseguiu compreender, exceto o rei e Curdie, que estava ao lado, acariciando o pescoço do grande cavalo branco.

Ainda assim, quando ela contou o que o bravo menino fizera, *sir* Walter e outros acrescentaram adjetivos ao que ela dissera e até Lootie se juntou aos louvores de sua coragem e energia.

Curdie manteve a serenidade, olhando calmamente para cima, nos olhos do rei. Sua mãe estava nos arredores da multidão ouvindo com satisfação, pois os atos do filho eram agradáveis a seus ouvidos, até que a princesa a viu.

– E há sua mãe, rei papai! – acrescentou. – Veja-a ali, é uma mãe tão boa e tem sido muito gentil comigo!

Todos abriram caminho ao sinal do rei para a mulher se apresentar. A senhora obedeceu e aceitou a mão de Sua Majestade, mas nada falou.

– E agora, rei papai – a princesa continuou –, devo lhe dizer outra coisa. Noites atrás, Curdie levou os goblins embora e trouxe Lootie e a mim a salvo da montanha, e eu lhe havia prometido um beijo quando chegamos em casa, mas Lootie não me permitiu. Não quero que você a repreenda, mas gostaria que lhe explicasse que princesas devem cumprir suas promessas.

– Na verdade, sempre devem, minha filha, exceto quando estão erradas – disse o rei. – Mas vá e dê um beijo em Curdie. – Enquanto falava, segurou-a em direção ao garoto.

Irene se abaixou, jogou os braços em volta do pescoço de Curdie e o beijou na boca, dizendo:

– Curdie! Aqui está o beijo que eu prometi a você!

Então, todos foram para a casa, a cozinheira correu para a cozinha e os servos para o seu trabalho. A babá vestiu Irene com as roupas mais belas e o rei tirou sua armadura, vestindo-se de roxo e dourado. Enviou um mensageiro para Peter e os mineiros, e serviu um grande banquete que continuou por muito tempo depois que a princesa foi colocada na cama.

As águas subterrâneas

O harpista do rei, que sempre fazia parte de sua escolta, cantava uma balada que compôs a respeito da princesa, os goblins e a proeza de Curdie, quando subitamente parou, com os olhos fixos em uma das portas do salão. Os olhos do governante e de seus convidados também se voltaram para lá.

No momento seguinte, através da porta aberta, a princesa Irene deu alguns passos e caminhou diretamente até o pai, com a mão direita esticada um pouco de lado e seu indicador, como o pai e Curdie entenderam, sentindo seu caminho ao longo do fio invisível.

O rei a colocou sentada sobre os joelhos, e ela disse ao seu ouvido:

– Rei papai, você ouve esse barulho?

– Eu não ouço nada – disse o pai.

– Ouça – disse ela, segurando o dedo indicador.

O rei se calou e uma grande quietude caiu sobre a casa. Cada homem, vendo que Sua Alteza apurava a escuta, também o fazia. O harpista se sentou com seu instrumento entre os braços e o dedo em silêncio sobre as cordas.

– Eu ouço algo – disse o rei pausadamente – parecido com o som de um trovão distante. Parece estar se aproximando cada vez mais. O que pode ser?

Todos o ouviam, e cada um parecia pronto para se levantar enquanto escutava, no entanto ficaram absolutamente quietos. O som aproximava-se rapidamente.

– O que pode ser? – insistiu o rei.

– Acho que deve ser outra tempestade vindo sobre a montanha – disse *sir* Walter.

Então Curdie, que na primeira palavra do rei tinha escorregado da cadeira e colocado a orelha no chão, levantou-se rapidamente. Aproximando-se do rei disse:

– Por favor, Majestade, acho que sei o que é isso. Não tenho tempo para explicar, pois a demora pode fazer com que seja tarde demais para alguns de nós. Por favor, Vossa Majestade, poderia dar ordens para que todos deixem a casa o mais rápido possível e subam a montanha?

O rei, que era o homem mais sábio do reino, compreendia bem que havia momentos em que as atitudes deviam ser tomadas e as perguntas deixadas para depois. Possuía fé em Curdie e se levantou instantaneamente, com Irene nos braços.

– Cada homem e cada mulher devem me acompanhar – ordenou e se lançou na escuridão.

O barulho já se transformara em um grande rugido estrondoso e o chão tremia sob seus pés. Antes que o último deles tivesse atravessado a quadra, logo depois que saíram da grande porta do salão, veio uma enorme avalanche de água turva, que quase os varreu para longe, mas eles escaparam a salvo e subiram a montanha enquanto a torrente rugia pela estrada em direção ao vale abaixo.

Curdie havia deixado o rei e a princesa para cuidar da mãe. Ele e o pai, um de cada lado, apanharam-na quando o riacho os atingiu e conseguiram manter-se a salvo e secos. Quando o rei saiu do caminho da água, um pouco acima da montanha, ficou com Irene nos braços, olhando com espanto para a enxurrada que brilhava feroz e espumosa ao brilho noturno. Lá, Curdie voltou a se juntar ao grupo.

– Agora, Curdie – disse o rei –, explique-me o que significa isso. Era o que você esperava?

– Sim, Vossa Majestade – disse Curdie, que prosseguiu contando-lhe sobre o segundo esquema dos goblins que, imaginando-se superiores a quaisquer outros, tinham resolvido que, se não conseguissem carregar a filha do rei, inundariam a mina e afogariam os mineiros humanos. Então, ele explicou o que haviam feito para evitar o maléfico plano.

Os goblins tinham, em busca de efetivar seu projeto, soltado todos os reservatórios e riachos subterrâneos, esperando que a água descesse até a mina, que era mais baixa do que a parte que eles habitavam na montanha. Haviam quebrado uma passagem para dentro dela, não sabendo da parede sólida que tinha sido construída recentemente por Peter e os mineiros. Porém a saída mais fácil que a água encontrara era o túnel que os goblins fizeram para a casa do rei, cuja possibilidade de catástrofe não havia ocorrido para o jovem mineiro até que ele tivesse colocado a orelha no chão do salão.

O que deveria ser feito então? A casa parecia prestes a desabar e a cada momento o fluxo de água aumentava.

– Precisamos partir imediatamente – disse o rei. – Mas como chegaremos até os cavalos?

– Permite que eu tente resolver isso? – Curdie sugeriu.

– Sim – disse o rei.

Curdie reuniu os soldados armados e levou-os sobre o muro do jardim e, assim, até os estábulos. Encontraram os cavalos aterrorizados, a água subia rapidamente e já estava quase em seu limite. Não havia maneira de tirá-los de lá, exceto cavalgando-os pelo riacho, que agora jorrava das janelas inferiores, bem como da porta. Curdie montou o cavalo branco do rei e, liderando o caminho, levou todos em segurança até o solo ascendente.

– Olhe, olhe, Curdie! – gritou Irene, no momento em que, depois de desmontado, ele conduziu o cavalo até o rei.

O garoto avistou no alto, em algum lugar no topo da casa do rei, um grande globo de luz brilhando como a prata mais pura.

Ele gritou com alguma consternação:

– Essa é a lâmpada da sua avó, temos que tirá-la de lá. Eu irei procurá-la. A casa pode cair!

– Minha avó não está em perigo – Irene lhe garantiu, sorrindo.

– Aqui, Curdie, segure a princesa enquanto subo em meu cavalo – disse o rei.

O corajoso menino pegou a princesa, e ambos voltaram os olhos para o globo luminescente. No mesmo momento, disparou dele um pássaro branco que, descendo com asas estendidas, fez um círculo em volta do rei, de Curdie e da princesa, e depois voou novamente para cima. A luz e o pombo desapareceram juntos.

– Agora – disse a princesa, enquanto ele a elevava aos braços do pai – você vê que minha avó sabe de tudo sobre isso e não tem medo. Acredito que ela poderia caminhar através daquela água e não se molharia nem um pouco.

– Minha filha – disse o rei –, você ficará com frio se não tiver algo mais para vestir. Corra, Curdie, meu filho, e pegue qualquer coisa que encontrar para manter a princesa aquecida. Temos uma longa viagem pela frente.

Curdie se foi em um momento e logo voltou com uma grande pele bastante extensa, juntamente com a notícia de que os goblins mortos estavam sendo carregados pela correnteza para fora da casa. Eles haviam sido apanhados em sua própria armadilha e, em vez da mina, tinham inundado seu próprio país, de onde foram varridos afogados.

Irene estremeceu, mas o rei a segurou junto ao peito. Em seguida se voltou para *sir* Walter e ordenou:

— Traga aqui o pai e a mãe de Curdie.

Após um breve momento, sua ordem foi cumprida.

— Eu desejo — disse o rei, quando eles se apresentaram — levar seu filho comigo. Ele entrará imediatamente para minha guarda pessoal e aguardará mais promoções.

Peter e a esposa, surpreendidos, murmuravam inaudíveis agradecimentos. Mas Curdie se antecipou e falou em voz alta:

— Por favor, Majestade, não posso deixar meu pai e minha mãe.

— É isso mesmo, Curdie! — gritou a princesa. — Eu também não o faria se fosse você.

O rei olhou para a princesa e depois para Curdie com um brilho de satisfação no semblante.

— Acho que você está certo — disse ele —, e não vou pedir novamente, no entanto, sei que terei a chance de fazer algo por você um dia.

— Vossa Majestade já me permitiu servi-lo — disse Curdie.

— Mas — disse a mãe — por que você não deveria ir com o rei? Podemos ficar muito bem sem você.

— Mas eu não ficarei bem sem vocês — disse o garoto. — O rei é muito gentil, porém eu não teria a metade da serventia para ele em comparação à utilidade que tenho para vocês. Por favor, Vossa Majestade, se não se importa, eu gostaria de pedir uma saia de lã vermelha para minha mãe! Eu deveria ter conseguido uma há muito tempo, mas por causa dos goblins...

— Assim que chegarmos em casa — disse o rei —, Irene e eu procuraremos a saia mais quente que encontrarmos e a enviaremos por um dos cavaleiros.

— Sim, faremos isso, Curdie! — exclamou a princesa. — E no próximo inverno voltaremos para vê-la usando — acrescentou ela. — Não vamos, papai?

— Sim, meu amor, espero que sim — disse o rei.

Depois, voltando-se para os mineiros, disse:

— Vocês farão o melhor que puderem pelos meus servos esta noite? Espero que eles possam voltar para a casa amanhã.

Os mineiros, em uníssono, prometeram hospitalidade. Então o rei ordenou a seus servos para prestarem atenção a todas as orientações de Curdie e apertou sua mão, a de seu pai e de sua mãe.

Assim o rei, a princesa e toda a sua comitiva cavalgaram pela lateral do novo riacho, que já havia devorado metade da estrada, em meio à noite estrelada.

O último capítulo

Todos os demais empregados subiram a montanha, separaram-se em grupos e foram para as casas dos mineiros. Curdie, o pai e a mãe levaram Lootie consigo. Por todo o caminho, uma luz, da qual todos, menos Lootie, compreenderam a origem, brilhou. Mas, quando olharam em volta, não puderam mais ver o globo prateado.

Durante dias e dias a água continuou a correr das portas e janelas da casa do rei e mais alguns corpos de goblins foram varridos para a estrada.

Curdie viu que algo precisava ser feito. Falou com o pai e com o restante dos mineiros e eles imediatamente começaram a construir outra saída para as águas.

Ao colocarem todas as mãos no trabalho, fazendo túneis aqui e construindo ali, logo conseguiram. E, tendo também feito um pequeno túnel para drenar a água de debaixo da casa do rei, rapidamente conseguiram entrar na adega, onde encontraram uma multidão de goblins mortos, dentre os quais a rainha, com o sapato de pele e o de pedra afundado no tornozelo.

A água havia varrido a barricada que impedira que os homens seguissem os goblins e ampliara muito a passagem. Assim, os montanheses a reconstruíram com segurança e depois voltaram ao trabalho na mina.

Uma boa parte dos goblins e suas criaturas escapou da inundação na montanha, contudo, por consequência, a maioria deles deixou aquela parte do país. A grande parcela dos que permaneceram tornou-se mais branda em caráter e, de fato, muitos se pareciam com os brownies escoceses[2]. Seus crânios ficaram mais macios, assim como seus corações. Em contrapartida, seus pés endureceram.

Aos poucos se mostraram amigáveis com os habitantes da montanha e até mesmo com os mineiros. Infelizmente, estes últimos foram impiedosos com os goblins que se colocaram em seu caminho, até que desapareceram por completo.

O restante da história da princesa com Curdie deve ser guardado para o próximo livro.

---

[2] Os "brownies" pertencem a uma antiga lenda escocesa. Eram espíritos ou goblins de boa índole, da ordem das fadas. Eram todos homenzinhos que apareciam apenas à noite para realizar boas ações ou desfrutar de brincadeiras inofensivas. Nenhuma pessoa, exceto as dotadas de segunda visão, geralmente mulheres idosas, podia vê-los. Eram chamados de "brownies" por causa de sua cor, que se dizia ser marrom devido à sua constante exposição a todos os tipos de clima. (N.T.)

Sobre o autor e suas obras

George MacDonald (1824-1905), romancista da vida escocesa, poeta e escritor de histórias cristãs, é lembrado principalmente, no entanto, por seus contos de fadas, que continuam a encantar as crianças. Tornou-se ministro cristão, depois pregador e conferencista. Em 1855 publicou uma tragédia poética, *Within and Without* (*Dentro e fora*, em tradução livre), e a partir de então fez da literatura sua profissão.

Alguns bons exemplos de suas obras para adultos são *Phantastes: A Faerie Romance for Men and Women* (1858) (Phantastes: um conto de fadas para homens e mulheres) e *Lilith* (1895). Embora seu livro mais conhecido para crianças seja *At the Back of the North Wind* (1871) (Atrás do Vento Norte), suas melhores e mais duradouras obras são *A princesa e o goblin* (1872) e sua sequência, *A princesa e Curdie* (1873).

O uso pioneiro de Macdonald do *fantasy* como meio literário teve uma grande influência em Lewis Carroll, J. R. R. Tolkien e Madeleine L'Engle, todos grandes admiradores de seu trabalho, que tem permanecido popular até hoje. "Escrevo não para crianças, mas para as crianças, sejam elas de cinco, ou cinquenta, ou setenta e cinco anos", disse ele.